JANINE TESSIER

L'homme de la rivière

Tome 3 : Les héritiers de l'homme de la rivière

Les Éditions
COUP d'oeil

De la même auteure, aux Éditions Coup d'œil :
L'homme de la rivière, tome 1, 2016
L'homme de la rivière, tome 2. La veuve de l'artiste, 2016

Aux Éditions JCL :
Constance, 2001
Les Feux de l'aurore, tome 1, 2005
Les Feux de l'aurore, tome 2. Lise, 2006
Les rescapés de Berlin, tome 1, 2015
Les rescapés de Berlin, tome 2, 2015

Couverture : Bérénice Junca
Conception graphique : Marjolaine Pageau

Première édition : © 2008, Les Éditions JCL, Janine Tessier
Présente édition : © 2016, Les Éditions Coup d'œil, Janine Tessier
www.boutiquegoelette.com
www.facebook.com/EditionsGoelette

Dépôts légaux : 3e trimestre 2016
Bibliothèque et Archives nationales du Québec
Bibliothèque et Archives Canada

Imprimé au Canada

ISBN : 978-2-89768-004-6
(version originale, 978-2-89431-394-7)

Cette histoire ne se veut pas une biographie. Même si elle retrace des situations véritables, elle a été amplement romancée et farcie d'épisodes fictifs. Les personnages sont le produit de mon imagination et les événements que je leur prête ne se sont pas forcément déroulés selon la chronologie des faits.

À la mémoire des ingénieurs forestiers de ma famille.
Leur souvenir reste gravé en moi.

1

« Accueillez, Seigneur, Héléna, votre fille chrétienne. Que vos anges la portent sur leurs ailes et la conduisent au paradis. Qu'elle accède au repos éternel auprès de ceux qu'elle a aimés et qui l'attendent dans la demeure céleste. »

Le curé Jourdain referma son manuel liturgique et fit le signe de la croix. Le rite de l'inhumation était terminé.

En tant que fils de la défunte, d'un geste symbolique, Antoine-Léon prit une poignée de terre et la laissa tomber sur le cercueil. De son index, il essuya délicatement ses paupières et inclina la tête. Pendant un moment, figé, ses lèvres murmurèrent une prière.

Levant les yeux, il regarda autour de lui, repéra sa sœur Marie-Laure et alla la rejoindre. Ainsi qu'il faisait alors qu'ils étaient enfants, d'un geste tendre, il prit sa main et accorda son pas au sien. L'œil douloureux, ils se dirigèrent ensemble, vers la sortie du cimetière.

À les voir ainsi déambuler : Marie-Laure, les épaules affaissées et retenant ses larmes, son frère penché vers elle dans une attitude protectrice, ils apparaissaient ainsi que deux jeunes êtres désemparés, seuls au monde, ces héritiers de l'homme de la rivière et de la veuve de l'artiste, devenus des adultes.

Les conjoints suivaient en silence. Leur regard rivé sur le sol, une enjambée derrière, ils marquaient délibérément un écart, dans le respect de leur chagrin.

Il y avait là, Olivier, l'époux de Marie-Laure et Élisabeth, l'épouse d'Antoine-Léon, de même que les enfants des deux couples.

Bertha, la compagne de David, le chef de la famille, était aussi présente. Son bras appuyé sur celui de son fils Emmanuel, elle se déplaçait, stoïque, ainsi qu'une veuve, car David n'avait pu venir. Malade, souffrant d'un cancer, ses jours étaient comptés.

Marie-Laure et Antoine-Léon n'avaient pas eu le courage d'en faire part à leur mère et Héléna était partie sans savoir, sans éprouver le chagrin qui l'avait brisée lors du décès de Cécile.

Comment trouver les mots justes, empreints de délicatesse, pour lui faire comprendre que David s'en allait, lui aussi, d'un mal semblable ?

Jean-Louis Gervais fermait le cortège familial. Il était encadré de Lina et de Marc-Aurèle, les deux enfants qu'il avait eus de Cécile, ces enfants qui constituaient, avec Emmanuel, le fils de David, les descendants d'Héléna et de son premier mari Édouard Parent, surnommé l'artiste.

Une expression de tristesse couvrait leur visage. Par ce départ de leur aïeule, et celui, prochain, de leur oncle David, ils ressentaient davantage la mort qui avait bousculé leurs jeunes vies et se faisait de plus en plus présente avec l'âge.

Georgette et Jean-Baptiste Gervais, les parents de Jean-Louis qui avaient tant apporté au couple Savoie, avaient disparu eux aussi, de même que la quasi-totalité de ceux qui avaient contribué au peuplement de ces hauteurs qu'était la Cédrière. Jusqu'à Évariste et Angélique Désilets, le père et la mère de Bertha qui étaient partis avant elle.

Le défilé s'étirait comme un long ruban noir vers la grille de fer forgé qui enclosait le champ des morts. La cadence lente de son déplacement faisait crisser les cailloux de l'allée. Le recueillement était total. Seul, un gazouillis, comme une réplique, leur parvenait des peupliers qui fermaient l'enceinte.

Antoine-Léon franchit le portail, fit un demi-tour sur lui-même et considéra le groupe qui agrandissait son cercle.

Une vive émotion monta en lui.

Le hameau tout entier était là, était venu marquer sa considéra-tion, car aujourd'hui prenait fin une époque, une véritable épopée qui allait enrichir l'histoire.

Subitement, émergea dans ses souvenirs cette marmaille bruyante, enjouée qu'ils formaient quand, chargés de leurs lourds bagages de vacanciers, ils débarquaient à la résidence familiale.

Ces escales annuelles étaient de continuels jours de fête. La demeure paisible se remplissait de galopades et d'éclats de voix. Il n'oublierait pas ce pétillement de joie qu'il lisait dans les yeux de sa mère nullement importunée par les cris de ses petits-enfants, par leurs courses folles d'un bout à l'autre de la maison, jusqu'à faire trembler les lambourdes.

Héléna était alors une jeune grand-mère, portant avec aisance sa condition de sexagénaire. Active, entreprenante, elle aimait s'entourer d'une maisonnée joyeuse, vivante, étourdissante.

Chaque été, c'était un rituel. Ses enfants devaient obligatoirement clore leurs vacances par un arrêt à Saint-Germain-du-Bas-du-Fleuve sous peine de subir ses foudres.

Antoine-Léon ne dérogeait pas à cette règle. Après avoir entraîné sa famille dans une virée à travers la province, il terminait scrupuleusement ses vacances dans son village natal. Son arrivée déclenchait chaque fois un branle-bas le long du chemin de Relais, au grand ravissement de sa mère qui voyait les voisins et amis se presser vers sa demeure pendant ces jours où ils le savaient en visite.

Ils allaient prendre des nouvelles «du p'tit gars à Léon-Marie» comme ils l'appelaient encore affectueusement. Leur précipitation s'accompagnait bien d'un peu de curiosité, ils voulaient savoir comment ce fils de bâtisseur enraciné dans ses terres avait pu, ses études terminées, se lancer dans l'aventure et aller s'exiler sur l'autre rive du fleuve.

Antoine-Léon leur pardonnait volontiers leur indiscrétion. Pendant toutes ces années, patiemment, il s'était plié à leurs demandes, avait raconté anecdote sur anecdote, les avait instruits de sa vie là-bas, de cette contrée énigmatique, soi-disant sauvage qui se pliait au progrès en grugeant peu à peu la forêt.

Secouée par le tapage des enfants pendant la journée, la maison retrouvait son calme à l'heure du souper pour, sitôt le dessert avalé, la vaisselle rangée, se remettre à fourmiller, se remplir cette fois de voisins bavards et exubérants.

Revêtue de sa plus jolie robe noire, Héléna les accueillait. Elle ne cachait pas son bonheur devant ce tourbillon comme une anabiose qui bousculait sa vie trop tranquille. Antoine-Léon retrouvait ses neveux et ses nièces : les enfants de Cécile, la petite Lina, comme il l'appelait encore, même si elle était maintenant femme et mère, le jeune Marc-Aurèle devenu un quincaillier prospère auprès de son père et le dépassant d'une tête, de même que les jumelles de Marie-Laure.

Il retrouvait aussi son frère David. Son aîné s'amenait tous les soirs sans faillir. Ses occupations d'entrepreneur terminées, l'air détaché, mordillant un cure-dent, il apparaissait sur le seuil. Il était invariablement accompagné de Bertha et de leur fils Emmanuel.

Antoine-Léon revoyait aussi avec plaisir mademoiselle Bonenfant, la vieille bonne de la famille. Fidèle à son poste, incrustée dans leurs lieux comme si elle y avait pris racine, son œil vif aux aguets, elle veillait sur sa maîtresse à la façon d'un faucon, ses grandes ailes déployées, couvant toutes griffes dehors le seul oisillon restant de sa nichée.

Mais ce qui ramenait surtout Antoine-Léon vers le passé, c'était ce geste de sa mère qui le remuait chaque fois, ce geste furtif envers le jeune adulte qu'il était devenu, tandis que, le considérant en silence, ses doigts effleuraient son épaisse crinière ondulée.

« Tu es beau, murmurait-elle, une bouffée d'émotion nouant sa gorge, tu as l'expression volontaire de ton père en même temps que ce brin de vulnérabilité qui en faisait un être si attachant. »

Il la repoussait très vite dans un éclat de rire afin de cacher son trouble, mais il agréait le compliment.

Plus grand que son père, les muscles durs et les traits réguliers, il avait le menton légèrement proéminent lui conférant une attitude frondeuse. Son regard était noir et son œil pénétrant, avec cette impression de savoir-faire et de promptitude à la réplique.

Héléna semblait apprécier ce trait de caractère qu'il avait hérité de son paternel cet illustre personnage qui avait marqué la vie de tout un village et dont chacun parlait encore sur un ton de vénération, des décennies après sa mort.

« Tu as une belle chevelure, persévérait-elle dans sa réflexion. Le seul regret que j'aie pu formuler à ton père a été d'avoir perdu la sienne. Lorsque je l'ai connu, il n'avait plus qu'une étroite couronne autour du crâne. "Comme un capucin", qu'il s'amusait à me dire pour m'enquiquiner, car il savait que je n'aimais pas les hommes chauves. Mais toi, tu as encore tous tes cheveux, quoique… »

Cette dernière fois où elle lui avait fait cette remarque, son ton avait pris une inflexion soucieuse. C'était un après-midi d'octobre, les années avaient passé et la famille était réunie sur la terrasse pour fêter ses soixante-quinze ans.

Du bout de ses doigts, avec le geste de la chapelière qu'elle avait été pendant tant d'années, elle avait frôlé ses tempes qui commençaient à se dégarnir :

« Malheureusement, j'ai bien peur que tu ne sois le digne fils de Léon-Marie Savoie. »

Antoine-Léon sourit à ce souvenir. Ses cheveux à la belle et ample ondulation qui étaient la fierté de sa mère étaient aussi la sienne. Hélas, il venait à peine de fêter ses trente-cinq ans quand il avait vu avec horreur son premier coup de peigne du matin s'ombrer d'une touffe semblable à un plumet noir comme jais.

Quoi qu'il ait fait par la suite, car il n'avait pas manqué de consulter tous les spécialistes capillaires de la ville, acheter toutes les décoctions possibles et les produits miracles, ses efforts n'avaient donné aucun résultat. Ses cheveux tombaient lentement, inexorablement.

Les années s'étaient succédé, son caractère s'était assagi, la carrure de ses épaules s'était renforcée, cependant que son front avait continué à se dégarnir, sa chevelure à poursuivre sa dégringolade pour dessiner sur son occiput une belle couronne toute pareille à celle de son père.

Héléna avait remarqué la transformation et, par la suite, n'avait plus fait aucune remarque. Quand son fils venait la voir, elle se contentait de jauger la rondeur de ses joues et la vivacité de son expression, sans s'attarder ailleurs, comme si, résignée, elle acceptait la marque inexorable de l'hérédité et du temps.

Avec les jours, l'énergique vénérable dame qu'elle avait été tout au long de sa vie, commença à montrer des signes de fatigue. Elle avait atteint ses quatre-vingt-deux ans. Le moment était venu de procéder à la difficile rupture, vendre sa vaste habitation et la convaincre de s'installer dans une résidence pour personnes âgées.

Ils s'étaient amenés un matin d'automne, David, Marie-Laure et lui-même. Ensemble, ils l'avaient aidée à disposer de son mobilier et de tous ses souvenirs et étaient allés lui réserver un coin agréable au Foyer Saint-Germain à l'ombre de l'église.

Ce jour-là avait été le dernier où il avait vu sa mère dans le cadre de sa vie active et son cœur s'était crispé de chagrin, comme une véritable brisure. Il n'oublierait pas son geste tandis qu'elle les reconduisait vers la sortie.

Debout sur le perron, très droite dans sa longue robe noire, son bras gauche prenant appui sur un poteau de la véranda, elle avait ébauché un signe de la main. Ses yeux brillaient. Il devinait qu'ils étaient voilés de larmes. Combien de fois sa mère avait-elle refoulé sa peine de le voir partir ? Occupé à ses affaires, il n'en avait pas pris garde.

Les lèvres serrées, elle s'était tenue longtemps sans bouger de sa place, cernée par le vent de la mer qui gonflait ses jupes.

Héléna, la veuve de l'artiste, était ainsi, impénétrable, seul son regard trahissait le fond de son âme.

Un flot d'émotion inonda sa poitrine à ce souvenir.

Aujourd'hui, tous ces événements étaient du passé, elle les avait quittés et on avait célébré ses funérailles.

Il jeta un regard rempli de tristesse sur les membres de leur petite agglomération qui s'étaient immobilisés dans une attente silencieuse et faisaient cercle autour de lui.

– Vous êtes tous invités à partager un repas avec nous à l'Auberge de l'anse, sur la route principale, les informa-t-il. Par la suite, nous irons rendre visite à David. Que tous ceux qui le peuvent nous accompagnent. Notre frère a été un puissant gaillard et il est aujourd'hui très malade. Il a besoin de notre réconfort.

Un fort sentiment d'appartenance, subitement, l'imprégnait. Entouré des gens du hameau, avec l'air de la mer qui fouettait son visage, son paysage tranquille, son chemin de Relais qui tortillait vers les hauteurs, c'étaient les temps révolus qui refoulaient en lui. Montait à son esprit l'époque de son adolescence, ces étés joyeux où David débutait dans le monde de la construction, où il l'embauchait dans ses chantiers, sa fierté de petit garçon qu'il éprouvait à se joindre aux menuisiers et à jouer les grands, jusqu'à en venir à osciller entre son entrée à l'université et une association avec son aîné.

Il n'oublierait pas combien sa mère en avait été furieuse, les efforts qu'elle avait multipliés pour le ramener au bon sens, son insistance sur la valeur de l'instruction, à quel point son père tenait à ce qu'il poursuive ses études et atteigne les plus hauts niveaux. Elle avait été catégorique.

– Tu vas commencer par te décrocher un diplôme. Tu verras ensuite !

Pendant un temps, il lui avait reproché son intransigeance, mais installé à Québec avec sa sœur et inscrit à l'université Laval, entraîné dans une sorte de tourbillon, il avait oublié.

***

Ils étaient arrivés devant la demeure de David.

C'était une belle propriété habillée de pierres grises, à l'allure soignée et spacieuse, sise sur un promontoire, qui offrait une vue impressionnante sur la mer. Entourée de gazon et de fleurs, sans aucun arbre pour jeter un peu d'ombre sur sa beauté architecturale et le modelé de ses formes, elle représentait la maison type de l'entrepreneur prospère.

David en avait ainsi décidé. Conscient de la splendeur du site, il avait lui-même conçu les plans et choisi la nudité extérieure, afin de se gorger partout où il se trouverait du moindre détail de la mer sans la plus légère diversion.

Imaginatif, il avait fait construire dans chacune des pièces de la résidence des avancées vitrées qui captaient le soleil, afin de profiter du magnifique panorama même depuis l'intérieur.

Aujourd'hui, avec la souffrance qui l'emmurait dans son corps malade, il avait adopté une de ces saillies lumineuses et y coulait ses derniers instants.

En ce chaud après-midi du mois d'août, enfoncé dans un rocking-chair, ses jambes emmaillotées dans une couverture de laine posées sur un pouf, sa tête appuyée sur l'accotoir, il les suivit du regard tandis qu'ils s'approchaient de lui.

Il paraissait usé, aigri dans sa veste d'intérieur en soie douce, son cou entouré d'un foulard d'agneline d'un blanc immaculé qui accentuait la verdeur de son teint, ses mains, tachetées de son et veineuses, croisées sur son ventre dans une attitude fataliste, son œil gauche crevé dissimulé derrière un bandeau sombre, d'un noir éteint, d'une fadeur qui lui ressemblait si peu.

Le désenchantement qui couvrait ses traits faisait mal à voir, contrastait avec son allure habituelle, vive, légère, qui était sa manière.

Antoine-Léon se remémorait ses clowneries, la coquetterie qu'il déployait dans le choix de son bandeau, chaque réveil en changeant selon son humeur : de riche velours noir pour les jours de fête, carrelé ou piqué de petits pois à la façon d'un pirate pour les jours ordinaires ou d'un rouge écarlate lorsqu'il voulait épater les amis. Évidemment pour les grandes occasions, il portait son œil de verre.

David qui avait toujours manifesté son détachement, comme s'il n'était nullement affecté par ce handicap visuel, montrait aujourd'hui une image différente avec la maladie qui l'affectait. Il avait perdu ces attraits qui faisaient de lui un être si attachant, si liant. Il était devenu ronchon, impatient, ennuyé.

Antoine-Léon en était malheureux. Déstabilisé, il n'éprouvait plus l'envie de partager ses souvenirs avec son frère malade, tourner le fer dans la plaie en réveillant un passé rempli d'insouciance. Il ne souhaitait maintenant que prendre de ses nouvelles et s'en aller, refouler bien au fond de lui ce temps lointain, trop heureux, qui n'avait plus sa place.

D'un brusque élan, il lui tendit la main.

— Ç'a dû être une journée difficile pour toi aussi. Nous ne voudrions pas te fatiguer. Nous ne nous sommes arrêtés qu'un instant pour te saluer, te dire que nous pensons à toi, mais nous allons revenir.

— J'ai perdu ma mère, geignit David sans relever son propos, sur un ton bourru, comme si le monde entier en assumait la responsabilité, et je n'ai même pas eu la capacité de l'accompagner à son dernier repos. Vous allez revenir, me dis-tu ? Bien certain que vous allez revenir, mais ce sera pour m'enterrer. Vous serez tous là, mais moi, je ne vous verrai pas, je serai allé retrouver ma mère, mon père Édouard Parent, ma sœur Cécile, et ton père aussi, cet homme qui m'a élevé comme son propre fils. Mais j'accepte mon sort. Contrairement à papa qui est parti avant d'avoir quarante ans, moi, j'aurai au moins atteint mes soixante ans. Malgré une condition d'asthmatique qu'il m'a transmise, je suis arrivé à un âge où je peux me permettre de mourir et, curieusement, ce n'est pas la maladie de mon père qui va m'emporter.

Ils serrèrent les lèvres. Incapables de répondre, ils se tinrent autour de lui, tristement, sans rien dire. Enfin, ils se redressèrent. Le temps était venu de partir.

La tête basse, ils s'éloignèrent. Aucun d'eux n'avait eu le courage de lui donner la réplique.

– David a raison. Après maman, c'est lui qui va s'en aller, s'affligea Marie-Laure tandis qu'ils s'engageaient dans le chemin de Relais. Nous reviendrons, mais ce sera pour ses funérailles. On dirait que nous ne cessons jamais d'être entourés de morts. N'est-ce pas ton avis, Antoine-Léon ?

– J'essaie de ne pas y penser, répondit-il. Si notre mère vivait, elle dirait qu'il faut se pencher sur nos morts pour les enterrer et ensuite se relever pour s'occuper de ceux qui restent.

Son regard rêveur tourné vers la mer tranquille, il suivit le friselis de la vague qui scintillait dans la marée descendante.

Le visage paisible de sa mère se dessina dans son esprit. Il la revoyait, assise dans sa berçante sur la véranda de leur maison, le repas du soir terminé, son œil admiratif suivant la descente de ces mêmes vagues, de cette même mer qu'il voyait à cet instant débouler vers le large.

Le moment écoulé ne revient pas, quand bien même les impressions ressurgiraient toutes. La mémoire du temps et des lieux rend compte de notre passage dans le monde réel, là où les changements s'amorcent, où les événements se recréent, sans jamais nous permettre de les refaire intégralement.

Sa mère faisait maintenant partie de ce passé.

Il se sentait soudainement tout drôle. Il avait l'impression étrange, mais très nette, qu'elle n'avait pas quitté la terre, qu'elle était près de lui et guidait son raisonnement.

Combien à cet instant, il aurait souhaité revenir en arrière, s'enfoncer dans les profondeurs des ans, se retrouver à une époque révolue où tout ce qui a été, se transmuait, devenait réel, vivant.

Mais il freinait ses envolées. Il était un être pragmatique, comme son père. Établi à Baie-Comeau sur la Côte-Nord depuis 1959, il s'y était investi à titre d'ingénieur forestier. Son diplôme obtenu, sans chercher à regarder ailleurs, il avait spontanément accepté le poste que lui offrait la papetière de l'endroit. Déjà employé par cette compagnie pendant ses vacances d'étudiant, il avait longuement parcouru ses espaces boisés lors de virées d'exploitation et il avait le sentiment de connaître la région dans ses plus secrets replis.

Il y avait passé deux années dans le célibat et l'isolement avant de considérer le temps venu de prendre épouse et s'établir.

Il connaissait Élisabeth depuis l'enfance. Amie de Marie-Laure, fille du docteur Gaumont, le médecin du village, il ne l'avait vraiment remarquée que lors de leurs études à l'université Laval où tous trois s'étaient retrouvés pour compléter leur scolarité, lui en sciences forestières, les deux jeunes filles en journalisme.

Un matin de printemps 1961, il avait emprunté le bateau-passeur, s'était engagé sur la route vers Saint-Germain et était allé sonner à la porte du docteur Gaumont.

Assis devant le meuble du praticien, sur la chaise des patients, comme s'il venait confier ses misères, il lui avait avoué son amour pour sa fille et avait demandé sa main.

Le père avait eu un moment d'hésitation. Il s'en doutait bien un peu, il appréhendait cet éloignement pour sa fille unique. Élisabeth avait eu une enfance choyée, plus que la moyenne, le jeune homme était de bonne famille, l'une des plus illustres de la région, mais il était issu de ces bourgeois de condition aisée, de cette classe de travailleurs acharnés, à laquelle Élisabeth n'était pas habituée.

Antoine-Léon le comprit à son premier regard. Il avait expliqué sur un ton calme :

– Je suis conscient qu'Élisabeth quittera son milieu de vie, mais l'endroit où je l'amènerai est une ville neuve, dirigée par des Anglais et dotée de tout le confort qu'ils savent y mettre.

Le médecin l'avait fixé un long moment, la mine pensive.

Il avait renforcé sur un ton plus émotif :

– J'aime sincèrement Élisabeth et je vous promets de tout faire pour la rendre heureuse.

Leur existence n'avait pas toujours été facile, ils avaient eu des accrochages et ils en avaient encore. Il y avait son travail qui l'amenait loin de la maison, la laissant parfois seule pendant de longues semaines. Il reconnaissait que cette situation était pénible pour elle. Il y avait bien une solution, mais elle n'était pas de son ressort.

Un éclair donna à ses prunelles cette nostalgie du temps jadis et fit s'entrouvrir ses lèvres. Subitement montait à sa mémoire cet après-midi d'été plein de soleil, celui du dernier dimanche du mois d'août 1967…

2

La voiture roulait sur la nationale en direction est. La campagne était déserte, tranquille, comme si toute la Côte-Nord alanguie sommeillait en ce jour de repos des travailleurs.

Perdu dans ses pensées, les yeux rivés sur le long ruban asphalté qui coupait la forêt et allait s'accrocher aux collines, Antoine-Léon conduisait prudemment. Près de lui se tenait Élisabeth. Derrière étaient assis leurs deux jeunes enfants. Après s'être longuement chamaillés, ils s'étaient tassés sur le siège, loin l'un de l'autre et, la lippe boudeuse, se jetaient de mauvais regards.

Le chemin carrossable menant à Baie-Comeau longeait le fleuve.

Par intervalles, à travers les bosquets en friche, ils distinguaient sa moucheture bleue, délicate, comme une œillade fureteuse qui trouait les ombres dans un scintillement rapide.

De l'autre côté et face à eux, la montagne se dressait avec puissance.

Un soleil radieux éclaboussait ses crêtes, dorait ses pointes vertes et ruisselait sur ses pentes dégarnies par les coupes, comme autant de coulées de miel.

L'expression désabusée, inexpressive, ils fixaient la route, droit devant. Épuisés par le long périple, ils ne voyaient rien de cette beauté, du paysage magnifique qu'offrait leur région, la classait parmi les plus beaux sites du Québec.

Ensommeillée sur le siège arrière, la petite Dominique s'était mise à geindre.

— Philippe me fait des grimaces.

— C'est pas vrai, répliqua une voix maussade, lointaine.

Extraite de sa torpeur, Élisabeth poussa un soupir. Brusquement agacée, elle fustigea Antoine-Léon :

— Tu ne peux pas accélérer un peu, tu conduis comme un pépère. Les enfants sont fatigués et ils ont hâte d'arriver. C'est si long ce trajet Bas-du-Fleuve-Côte-Nord en passant par Québec, près de dix heures de route. Je me demande pourquoi tu t'obstines chaque fois à faire le voyage en longeant la mer. Ç'aurait été tellement plus simple de se rendre à Matane et prendre le traversier. Nous serions rentrés à la maison depuis longtemps, sans compter que nous n'aurions pas eu l'impression de vivre au bout du monde.

Antoine-Léon ne releva pas sa remarque.

La mine impassible, ses mains serrèrent le volant et il enfonça légèrement l'accélérateur. C'étaient les récriminations coutumières depuis le premier instant de leur mariage. Elles étaient si fréquentes qu'il ne les entendait plus.

Élisabeth était fille du Bas-du-Fleuve. Foncièrement soudée à ses racines, elle n'avait pas caché sa déception d'aller vivre dans ce coin perdu, comme elle l'appelait. Maintes fois, elle lui avait répété qu'elle s'y sentait malheureuse et qu'elle refusait toute attache.

Elle n'avait accepté de l'y suivre qu'avec la conviction que leur séjour ne serait que transitoire, persuadée que pas un seul humain issu des régions centralisées n'accepterait de couler une existence entière dans de telles conditions d'éloignement.

Après six années passées en ces lieux, elle rêvait encore du jour où ils feraient leurs malles pour retourner vivre dans leur Bas-du-Fleuve, ou pour s'installer dans une des grandes villes populeuses qui s'étiraient le long du Saint-Laurent.

Le profil inflexible, les yeux rivés sur la route, Antoine-Léon se tenait silencieux.

En ce beau dimanche d'août, sur le point de rentrer à la maison avec la famille, il ne voulait pas creuser dans le mal-être de son épouse au risque de briser la parfaite harmonie qui avait régné entre eux pendant les trois semaines de leurs vacances.

Élisabeth attendit encore. Soudain, excédée, elle darda sur lui un regard furibond.

— Antoine-Léon Savoie, ne fais pas celui qui n'a rien entendu.

Il refréna un léger sursaut. Heurté, mais sans manifester le moindre signe d'irritation, il dégagea sa belle pipe en écume de mer qu'il retenait entre ses dents comme une habitude ancrée, qu'elle soit allumée ou éteinte, la coinça entre son pouce et son index et l'appuya sur le volant avec un petit clic caractéristique.

Sans hâte, prenant un timbre délibérément un peu lent, nasillard, il expliqua :

— Ça nous aurait pas avancés bien gros de prendre le traversier. Si tu calcules le temps que ça prend pour descendre de Saint-Germain à Rimouski, puis à Matane, arriver à l'heure, se mettre en file pour l'attente quand on n'est pas pris pour manquer le bateau parce qu'il n'y a plus de place et devoir attendre le suivant, c'est presque aussi long que de passer par Québec. As-tu pensé aussi à Philippe, sa nausée sur ce mauvais rafiot qui coupe continuellement la vague ? À Dominique qui refuse de sortir de l'auto pendant les trois heures que dure le trajet, qui reste pelotonnée sur le siège arrière, avec la masse des étrangers qui circulent autour d'elle et la reluquent sans se gêner, tu sais comme ça l'effraie. Elle a seulement deux ans. Et puis, il fallait aller saluer Marie-Laure. Passer tout proche de Québec et pas faire un détour par chez elle, elle me l'aurait reproché le restant de ma vie. Tu connais ma sœur, elle est pire que la mère.

— Il faut d'abord penser au bien-être des enfants, rétorqua Élisabeth sur un ton cassant. J'aime bien Marie-Laure, nous sommes amies depuis toujours, mais elle est capable de comprendre ça.

— Prendre des vacances dans la province, c'est aussi faire le tour de la parenté, argua Antoine-Léon sur un ton à son tour plus incisif. T'étais contente qu'on s'arrête à Saint-Germain. T'en as profité pour aller visiter ton père et j'ai pas fait obstacle. Nos enfants ont rencontré leurs cousins et ça aussi, c'était correct. Comme dit ma mère, il faut faire l'effort de se retrouver, sinon les liens vont être détruits. Quant à moi, j'ai eu du plaisir à revoir David et parler affaires.

Élisabeth lui coula un regard. Elle découvrait combien son époux avait changé depuis leur mariage et ne cessait de changer. À mesure qu'il perdait la jeunesse de son visage, il devenait de plus en plus tranché, avec une maîtrise dans ses raisonnements qui écartait toute riposte. Quiconque l'eut connu, dix ans plus tôt, aurait eu peine à reconnaître en lui le fils de Léon-Marie Savoie, ce garçon insouciant, joueur de tours qu'il était durant son adolescence, tant il manifestait une détermination d'adulte, rejoignait la force de son père.

– Si nous vivions à Saint-Germain, ton frère et toi pourriez parler affaires tous les jours, s'entêta-t-elle. As-tu pensé aux beaux exploits que vous réaliseriez ensemble?

Antoine-Léon tiqua de la joue. Il répliqua immédiatement, avec logique:

– C'est un choix que j'ai fait et choix signifie toujours préférence, donc renoncement à quelque chose, sinon on ne parlerait pas de choix. J'admets qu'on habite loin de notre monde et, à moi aussi, ça me manque. Mais ici, je travaille dans ma profession, ce que je n'aurais pas pu faire à Saint-Germain. D'autre part, il y a des compensations à vivre dans les régions en développement, à commencer par les salaires qui sont meilleurs. Je reconnais que ç'a pas été facile les premières années, mais l'endroit a changé depuis les six ans que je t'y ai emmenée et les huit que j'y suis installé. On a veillé au grain et on a obtenu un tas d'améliorations de la part du gouvernement.

Il évoqua les premières années de leur mariage, alors qu'ils traversaient, comme à cet instant, cette vaste région.

À peine peuplée, recouverte d'un horizon à l'autre d'un tapis de grands arbres sombres que fendait un chemin forestier en terre battue, elle apparaissait sauvage, primitive, indomptée. De temps à autre, comme incongru, surgissait un petit bled, ramassis de planches dressées, terne, gris, l'air abandonné, se fondant avec le clair-obscur de la forêt.

Des kilomètres et des kilomètres s'accumulaient entre les villages et ajoutaient à son sentiment de malaise, d'audace, d'imprudence.

Un frisson parcourut son échine au rappel de la rareté des secours et à l'impression de solitude inquiétante que suggérait cette absence de civilisation.

– Je me demande comment j'ai pu prendre autant de risques, marmonna-t-il, j'en serais bien incapable aujourd'hui avec les responsabilités que j'ai sur le dos.

Surgit à sa mémoire ce printemps 1960, alors qu'il était encore célibataire. C'était un lundi, le lendemain de Pâques, et il était allé passer le week-end auprès de sa mère à Saint-Germain-du-Bas-du-Fleuve. Dans ces années lointaines, le traversier de Matane n'était en fonction qu'après la mi-avril.

Parti à l'aube, il s'en allait reprendre ses tâches d'ingénieur sur la Côte-Nord.

Ainsi que cela se passait invariablement à l'occasion des fêtes traditionnelles, la file des voitures s'était étirée sur une longue distance à l'approche de Baie-Sainte-Catherine jouxtant l'embouchure du Saguenay. Il avait raté les deux premiers transbordeurs et il en avait été déçu. C'était autant de minutes, d'heures qui retardaient son arrivée à destination.

Enfin, il avait eu sa place sur le troisième bateau-passeur et traversé la rivière Saguenay.

De nouveau sur la route, il avait enfoncé l'accélérateur. Il était impatient de se retrouver dans ses affaires. Une pile de documents l'attendait sur son bureau. Il lui fallait revoir pour le lendemain l'itinéraire de son groupe de travail et réévaluer les phases de leur exploration dans un nouveau secteur entourant la rivière Manicouagan.

Ses bagages et son équipement devaient être bouclés avant d'aller au lit, car il fallait se mettre en route avec l'aurore. C'était encore l'hiver dans la montagne et le trajet se faisait en motoneige, une longue randonnée s'étendant sur plusieurs kilomètres dans des sentiers difficiles, enneigés et parfois non balisés.

Il avait dépassé le village de Sacré-Cœur et suivait la côte. Les voitures s'étaient raréfiées, chacun rentrant chez soi ou empruntant la route qui bordait la rivière Sainte-Marguerite vers le nord.

La chaussée était vilaine. Cette année-là, le dégel avait été hâtif aux abords du fleuve. Le mois d'avril débutait à peine que déjà le sol était vaseux et les *ventres-de-bœuf* reluisaient dangereusement sous les rayons du soleil couchant.

« Quand donc construiront-ils un pont pour enjamber la rivière Saguenay et quand donc entretiendront-ils convenablement les chemins, avait-il pesté tandis qu'il freinait, accélérait, maniait le volant afin de contourner les obstacles. Dans toutes les autres régions de la province, les routes sont goudronnées. Il n'y avait que la Côte-Nord pour être aussi mal desservie. »

Partout sur le parcours, des cailloux pointus émergeaient de la terre brune et ajoutaient à son exaspération.

«Tout ce temps que nous perdons à faire des lacets », avait-il déploré.

Soudain, les yeux agrandis, il avait freiné brutalement. Droit devant lui, une mare d'eau, ronde comme un petit lac, trouble, vaseuse s'étendait sur toute la largeur de la route et frémissait sous le souffle du vent.

Il avait étouffé un juron. Il savait que pareille situation n'était pas nouvelle. C'était le printemps de la Côte-Nord.

Combien, à cet instant, il avait souhaité que la route soit asphaltée! Il aurait alors accéléré, doucement poursuivi en dessinant de chaque côté de son véhicule un sillage semblable à celui d'un canot moteur et se serait retrouvé sur la chaussée sèche. Hélas! avec cette fange, il ne pouvait prendre ce risque. Cette mare pouvait n'être en fait qu'une immense poche de boue qui l'aurait presque englouti. Il fallait reculer, emprunter un des bords de la chaussée couverts de lichen et de racines d'arbres et ainsi éviter un de ces pièges qui jalonnaient leurs mauvais chemins de terre tout le long de la Côte.

Les minutes passaient.

Se décidant, il avait redressé le volant, passé en vitesse arrière et, avec moult précautions, appuyé sur l'accélérateur. La voiture avait fait un bond, glissé sur ses roues, reculé, à peine, et était revenue occuper le même espace. Peu à peu, sans qu'il puisse freiner son mouvement, il l'avait sentie riper sur un côté, cahoter et lentement s'enfoncer.

Il était enlisé. Il savait qu'il n'y avait rien à faire, qu'il ne pouvait se dégager seul.

Résigné, il avait saisi sur le siège arrière, ses bottes de forestier qu'il gardait en permanence auprès de son casque blanc de sécurité, les avait troquées contre ses bottillons délicats et s'était retrouvé dehors.

Debout près de son véhicule, avec ses lourdes chaussures englvées jusqu'aux chevilles dans l'eau sale, terreuse, il avait regardé autour de lui.

Partout, la route était déserte et les lueurs s'assombrissaient. Le soleil était sur le point de s'éteindre et il ne distinguait aucune habitation dans les alentours où espérer trouver du secours.

Il lui fallait attendre qu'un automobiliste se pointe à l'horizon et, qu'ensemble, ils le dégagent de sa fâcheuse position.

— Vous êtes pogné dans la bouette, on dirait? avait-il entendu proférer derrière lui une voix rauque, moqueuse.

Sorti des profondeurs des bois, accompagné de son chien, la queue en panache et qui courait tout autour en flairant nerveusement le sol, un individu s'était dressé au bord de la chaussée et le fixait sans surprise.

— Si vous voulez, avait-il répondu d'une voix morne.

— La neige qui fond, ça fait de l'eau, ce qui est pas une mauvaise affaire, avait observé l'autre, fataliste, faut passer par là si on veut que l'été arrive.

L'homme paraissait être un promeneur. Les mains dans les poches de son parka, il semblait se balader au hasard et Antoine-Léon en avait été déçu.

— Je pensais vous demander de m'aider à me sortir de ce bourbier, mais je vois que vous n'êtes pas équipé.

— J'ai mon *joual* à la maison, avait réparti l'étranger, on peut aller le *cri*.

— C'est loin d'ici?

— C'est tout proche, une vingtaine de minutes en marchant d'un bon pas.

Il l'avait suivi.

— Combien vous me demandez pour votre trouble? s'était-il informé tandis qu'ils s'enfonçaient dans l'ombre.

— Rien, *pantoute*, mon gars, avait répliqué spontanément l'autre. S'il m'arrive pareille mésaventure dans ton boute, je veux seulement que tu t'en souviennes et que tu fasses pareil. On vit sur la Côte-Nord, c'est une région en colonisation, faut s'entraider.

Ils avaient pris un raccourci et se déplaçaient à grandes enjambées. Le soleil avait quitté l'horizon. Au-dessus de leurs têtes, une clarté jaune s'entêtait à dorer le ciel. De chaque côté d'eux, c'était la forêt dense avec les ténèbres qui brouillaient la piste. Antoine-Léon avançait péniblement et butait à chaque pas, empêtré qu'il était dans ses grosses bottes de cuir.

— As-tu peur des ours, mon jeune ? avait interrogé l'inconnu en déboulant un grand rire. Il en court par *icitte*, des fois, surtout à la brunante, comme ça.

Il avait levé les sourcils. Il s'était demandé s'il devait confier à cet homme ses obligations d'ingénieur responsable d'une équipe qui passait des semaines dans les vastes étendues boisées, profondes, lointaines, si hautes et si denses, parfois si sauvages que les ours et les loups y régnaient en rois et maîtres.

Ils étaient arrivés devant le bled de son compagnon.

L'endroit, petite trouée filiforme entourée de résineux, groupait une dizaine de maisons mal alignées, humblement construites en bois de sapin. Chacune flanquée à l'arrière d'un bâtiment utilitaire constitué des mêmes éléments, toutes étaient barbouillées par le temps et n'avaient jamais connu la peinture.

Un résident était sorti de sa demeure et s'amenait vers eux.

— Encore un qui s'est enlisé ! avait-il crié. Je suppose que c'est près de la ravine à Ti-Bert du côté de Sainte-Anne ? C'est ben le dixième aujourd'hui.

— Exact, avait répondu l'autre. Sainte-Anne-de-Portneuf aura fait sacrer ben du monde depuis à matin. Je m'en viens atteler mon joual, je vas le sortir.

La mine dubitative, son voisin avait suivi ses gestes tandis qu'il déposait l'attelage sur le dos de la bête.

— Pauvre Tancrède, ton vieux gris pourra jamais sortir ce char-là tout seul. Le ventre-de-bœuf sur la passe à Ti-Bert, c'est le pire de toute la Côte. Espère un brin, j'attelle le mien. Deux chevaux de trait, ça sera pas de trop pour dégager un char de la bouette. Que c'est que t'en penses, mon gars ?

Antoine-Léon avait secoué la tête.

— Vous en faites trop, je sais pas comment je pourrai vous rendre ça.

— Jamais si t'en as pas l'occasion, avait répondu le voisin avec complaisance. Si c'est pas toé qui le fais, un autre le fera à ta place.

Derrière eux, une porte s'était ouverte et une femme était apparue sur le seuil. Son tablier enroulé autour de ses bras pour se protéger du froid, elle avait lancé sur un ton amène :

– Monsieur, si vous réussissez pas à vous déprendre, qu'il faille attendre que la nuit fasse l'ouvrage, que l'eau se résorbe un peu, vous viendrez coucher à la maison, on a de la place pour un passant et j'ai de la bonne soupe aux gourganes qui mijote sur le feu.

Antoine-Léon sourit à ce souvenir. Ils étaient ainsi les habitants de la Côte-Nord. Accueillants, le cœur généreux, ils offraient sans compter et sans demander en retour.

« C'est beau la participation, l'entraide, s'était-il dit, mais cette situation a trop duré. Il faut remédier à ce problème de chemins ! »

Sitôt arrivé à destination, il avait mandé les compétences de sa ville et mobilisé ses confrères. Ils payaient des impôts au même titre que les grandes agglomérations et ils avaient droit aux mêmes égards, avait-il clamé. Le gouvernement ignorait les régions depuis trop longtemps. Les habitants devaient réagir, former une coalition et revendiquer leurs droits. Ils iraient jusqu'au parlement, s'il le fallait, ils le feraient à la face du monde et à la honte des élus, avait-il scandé.

Les natifs de l'endroit avaient suivi la croisade de ces étrangers d'un air sceptique. Habitués à ces contrées inhospitalières, ils s'étaient adaptés aux sautes d'humeur des saisons. Le visage rivé à la fenêtre, avec la soumission de l'impuissant, ils observaient la nature qui débordait et attendaient entre deux lunes qu'elle s'équilibre.

Les citadins s'étaient mis ensemble, les grands patrons, ceux de l'aluminerie et de la compagnie de papier, les forestiers, tous ces gens venus d'ailleurs qui avaient abandonné le confort de la civilisation pour affronter la dure dans cette région à développer, s'étaient alliés et avaient exigé des autorités gouvernementales des routes carrossables à l'égal des régions centrales du Québec.

Aujourd'hui, les cahots et les buttes avaient disparu. Un beau trait de macadam gris, bien lisse, rigoureusement délimité, se tortillait comme un serpent à travers la campagne fleurie pour aller se dérober derrière l'horizon.

Antoine-Léon s'en appropriait un peu le mérite. Avec ses confrères, il avait multiplié les démarches pour arriver à ce résultat… résultat quoique, à certains endroits, discutable, il tenait à le préciser. Ni lui ni ses pairs n'avaient souhaité cette route zigzaguant comme un homme ivre sur une surface égale, au milieu de cette plaine herbeuse, coupée de quelques bancs de roc, qui longeait le fleuve Saint-Laurent jusqu'à Havre-Saint-Pierre.

Ils n'en avaient pas demandé tant!

Mais le ministère de la Voirie avait statué. Pourquoi se gêner, pourquoi ne pas accroître la distance à couvrir de quelques kilomètres en dessinant de gracieuses arabesques quand c'est le peuple qui paie? Pourquoi ne pas s'en mettre plein les poches en plus d'engraisser la caisse des formations politiques?

« C'est afin de tenir les voyageurs en éveil », s'étaient justifiés les professionnels du gouvernement, les entrepreneurs et les amis du parti qui avaient obtenu le contrat de construction.

Une route au tracé pareillement sinueux, qui s'étirait au point de presque doubler la distance à couvrir, avait dû aussi en coûter le double, raisonnait Antoine-Léon, quelle qu'en soit la raison.

« Parfois, je me dis que je devrais m'en mêler », grommela-t-il entre ses dents, la lèvre méchante.

— Qu'est-ce que tu as dit? interrogea Élisabeth.

— Rien, je me parle à moi-même.

— Tu es encore en train de te faire des chimères.

Elle laissa exhaler son souffle.

— J'aspire au jour où tu les réaliseras.

Antoine-Léon se retint de laisser paraître son exaspération. Il aurait souhaité plus de compréhension de la part de sa femme, mais Élisabeth était ainsi. Mondaine, sa place bien acquise dans la haute société de leur ville, elle était impatiente de le voir accéder aux sommets qu'il lui laissait miroiter et elle le pressait de passer aux actes.

Sa pensée se tourna vers ses parents, il se demandait s'il parviendrait à être aussi combatif qu'ils l'avaient été: Sa mère, malgré son grand âge, encore reconnue comme une redoutable femme d'affaires et son père, Léon-Marie Savoie, le bâtisseur, le maître d'œuvre de la scierie qui avait été jusqu'à sa mort, tout aussi irréductible.

Déterminés, travailleurs infatigables, ils s'étaient efforcés de lui donner une éducation conforme à leurs vues. Pourtant, comme une vague impression, il lui semblait qu'il n'aurait jamais la capacité d'atteindre leurs compétences.

Peut-être en est-il toujours ainsi de l'enfant devant ceux qui l'ont mis au monde ? Du haut de ses petites jambes, il les voit colossaux, plus grands que nature, il les idéalise, les considère infrangibles, leur donne la force d'un titan.

« Tu as de la chance d'être le fils d'un personnage aussi illustre et d'une femme aussi douée, lui avait un jour confié le docteur Gaumont, son beau-père. Quoique pareille ascendance puisse être un piège. Dans toutes les situations, tu vas te sentir obligé de les égaler, même de les surpasser. Plus la barre est haute, plus l'échec est dur à avaler. Il te faudra être fort, mon garçon. »

Il avait ajouté comme une mise en garde, en même temps que sourdait son inquiétude de père :

« Ma fille a reçu la meilleure éducation, elle peut t'être d'une aide précieuse... »

Il avait fait une pause avant d'enchaîner à voix contenue :

« Cependant, je ne voudrais pas qu'elle souffre... »

La pensée d'Antoine-Léon s'attarda sur sa compagne. Élisabeth était de bonne famille, il avait de la chance de l'avoir pour épouse, mais il avait d'abord fait un mariage d'amour.

Il se louait d'être tombé amoureux d'elle plutôt que d'une fille issue d'un milieu moins favorisé tant sa grâce et la noblesse de son rang lui avaient valu le respect dans toutes les circonstances.

L'épouse a un rôle à jouer dans l'avancement de son mari de par sa prestance et la dignité de sa conduite, reconnaissait-il. Plus elle est perçue comme de haute naissance, plus elle suscite l'admiration et plus son époux a de chances d'accéder aux postes supérieurs. Derrière chaque grand homme se cache une grande dame, avait-il compris.

Sitôt arrivée dans la ville, à l'inverse des épouses de ses confrères qui devaient démontrer leur valeur, gracieuse et enjouée, Élisabeth avait été immédiatement acceptée par les dames anglaises qui formaient l'élite de la place.

Forts d'un accord avec le gouvernement, les gros bonnets américains, établis sur la Côte-Nord et y exerçant leur suprématie, étaient reconnus pour être snobs et formalistes. Possédant pouvoir et argent, ils s'y considéraient comme les maîtres absolus et arbitraient la vie de l'endroit, autant sociale que culturelle, en plus d'en exploiter les richesses naturelles à leur avantage.

Même la correspondance entre cadres de langue française devait se faire en anglais sous peine pour ces mêmes cadres d'être rappelés à l'ordre s'ils dérogeaient à la règle.

Malgré tout ce que ce comportement pouvait avoir de choquant pour les natifs de l'endroit, en majorité d'origine française, chacun s'y pliait. Ces étrangers audacieux et entreprenants accomplissaient ce que les travailleurs forestiers n'auraient pas pu faire seuls et ils apportaient travail et prospérité. À celui qui voulait se hausser de quelques coudées de refouler son orgueil.

Antoine-Léon l'avait rapidement compris.

Tandis qu'il passait des semaines entières dans la forêt à diriger une équipe d'exploration forestière, dormant sous la tente comme un petit village gaulois, le chef Vercingétorix trônant au centre, Élisabeth demeurait en ville et occupait ses loisirs.

De la savoir agréée dans les salons des grands patrons américains pendant son absence le remplissait de contentement.

Dans le confort des somptueuses résidences ou dans son simple logis, en même temps qu'elle servait le thé, Élisabeth apprit les rudiments du bridge, s'initia aux plaisirs du golf l'été, au ski alpin l'hiver et à l'équitation en toute saison.

Comme une seconde nature, elle s'acquittait avec aisance des mondanités apprises de sa mère et de celles acquises dans son nouveau mode de vie. Son éclat et sa fraîcheur faisaient oublier ses humeurs, car elle n'était pas toujours facile à vivre.

Comblée par la vie et n'ayant jamais connu l'effort, elle était plutôt capricieuse.

Le docteur Gaumont avait voulu pour sa fille unique un mariage somptueux et leur voyage de noces dans l'archipel des Bermudes s'était prolongé pendant trois semaines.

Rentrés au pays, ils s'étaient dirigés vers leur lieu de résidence en empruntant la nationale.

Assise dans la voiture, les yeux brillants, elle avait longuement admiré les belles montagnes de Charlevoix. Elle avait poussé de petits cris apeurés quand ils avaient descendu la côte abrupte de

Baie-Saint-Paul et s'était retenue à deux mains dans l'autre déclivité quand ils s'étaient engagés sur la pittoresque route menant à Saint-Irénée. À leur gauche, les clochers des églises surplombaient les humbles villages.

D'un seul coup, toutes les cloches s'étaient mises à sonner sous leur chapeau pointu. Ils avaient consulté leur montre-bracelet, elle indiquait midi. C'était l'heure de l'angélus.

Ils s'étaient arrêtés au Manoir Richelieu, avaient dégusté un repas léger, puis, tendrement enlacés, avaient fait une promenade dans les jardins.

Reprenant la route, ils s'étaient dirigés vers l'est. Avec la ligne bleue du fleuve qui se détachait à leur droite, ils avaient croisé quelques petites maisons perdues au milieu des champs et s'étaient embarqués sur le transbordeur qui ronflait sur la rivière Saguenay. Le cours d'eau était houleux et les fiords spectaculaires. Là-bas, du côté de l'estuaire, des bélougas se donnaient l'accolade et faisaient des cabrioles. Surexcitée, Élisabeth ne cachait pas son émerveillement.

Après un trajet trop court, le transbordeur les avait largués derrière la ville de Tadoussac. Élisabeth s'était retrouvée avec déplaisir sur un chemin de terre, étroit, bosselé, ondulant. Ils avaient atteint la route desservant la Côte-Nord.

Avec un étonnement mêlé de crainte, elle avait scruté la vaste étendue. Elle découvrait une contrée nouvelle, comme elle ne l'aurait jamais imaginée, sauvage, inculte, impénétrable, tapissée de résineux grugés de soleil et de silence.

Chavirée, les pupilles agrandies, elle jetait de vifs regards autour d'elle. Elle avait perdu son enthousiasme.

Cette route étriquée, informe qui allait se perdre dans la forêt touffue et verte, ces sauts et ces buttes qui l'obligeaient à s'agripper à son siège pour ne pas se contusionner les muscles l'avaient remplie d'effroi. Elle avait éclaté en sanglots tant elle était épouvantée, elle, la délicate jeune femme qui n'avait jamais connu autre chose que l'aisance, de quitter la civilisation pour aller s'établir dans une contrée perdue qui ne lui semblait que misère.

Elle avait éprouvé un véritable choc à son arrivée à Baie-Comeau.

Il s'en était voulu de ne pas avoir emprunté pour cette première fois le traversier reliant Matane à la Côte-Nord. S'ils étaient arrivés par la baie des Anglais, Élisabeth se serait retrouvée au milieu de l'effervescence, celle d'une ville florissante, grouillante comme une ruche. Plongée dans la vie active, elle se serait rapidement adaptée.

Il avait pensé bien faire en étirant leur périple pour lui faire connaître la région qui deviendrait la sienne en lui indiquant les plus beaux sites. Ce qu'il avait voulu un triomphe, s'était soldé par une crise de larmes et une mauvaise humeur qui avait duré plusieurs jours.

Enfin, installée dans son nouveau logis, avec les jours, elle s'était calmée. Elle avait rencontré là-bas des femmes tout aussi désemparées qu'elle, désorientées, et elle s'en était fait des amies, ce qui ne l'avait pas détournée de cet espoir d'une vie prestigieuse qu'il lui avait promise et à laquelle elle aspirait.

Hélas, la carrière de son homme était celle d'une évolution graduelle et il devait attendre les occasions favorables.

Rarement à la maison, cantonné pendant des semaines dans la forêt, il y dirigeait une équipe de forestiers chargés de faire des échantillonnages, de la planification et des inventaires.

C'était l'exploitation de la Côte-Nord, les bassins hydrographiques et ses dépendances : les rivières Outarde, Manicouagan, Godbout, Toulnustouc et tant d'autres.

Il surgissait à la maison le vendredi soir, la peau hâlée, fleurant la sueur et la gomme d'épinette, sa poche de linge sale sur son épaule comme un étudiant-pensionnaire. Son trop court séjour débutait par un bain de mousse dans lequel il s'éternisait, puis c'était le nettoyage et le pressage de ses vêtements.

La nuit venue, agréable compensation, dans le confort des draps soyeux et propres, il s'enivrait du doux parfum d'Élisabeth et assouvissait sa soif de plaisir après en avoir été privé pendant une longue semaine.

La fin du week-end arrivait trop vite et le lundi matin marquait un nouveau départ vers la forêt dense.

Abandonnant sa jeune épouse comme une veuve, il s'en allait pour ne revenir qu'après une semaine, parfois deux, quelquefois même, après un mois. Bien souvent, elle ne connaissait son itinéraire que par la radio qui accompagnait son campement.

Il poussa un soupir. Il reconnaissait combien cette vie pouvait être difficile pour elle.

« Cette existence de nomade a assez duré », marmonna-t-il.

— Qu'as-tu dit ? interrogea Élisabeth qui s'était redressée sur son siège. Je m'étais assoupie et je n'ai pas entendu. Ce trajet est si monotone.

— J'ai seulement respiré un peu fort, répliqua-t-il. Par contre, je peux te résumer ce à quoi je pensais.

Devant lui, la chaussée était inondée de soleil. De chaque côté excédant une bande étroite d'herbes roussies, les épinettes se succédaient comme une longue suite de badauds endimanchés qui les regardaient passer.

Sans détacher ses yeux de la route, de sa main libre, il alluma sa pipe, tira une bouffée et l'exhala.

Il amorça avec lenteur :

— Je me disais, pour un homme, passer des semaines hors de sa maison, que ça peut aller quand personne ne l'attend, mais que ça change un brin quand il a une famille. Je te vois à peine et je ne vois pas grandir mes enfants. Tu te rappelles, j'étais même pas là à la naissance de Dominique. Sans compter que je commence à être fatigué de vivre dans mon *pack-sac*. Imagine la belle vie qu'on mènerait si j'étais muté dans les bureaux.

Il éclata d'un rire léger, un peu embarrassé.

— As-tu idée ? Je coucherais à la maison tous les soirs !

— Si tu crois obtenir une promotion aussi aisément, railla Élisabeth, sa lèvre inférieure déformée en une moue sceptique.

— Bien sûr que je le crois, je pense même que depuis les huit ans que je parcours les bois, été comme hiver, mon tour est venu.

— Si tu te figures que les grands boss vont prendre ta demande en considération, comme ça, sans raison, tu te goures. Je puis en glisser un mot à Gladys l'épouse de monsieur Macintoch, le directeur du personnel, encore faut-il qu'il y ait un poste disponible.

— Je ne battrai pas en retraite si c'est ce que tu crois, répliqua-t-il sur un ton caustique. S'il n'y a pas de poste pour moi sur la Côte, je demanderai un transfert ailleurs et pourquoi pas à Thorold en Ontario ?

– En Ontario, souffla Élisabeth, ma foi du bon Dieu, tu veux que je tombe malade.

– Tu ne vois pas que je te taquine, émit-il dans un éclat de rire.

Ils approchaient de Ragueneau. À leur droite, la végétation arbustive s'était éclaircie et la mer pétillait sur les herbes vertes, les émaillait de parcelles d'or. Plus loin, de l'autre côté du fleuve, un gros nuage gris comme un voile opaque bloquait l'horizon et allait se fondre avec les eaux bleues. Il devait pleuvoir, là-bas, dans leur Bas-du-Fleuve natal.

– Les vacances sont terminées, déplora-t-il. Demain, je retourne dans le bois.

Élisabeth ne répondit pas.

Il pinça les lèvres. Cette façon qu'elle avait de se refermer sur elle-même quand ils n'avaient pas réglé la question le contrariait. Il aurait préféré qu'elle manifeste son exaspération, qu'elle lui pique une de ses colères dont elle avait le secret.

Depuis son installation là-bas, bien des confrères dont cette existence instable décourageait les épouses avaient quitté la région. C'était leur vie de famille ou le divorce, mais lui était d'une autre trempe. Il n'avait pas peiné pendant toutes ces années pour quitter le port.

Il n'était pas né celui qui réussirait à le déraciner de la Côte-Nord et il était bien décidé à convaincre Élisabeth de s'y ancrer avec lui. Il s'était attaché à cet endroit, à ses vertes forêts, immenses, à sa ville qui portait des odeurs fortes de copeaux, à ses grands vents, à sa froidure, à son fleuve si large qu'il se confondait avec les nuages.

Sa main effleura celle d'Élisabeth, ses lèvres tremblaient, il avait peine à contenir son émotion.

– Tu es ma femme et je tiens à toi. Je te demande seulement de croire un peu en moi.

De nouveau, il porta son attention sur la route. Pendant de longues minutes, la voiture roula dans le silence et la tranquillité du jour.

Se reprenant, il prononça sur un ton contenu, comme s'il se parlait à lui-même :

– Lorsque je serai sorti de la forêt, je vais zieuter les terrains avec vue sur la mer et j'y ferai construire un bungalow, il n'y en aura pas de plus beau en ville. Il y a longtemps que j'y pense. On ne s'habitue pas à être locataire quand on ne l'a jamais été, sans compter la promiscuité, les odeurs de friture, les bruits de portes qui se ferment, les voisins qui vous interpellent, quand ils ne rebondissent pas chez vous à tout propos. Mais c'est encore à l'état de projet, se reprit-il très vite. Je veux d'abord obtenir ma mutation dans les bureaux. Ça va bien prendre deux ans, mais ça va venir.

Sceptique, Élisabeth hocha négativement la tête.

— Comme d'habitude, tes plans tomberont à l'eau. Et moi, encore une fois, je serai déçue.

Antoine-Léon réagit imperceptiblement. Il se retint de répliquer vertement. Ses lèvres amincies disaient sa détermination.

— D'autres m'ont fait confiance, je ne retiens que ceux-là.

La nuque volontaire, il s'appliqua à la route. Une foule de considérations l'assaillaient.

— Il faudra inviter Marie-Laure et Olivier à nous faire une visite, décida-t-il. Ils ne sont pas venus dans la région depuis que nous y avons aménagé. Je leur demanderai d'emmener maman. On pourrait inviter aussi ton père ? suggéra-t-il spontanément. Il vit seul depuis la mort de ta mère et tu es sa fille unique.

— Faudrait commencer par vivre dans une vraie maison, fit Élisabeth sur un ton pincé. Notre logement est trop exigu pour loger tout ce monde, nous n'avons que deux chambres, une cuisine et un salon.

— Et que cette rencontre ne s'organise que dans trois, quatre ans, peut-être, si je considère le temps que prendra la construction de notre maison ? Ton père et ma mère sont âgés, ils ont le temps de mourir.

Élisabeth sursauta. Elle ne cachait pas sa déception.

— Ai-je bien entendu ? Tu parles de nous construire une maison, mais que ça ne se fera pas avant trois ans, peut-être quatre ?

— Je la ferai bâtir lorsque je serai muté en ville et je ne crois pas que cela se fasse avant deux ans, trancha-t-il. C'est une question de sécurité. Je ne te vois pas passer des semaines entières, seule dans une maison, avec tous les problèmes que ça apporte et nous n'attendrons pas ce temps pour inviter la famille. Il existe un compromis et c'est de les loger au manoir. Ce serait le grand luxe, on leur organiserait toute une fête. Que dirais-tu de les inviter à Noël prochain ?

Les yeux durs, Élisabeth le fixa sans répondre.

Le profil obtus, à son tour, il se tint silencieux. Soudain, il se redressa. D'un seul coup, il avait recouvré sa vivacité.

— Pour tout de suite, je n'ai pas le choix, mon travail est dans la forêt et je dois être à mon poste demain matin. Que dirais-tu si, en octobre, à la période de la chasse, je te rapportais un orignal. Les bois en abondent. Nous ferions un festin avec nos familles à Noël, et toi et moi, nous aurions de la viande pour tout l'hiver.

Élisabeth fit un bond violent.

— Que me dis-tu là ? Je te le défends bien. Je m'oppose de toutes mes forces à ce que tu tues une de ces jolies bêtes. Si tu le fais, je m'en vais tout droit chez mon père avec les enfants et j'y reste.

Elle reprit, le regard épouvanté.

— Tu sais que je ne peux supporter la vue de ces pauvres animaux que vous assassinez, vous, les hommes, que jamais je ne me servirai d'un couteau contre eux, même morts. D'ailleurs, j'ai une peur bleue des couteaux et tu le sais. Il ne s'en trouve nulle part dans ma maison. Je n'ai dans ma cuisine que des couteaux à légumes et encore ils sont mal aiguisés. Je refuse que tu tues une de ces pauvres bêtes, renforça-t-elle avec énergie, et je refuse que tu installes un de ces stupides trophées sur le toit de notre voiture.

Il laissa fuser un grand rire. Il savait, oui. Élisabeth avait ses lubies sur lesquelles il passait l'éponge. Élisabeth était belle, raffinée et il en était si fier.

Outragée, rouge de colère, elle poursuivait sa diatribe, mais il ne l'entendait plus. La bouche ouverte, hilare, il s'amusait de sa fureur. Il savait qu'elle ne s'arrêterait qu'avec l'épuisement et il n'en avait cure, il avait retrouvé son Élisabeth des meilleurs jours.

3

Il avait neigé toute la nuit, on était en octobre et l'hiver s'installait rapidement en montagne. Les forestiers le savaient et s'en prémunissaient dès la mi-septembre en traînant dans chacun de leurs déplacements leurs anoraks, leurs raquettes, de même que leurs chaudes bottes en loup-marin qui dormaient depuis le printemps dans les coffres parfumés à la naphtaline.

Levés avec l'aurore, les huit travailleurs formant l'équipe d'Antoine-Léon avaient endossé leurs vêtements chauds et s'étaient groupés dans la clairière. Tantôt, ils avaient rassemblé leur attirail et bouclé leurs sacs d'outils. Charlot, le *portageur* chargé des victuailles qui faisait aussi office de *choboy*, avait alourdi son fourre-tout d'une ration imposante de boîtes de sardines, de sandwichs aux cretons et de muffins. Il en fallait suffisamment, car l'expédition ne reviendrait au camp qu'avec la pénombre. Aujourd'hui, leur colonne devait s'éloigner vers l'est, découvrir un autre bassin hydrographique et longer un flanc escarpé qui allait mourir près du lac Bédard.

Plantés comme un troupeau désordonné, ils attendaient l'ordre de partir.

— Les nuages montent, fit remarquer Fulgence, le doyen des techniciens, la main en éventail au-dessus de ses yeux. M'est avis que la journée passera pas sans qu'il se remette à neiger. Faudra être sur nos gardes si on rentre après la brunante. Les loups sortent la nuit quand ils flairent pas nos pistes, on risque d'en embrasser un.

— On peut rien te cacher, lança Antoine-Léon qui venait d'apparaître devant sa tente. Mais comme c'est pas la première fois qu'on va déterminer un lot, pis qu'on est pas des *feluettes*, on va s'en préserver.

– En tout cas, moi, je prends pas de chance, j'apporte mon fusil, décida Fulgence.

– Les fusils, ça attire les loups, observa Vincent, l'Indien du groupe sur un ton de connaisseur en enfonçant lui-même son arme dans son *pack-sac*. Ils les sentent de loin, pis ils te sautent dessus par-derrière. Les fusils, on laisse ça à ceux qui savent s'en servir, renforça-t-il en jetant une œillade approbative vers leur petite troupe hilare.

Antoine-Léon retourna à ses affaires, sans plus leur prêter attention.

C'était leur façon de commencer les journées de travail. Les forestiers ne rataient jamais une occasion de plaisanter et se taquiner. Il voyait dans ce comportement, un moyen d'alléger leur existence loin des leurs, privés qu'ils étaient des divertissements propres à la civilisation. Aussi, il les laissait faire.

Fouillant dans sa sacoche, il en fit un examen minutieux et s'assura qu'il n'avait rien oublié. Aujourd'hui, il délaissait sa tente, sa table de travail, ses cartes et ses rapports d'analyse pour se joindre aux marcheurs, les accompagner vers une zone nouvelle où ils commanderaient un échantillonnage des arbres.

La veille, au moyen de son stéréoscope, il avait décortiqué les photos aériennes mises à sa disposition et étudié le relief de l'endroit. Il avait repéré les coulées, les ruisseaux, les vallons, les monticules en plus de noter de multiples détails de topographie devant leur servir dans la découverte de ce territoire non encore exploité.

Partis la semaine précédente du lac Leblanc où ils avaient établi un premier campement, ils avaient entassé dans des véhicules tout-terrain tentes et équipements, fournitures et victuailles et avaient remonté la rivière Fontmarais pour aller se fixer plus au nord.

S'improvisant un sentier entre les arbres, ils s'étaient enfoncés dans la profondeur des bois jusqu'à repérer une belle clairière à ciel ouvert au bord d'un ruisseau. Ils choisissaient invariablement d'installer leur baraquement dans une trouée près d'un cours d'eau, autant pour répondre aux besoins du cuisinier que pour la toilette des hommes. Ils veillaient, de plus, à planter leurs abris de toile loin des grands résineux, car le risque était grand qu'un coup de vent l'été ou une bourrasque l'hiver fasse qu'un arbre s'abattre sur leur installation provisoire.

Et ils n'oubliaient pas leurs cannes à pêche. Prendre quelques truites constituait une agréable distraction, le soir, lorsqu'ils rentraient au camp.

Il leur fallait aussi trouver un emplacement de bonne grandeur, car la tente-cuisine couvrait quatre à cinq mètres. Meublée d'une table en bois rond équarri, recouverte sommairement de carton, elle servait de réfectoire. Un coin-cuisine dans lequel s'entassaient en plus des ustensiles, leur réserve de nourriture, requérait un plus important espace. Ils devaient aussi réserver un angle pour les deux lits rudimentaires du *cook* et du chauffeur de poêle.

Les autres tentes faisaient office de dortoir. Moins spacieuses, elles présentaient un carré de deux ou trois mètres. L'une était occupée par les ouvriers, tandis que la plus vaste était à l'usage de leur cadre qui la transformait le jour en lieu de travail. Parfois lorsque le territoire à couvrir était étendu et qu'ils devaient augmenter leur effectif, plusieurs ingénieurs se joignaient à eux.

L'ingénieur en chef avait alors son propre abri, car ils respectaient un décorum. C'était chez lui qu'était installée la table de travail.

Recouverte en permanence de cartes, pendant de longues soirées, elle faisait se joindre cadres et chefs d'équipe. À la lueur des lampes à huile, ils comparaient leurs notes, discutaient et rédigeaient leurs rapports.

Cette semaine-là, Antoine-Léon était le seul dirigeant de l'équipe de neuf hommes composée de techniciens, de *portageurs* et du cuisinier.

Occupé à rassembler ses documents, pour la énième fois, il s'assurait qu'il y avait bien glissé ses cartes et les résultats de son exercice de la veille.

— Je suis prêt à partir, dit-il enfin.

— Vous apportez pas votre fusil ? interrogea Fulgence.

— Fulgence a peur pour ses fesses, entendit-il observer un jeune employé. Paraît que c'est ce qu'il a de plus précieux.

Antoine-Léon se retint de pouffer. Reprenant son sérieux, le menton levé, il trancha sur un ton d'autorité :

– Je te demanderai, Fulgence, d'arrêter de nous faire des peurs. Avec tout le tapage que les bûcherons font en forêt, les bêtes se tiennent loin. Depuis les presque dix ans que je parcours les bois, c'est à peine si j'ai vu quelques traces.

Fulgence se tut.

Amédée Fleury se grattait la tête. Une question le titillait. Prenant un air mal assuré, il avança avec lenteur :

– On doit-ti comprendre, Monsieur Savoie, que c'est pour ça que, depuis que vous vous essayez, ç'a pas marché fort, fort, votre chasse au gros gibier ?

Antoine-Léon leva les yeux vers lui. Un tic déforma sa joue. Pensif, il lui tourna le dos et considéra les limites de l'horizon. Il n'aurait jamais voulu avouer les efforts qu'il avait faits pour attirer un orignal et le ciel lui était témoin qu'il avait essayé.

Depuis l'ouverture de la chasse, chaque matin, il s'éveillait au crépuscule. Comme une idée fixe, tandis que les autres dormaient encore, il s'extirpait de sa tente, s'éloignait dans le sentier qui longeait le cours d'eau et, malgré l'interdiction d'Élisabeth, *câlait* l'orignal.

À croire que sa belle et puissante voix de baryton n'avait pas réussi à convaincre les bêtes, car aucune ne s'était présentée, ni n'avait laissé entrapercevoir ne serait-ce que la plus minuscule dentelure de son panache.

À l'exception du ruisselet qui roucoulait à sa gauche, la forêt dense, silencieuse délimitait leur éclaircie. Pas un bruit, pas un craquement ne l'avaient troublée depuis qu'ils y avaient établi leur campement, et ce matin encore, avec la neige toute blanche qui recouvrait sa surface, il n'avait détecté aucune trace des larges sabots des élans du Canada qui eût brisé l'uniformité de cette étendue cristalline. Du plus loin qu'il puisse voir, la neige duveteuse et souple habillait le sol, le revêtait d'un tapis bien lisse.

Encore une fois, il scruta l'ombre sous les grands arbres. Piquée dans son lit d'ouate, comme à l'infini, la forêt lui apparaissait touffue et indomptée. Plus impénétrable encore que les autres secteurs montagneux qu'ils avaient explorés, elle constituait un des rares endroits que l'homme n'avait pas chamboulés avec ses machines abatteuses, ses J-5 et ses scies mécaniques.

Partout, les épinettes et les sapins exubérants, élancés comme des flèches, ployaient leurs branches sous une suite de molletons qui chatoyaient dans le soleil levant, rappelant mille arbres de Noël.

Il avait espéré avec une sorte de convoitise que le couvert de ces beaux résineux, sains et forts, soit le refuge de tous les animaux sauvages, du plus petit jusqu'au plus gros.

Dans moins de deux mois, décembre serait là avec ses décorations multicolores, ses repas fastueux et, cette année, ils avaient invité leurs deux familles à venir fêter Noël avec eux. Il aurait tellement souhaité abattre une de ces bêtes et, au lieu d'une dinde farcie, déposer au centre de la table du réveillon une énorme pièce de faux-filet en rosbif et les éblouir.

Il ne pouvait s'empêcher d'être fébrile. Il pensa aux résidences de la ville qui, bientôt, seraient toutes égayées de beaux sapins coupés dans les bois environnants, car on s'y prenait tôt dans leur contrée lointaine. Isolés qu'ils étaient, mus par un besoin de se retremper dans une atmosphère conviviale, ils étiraient les occasions de festoyer.

Chaque année, il allait couper un conifère offert par la *Québec North Shore* et le dressait dans leur salon. C'était une coutume établie, le cadeau de Noël de leur employeur.

Il y verrait lorsqu'il retournerait en ville, à moins qu'il n'ait réussi à abattre un orignal, il aurait alors une occupation plus importante. La chasse était encore ouverte et il n'avait pas déclaré forfait.

« Bientôt, avait-il taquiné Élisabeth, il surgirait à la maison avec sa prise et la déposerait sur la table de la cuisine. Ensemble, ils la dépèceraient en une infinité de pièces qu'ils empileraient dans leur congélateur ou qu'ils offriraient à leurs amis. »

Élisabeth avait suffoqué.

Il éclata de rire à ce souvenir. Il savait bien qu'il porterait sa prise chez le boucher et lui en confierait le découpage.

Il émergea de ses rêves. Un branle-bas agitait les travailleurs. Le moment du départ avait sonné. Leurs *packs-sacs* solidement attachés à leurs épaules, ils y avaient fiché leurs raquettes et se préparaient à se mettre en route.

Le dos voûté sous leur bagage, ils s'enfoncèrent d'un bon pas dans un sentier précisé par les fréquents passages et se dirigèrent vers les hauteurs. L'heure était matinale et la fraîcheur de la nuit courait dans l'air. À leur droite, du côté du lac Brooch, les craquements sourds des abatteuses accompagnés du ronflement des moteurs trouaient le silence et leur parvenaient avec la netteté des vastes étendues feutrées. De temps à autre, un cri déchirait l'air et se répercutait en écho. Les bûcherons étaient à l'ouvrage et procédaient à la coupe des lots répertoriés.

Ils étaient arrivés à une intersection. Sans se concerter, ils obliquèrent vers le nord et franchirent un monticule. Toute trace de sentier avait disparu.

Les *portageurs* dégagèrent leurs haches. D'un même mouvement, sans en attendre l'ordre, ils ébréchèrent la base des arbres et ouvrirent un passage.

Les autres suivirent sous le couvert.

La forêt était devenue subitement sauvage, oppressante, remplie de ténèbres si épaisses que le soleil était incapable de les percer.

Antoine-Léon fit s'immobiliser leur groupe et consulta ses cartes.

Ils avaient atteint l'endroit désigné pour l'échantillonnage.

Le territoire constitué d'épinettes et de sapins baumiers paraissait exceptionnel, peuplé d'arbres adultes, robustes et poussant dru, d'une propreté méticuleuse, comme si la nature avait elle-même veillé à l'essarter.

Il était impressionné, presque malheureux de devoir condamner ces beaux conifères à être abattus.

Près de lui, avec des bruits métalliques et des déhanchements, les hommes se préparaient à effectuer leur tâche. Les chaîneurs prirent dans leur équipement les outils dont ils auraient besoin pour procéder à leur relevé et laissèrent aux *portageurs* la charge de leur barda.

Leur travail consisterait à faire l'inventaire d'exploitation, la *cruise*, comme ils l'appelaient, à tous les six cent soixante pieds, mesurer le diamètre d'un résineux et, d'un coup de hache bien asséné sur le tronc, à hauteur d'homme, déterminer le lot à abattre, ce qui signifiait dans leur langage : *faire des plots*.

— Vincent, tu feras équipe avec Paul-Émile et Amédée et toi, Boudreault, tu seras avec Daniel et Fulgence, ordonna Antoine-Léon.

Chaque noyau était composé de deux techniciens et d'un marqueur. Le technicien titulaire de la boussole se tenait en tête de ligne, le second technicien, surnommé le galopin, suivait, le marqueur fermait la marche. Ce dernier, plus âgé et expérimenté, était, en même temps, le meneur de la formation. Il lui revenait de prendre les données et les inscrire dans un carnet qu'il remettrait à l'ingénieur.

Vincent, l'Indien de leur groupe, avait fait un pas en avant des autres. Planté sur ses jambes, fort de sa condition d'enfant de la forêt, il humait l'air autour de lui, ainsi que le lui avaient appris les anciens de sa race.

— Tu renifles le carcajou, Saint-Aubin, ou ben, si c'te fois, c'est une bête puante ? interrogea Boudreau.

Les marcheurs pouffèrent.

Vincent les fixa de son œil noir. La mine hermétique, avec sa lourdeur de Montagnais, il se détourna et considéra autour de lui le sol brun jonché d'épines que la neige n'avait pu atteindre. Quelques marbrures de soleil coupaient ici et là les ombres et doraient les racines des arbres.

Il revint vers Antoine-Léon.

— Ça m'a l'air ben tranquille.

Antoine-Léon acquiesça. Il se fiait à son flair.

Les forestiers en majorité des Blancs s'adjoignaient toujours des ouvriers d'origine indienne. En plus de leur endurance à la marche, ceux-ci étaient recherchés pour leur connaissance de la forêt et leur instinct de survie devant les dangers que recelait ce vaste territoire rempli d'inconnu.

Vincent Saint-Aubin faisait partie de ce groupe. Engagé comme chaîneur par la compagnie alors qu'il n'était qu'un adolescent, il avait gagné la confiance de ses chefs.

Imbu de son rôle, chaque fois qu'il se retrouvait en forêt, il multipliait les efforts pour montrer son habileté et ses compétences.

À l'affût de ses *sparages*, ainsi que les autres travailleurs qualifiaient sa lente gesticulation, chacun ne manquait pas l'occasion de s'amuser à ses dépens, multipliait les plaisanteries et ne se privait pas de le bousculer un peu.

– Que c'est que tu brettes, Vincent ? s'impatienta Amédée, attends-tu que le printemps arrive pour prendre le départ ?

Vincent tressaillit imperceptiblement et alla occuper son poste.

– Peut-être ben qu'il a flairé un orignal pour not' boss, se gaussa Boudreau, le galopin qui accompagnait Fulgence.

– Trêve de bavardages, bougonna Antoine-Léon que cette insistance commençait à agacer. Mettez-vous à l'ouvrage.

Ils obtempérèrent.

Restés derrière les autres, les *portageurs* se préparèrent à remplir leur charge. Leur rôle était de s'occuper du transport des bagages et du marquage, ce qui signifiait clouer une plaque numérotée sur les résineux après le passage des techniciens.

Vincent arqua le menton. Investi de son rôle de galopin et chaîneur, le ruban à mesurer agrafé à sa taille et ballottant derrière lui, il enserra précieusement ses instruments. Concentré comme un novice, il se déplaça avec précaution, contourna les obstacles et effectua une ligne droite. Il compta six cent soixante pieds : dix chaînes. C'était la règle.

Amédée s'approcha. Dépliant le galopeur, il introduisit les deux baguettes graduées de chaque côté du tronc et marmonna un chiffre :

– Dix-huit pouces.

C'était le diamètre de l'arbre. Son carnet ouvert dans sa main, il nota à grands traits. Ses yeux brillaient de plaisir.

– Si ça continue de même, on va avoir des mordicus de belles *plottes* à la fin de la journée, blagua-t-il en glissant son crayon derrière son oreille.

– Faudrait pas que le curé t'entende, proféra Charlot, c'est pour le coup qu'il t'enverrait en enfer.

Antoine-Léon procéda à une seconde vérification. Satisfait, il hocha la tête. La mesure était conforme.

– C'est une belle forêt, observa-t-il, intacte, parmi les plus saines que j'ai répertoriées. Il y a pas un arbre qui n'atteint pas les critères. C'est un lot qui va rapporter gros.

Les résineux étaient sélectionnés selon des règles précises. Leur tronc devait présenter un diamètre de quatre pouces et davantage, sinon les bûcherons étaient tenus de les laisser croître.

Un *portageur* l'avait rejoint. Muni d'une hache, inexorablement et sans pitié, il asséna quatre coups sur les quatre côtés du résineux classé. Le beau sapin frémit. Il avait reçu le verdict au nom de ses pairs.

Affairés comme des fourmis, les autres *portageurs* s'activèrent. L'un d'eux brandit sa hache, creusa une légère enfonçure au milieu d'un tronc et y apposa une plaque sur laquelle était inscrit le chiffre dix, représentant la distance parcourue qui était de dix chaînes. Il se dirigea ensuite vers le centre, délimita le point équidistant, repéra une épinette et y cloua une plaquette aussi gravée du chiffre dix. Dans le lot parallèle, les *portageurs* qui accompagnaient Fulgence avaient fait de même.

Le territoire était marqué. Chacun alla reprendre sa place.

Les galopins s'étaient remis en marche et reprenaient leur opération mathématique. Suivis de leur technicien, ils cheminaient vers un autre six cent soixante pieds.

Ils procédaient selon une ligne imaginaire très droite et au tracé net, le galopin en déterminant le profil avec sa boussole. Cette mesure au carré établissait le nombre d'acres couvertes, leur permettait, par une méthode de calcul, de déterminer la quantité de cordes de bois pouvant être récoltées.

Arrivés à un versant ou à une hauteur, ils feraient un autre plan, tourneraient à angle droit et reviendraient dans la direction opposée. Puis ils rentreraient au camp. C'était ce qu'ils appelaient délimiter les surfaces pour la coupe à blanc.

– J'ai remarqué que vous laissez pas de lots debout, avança un jeune forestier nouvellement engagé comme *portageur* qui avait travaillé pour une compagnie concurrente. Là-bas, on procédait pas de même et je pense que c'était plus écologique.

Antoine-Léon sursauta. Interpellé, il se tourna vivement vers lui.

– Dis toujours, mon homme.

Il avait parlé avec sa force de caractère habituelle, celle du meneur prêt à écouter, mais qui n'était pas prêt à céder.

Un peu mal à l'aise, l'employé s'exécuta.

Avec des mots simples, il expliqua l'autre méthode qui consistait à chaîner des surfaces boisées de cent pieds sur cent pieds qu'on entourait d'un ruban orange doublé d'une ficelle au cas où un animal sauvage passant par là casserait le ruban. Procédant comme un domino, on réservait entre chacune un carré de la même superficie, puis on encerclait un autre cent pieds. La coupe faite, les arbres abattus étaient immédiatement remplacés par de jeunes pousses.

Cinq à dix ans plus tard, la plantation ayant suffisamment grandi, on revenait et on étendait l'échantillonnage à la partie épargnée. De laisser une portion de bois intacte était une façon de préserver la forêt en même temps que les arbres restés debout contraient les rafales en montagne. D'autre part, ils ne coupaient jamais un arbre qui n'avait pas atteint quatre pouces de diamètre.

Antoine-Léon avait écouté avec grand intérêt cette démonstration. D'un naturel éveillé, il était curieux de connaître les pratiques des concurrents et il était ouvert aux méthodes nouvelles.

Il attendit que le jeune homme se soit tu avant de répliquer:

– Ton argument a du sens. Quoique, pour les quatre pouces, vous faites pas de générosité, c'est partout pareil, c'est une norme gouvernementale. La différence, c'est que, nous autres, on laisse pas de lots debout, on fait de la coupe à blanc. Ce qui veut dire que quand je passe avec mon équipe, je prépare la surface pour tout raser. Peut-être que c'est pas ce qu'il faut faire, peut-être aussi que ça donne pas grand-chose de sauter un boute pour revenir cinq ans après, que c'est de la grosse perte de temps pis d'argent. Peut-être que t'as raison, mon homme, et peut-être qu'un jour, ça viendra.

D'un geste, il le pressa d'aller rejoindre les autres.

Pendant de longues heures, dans une lente montée, les galopins maintinrent leurs tranches de six cent soixante pieds et les chefs d'équipe noircirent leurs calepins. Les arbres furent creusés d'une empreinte et les plaques indiquant les distances de dix chaînes en dix chaînes furent apposées.

Vers midi, ils s'arrêtèrent pour manger les sandwichs qu'avait préparés le cuisinier et firent un feu de brindilles pour chauffer l'eau de leur thé.

Ils se remirent rapidement à l'ouvrage.

La forêt s'était encore épaissie et leur progression était rendue difficile avec les rameaux piquants, entortillés, pêle-mêle, à la base des arbres, et qui poussaient dru.

Ils se déplaçaient avec peine les uns derrière les autres.

Armés de haches, les *portageurs* devaient sans cesse devancer le chaîneur et lui frayer un passage.

Leur barda suspendu à leur dos, ils sectionnaient les brindilles dérangeantes, leur hache courant le long des troncs dans un bruit de dégringolade, avec la sonorité d'un cliquetis.

Antoine-Léon suivait le groupe conduit par Vincent.

L'air était rempli de sons étouffés, comme une rumeur lointaine. Quelques brins de neige avaient commencé à tomber. De temps à autre, de légers molletons se détachaient des branchettes alourdies et chutaient sur le sol en émettant un glissement mat. De petits froissements couraient dans l'air comme un crépitement rapide. C'était le murmure de la forêt.

Avec lenteur et à un rythme égal, ils allaient de l'avant. Le geste adroit, maniant cordes, rubans orange et plaquettes, ils ceinturaient de beaux arbres et de quatre coups de hache bien assénés sur un tronc sain, comme des juges implacables, décrétaient la sentence.

Empoignant toises, jauges et équerres, leurs grosses bottes creusant le sol, ils reprenaient leur avancée, persévéraient dans l'étendue ténébreuse et secrète.

Ils étaient arrivés devant un dénivellement, sorte de ruisseau desséché, embrouillé de racines, dans lequel devaient se bousculer au printemps les eaux du dégel. Ils firent une pause. Le temps était venu de tourner de nouveau à angle droit, faire un parcours de six cent soixante pieds et revenir sur leurs pas.

Antoine-Léon fermait leur colonne. Perdu dans ses rêves, il progressait à foulées nonchalantes, cadencées, son regard vague balayant les alentours.

Soudain, son front buta contre un obstacle. Déséquilibré, il se retint pour ne pas tomber. Il venait de heurter le travailleur qui le précédait. Que se passait-il? Ils devaient avancer d'un pas égal et sans s'arrêter. Irrité, il décida de secouer ce marcheur qui, sans raison, brisait le rythme.

Le geste brutal, il le poussa. En vain. Momifié, son gros corps usurpant l'espace, l'homme demeurait figé comme une statue. Déconcerté, il porta son regard plus avant. Là-bas, Vincent, l'Indien, considéré aussi comme leur éclaireur s'était arrêté et s'était tourné vers eux. Le menton pointé, humant l'air et aux aguets, il avait levé la main dans un signe de silence.

De ses doigts étalés, il esquissait un demi-cercle, pour ensuite poser son index sur sa bouche.

Les yeux rivés sur lui, chacun se tenait silencieux. Ils prêtaient l'oreille. À quelques pas, peut-être à leur gauche ou derrière, ils percevaient un craquement lent, régulier. Quelqu'un ou une bête quelconque qu'ils étaient incapables d'identifier, progressait, se rapprochait.

La poitrine d'Antoine-Léon se contracta. Un souvenir, brusquement, venait de surgir en lui, angoissant, terriblement éprouvant, celui de sa randonnée en forêt avec sa sœur Cécile alors qu'il n'était qu'un bambin. Il se rappelait combien il avait été effrayé dans cette étendue boisée autour du mont Pelé à l'intérieur de laquelle il imaginait des loups partout.

Une douleur transperça son cœur. Il lui semblait que les craquements étaient tout proches, ou peut-être était-ce l'écho absorbé par les molletons de neige couvrant les arbres qui rejoignait ses oreilles et les intensifiait ?

Il prit une inspiration profonde. Les bois étaient périlleux, il le savait depuis toujours, mais cette fois, il était un adulte et il avait à répondre de huit hommes.

Devant lui, le groupe avait bougé. Lentement, leur cortège s'était ébranlé. Il marqua son soulagement. Le danger était passé. Il étira le pas pour enjamber le fossé et les rejoindre. Soudain, il se cloua sur place. Une ombre énorme et noire venait d'obstruer la piste, se planter devant lui et l'isoler des autres.

Dressé au milieu de la dénivellation enneigée, immense, avec ses grosses pattes velues, ses membres antérieurs pendant de chaque côté de son corps, se tenait un ours.

Glacé d'épouvante, les mains crispées durement, il ne fit aucun geste. Les yeux rivés au sol, ainsi qu'on le lui avait enseigné, il se tint pétrifié comme une souche, sans respirer.

Face à lui, l'animal attendait. Subitement, dans un grand claquement d'os qui s'entrechoquent, il secoua la nuque. Sa gueule s'ouvrit et s'agrandit. Dans le silence des bois, exhibant avec puissance ses crocs pointus et forts, l'ours exhala de sa gorge un son rauque, menaçant qui déchira les nues.

Le souffle coupé, Antoine-Léon avait peine à contenir le tremblement qui courait dans ses membres et allait bondir dans sa poitrine. Sa dernière heure était arrivée, il le savait et il ne pouvait s'y résigner. Dans un suprême effort, par son immobilité totale, il espérait encore sauver sa vie. Dans son for intérieur, il fit le signe de la croix. Il pensa à la mort qui l'attendait, atroce, d'une cruauté sauvage, à sa peau lacérée qui découvrirait ses muscles palpitants, à ses entrailles qui sortiraient de son ventre, à son sang qui giclerait, rougirait la belle neige blanche et salirait la nature.

L'espace d'une seconde, sa vie entière se déroula devant ses yeux comme un film heureux, paisible jusqu'à son aboutissement tragique. Il revit la grande maison de Saint-Germain, son père et sa mère, assis l'un près de l'autre, et s'inquiétant pour lui. Il se demandait comment ils auraient réagi à le voir ainsi, face au danger, eux qui avaient tant voulu le surprotéger, le garantir de tous les maux. Auraient-ils imaginé qu'il partirait aussi absurdement, sous les griffes d'une bête sauvage ?

L'ours s'était dressé. Il allait foncer. D'instinct, il se contracta de toutes ses forces. Comme aurait fait un malade dans l'attente de la douleur, il retint son souffle.

Soudain, tout son corps se relâcha. Sans qu'il comprenne pourquoi, d'un seul coup, une grande envie de vivre l'avait envahi et un flot d'énergie pénétrait ses muscles. Il n'allait pas se laisser tuer sans protester, aussi simplement qu'un agneau sans défense, se récriait-il. S'il devait mourir, ce ne serait pas sans avoir auparavant résisté avec fureur, comme avait fait la brave petite chèvre de monsieur Séguin dans le conte d'Alphonse Daudet, elle qui avait lutté pendant une nuit entière, jusqu'à ce que, sa belle fourrure blanche devenue toute rouge de son sang répandu, son cœur ait cessé de battre.

Son poing fermé se contracta sur sa hachette. Il se raidit. Déchaîné, hurlant, d'un mouvement vif, il l'éleva haut dans les airs. Comme aurait fait l'athlète dans un puissant lancer de javelot, noir de colère, il balança sa cognée.

Son geste s'entrava. Une détonation avait claqué et arrêté son bras. Le fracas s'était répercuté dans le lointain et avait rebondi vers lui.

Une brusque agitation avait suivi et fait s'ébrouer les grands arbres. Comme une vague noire dépliée vers le ciel, les oiseaux s'étaient envolés.

Étonné, il retenait les battements de son cœur. L'ours avait bondi en travers.

Interloqué, il considérait sa hache qui avait manqué sa cible et était tombée à ses pieds. La bête avait fait quelques pas sur le côté, ses mouvements s'étaient ralentis, peu à peu s'appesantissaient. Son avance devenait difficile, pénible, sa tête pendait, tout doucement rejoignait sa poitrine. L'animal s'était penché davantage. Ses pattes antérieures touchaient le sol. Antoine-Léon entendait sa respiration râpeuse, comme une stridulation dans son souffle. Brusquement, durement, l'ours s'affaissa dans la neige et s'étala de tout son long, masse lourde, sinistre, noire comme le jais. Autour de lui, les broussailles s'étaient écrasées en émettant une suite de craquements secs, pesants.

Abasourdi, Antoine-Léon le fixa, comme égaré, dans un état second.

Se ressaisissant, encore embrumé, comme s'il émergeait d'un rêve, il tâta ses bras, sa poitrine, incapable de croire qu'il était encore vivant.

Un homme avait couru le rejoindre. La main sur son épaule, il le secouait avec vigueur.

— Monsieur Savoie, Monsieur Savoie, ça va ?

Il souleva les paupières. Il prit un temps avant de reconnaître Vincent qui se tenait devant lui, avec son visage placide, comme si pareil incident était affaire courante.

Il réagit brusquement.

— C'est ben toi, Saint-Aubin, j'en suis pas encore sûr. Es-tu certain que je te confonds pas avec saint Pierre ?

— Vous avez eu toute une frousse, hein, Monsieur Savoie ? Vous aviez pas de raison, ces grosses bêtes-là, c'est inoffensif.

— C'est toi qui le dis. C'est à toi que je dois ce tir de maître ?

— C'est à moé, mais je voulais pas le tuer, je voulais seulement lui faire passer un peu de vent dans les pattes.

— Tu m'en diras tant. Quand je pense que c'est un orignal que je voulais rapporter à la maison ! Maintenant, je vais me retrouver avec une peau d'ours, s'écria-t-il, encore terrorisé, avec un rire nerveux. Ma femme va me tuer, sans compter qu'il y a rien de bon à manger là-dedans.

— Vous vous présenterez pas chez vous sans un petit quelqu'chose qui vous fera une bonne gibelotte, décida Vincent, ses paupières en amande gonflées jusqu'à voiler ses yeux.

Comme s'il foulait un tapis épais de velours, à longues enjambées silencieuses, il repéra un arbre, souleva les branches basses et découvrit un collet dans lequel un beau lièvre dodu, au poil blanc saupoudré de quelques touffes grises, avait passé son cou. Il le détacha avec précaution, le prit par les pattes et le lui tendit.

— C'est pour vous. Il est encore chaud.

— Comment as-tu déniché ça? s'écria Antoine-Léon.

— Les miens viennent souvent *trapper* par ici. J'ai vu des pistes tantôt dans la neige. Je vous le donne en cadeau. Vous le ferez cuire pendant votre congé avec votre femme et vous le mangerez à ma santé.

— C'est plutôt moi qui te dois un cadeau.

Vincent leva son index vers le ciel montrant qu'il n'en avait cure.

Antoine-Léon sourit. Il savait qu'il ne verrait plus son employé du même œil.

— Oubliez pas, répéta Vincent, faites-le cuire à petit feu et mettez-y de la moutarde, ben de la moutarde, vous aurez pas meilleur civet.

— C'est pas de le manger qui va être difficile, s'esclaffa Antoine-Léon, ce sera de convaincre ma femme de l'écorcher et de l'apprêter.

— Voyons donc, ce sera pas à elle de faire ça, fit Vincent. Chez mon peuple, c'est l'ouvrage de la femme, mais chez vous, c'est une affaire d'homme.

Il fit demi-tour. Heureux, de son pas souple de coureur des bois, il alla reprendre son poste à la tête de sa formation.

4

– Entrez, lança Antoine-Léon sur un ton invitant en ouvrant largement la porte, venez vous chauffer.

– Ça sera pas de refus, répondirent-ils en secouant leurs bottes, il tombe une de ces petites neiges folles et c'est pas chaud.

On était la veille de Noël et la famille presque entière s'était amenée sur la Côte-Nord.

Ils s'étaient enfin décidés. Après moult invitations et insistance, ils avaient réussi à convaincre Héléna de déserter son Bas-du-Fleuve pour venir fêter ce moment particulier avec son fils et sa belle-fille.

Elle était accompagnée de Marie-Laure, d'Olivier et des jumelles. Même le docteur Gaumont, le père d'Élisabeth, s'était joint à eux. Seul David n'avait pas dérogé à la tradition et passait Noël à la ferme Désilets chez les parents de Bertha.

Agglutinés dans le vestibule du petit logement, portant avec eux un souffle de froidure, ils s'ébrouaient afin de dégager les brins de neige qui collaient à leurs manteaux.

Un joli tablier d'organdi entourant sa taille, Élisabeth s'était approchée. La peau de son visage était rougie et brillante d'avoir surveillé la cuisson des aliments.

– Nous vous attendions pour le souper, dit-elle en aidant Antoine-Léon à suspendre leurs vêtements chauds à la patère.

– Vous n'auriez pas fait un peu l'école buissonnière, plaisanta Antoine-Léon. Y me semble que le bateau est rentré au port depuis un bon moment.

– On s'est d'abord arrêtés au manoir afin de confirmer notre inscription et déposer nos bagages, expliqua Olivier. On voulait aussi se rafraîchir le visage. Et comme on ne voulait pas passer pour des goinfres, non plus, on a mangé légèrement. Rassure-toi, on s'est gardé de la place pour le réveillon.

Antoine-Léon et Élisabeth éclatèrent de rire.

C'était la première fois depuis qu'ils étaient installés dans la région qu'ils accueillaient leurs familles et ils ne cachaient pas leur joie. L'atmosphère était chaude et agréable. De bonnes odeurs de tourtière et de dinde rôtie flottaient dans l'air. Derrière eux, dans la cuisine, la radio diffusait une musique douce de circonstance.

— Vous avez fait bon voyage ? interrogea Élisabeth sur un ton de politesse.

— Fort agréable, répondit son père, quoique Marie-Laure et moi étions un peu tassés à l'arrière de la voiture avec les fillettes. Il faut dire que nous avions un chauffeur émérite.

Partis de Saint-Germain dans le véhicule d'Olivier, ils avaient longé le fleuve jusqu'à Matane et emprunté le transbordeur.

— Je vous avais proposé d'occuper le siège du passager, discuta Héléna, et vous avez refusé.

— La place du passager revient aux dames, encore plus lorsqu'elles sont grand-mères, trancha-t-il, c'est la moindre des politesses.

— C'est cela et me faire passer pour une vieille enquiquineuse.

Marie-Laure éclata de rire.

— Ton père et ma mère n'ont pas cessé de se renvoyer la balle tout le long du trajet.

— Je n'avais aucune raison de me plaindre, dit le docteur, j'étais assis près d'une très jolie femme.

— Nous avions pensé que vous dormiriez avec nous, indiqua Élisabeth, changeant le cours de leur propos, nous avions mis nos chambres à votre disposition.

— Ceux qui reçoivent ont besoin d'être frais et dispos s'ils veulent garder le sourire jusqu'au départ de leurs invités, répondit Héléna, la plume noire de son chapeau oscillant sur le côté de sa tête. Pour ce, il leur faut une bonne nuit de sommeil et on ne dort parfaitement que dans son lit.

Élisabeth sourit. Elle savait, quand le bibi de sa belle-mère s'agitait ainsi, qu'elle n'avait rien à ajouter.

– Venez vous asseoir dans le salon, les invita Antoine-Léon sur un ton gaillard. Ce n'est pas la grande maison de Saint-Germain, mais c'est de bon cœur.

L'appartement était modeste, il en était conscient et il le leur avait expliqué. Les pièces étaient étroites, les meubles rares et les fenêtres ne laissaient filtrer qu'une maigre clarté. Leur logis était sans prétention, mais pour l'heure, avec sa vie de travailleur en forêt, cette exiguïté était rassurante.

– On ne vit pas dans un château, s'excusa-t-il tandis qu'il rapprochait des sièges, mais Élisabeth est en sécurité ici pendant mes absences. Pour le moment, c'est ce qui importe. Elle est entourée de voisins sur qui elle peut compter. D'ailleurs, nous ne sommes pas seuls à être aussi mal *amanchés*, deux autres confrères habitent dans un immeuble semblable. Plus tard, lorsque j'occuperai un emploi sédentaire, que je rentrerai à la maison tous les soirs, je nous ferai construire une cabane, toute une cabane. Vous allez voir qu'on ne se marchera pas sur les pieds.

– Décidément, le beau-frère! s'exclama Olivier, aurais-tu gagné le jackpot pour faire des rêves de même?

– Non, j'ai trouvé un meilleur moyen, j'empile mon argent.

– Pour ça, t'es allé à bonne école, reconnut Olivier en jetant une œillade gamine vers sa belle-mère.

Ils s'esclaffèrent. Un brouhaha suivit. Ils se mirent à parler tous ensemble. L'ambiance était devenue joyeuse.

Dans un coin, le sapin de Noël, vivement illuminé, était entouré de mille présents emballés. Marie-Laure alla puiser dans ses affaires et en rajouta d'autres. Derrière eux, la cuisinière ronflait dans son coin. Sur le réchaud reposait une tôle à biscuits recouverte de galettes au gingembre encore toutes chaudes.

– Ce ne sont pas des petits bonshommes en pain d'épice que je vois là, dont je vous ai donné la recette, demanda Héléna s'adressant à Élisabeth.

– Si, c'est votre recette, répondit aimablement Élisabeth. Les enfants adorent. C'est devenu un classique de Noël, chez nous.

– Et moi, j'ai préparé un punch à base de rhum, mentionna Antoine-Léon exerçant son rôle de maître de maison, vous allez me goûter ça. Vous allez voir que c'est pas piqué des vers.

Sans plus attendre, il remplit généreusement des coupes alignées sur un plateau d'argent et servit à la ronde.

— Ouais, dit Olivier, les lèvres déformées dans une contorsion goulue en avalant une appréciable gorgée du liquide. Ce petit boire-là manque pas de caractère,

— Il n'est pas un peu fort en alcool ? s'inquiéta Marie-Laure, c'est traître le rhum, déjà, je me sens grisée, il ne faudrait pas que je fasse honte, tantôt, à l'église.

— Faut dire que t'as une petite constitution, blaguèrent les hommes.

— Ça remplace bien des sirops pour le rhume et ç'a meilleur goût que le goménol, observa aimablement le docteur Gaumont.

— Je suis content de l'entendre dire par une autorité dans la matière, fit Antoine-Léon, surexcité. Allez, je remplis encore vos verres.

Ils burent à longues gorgées. Un peu guillerets, ils plaisantaient sans malice. Les heures passaient. Dehors, la nuit était entière. Élisabeth et Marie-Laure avaient couché les enfants et étaient revenues se joindre aux autres dans le salon.

— Il est temps de se rendre à l'église pour entendre la messe de minuit, dit Héléna en consulta sa montre-bracelet. Allez-y, moi, je vais rester et garder la maison.

Elle se sentait un peu lasse, prétexta-t-elle. Elle avait perdu l'habitude de ces sorties nocturnes. Elle n'avait plus l'âge, dit-elle encore.

— C'est injuste, protesta mollement Élisabeth, vous êtes en visite…

Au fond de son cœur, elle était ravie que sa belle-mère prenne la relève auprès des petits, qu'elle goûte cette liberté perdue depuis longtemps d'accompagner ses invités à la messe.

Sans plus s'opposer, elle se hâta d'aller enfiler ses fourrures.

Héléna avait l'impression qu'ils venaient tout juste de quitter la maison quand elle entendit le déclic de la porte. Leur groupe hilare rentrait en chantant des cantiques. Assoupie dans sa chaise, elle ouvrir les yeux.

— Déjà, ça n'a pas duré longtemps.

– Le temps de deux messes, maman, fit Antoine-Léon, taquin, la mine comblée.

Se débarrassant de son paletot, il se dirigea vers le salon, choisit un disque, le glissa dans le phonographe et haussa le volume. Un vibrant *Alléluia* ébranla le petit logis. L'atmosphère était subitement réjouie. Marie-Laure lança sur un ton enthousiaste, en même temps qu'elle laissait glisser ses fourrures sur la petite chaise de l'entrée:

– Allons réveiller les enfants, le père Noël est passé.

Les quatre bambins apparurent presque aussitôt en courant dans la pièce. Revêtus de leur pyjama aux couleurs de la fête, les yeux encore plissés de sommeil, ils fixaient, la mimique émerveillée, remplie de rêves, le sapin illuminé et sa base qui disparaissait sous une multitude de boîtes toutes joliment décorées.

– Voyez ce que le père Noël a laissé pour vous, leur dit Marie-Laure en distribuant à chacun un colis sur lequel avait été piquée une grosse rosette de soie rouge vif.

– Le père Noël a aussi laissé quelque chose pour toi, lui dit Olivier en allant puiser sous l'arbre une boîte étroite et longue qu'il lui tendit.

Antoine-Léon fit de même et déposa un emballage minuscule entre les mains d'Élisabeth.

Marie-Laure déballa un ravissant collier en or ciselé. Ses yeux pétillaient de bonheur.

– Oh! Olivier, tu as deviné. Il me faisait tellement envie dans la vitrine de *Birks*. Tu es un amour.

À son tour, Élisabeth découvrait une broche délicate ornée d'une couronne de saphirs. Elle courut se jeter dans les bras d'Antoine-Léon.

Les deux jeunes femmes riaient, leurs yeux étaient embués. Gamines, elles tendirent chacune vers leur époux, une boîte de forme allongée.

Olivier et Antoine-Léon esquissèrent une grimace.

– Pouah! C'est tout ce que nous méritons, lancèrent-ils en exhibant une cravate.

Elles s'esclaffèrent et leur tendirent une autre boîte. Olivier dévoila une luxueuse montre-bracelet de Cartier et Antoine-Léon une belle blague à tabac en cuir souple.

Il y avait aussi des surprises pour le docteur Gaumont et pour Héléna.

— Il est l'heure de s'approcher de la table, dit enfin Antoine-Léon. Les entrées vont réchauffer, la dinde va refroidir et moi j'ai une faim de loup.

Tout en bavardant, ils se dirigèrent vers la cuisine.

La table était superbement dressée. Élisabeth s'était surpassée. Un bouquet de poinsettias d'un rouge vif ornait le centre de la nappe finement brodée et des assiettes en cristal placées dans les coins débordaient de canapés.

Assis devant le repas bien arrosé, ils festoyèrent longuement.

L'aurore commençait à rosir. Les jumelles de Marie-Laure, leur poupée enserrée dans leurs bras, dormaient profondément au pied des lits de Philippe et de Dominique quand ils allèrent se glisser sous la couverture pour une courte nuit, car, le jour même, la fête se poursuivrait et, cette fois, ce serait dans la salle à manger du manoir.

**

Antoine-Léon entraîna ses hôtes. Sa main soutenant le bras de sa mère, il la conduisit vers un angle du living-room qui jouxtait la baie vitrée donnant sur la mer. Galamment, il choisit pour elle une bergère confortable, un peu protégée du soleil et l'aida à s'asseoir. Il en indiqua une autre au docteur Gaumont. Le reste de la famille prendrait place sur les fauteuils disposés face à la fenêtre.

Leur nuit avait été courte. Les paupières encore lourdes de sommeil, ils coulaient autour d'eux des regards tranquilles.

La grande salle de pur style anglais était richement meublée. Ici et là, des sièges de cuir avaient été dispersés de façon à favoriser les aires de conversation tout en préservant l'intimité des groupes.

Un bruissement de pas, comme un son confus, les entourait. Les serveurs, stylés dans leur uniforme, la paume ouverte sur un plateau d'argent, serviette immaculée sur le bras, circulaient entre les convives.

Près du piano, un beau sapin naturel avait été dressé et brillait de toutes ses lumières allumées.

Une forte odeur de cigare stagnait dans l'air. Une musique douce leur parvenait des haut-parleurs camouflés derrière les tentures et au fond, dans l'âtre, se consumait un feu de bois.

Marie-Laure jeta un coup d'œil admiratif sur l'ensemble.

– Cet endroit me plaît infiniment.

Antoine-Léon acquiesça d'un signe comme si le compliment lui agréait. Il avait mis un grand soin à organiser cette rencontre afin que les membres de sa famille en gardent le meilleur souvenir. Il voulait aussi leur faire connaître leurs manières de vivre dans cette région lointaine, malgré les distances qui les coupaient de la civilisation, l'aisance dont ils avaient réussi à se doter.

Les frises du plancher avaient gémi. Un serveur s'était approché et avait fait sauter un bouchon dans un bruit caractéristique.

Antoine-Léon se tourna vers ses hôtes. Ses prunelles brillaient de fierté. Il avait commandé une bouteille de champagne.

– Vous avez dû vous demander bien des fois comment nous nous arrangeons dans ce coin de pays tout neuf, leur dit-il. Comme vous le voyez, nous ne sommes pas si mal organisés. Ma profession nous fait bien vivre et malgré notre éloignement, nous jouissons du confort des villes centrales, même le champagne vient à nous, badina-t-il en levant son verre. La vie pourrait être parfaite... mais...

Il était ému et il l'avouait sans honte.

– Il y a des temps où c'est plus difficile, comme à la période des fêtes. La nuit de Noël, surtout, vous nous manquez. Pour Élisabeth, c'est son père à qui elle pense, et moi, c'est à vous, maman et à toi, Marie-Laure. J'ai en mémoire nos Noëls d'enfants. Nous en avons connu des beaux et d'autres qui étaient plus tristes. Marie-Laure se rappelle sûrement celui qui avait suivi l'éboulis dans la rivière aux Loutres, lorsque vous vous étiez brisé la jambe, maman. Ce Noël nous a marqués, Marie-Laure et moi.

Il se pencha vers l'avant.

– Tu n'as pas oublié, petite sœur ?

Marie-Laure secoua la tête.

– Oh, non, je n'ai pas oublié.

Ce rappel l'avait ébranlée. À l'inverse de son frère, exubérant, démonstratif, elle affichait une plus grande réserve, ce qui ne l'empêchait pas de garder un souvenir éprouvant de ces jours où leurs parents avaient connu une longue suite de malheurs.

Le docteur Gaumont s'agita sur son fauteuil.

— Et moi, vous ne me demandez pas si je me rappelle ? Votre mère a bien failli perdre sa jambe dans cette aventure. Sa servante, mademoiselle Bonenfant, qui pensait bien faire, entourait sa blessure ouverte de cataplasmes d'herbes séchées et poussiéreuses en récitant des incantations vers je ne sais quel saint du ciel. C'est beau, la piété, mais ses formules magiques n'auraient sauvé personne. C'était la première fois de ma vie que j'entrais dans une si vive colère.

— Je vous dois beaucoup, murmura Héléna. Combien de gens comme moi vous avez sauvés, docteur Gaumont. Nous ne vous en serons jamais assez reconnaissants.

Cette digression avait chassé les rires.

Olivier regarda autour de lui. Avec son tact habituel, il proposa sur un ton de gourmandise :

— Vous ne trouvez pas que ça sent bon ? Que diriez-vous si nous allions continuer à bavarder devant nos assiettes ?

L'imposante bâtisse était remplie des bonnes odeurs des plats longuement mijotés. Le manoir était renommé pour sa fine cuisine.

D'un même mouvement, ils se levèrent et se dirigèrent vers la salle à manger où une table avait été dressée à leur intention.

La pièce était spacieuse. De forme carrée, elle offrait un haut plafond orné de moulures d'acajou qui allaient se fondre avec les murs recouverts de lambris aux teintes sombres.

De longues fenêtres s'ouvraient de chaque côté. Les unes, orientées vers le jardin, découvraient une enfilade de conifères piqués dans la neige, tous illuminés d'une multitude d'ampoules dorées qui frémissaient dans le soleil.

À l'opposé, l'autre fenêtre donnait sur la mer.

Une douce sérénité se dégageait de la vaste étendue bleue.

Deux années auparavant, le feu avait détruit le manoir. La compagnie QNS qui en était propriétaire l'avait reconstruit et s'était appliquée à lui redonner ce cachet unique qui avait fait sa renommée lors de sa construction trente ans plus tôt par Robert Rutheforf McCormick, le fondateur de toutes les villes papetières de la Côte-Nord enclavées entre le fleuve et les montagnes.

Une impression ouatée couvrait l'atmosphère. De lourds tapis assourdissaient la résonance des vitres et ajoutaient à l'ambiance cosy qui se dégageait de l'ensemble. Ils n'entendaient autour d'eux que des bruits de voix étouffés, le cliquetis des couverts et le léger souffle que provoquait la bouffée d'air déplacée par les serveurs qui apportaient les plats.

— Ce civet de lièvre est délicieux, fit remarquer Élisabeth en mastiquant avec appétit. Préparé par le chef du meilleur restaurant en ville, je le précise, parce que jamais je n'aurais eu le courage d'écorcher moi-même cette pauvre petite bête et la couper en morceaux.

— Élisabeth est ben sensible, observa Antoine-Léon, l'œil rond, la lèvre moqueuse.

Trônant comme un patriarche au bout du panneau, il avait peine à se retenir de s'esclaffer.

— Vous ne le savez peut-être pas, dit-il en engloutissant une généreuse portion du gibier, mais ce lièvre-là a toute une histoire.

— On a su ça, oui, railla Olivier, on a aussi appris qu'à cette occasion, tu as affronté un ours. T'es pas peureux, le beau-frère.

Antoine-Léon se mordit les lèvres. La mine dubitative, il les scruta tour à tour.

À sa gauche se tenait Olivier avec près de lui Marie-Laure et les jumelles. Face à eux avait pris place Élisabeth, entourée de son père et de leurs deux enfants. À l'autre bout de la table était assise sa mère.

Silencieux, la mine polissonne, Olivier le fixait, curieux de connaître la suite. Antoine-Léon ignorait ce qu'il savait de son aventure et qui la lui avait racontée. Mais l'heure n'était pas aux tergiversations. Olivier montrait son impatience.

Risquant le tout pour le tout, il avança avec une feinte modestie :

— Bah ! dans n'importe quel job, il y a des dangers. Moi, je travaille en forêt. C'est normal d'y croiser des ours.

— Tu aurais pu y laisser ta peau, réprouva sa mère. Comment peut-on être aussi téméraire ! J'en ai vu qui se sont fait dévorer pour moins. Je pense à un habitant de mon village du Bic. Parti à la chasse un matin d'octobre, il n'est jamais revenu. On a retrouvé ce qui restait de lui le printemps suivant, que son squelette. Il avait été entièrement dévoré par les bêtes…

— Tu as été courageux, mon garçon, prononça le docteur Gaumont.

Antoine-Léon baissa les yeux. Il ne se targuait pas d'une telle vaillance. Bravache, il affectait l'insouciance.

Il se retenait de leur avouer la frayeur qui l'avait habité ce jour-là, la peur proche de la panique qu'il avait éprouvée, une véritable terreur dont il était encore commotionné.

Depuis cet événement, chaque fois qu'il s'aventurait dans les bois, il ne pouvait empêcher une crispation de nouer sa gorge, il ne pouvait se retenir de sursauter à l'envol d'un oiseau, au gémissement du vent dans les branches, aux craquements imprécis de la forêt qui atteignaient ses oreilles, à tous ces bruits qui pouvaient lui rappeler le chuintement d'un pas lourd, celui d'un ours dans la neige.

Pourtant, il avait bien tenté de recouvrer son bon sens. Les forestiers étaient choisis en raison de leurs compétences et aussi de leur connaissance de la forêt. Vincent, l'Indien, le galopin, possédait toutes ces qualifications.

Olivier avait élevé la voix.

— Pis, Antoine-Léon, ton lièvre, on aimerait bien savoir comment il a abouti au manoir ? Tu disais qu'il avait toute une histoire.

Antoine-Léon laissa filer un petit rire. En prenant son temps, il coupa une bouchée de viande et la mastiqua. Il se sentait flatté de l'intérêt qu'il suscitait chez son beau-frère. Loquace, il relata ce vendredi d'octobre alors que, rentré à la maison, la prise de l'Indien dans sa main, retenue par les pattes comme s'il l'avait piégée lui-même, il avait été accueilli par une Élisabeth outrée.

La vue de cette bête délicate, au poil doux, d'un blanc à peine teinté d'un peu de gris sur les pointes, inerte sur la table de la cuisine, avec ses membres effilés, ses flancs creux, ses yeux vides, lui avait crevé le cœur. Elle avait reculé de dégoût.

— Comment as-tu osé tuer ce pauvre animal qui ne demandait qu'à vivre et qui ne nuisait à personne ! Je refuse de le dépouiller, de le couper en morceaux, je refuse d'y poser seulement un doigt.

Déconfit, il avait hoché la tête. Vincent lui avait recommandé de s'en charger lui-même, de le cuire à petit feu, avec beaucoup de moutarde et tout le tralala, mais il s'en sentait incapable. À l'exception de tartiner de beurre frais les toasts des enfants au petit-déjeuner, il était nul en cuisine.

— Je vais aller demander aux épouses des confrères, avait-il décidé. J'ose croire qu'il s'en trouvera une parmi elles qui acceptera d'apprêter ce lièvre. Bon sang! Ce n'est pas la mer à boire!

— Ne compte pas sur mes amies pour t'aider, avait proféré Élisabeth.

Astucieuse, tandis qu'il franchissait le seuil, elle avait téléphoné à toutes ses connaissances. Sur un ton impérieux, elle leur avait interdit, si son mari s'aventurait chez elles, de seulement lui entrouvrir la porte sous peine de briser leur amitié pour le reste de leurs jours.

Antoine-Léon fit une pause dans sa narration et pouffa.

— Pas une seule n'a accepté de me rendre ce service. Ah! elles sont solidaires les femmes de Baie-Comeau. Pourtant, elles auraient apprécié. Ce mets, quand il est bien accommodé, est divin. Vous en avez la preuve, ajouta-t-il, ses mains déployées en éventail, montrant les assiettes qui ne contenaient plus que des os.

Il dodelina de la tête. Les épouses des confrères étaient ainsi : proches les unes des autres, presque des sœurs, l'entraide était pour elles comme un devoir. Il ne réprouvait nullement cette attitude. Parachutées loin des leurs, c'était leur bouée de sauvetage, leur façon de préserver leur authenticité dans ce pays indompté qu'elles apprivoisaient un peu plus chaque jour.

Enfin, après avoir parcouru la ville entière, incapable de recruter quiconque accepterait de faire cuire son lièvre, il n'avait vu qu'une solution qui était de l'apporter au manoir. Se refusant à tout gaspillage, il le céderait à qui saurait en faire bon usage sans rien demander en retour.

Le cuisinier l'avait accueilli avec des débordements d'enthousiasme qui lui avaient vite fait oublier ses vaines tentatives.

— Pas question de m'en faire cadeau! l'avait-il freiné. C'est toi qui vas le manger. Pour ma peine, tu m'en rapporteras un autre à la prochaine occasion.

Aujourd'hui, ils savouraient le résultat. Un beau civet à la moutarde et au vin blanc que leur avait servi le chef, si succulent qu'il n'y en avait pas eu en quantité suffisante pour satisfaire toute la tablée.

– C'était ça ou le divorce, termina Antoine-Léon.

– Je n'aime pas quand tu parles de divorce avec un tel détachement, le réprimanda sa mère. On entend trop souvent de ces réflexions, aujourd'hui. Le mariage est une affaire sérieuse qu'il ne faut pas galvauder.

Tournée vers le docteur Gaumont, elle chercha son approbation.

– N'est-ce pas que j'ai raison, docteur ?

– Je suis entièrement de votre avis, répondit le père d'Élisabeth. En banalisant, nos jeunes perdent tout respect pour ce qui en mérite.

Antoine-Léon baissa les yeux. Quand sa mère décrétait ainsi et surtout quand elle avait le support d'un personnage aussi influent que le docteur Gaumont, ses enfants, même devenus des adultes, devaient obtempérer.

Arrivée à l'âge vénérable de soixante-douze ans, rationnelle, la riposte facile, elle n'avait rien perdu de sa logique et de son autorité.

Il songeait à quel point elle était magnifique et combien il en était fier. Revêtue de sa plus jolie robe noire, le cou cerclé de deux rangs de perles, son petit chapeau de soie planté coquettement sur sa tête, elle trônait à l'autre bout de la table. Toujours irréprochablement mise, elle était encore citée dans leur village comme un modèle d'élégance. Il avait le sentiment que jamais le temps ne réussirait à affecter son corps ni son entendement, qu'elle resterait toujours ainsi, noble, belle, immuable.

Il avait peine à taire son émotion. L'œil subitement brillant, avivé, il regarda autour de lui et prononça sur un ton de boutade :

– Les jeunes, tantôt après le repas, vous mettrez vos tuques et vous les enfoncerez bien sur vos têtes, parce qu'Olivier, grand-papa et moi, on vous amène faire un *sleigh-ride*.

Les yeux rivés sur son assiette, il ajouta, l'œil rond, la lèvre malicieuse :

– Pendant ce temps-là, les femmes prépareront le souper.

Marie-Laure et Élisabeth se regardèrent.

– Avons-nous bien entendu ?

Dressées comme deux coqs, avec leur petite toque qui s'agitait sur leur occiput, elles ne cachaient pas leur indignation.

– Ainsi, nous ne sommes pas invitées, proférèrent-elles du même souffle.

– Ce que tu peux être sexiste, Antoine-Léon Savoie ! le fustigea Marie-Laure. Tu crois encore que les femmes ne sont vouées qu'au ménage et à la cuisine. Nous exigeons de faire cette promenade, sinon tout le monde reste à la maison et se tient pénard, na !

– Je ne pensais pas que ça pouvait vous intéresser, répondit Antoine-Léon pince-sans-rire. Si vous tenez à nous accompagner, c'est une autre histoire. Nous allons en discuter. Toi, le beau-frère, ton avis ?

– Bah ! convint Olivier. Deux femmes en sleigh, ça peut servir. Elles s'occuperaient des enfants.

– Olivier Dufour !

Oubliant toute retenue, Marie-Laure se tourna vers lui et laboura son épaule de ses poings fermés.

– Tu devrais avoir honte, espèce de malotru.

Hilare, Olivier la laissait faire. Son rire déboulant en cascade, de ses deux mains, il tentait de se protéger contre son déferlement de fureur.

Enfin épuisée, Marie-Laure se contint.

– Mon amour de Marie-Laure, fit-il, encore secoué de rire, je t'adore. Tu es si belle quand tu es fâchée.

– Je sais, ils disent tous cela.

Héléna leur jeta un regard froid. Elle n'approuvait pas ces jeux espiègles et cet étalage d'affection dans les endroits publics, même si le couple était marié. Ces comportements, à son avis, ne devaient se tenir que dans l'intimité de leur chambre.

L'année 1967 était sur le point de se terminer. Depuis dix ans, les astronautes voyageaient au-dessus de la terre dans leurs véhicules spatiaux et la télévision en couleur s'était introduite dans les foyers. Malgré ces avancées vers le modernisme, elle demeurait ancrée dans ses principes et se défendait d'être rétrograde. Elle ne voyait là que la juste observance des convenances.

Après la mort de son époux, malgré la vie solitaire qui était devenue la sienne, elle avait encouragé ses enfants à poursuivre leurs études, même en sachant qu'ils devraient s'éloigner. Cependant, elle ne voulait pas qu'ils perdent leurs valeurs.

Leur diplôme obtenu, elle avait remis à chacun une importante somme d'argent leur permettant de s'installer plus aisément dans leur profession.

Antoine-Léon avait décroché un emploi sur la Côte-Nord tandis que Marie-Laure avait choisi d'aller faire un stage de perfectionnement à Paris.

C'est dans cette ville qu'elle avait rencontré Olivier, un Canadien comme elle, étudiant en dentisterie qui ambitionnait de faire une spécialisation en chirurgie buccale.

Étonnamment, même s'ils avaient fréquenté en même temps l'université Laval, elle n'avait pas eu l'occasion de le rencontrer.

N'eût été leur amour pour les arts, ils auraient pu ne jamais se croiser.

L'événement s'était produit lors d'une visite au Musée du Louvre. Tous deux en extase devant la Joconde, ce célèbre tableau de Léonard de Vinci, ils avaient buté l'un sur l'autre.

Olivier était un fort joli garçon. D'allure aristocratique et d'un charme ensorceleur, de bonne famille, né à Québec et issu de la haute bourgeoisie, il avait reçu une excellente éducation.

Le port digne, Marie-Laure avait hérité de la beauté de sa mère, de son teint d'ambre et de ses grands yeux noirs remplis d'intelligence.

— Toutes mes excuses, avaient-ils bredouillé chacun leur tour.

Étonnés devant cet accent québécois qu'ils se reconnaissaient, ils s'étaient considérés un moment et avaient pouffé de rire.

En peu de temps, ils étaient devenus inséparables.

Marie-Laure s'était empressée d'écrire à sa mère, une longue lettre dans laquelle elle dépeignait son nouveau soupirant. Il n'avait rien de commun avec les freluquets qu'elle avait connus, assurait-elle.

Héléna avait froncé les sourcils. Une sorte d'inquiétude était montée en elle. Le jeune homme lui apparaissait trop riche et sa fille trop extravagante.

Lié à la politique par son père, ministre sous Duplessis, le garçon était, en outre, du mauvais parti, ainsi qu'elle disait. Il était bleu. Elle craignait que des divergences de vues ne les écartent l'un de l'autre et causent leur malheur.

Sans compter que ces enfants trop bien nés, en majorité des fils à papa, recherchaient une épouse bien nantie afin de vivre de sa dot et à ses crochets, avait-elle conclu en écartant résolument la missive de sa fille.

Marie-Laure avait fait fi de ses inquiétudes.

Elle était majeure. Olivier et elle s'étaient mariés.

Les deux tourtereaux s'étaient rapidement permis quelques discordes.

Installés sur la rive droite de la Seine, dans un joli appartement trop cher pour leurs moyens, ils n'avaient pas tardé à trouver les fins de mois difficiles.

Olivier avait un père fort à l'aise et s'adonnait volontiers à la dépense. Marie-Laure, pourtant issue, elle aussi, de parents fortunés, avait été habituée à plus de modération. Mais dans leur quartier, les occasions de sorties étaient fréquentes et le coût de la vie élevé. Le jeune couple s'était rapidement retrouvé sans ressource.

Olivier avait peu de contacts avec son père. Politicien de carrière, plus intéressé à préserver les votes de ses électeurs qu'à veiller sur sa progéniture, il menait une existence loin de la réalité.

Malgré l'humiliation que lui causait cette démarche après l'importante somme d'argent que sa mère lui avait déjà remise et qu'elle avait dilapidée, Marie-Laure avait dû se résigner à lui demander son aide.

— Tu devras apprendre à compter, ma fille, avait-elle obtenu comme réponse.

Sans mentionner son gendre, tout en lui rappelant qu'elle aurait dû considérer sa mise en garde, sa mère ne lui avait accordé qu'un prêt qu'elle devrait lui rembourser : capital et intérêts.

De la décision de sa mère, Marie-Laure avait compris qu'il lui revenait de tenir les cordons de la bourse, ce qu'elle aurait dû faire dès les premiers instants de leur vie commune.

Elle s'était vite employée à gérer les affaires de leur couple.

Aujourd'hui, Olivier gagnait bien sa vie et ils avaient remboursé entièrement leur emprunt. Loin de critiquer, Marie-Laure avait saisi la leçon et elle lui en était reconnaissante. Après avoir longtemps cru que sa mère n'en avait que pour son Antoine-Léon, qu'elle le gâtait plus qu'il n'était permis, elle avait décelé la sagesse de son raisonnement.

Leur séjour à Paris avait duré deux ans. Ils étaient rentrés au pays et les jumelles étaient nées.

Olivier avait ouvert un élégant cabinet de dentiste dans un quartier huppé de la Haute-Ville de Québec et était devenu le pourvoyeur de la famille.

Héléna en avait été soulagée. Elle n'avait pas eu besoin d'éperonner ces jeunes pour qu'ils arrangent les choses, leur bon sens s'en était chargé. Aujourd'hui, ils possédaient une jolie maison dans la ville de Sillery en banlieue de Québec et ils y vivaient confortablement.

Sa seule déception avait été que la jeune mère qu'était devenue Marie-Laure ait dû remettre à plus tard l'exercice de sa profession de journaliste.

— Un jour, lorsque ses filles auront grandi, Marie-Laure reprendra le travail, espéra-t-elle.

Plongée dans ses pensées, elle ne s'était pas rendu compte qu'elle avait réfléchi tout haut.

— Mais Marie-Laure songe déjà à se mettre au journalisme, répliqua Olivier sur un ton de désapprobation. Les filles n'ont que quatre ans. Rien ne la pousse à tant se presser.

Le visage d'Héléna s'anima.

— Lorsque Marie-Laure avait cet âge, j'avais réintégré ma chapellerie depuis belle lurette.

Marie-Laure jeta un coup d'œil triomphant vers son époux.

— Tu vois, maman m'approuve.

Jamais, elle n'avait rejeté l'idée de retourner à la pratique de son art, disait son regard résolu. Son désir était toujours là, il ne s'était arrêté que le temps de guider les premiers pas de ses filles.

Elle cherchait mille façons de retourner à ses activités et se demandait comment y parvenir sans perturber la vie familiale. Ah ! si elle avait pu dénicher une autre mademoiselle Bonenfant, toute dévouée et semblable à la bonne de sa mère, se disait-elle, comme elle se serait empressée de lui céder son tablier, avec quelle joie, elle aurait quitté la maison chaque matin pour se rendre au journal !

Rattrapée par le doute, elle se demandait pourquoi elle était si pressée de plonger dans la vie active quand elle pourrait tarder un peu. Elle était jeune, à peine trente et un ans et ses jumelles étaient encore d'un âge tendre. Sa belle-sœur Élisabeth ne tenait-elle pas tranquillement la maison de son frère, ne s'amusait-elle pas, ne profitait-elle pas de la vie comme une grande dame ?

Il est vrai qu'Élisabeth n'était pas la fille de la veuve de l'artiste, qu'elle n'avait pas hérité de son sens des affaires et de son besoin de se réaliser.

Fille unique, élevée comme une petite princesse dans un milieu plus mondain que travailleur, Élisabeth n'aurait jamais imaginé autre chose que de suivre les traces de sa mère.

Marie-Laure ne critiquait pas sa façon de vivre, même si elle la trouvait un peu désuète.

Aujourd'hui, de plus en plus de femmes se retrouvaient sur le marché du travail, parfois par besoin, parfois aussi pour l'émancipation et le rayonnement de leur intelligence.

Olivier voyait le projet de Marie-Laure d'un autre œil. Issu d'un milieu où les épouses passaient oisivement leurs jours, servaient le thé les après-midi, accompagnaient leurs maris, les soirs, dans les réunions sociales et les concerts, c'était dans ce cercle qu'il voyait la compagne de sa vie.

La tablée était silencieuse. Ils avaient avalé leur dessert et ils sirotaient le digestif.

— Et vous, maman, interrogea Marie-Laure, dérogeant de leur sujet épineux et retrouvant sa bonne humeur. J'espère que ce n'est pas la tiédeur de ces messieurs qui vous retient de faire une promenade au grand air.

— Je suis une vieille dame, répondit Héléna. Tout cela n'a pas le même sens pour moi...

Les prunelles subitement animées, elle considéra sa famille.

— Quoique... faire un bout de promenade, voir à quoi ressemble cette ville... je la connais si peu... Si je suis trop fatiguée, vous me déposerez quelque part.

Antoine-Léon leva les yeux vers elle. Appuyé sur le dossier de sa chaise, les pouces plantés dans sa petite veste, il exultait. Pour la première fois depuis qu'il était au monde, il entraînerait sa mère dans un *sleigh-ride*. Si on avait voulu l'impressionner, l'effet était réussi !

– Alors, on s'habille chaudement et hop! dans la carriole, émit-il.

Les autres se levèrent et allèrent endosser leurs manteaux.

Ils se retrouvèrent dehors. Le beau soleil qui resplendissait depuis leur réveil les accueillit et les éclaboussa.

Là-bas, au bord de la route, un cheval de trait attaché à un long traîneau attendait, la tête courbée dans une attitude soumise.

La robe grise, les muscles forts, il avait de grands yeux doux et son museau écumait dans l'air frais. Ses grosses pattes velues piaffaient sur le sol et il respirait bruyamment en secouant son attelage.

Sur la plate-forme, le dos voûté, se tenait le charretier. Placide, les rênes retenues entre ses épaisses moufles de cuir, il paraissait ensommeillé.

Derrière lui, deux planches rudimentaires recouvertes d'une peau d'ours s'étiraient sur la longueur.

– Voilà, dit Antoine-Léon en y entraînant leur groupe. Cet attelage est pour nous. Nous allons faire un tour de ville, je vais vous montrer les industries qui nous font vivre, les beaux sites, les églises, la mairie, vous ne serez pas déçus.

– La mairie? s'étonna Olivier. Cette bâtisse n'a pourtant rien d'extraordinaire. Dois-je comprendre que tu souhaites un jour escalader les marches à titre de maire?

Antoine-Léon éclata de rire.

– Et pourquoi pas, répondit-il pince-sans-rire.

– Il faut disposer de beaucoup de temps pour s'investir dans les affaires publiques, le prévint Olivier. Il faut aussi avoir une haute opinion de soi-même. Moi, j'en serais incapable. Après avoir passé des heures la tête enfoncée dans les bouches des autres, je n'aurais pas le goût d'écouter ces mêmes personnages se faire agiter le clapet. Ma journée terminée, tout ce que je souhaite, c'est d'aller m'éclater sur un terrain de golf.

Antoine-Léon était subitement pensif. Olivier le secoua.

– Une lampée? offrit-il en dégageant de sa poche une petite flasque de scotch. C'est de la première qualité, 15 ans d'âge. Ça, mon homme, faut que tu goûtes à ça!

– Tu m'en diras tant, douta Antoine-Léon en y posant les lèvres.

Une grimace déforma ses lèvres.

– Ouais, c'est du bon boire.

Il glissa sa pipe entre ses dents. Un sentiment paisible l'avait rejoint.

L'après-midi était belle et la randonnée serait agréable. Son regard cerna les alentours et ses paupières s'amincirent.

– Alors, on le fait ce *sleigh-ride* ? s'impatienta-t-il.

Chacun prit place sur les banquettes.

Le conducteur fit claquer les rênes. Un grincement mat troubla l'air, le traîneau ripa et rejoignit la route. La promenade débutait.

5

Inconfortablement installés dans un véhicule Bombardier, Antoine-Léon et son équipe se laissaient ballotter par les soubresauts de la piste. On était en avril. Le printemps était arrivé depuis plusieurs semaines le long de la mer, mais en haut, dans la forêt, avec les grands résineux qui empêchaient le soleil de percer les ombres, la neige fondait avec plus de lenteur, formait des myriades de coulées boueuses entrecoupées de plaques de neige durcie, comme une suite de banquises agglutinées autour des racines qui les gardaient prisonnières.

Ils allaient de l'avant à travers un chemin de bois mal défini, tracé plus tôt dans la saison par la machinerie lourde qui avait procédé aux coupes. Leur journée de travail était terminée et ils s'en retournaient vers le lac Sainte-Anne près duquel ils avaient établi leur campement.

Levés avec l'aurore, ils s'étaient rapidement mis en route et avaient parcouru les surfaces dégarnies à faire l'analyse des dégâts causés par l'homme et la nature, étape indispensable avant d'amorcer celle du reboisement. Antoine-Léon avait choisi d'emmener avec lui trois hommes chargés habituels de cette sorte d'expédition : l'Indien Vincent, son éclaireur, Amédée Fleury, technicien d'expérience et Fernand Côté, ancien mécanicien de camions qui faisait office de chauffeur. Les six autres forestiers étaient restés au camp et avaient été affectés à des travaux mineurs dans les alentours.

– On peut se compter chanceux que le sol soit encore tapé, cria Fernand, parce que les chemins sont sur le bord de défoncer. Un jour de plus, même si on est équipé de chenilles, on aurait de la difficulté à passer. On annonce de la pluie pour demain.

– C'est pour ça que fallait se presser, hurla près de lui, Antoine-Léon, on était à la limite pour terminer la corvée. Avec la pluie, les sentiers vont défoncer et seront pas carrossables pendant des semaines.

Les bruits de l'appareil étaient assourdissants. Dans un constant tintamarre, des craquements métalliques comme une suite de pièces désarticulées leur parvenaient en écho, les cernaient et ajoutaient à leur fatigue.

Antoine-Léon appesantit son regard sur le hublot. Ce travail mettait un terme à leur circuit d'inspection. Ils rentreraient à la maison le lendemain soir et il en était soulagé. Ces trois semaines passées en forêt avaient été éprouvantes, avec le dégel qui s'amorçait, la lourdeur de l'air, l'humidité qui les atteignait jusqu'aux os, les tentes inconfortables, les repas trop simples. Il avait hâte de se retrouver dans la civilisation, goûter la bonne chaleur de son foyer, prendre un énorme bain de mousse et dormir dans un grand lit bien propre et douillet.

Noël avait passé trop vite. Le lendemain de la fête, sa mère, Marie-Laure et sa famille de même que le père d'Élisabeth étaient montés dans le transbordeur et étaient retournés chez eux. Leur petit logis était devenu subitement tranquille, trop tranquille, à peine troublé par le babil des enfants. Ils en avaient éprouvé une désagréable sensation de solitude, comme un grand vide. À la suite de pareilles agapes, de joies collectives, il était difficile de se replonger dans la routine sans ressentir une certaine nostalgie.

Les festivités de fin d'année terminées, les réceptions chez les amis passées, le sapin de Noël abandonné aux éboueurs, tandis qu'Élisabeth fartait ses skis, encore une fois, accompagné de son équipe, il était retourné à ses activités forestières.

Comme chaque année dans les Laurentides, l'hiver avait été long et rude, avec le vent du nord qui hurlait sa colère et pinçait les joues.

Dès le mois de janvier, un froid très vif avait enveloppé les montagnes et la vie avait été pénible dans les camps.

Malgré les moyens mis à leur disposition ; les chauffages d'appoint chargés à bloc dont étaient pourvues les tentes, les sacs de couchage à thermicité supérieure, avec doublure épaisse encore renforcée, ils n'avaient pu empêcher la bise mordante de s'infiltrer et de les pénétrer jusqu'aux os.

Dormir sous un abri de toile, même quand celui-ci est conçu pour résister à des températures frôlant les cinquante degrés sous zéro, avec pour simple source de chaleur une chaufferette au bois crachotant une vilaine flamme était loin du luxe d'un palace. Emballés comme des saucissons dans leurs combinaisons de laine, ils avaient compris pourquoi la rumeur courait que les bûcherons ne se décrassaient qu'à leur retour à la maison.

Pendant de longs mois, malgré la proximité de la rivière qui aurait pu leur fournir, en cassant la glace, l'eau nécessaire à leur toilette, grelottants devant la *truie* de leur tente, ils s'étaient retenus de découvrir le moindre centimètre de leur peau.

Antoine-Léon avait passé bien des soirées, enroulé dans son duvet, devant sa table de travail sur laquelle étaient étalées ses cartes et ses photos aériennes, usant sa patience à la lueur de sa lampe Coleman, tandis que, les mains bleuies de froid, il notait les détails de sa recherche et rédigeait les tâches du lendemain.

Il s'armait de courage et se persuadait que cette existence de nomade tirait à sa fin.

En janvier, avant de reprendre ses occupations, sans en souffler mot à personne, il était allé rencontrer monsieur Macintoch, le responsable du personnel dans l'édifice de la *QNS* et lui avait fait part de sa lassitude, de son désir d'être affecté dans les bureaux.

Gladys, sa femme lui avait parlé de l'intervention d'Élisabeth, avait-il répondu, et il en avait pris bonne note. Aussitôt qu'un poste se libérerait, il le lui serait attribué.

Antoine-Léon songea que plus le temps passait, plus cette mutation était proche. Peut-être était-ce une des dernières fois qu'il se faisait bringuebaler dans une sente forestière semée de cahots sur la peu invitante banquette d'un Bombardier?

Un sentiment de plénitude monta en lui. Il laissa échapper un grognement d'impatience.

Le visage accroché au hublot, il suivait la ligne des grands conifères qu'il voyait défiler de chaque côté d'eux comme une meute silencieuse.

Aux pieds des arbres, la neige était sale, couverte d'aiguilles jaunies. Le printemps s'amorçait avec ses habituelles exubérances.

Le mois d'avril était la période de l'année la plus contraignante pour les forestiers, avec les pistes devenues impraticables, les rameaux morts qui s'enchevêtraient et jonchaient les espaces de travail, le sol mou dans lequel ils enfonçaient comme dans un piège à ours, tous ces ennuis qui s'étiraient à n'en plus finir jusqu'à ce que la chaleur du soleil perce l'opacité des branches et réchauffe la terre.

Aujourd'hui, ils avaient procédé à une tournée de reconnaissance autour du lac Fortin, la dernière qu'ils feraient avant le grand dégel. Leur vérification avait débuté par le nord-est, après quoi, ils étaient descendus vers le sud en longeant la réserve faunique.

On était jeudi et ce déplacement mettait fin pour environ un mois aux activités en forêt. Les semaines qui suivraient, jusqu'à ce que les pistes deviennent carrossables, il irait occuper un local dans les bureaux de la compagnie où il rédigerait ses rapports et ferait la compilation des lots échantillonnés au cours de l'hiver.

Lorsque le territoire serait suffisamment asséché, il retournerait à son exploration et s'adonnerait aux tâches de la saison chaude.

Il aimait les travaux d'été. Oubliant mouches noires et brûlots, il avait le sentiment d'être en vacances tandis qu'il faisait les inspections de coupe, les études pour déterminer les volumes couverts, les sites, les types de forêt et toutes les étapes qui en découlaient.

Il y avait même emmené Élisabeth, l'année qui avait suivi leur mariage un peu comme un second voyage de noces.

Le travail terminé, ils s'étaient dirigés vers le lac. Étendus sur la grève sablonneuse, les yeux rivés sur le couchant qui rougissait ses vagues, ils avaient longuement profité de cet endroit paisible. Il lui avait appris à aimer la forêt et à le suivre dans ses déplacements lorsqu'il était loin d'elle.

— Si tu veux comprendre la différence entre la végétation arborescente et la végétation herbacée, il y a une façon, lui avait-il expliqué un soir. Si la fougère s'élève à plus d'un mètre, tu y trouveras de vigoureux sapins hauts de trente mètres et faisant cinquante centimètres de diamètre. Par contre, s'il n'y pousse qu'une mousse sèche, tu n'y découvriras que de l'épinette noire, courte dont le diamètre ne dépassera pas une quinzaine de centimètres.

– Et si, dans tes hautes fougères, tu ne découvrais que des sapins tout menus, à peine plus hauts que des arbres de Noël, avait-elle argué, espiègle, ce serait possible ?

– Je me dirais que la forêt est jeune et je virerais de bord.

Ils avaient éclaté de rire.

Il laissa échapper un soupir. Élisabeth lui manquait.

Mais il n'avait plus à compter les jours. Demain, il entasserait ses bagages dans un pick-up et il la retrouverait. Pendant quelques semaines et jusqu'à la reprise des expéditions, comme un avant-goût de sa vie future, il dormirait auprès d'elle. Enfin, une fois encore, il rassemblerait son équipement et irait organiser un nouveau camp provisoire.

Mentalement, il énumérait les privilèges dont jouissaient les ingénieurs affectés à la forêt. Il se demandait s'ils lui manqueraient le jour où il bosserait dans les bureaux, fondu qu'il serait dans la masse des seniors.

Toute tranche de vie, même difficile, engendre des regrets. Il savait que son transfert ne rendrait pas son existence spontanément idyllique. La mesquinerie, la cupidité, l'ambition sont le propre de l'homme et la promiscuité rendrait ces sentiments encore plus présents.

Il aurait donné gros pour savoir ce qui l'attendait.

Au-dessus de leurs têtes, les nuages s'étaient encore épaissis et le ciel était presque noir.

– J'ai l'impression qu'il va pleuvoir plus tôt que prévu, cria-t-il.

– C'est aussi mon avis, notre retour au camp risque de se faire dans la flotte, répondit Fernand partageant son inquiétude.

Comme une confirmation à leurs dires, le vent s'était subitement levé. Aux bruits pénétrants qui secouaient le véhicule, s'était ajouté le hurlement des arbres qui se tordaient dans la rafale.

Quelques gouttes de pluie avaient commencé à tomber et piquetaient le pare-brise.

Fernand actionna les essuie-glaces.

– S'il continue à mouiller de même, demain, ça sera pas plaisant, même si les *jobines* qui restent à faire sont autour du camp.

– On mettra nos cirés, répondit Antoine-Léon.

Ils étaient arrivés devant une clairière. À cet endroit, il n'y avait plus trace de neige. Une mare d'eau sale couvrait la piste. Le véhicule s'y engagea avec lenteur. En émettant un bruit de clapotis, il bringuebala sur ses chenilles et s'enfonça dans l'humus mou. Une boue épaisse giclait sur ses côtés et à l'arrière. Durement secoués, les mains accrochées au rebord de la banquette, les passagers se retenaient de toutes leurs forces.

— On est à une demi-heure du camp, les encouragea le chauffeur. Ça sera pus long, *astheure*, qu'on va se dorer la couenne devant nos *truies*.

Le véhicule s'était extirpé de la fange. Ils approchaient de l'embranchement de la rivière Toulnustouc qui déboulait de la forêt pour aller se déverser dans le lac Sainte-Anne, cette vaste étendue qui recueillait avec la rivière Manicouagan, presque toutes les nappes d'eau du nord.

Avec un entrain nouveau, Fernand enfonça l'accélérateur et riva ses yeux sur sa route.

— J'ai le goût d'une bonne tranche de pain de ménage, j'espère que le *cook* a fait une fourn…

Soudain, ses mots s'étouffèrent dans sa gorge.

— Ciboire !

Ses mains se crispèrent sur le volant. D'un mouvement rude, nerveux, il appuya sur le frein.

Près de lui et sur le banc derrière, avachis sur leur siège, dans une sorte de torpeur, les hommes s'étaient sentis projetés vers l'avant.

Étonnés, dégrisés, ils agrandirent les yeux.

— Que c'est que c'est que c't'engeance ! marmonna Antoine-Léon.

Pétrifié, la bouche ouverte, il fixait le pare-brise.

— C'est le boute du boute.

Devant eux, face à ce qui aurait dû être la piste, une étendue bleue, vaste comme une mer, se déployait jusqu'à l'horizon. D'une largeur et d'une profondeur démesurées, elle baignait abondamment la base des arbres comme si l'immensité des océans avait entraîné la forêt avec elle. Là-bas, la débâcle avait commencé, en un seul jour, avait fait crever les rivières. En à peine quelques heures, les eaux troubles, retenues prisonnières pendant de longs mois, s'étaient évadées de leur bastion de glace, avaient coulé à torrent et débordé de leurs lits. Partout, les cours d'eau avaient étiré leurs bras, comme de longs tentacules, avaient serpenté entre les troncs sombres et s'étaient rejoints pour former une énorme nappe frémissante qui avalait tout l'espace.

Fernand avait éteint le moteur.

– D'habitude, on traverse à gué à cet endroit-ci, mais aujourd'hui… jamais j'aurais imaginé. Je mettrais ma main au feu qu'il y a du castor là-dessous. Je soupçonne ces maudites bêtes d'avoir construit des digues et provoqué un embâcle.

– Si la couche d'eau est peu profonde, peut-être que le Bombardier peut passer, hasarda Antoine-Léon.

– Un Bombardier, c'est pas un amphibie, Monsieur Savoie, répondit Fernand. Si l'eau monte jusqu'au moteur, pis qu'il étouffe, ça pourrait être grave. Notre Bombardier, c'est le seul moyen qu'on a de s'en sortir…

Les sourcils levés, il écouta le grésillement précipité de la pluie, comme des pas de danse effrénée qui tambourinaient sur leur habitacle.

– … Pis d'être à l'abri, si on est contraints de passer la nuit icitte. C'est mieux que de dormir à la belle étoile. Pour l'heure, on est pris, on peut pas avancer.

La mine songeuse, il prit un temps avant de reprendre sans trop d'assurance :

– Peut-être si on essayait de remonter vers le nord, qu'on pourrait prendre, côté est, la *trail* qui mène à la rivière Pentecôte. Ben entendu, rien nous dit que c'est pas inondé par là aussi, mais ça doit ben s'arrêter quelque part. Qu'en pensez-vous ? C'est un risque à prendre. On aurait environ deux heures de trajet à faire.

Il enchaîna avec plus d'insistance :

– De toute façon, on est coincés. Impossible de rejoindre le lac Sainte-Anne par cette bouillasse, même si on est tout proche. Si vous voulez pas prendre le risque de remonter plus haut, il nous reste à avertir par radio et attendre les secours.

Antoine-Léon était indécis. Ses ouvriers étaient las et, comme lui, ils étaient impatients de rentrer chez eux. Fernand raisonnait avec bon sens. Et pourtant…

– D'après toi, si on reste ici, quand arriveraient-ils, ces secours ?

– Pas à soir, en tout cas, ça, c'est certain.

Perplexe, Fernand souleva sa casquette et se gratta la tête.

– Si on pouvait trouver une *trail* qui nous permettrait de contourner l'embâcle par les bois. J'en ai vu une, tantôt, à notre droite, c'est à quinze minutes d'icitte. Sauf que j'ai pas idée où elle peut mener.

– On perd rien en allant voir, à la condition que t'aies suffisamment d'essence, décida Antoine-Léon.

Fernand ne se fit pas prier. Il actionna le moteur et rebroussa chemin. La piste qu'il avait repérée allait vers l'ouest sur un kilomètre, bifurquait et descendait vers le sud.

Assis près de lui, les muscles raidis d'espoir, Antoine-Léon avait rivé ses yeux sur la vitre avant.

Bousculé par les soubresauts du véhicule, il suivait les méandres du ruisseau gonflé par la crue qui débordait à leur droite, scrutait par le hublot les ombres qui s'épaississaient, sans cesse cherchait entre deux arbres une éminence par laquelle ils pourraient échapper à l'inondation.

La pluie s'était remise à tomber et martelait avec force sur le toit de leur habitacle. L'eau ruisselait à travers les herbes et formait une multitude de rigoles qui, à son grand désespoir, allaient encore grossir le flot déjà impressionnant des cours d'eau réunis, devenus une mer intérieure.

Fernand enfonça brusquement le frein.

– C'est inutile, je peux pas aller plus loin, prononça-t-il, excédé. C'est bloqué par là aussi. Je suggère de rester sur cette butte. Si l'eau continue à monter, au moins, on sera en sécurité.

– On dirait que toutes les rivières se sont donné le mot pour augmenter de volume le même jour, déplora Antoine-Léon. J'ai peut-être été téméraire, ce matin, en décidant cette dernière inspection.

– Ben non, Monsieur Savoie, le contint Fernand. Faites-vous pas de mouron. Y avait rien qui le laissait prévoir. C'est la crue habituelle. On en mourra pas. On va seulement devoir se débrouiller pendant un temps… jusqu'à ce que… parce que, dans pareille merde, c'est pas demain qu'un hélicoptère va pouvoir se poser, encore moins un hydravion qui va louvoyer entre les arbres pour venir nous chercher.

— Le Bombardier est muni d'une radio. Tu vas commencer par donner notre position, décida Antoine-Léon. On verra ensuite. Pour l'instant…

Se tournant vers l'arrière des banquettes, il considéra dans le fouillis de leur barda, leurs maigres restes de nourriture rassemblés dans un sac de toile. Il serra les lèvres.

— On va souper léger.

— Demain, il va faire beau, l'encouragea Fernand, il va faire si beau que la crue va s'être résorbée et que tout va être rentré dans l'ordre. Des embâcles de même, des fois, ça dure que quelques heures.

— On va souhaiter que t'aies pas tort.

Il pleuvait à verse le lendemain quand ils ouvrirent les yeux.

Le ciel était gris, d'un gris profond qui ne présageait en rien la reprise du beau temps.

Antoine-Léon étira le bras vers le coin bagage, attrapa la poche de victuailles et la vida sur le banc. Il fit l'inventaire de leur réserve.

Il ne s'y trouvait que trois boîtes de sardines, quelques sachets de thé et une conserve de fèves au lard. Des deux pains qu'ils avaient apportés en sandwichs la veille, il ne restait que les croûtes.

— Si on veut pas crever de faim, va falloir prendre les moyens, observa-t-il. Les gars, on va devoir se mettre à la chasse.

Il ajouta sur un ton ironique :

— J'ose pas dire ce qu'en penserait ma femme.

— Je puis aller faire un tour dans les environs, voir si je trouverais pas de la mousse à caribou ou des petits fruits, proposa Vincent, heureux de montrer ses talents d'éclaireur. Peut-être qu'y a du pimbina dans le coin ? Je pourrais aussi me rendre dans les marais et voir si j'y trouverais pas des *chicoutées*. Je suis pas sûr qu'elles seraient fraîches, c'est un fruit d'automne… si les orignaux les ont pas toutes bouffées.

— À l'exception de Vincent, toi, Amédée et toi, Fernand, avez-vous des talents de chasseur ? demanda Antoine-Léon aux deux autres employés.

Un silence lui répondit. Il remarqua avec un peu de dérision :

– En tout cas, une chose est sûre, on manquera pas d'eau.

Ils ébauchèrent un sourire. À petits gestes hésitants, ils boutonnèrent leur parka et sortirent dans la pluie froide.

Antoine-Léon enfila à son tour son chaud manteau, enfonça son capuchon sur sa tête et poussa la portière. Immédiatement, il dévala la butte et se dirigea vers le sol inondé. Il était impatient de constater la progression des eaux ou son repli vers le lit de la rivière.

Debout près de la rive, pendant un long moment, les bras ballants sur ses hanches, il considéra l'immense nappe bleue qui fermait l'horizon sous les arbres. Le spectacle qui s'offrait à sa vue était impressionnant, sublime, empreint de silence et d'une incommensurable sérénité, rappelait un jardin secret, tranquille, entremêlé d'ornements en zigzags aux couleurs de l'arc-en-ciel s'étendant loin, très loin, côté nord et bien bas, côté sud, comme une fenêtre sur l'éternité. Il se sentait grisé, transporté.

Un parfum de froidure courait dans l'air.

La pluie tombait avec force. Le bruit des gouttes qui frappaient l'eau claquait comme une galopade sous le couvert des arbres et lui parvenait en écho amplifié.

En d'autres circonstances, il se serait imprégné de ce paysage d'une beauté inouïe. Hélas, malgré son intensité, son infinitude et l'extase qu'il inspirait à cet instant, il ne ressentait que déplaisir.

Il porta son regard sur les branches basses des résineux dont l'onde mouillait les pointes.

Depuis les neuf ans qu'il parcourait les bois de la Côte-Nord, jamais il n'avait vu les eaux s'approprier la forêt sur une aussi importante étendue.

C'était une façon pour la nature de contre-attaquer en riposte au labeur des hommes.

Pourtant, ils ne pouvaient s'en faire le reproche. Ils étaient investis d'une tâche, l'humain devait survivre et les ouvriers avaient des familles à nourrir.

Leur activité de haute lutte contre les éléments comportait des risques à toutes les périodes de l'année, et de ça, ils en étaient conscients.

L'hiver, ils avaient à affronter le froid vif et les tempêtes, le printemps, c'était la crue des eaux, l'été, les orages, les nuées de moustiques et les incendies, l'automne, c'étaient les pluies diluviennes, les grands vents et le danger qu'un arbre leur tombe sur la tête.

La terre était d'humeur capricieuse. Au moment le plus inopportun, sans raison et quand elle le voulait, elle libérait ses forces et déclenchait un de ses constituants.

À cela, personne ne pouvait rien.

Se courbant, il glana quelques bouts de bois qui jonchaient le sol et les piqua à la limite des eaux comme des balises.

Il voulait savoir, demain, à son réveil, si le niveau d'eau aurait baissé.

Pendant un moment encore, il se tint sans bouger. Enfin, se décidant, il gravit la butte et alla rejoindre les autres.

– Hé! Monsieur Savoie, ça vous plairait de déjeuner au porc-épic? s'entendit-il héler. Je viens d'en attraper un. Vous savez que c'est bon à manger, même cru!

Antoine-Léon leva les yeux. Protégé de la pluie sous les branches d'une grosse épinette, se tenait Vincent.

Le visage épaté, les yeux en amandes, il balançait dans sa main un petit animal grisâtre, au poil rude, mal lissé, le corps mollasse et les yeux vides.

– Si tu me convaincs de manger crue cette *bibitte*-là, débita-t-il avec une grimace de dégoût, c'est que je serai sur le bord de crever de faim. Comment l'as-tu attrapée, et si vite?

– Ç'a été facile, j'ai eu qu'à lui donner un coup de bâton sur le nez quand je l'ai aperçue au pied d'un arbre. Ça se sauve pas, ces petites bêtes-là. Ça se hérisse et ça se fige. Ça se pense invincible parce que ça peut lancer des dards. Mais, rassurez-vous, on le mangera pas cru, j'ai des allumettes. Je vais trouver du bois, faire un feu et le cuire.

Les lèvres gauchies, Antoine-Léon fixa le lointain.

– C'est malheureux qu'on n'ait pas nos lignes à pêche. Il me vient à l'idée de me fabriquer une gaule. J'ai, tout à coup, le goût d'une bonne truite.

– La rivière est loin, Monsieur Savoie, dit Vincent. Va falloir que vous pataugiez longtemps dans le bois inondé avant qu'une truite se présente, pis encore.

Antoine-Léon haussa les épaules et alla s'enfoncer dans la cabine du Bombardier.

Tout en s'éloignant, il se remémorait les tours de passe-passe de Vincent, l'aisance avec laquelle il maniait les cordes et les nœuds coulants. Il regrettait de n'avoir pas mieux retenu ses techniques. Il n'était pas doué pour la chasse, il le reconnaissait. Il n'avait même pas été foutu, l'automne précédent, de seulement pister un orignal.

– T'as réussi à envoyer un message ? demanda-t-il à Fernand au moment de s'asseoir à côté de lui.

– J'ai rejoint la téléphoniste et je lui ai donné notre position. Les autorités sont averties et les mesures sont en branle. J'ai pas plus de détails.

Antoine-Léon poussa un soupir. Combien de temps devraient-ils patienter ? se demandait-il. Il leur restait à espérer que l'inondation se résorbe un peu, leur permette de se déplacer et se rapprocher d'une rivière.

Il fixa cette eau tranquille criblée d'arbres qui était son horizon, puis revint poser les yeux sur le sol brun de la butte que piquait la pluie. Ce n'était pas demain la veille.

Il évalua leurs maigres provisions.

– Si on doit rester bloqués ici pendant une semaine, j'ai bien peur de devoir céder à Vincent et goûter à son porc-épic.

Il en avait perdu l'appétit. Amédée et Vincent étaient dehors. Tapis sous les arbres, ils lui apparaissaient semblables à deux renards à la recherche de leur dîner. Il décida de faire de même. Encore une fois, il boutonna son parka.

– Fernand, interrogea-t-il avant de le quitter. T'as pris les nouvelles de la température ?

***

Un faible soleil perçait les nuages, le lendemain à leur réveil. Le cœur rempli d'espoir, sans se donner la peine d'endosser son chaud parka, Antoine-Léon descendit du véhicule et alla vérifier les repères qu'il avait posés la veille à la limite de l'inondation.

Il avait peu dormi, mais ces minutes de silence dans la nuit noire, à peine troublées par les ronflements de ses compagnons lui avaient permis d'approfondir sa réflexion et chercher des moyens de subsistance. Ce n'était pas la première fois que les rivières étiraient leurs bras pour avaler les montagnes, se répétait-il, ainsi qu'un grand tourbillon, que la débâcle s'abatte sur une partie de leur territoire et embastille dans ses entrailles tout ce qu'elle rencontrait sur son passage.

Les eaux ne semblaient pas s'être retirées du moindre centimètre et il en était déçu. Pire, devant cette onde poussée par la brise, animée d'un léger frémissement comme un faible clapotis, il avait presque le sentiment qu'elles avaient progressé encore pour s'approprier quelques bribes de plus du sol spongieux.

Il réintégra le Bombardier.

La veille, ils avaient puisé frugalement dans les restes de leur garde-manger et aujourd'hui, avec la pluie qui avait cessé, ils feraient griller le porc-épic.

En attendant, ils mâchouilleraient de la gomme d'épinette et tenteraient d'oublier la faim qui les tenaillait.

– L'eau a pas commencé à se retirer, annonça-t-il sombrement en pénétrant dans le véhicule. Tous les matins, chacun de nous devra parcourir les bois et rapporter quelque chose à manger.

Autour de lui, les banquettes craquèrent. Sans se concerter, les trois hommes endossèrent leur parka et se retrouvèrent dehors.

Dressés sur le sol mouillé, les mains dans les poches, il les vit tenir un conciliabule, Vincent, face à ses compagnons et monopolisant leur écoute. Après un moment, ils se dispersèrent.

Pendant toute la journée, tandis qu'il rédigeait ses rapports, il les vit explorer les environs, se déplacer à longues foulées sous les arbres et couvrir les endroits stratégiques. En peu de temps, les branches basses des hauts résineux aux alentours furent toutes truffées de dispositifs à nœuds coulants.

Tous trois disparurent de sa vue. Les mains embarrassées de cordes, ils s'étaient éloignés et complétaient la pose de leurs lacets aussi loin qu'ils pouvaient aller.

Un peu plus tard, il les vit réapparaître. À l'aide de sacs de jute trouvés dans leurs affaires, ils avaient improvisé un filet de pêche qu'ils tendirent sur le sol inondé, prêts à attraper la moindre truite perdue qui se serait aventurée du côté des terres.

L'après-midi venu, ils regagnèrent le Bombardier. Ils avaient fait tout ce qui était possible pour assurer leur survie. Peut-être découvriraient-ils bientôt au bout de leurs pièges quelque lièvre leur permettant de se sustenter dans l'attente que la nature s'équilibre ?

Ils s'entraînèrent la patience. Les jours suivants, tous les matins à leur réveil, ils allaient vérifier collets et filets, puis se rejoignaient près de la crue. Ils allaient évaluer le niveau de l'eau. Enfin, ils remontaient sur la butte. Pendant les premiers jours, après s'être montrés plutôt sombres et peu communicatifs, ils avaient réappris à blaguer, comme s'ils apprivoisaient cette vie sauvage et en tiraient le meilleur parti.

Une semaine avait passé, une semaine au cours de laquelle Antoine-Léon avait dû s'imposer bien des contraintes. Il était loin le temps où le décorum imposé aux forestiers requérait que le cadre occupe une place supérieure. Ils dormaient tous dans la même cabine dans le même inconfort des banquettes du Bombardier, ils buvaient dans le même seau l'eau bouillie provenant de la débâcle et ils prenaient place autour du même feu de broussailles pour les repas.

Le porc-épic était, après tout, un mets délicat. La viande était tendre, mais, ainsi sommairement apprêtée, elle avait peu de saveur. Relevée de quelques épices, elle aurait été meilleure. La prochaine fois qu'ils reviendraient en forêt, avait ironisé Antoine-Léon, il demanderait à Vincent de lui en capturer un qu'il rapporterait à la maison et le ferait goûter à Élisabeth.

Sa pensée se tourna vers sa famille. Il lui tardait de la rejoindre. Élisabeth et les enfants lui avaient manqué pendant ces longues semaines où il n'avait pu les serrer dans ses bras et ils lui manquaient davantage en cette autre semaine où l'imprévu les faisait prisonniers des eaux.

Trop souvent dans ses rêves, le doux parfum d'Élisabeth effleurait ses narines.

Ce matin-là, sorti dehors avec l'aurore, ses grosses bottes creusant le sol de la clairière et la mine bien triste, il fixait l'ombre des arbres. Quand donc retrouverait-il les siens ?

Brusquement, il fronça les sourcils. Un point noir au loin, inhabituel, venait d'attirer son attention. Il se pencha plus avant. Là-bas, délimitant l'horizon, un trait délicat et sombre, s'étirait, semblait découvrir une éminence. Intrigué, il avança de quelques pas. Sur un côté, il distinguait un raidillon, un rocher, la base d'un arbre. Son cœur se gonfla d'espoir. Il venait de comprendre, les rivières se retiraient, regagnaient leurs lits. Les lourds stratus qui avaient plombé le ciel pendant trop de jours s'étaient allégés. Le soleil resplendissait. À ses pieds, les prêles redressaient la tête et verdissaient.

Un surplomb se distinguait dans l'eau claire et lui apparaissait comme un éventuel passage. Une fébrilité soudaine chatouilla agréablement sa poitrine.

Exalté, au pas de course, il gravit la pente et alla réveiller les autres. Le Bombardier pouvait actionner ses chenilles, le temps était venu de s'en retourner vers le campement.

***

Un grondement de moteur leur fit lever la tête.

Alignés sur la rive du lac Sainte-Anne, ils fouillaient le ciel et piaffaient d'impatience.

Oubliant le grand plan d'eau majestueux, à peine soulevé par un léger friselis, vibrant de limpidité à cette heure où le soleil atteignait le zénith, ils concentraient leur attention sur un point lumineux semblable à un filet de vif-argent qui perçait les nuages, rivaient leurs yeux sur cet appareil inespéré au ronron sécurisant qui allait les ramener chez eux.

L'avion s'était rapproché, il était maintenant au-dessus de leurs têtes. Se conformant à son itinéraire, il fit un survol au-dessus du barrage, une légère déviation, une remontée vers le nord, puis un demi-tour.

Le gros nez de l'appareil leur apparut brusquement, large, épaté, avec ses hélices qui vrillaient comme deux énormes toupies.

L'hydravion amorçait sa descente. Dans un bruit sourd, à petites saccades, il rasa l'eau pure et brouilla la lumière. Ses flotteurs effleurèrent le plissement des vagues, remontèrent, descendirent encore et d'un seul élan, fendirent la nappe d'eau douce. Le Beaver s'était stabilisé sur le lac. En faisant gronder son moteur, il manœuvra vers le quai et vint accoster près d'eux. Bercé par l'onde, il poussa quelques teuf-teuf et se tut.

Une odeur prenante de carburant les encercla et se mêla aux effluves de bois de grume que portait le vent.

Une ombre bougea derrière le cockpit. La portière craqua et s'ouvrit toute grande dans un grincement creux.

– Salut, les gars !

Les jambes écartées sur le flotteur, sa casquette renversée sur son occiput, Mike, le pilote de la compagnie, venait d'apparaître devant eux.

Il s'était exprimé de sa voix sonore, avec son enthousiasme coutumier.

– Belle semaine, pas la moindre anicroche. Pis vous autres ?

– Nous autres, on a connu une rage de brûlots, ironisa Fernand.

– Pis il a neigé la nuit dernière, renchérit Amédée.

Ils éclatèrent de rire. C'étaient les plaisanteries coutumières, chaque fois qu'ils allaient emprunter un de ces appareils à l'équilibre instable, une forme de tentative pour refouler l'angoisse qui les tenaillait à ces occasions.

– Farce à part, émit Mike, redevenu sérieux, vous avez dû trouver la semaine longue. Heureusement qu'on nous sert pas une bouillasse pareille tous les printemps. Vous méritiez un petit tour d'avion.

Ils approuvèrent. L'explication de leur infortune leur fut donnée. Un embâcle s'était formé un peu plus bas à la décharge du même lac dans la rivière Godbout. Il avait fallu quelques jours et plusieurs bâtons de dynamite pour dépêtrer le tout.

– Encore chanceux qu'il se soit pas produit un éboulis comme celui de 1962 dans l'étranglement qui fait la jonction du lac et de la rivière Toulnustouc, rappela Antoine-Léon. À cette occasion, neuf de nos draveurs avaient perdu la vie.

Il frissonna à la pensée du drame horrible qu'ils auraient vécu s'il avait fallu qu'une telle catastrophe se reproduise.

– Et nous autres, on serait encore en haut, à attendre.

– Déjà que vous venez de passer un mois loin de votre p'tite femme, avança Amédée Fleury, comme s'il avait deviné ses cogitations, la laisser toute seule en ville…

Il frotta son menton rêche. L'œil goguenard, il enchaîna :

– Â c't'âge-là, une femme, c'est comme du bois vert. Quand la sève monte, pis que son homme est pas là…eh, eh…

– Pis toi, ne put s'empêcher de répliquer Antoine-Léon, depuis trente ans que t'es dans le bois, tu nous dis pas comment se comporte ta régulière ?

– Vous en faites pas, Monsieur Savoie, lança Amédée sur un ton vif, quand je rentre che nous après des semaines, pour moé, pis mon Estelle, c'est comme le premier soir de nos noces. À se colle contre moé comme une chatte. C'est pas long qu'on gagne notre *litte*. Faut dire qu'on a ben du tempérament.

Antoine-Léon baissa les paupières afin de dissimuler la lueur qui allumait ses prunelles. Tous connaissaient l'histoire d'Amédée et de son épouse au tempérament ardent qui accouchait d'un enfant chaque année, même s'il passait le plus clair de son temps dans la forêt.

– Encore un p'tit à maison, annonçait-il à la ronde à ces occasions. Ben content !

Les autres pinçaient les lèvres pour dissimuler leur rire.

Né peu après la guerre de 1914, Amédée comptait parmi les plus anciens membres de son équipe. Pas chatouilleux pour deux sous, il ne s'encombrait pas de ce genre de scrupules.

– Pendant qu'on était bloqués dans le bois, paraît que votre femme est allée se promener chez son *pére* dans le Bas-du-Fleuve avec les p'tits, dit encore Amédée à Antoine-Léon. Vous avez pas eu peur qu'elle décide de rester là-bas. Vous vous seriez retrouvé tout seul tantôt à maison, pris pour laver vos *caneçons*.

Antoine-Léon eut un mouvement de recul. Amédée n'avait pas semblé comprendre que le temps des familiarités était derrière eux, maintenant que leur cohabitation obligatoire était terminée, qu'ils devaient reprendre le quotidien avec tout le décorum qui y était attaché. C'était ce qu'exigeaient les patrons anglais.

Sa réplique fusa, prompte, sèche :

– Ça, c'est pas de tes affaires, mon homme !

Ses mots qu'il avait voulus brusques, cassants eurent l'effet escompté et clouèrent le bec au vieil impertinent.

Il se retourna avec assurance. Après avoir appris l'imminence de son retour, Élisabeth s'était empressée de réintégrer leur logis. Il avait communiqué avec elle par radio la veille, mais cela, il n'avait pas à le partager avec son ouvrier.

L'attitude d'Amédée n'était pas inhabituelle. C'était connu, les employés faisaient les gorges chaudes de tout ce qui se rapportait à leurs cadres.

– Bon, assez bavardé, jeta-t-il subitement avec impatience. Montez dans l'avion, et remerciez la compagnie de vous faire ce cadeau, parce qu'en d'autres circonstances vous seriez rentrés en pick-up.

Le pas lourd, leur poche de linge sale sur l'épaule, leurs outils dans la main, par ordre de préséance, ils s'enfoncèrent dans l'appareil. Il y avait six places à l'intérieur, y compris celle du pilote.

Spontanément, ils se déchargèrent de leur équipement et s'installèrent à leur aise.

La queue de l'appareil, les intervalles entre les bancs de même que leurs genoux furent encombrés de leur bagage.

Mike s'assura que chacun occupait son siège et tourna le contact. Le moteur recommença son teuf-teuf.

Une buée grise entoura l'équipage et une odeur d'huile brûlée chassa encore une fois les effluves boisés. L'avion s'était élevé et planait. Chacun avait bouclé sa ceinture. Des écouteurs plantés sur les oreilles afin d'assourdir les bruits, ils suivaient le sol qui s'amenuisait.

Après avoir vécu une longue et pénible semaine, isolés du monde, réduits à ingérer une nourriture rudimentaire pour assurer leur survie, ils étaient soulagés que tout soit enfin terminé.

– Si on avait voulu faire une cure d'amaigrissement, c'était la façon, dit Antoine-Léon qui avait pris place sur le siège du copilote. On a jeûné bien des fois.

– Ç'a été si dur que ça ? s'enquit Mike en manœuvrant les boutons commande.

D'un geste du menton, il indiqua, devant eux, les pylônes de la ligne électrique Manic-5 et les câbles aériens qu'ils supportaient.

– Ça vous dirait que je vous fasse oublier vos *bibittes*?

Il empoigna le manche. L'avion fit un piqué.

– Tenez-vous bien, on va passer sous les fils.

Mike, leur pilote d'office, était reconnu comme un risque-tout. Chacun suivait ses cabrioles et louait sa veine, car depuis les vingt années qu'il travaillait pour la compagnie, jamais il n'avait eu d'accident. Le ciel, les nues étaient son fief. Avec un sentiment d'immensité, il s'y sentait libre comme un oiseau. Antoine-Léon connaissait depuis longtemps sa passion. Il l'avait côtoyé tandis qu'étudiant en génie, l'aviateur le transportait avec les autres dans les grands camps de bûcherons où il passait l'été pour payer ses études. Antoine-Léon avait été si souvent auprès de lui qu'il avait appris à deviner ses exaltations, son restant de jeunesse.

Il considéra le sol qui se rapprochait dangereusement. Il n'entendait plus à rire. Fermement, il posa sa main sur son bras.

– C'est pas le moment, Mike, on est fatigués. Tu feras tes acrobaties quand tu seras tout seul. Nous autres, avec la semaine qu'on vient de passer, on a eu notre quota de galipettes. Pour l'instant, souviens-toi seulement que t'as quatre pères de famille avec toi et que tu dois les ramener sains et saufs chez eux.

– Vous savez bien que je plaisantais.

– Pendant un moment, j'ai eu des doutes.

Sans effort, Mike agrippa le manche et tira vers lui. Le moteur prit de la puissance et ils se retrouvèrent en haute altitude.

Sous eux, la forêt se déroulait à l'infini. Ici et là, quelques peupliers à grandes dents, avec leurs bras écartés et squelettiques, leurs troncs dorés, mouchetés d'ocre, piquaient le flanc des montagnes et contrastaient avec le vert sombre des résineux. Plus bas se dessinait le fleuve Saint-Laurent comme un long ruban tranquille qui allait se perdre dans l'horizon sud, si large qu'ils l'appelaient déjà la mer.

Ils approchaient de manic-1.

La base d'aviation était sise au bord de la rivière, à une douzaine de kilomètres de Baie-Comeau et le cours d'eau servait de piste d'amerrissage. En bas, dans le stationnement, trois automobiles s'alignaient. C'étaient les familles des employés, les mères entourées de leur progéniture qui venaient cueillir leur homme.

Antoine-Léon plissa les paupières à la recherche de la voiture bleue familiale. Il ne la voyait pas parmi les autres. Un léger désagrément chatouilla sa poitrine.

Plus loin, entre les bosquets, une ombre cahotait sur la petite route. Une longue automobile se faufilait avec lenteur et précaution. Il venait de reconnaître son véhicule. Élisabeth s'amenait, comme d'habitude, avec quelques minutes de retard.

Une onde de soulagement amollit ses muscles. Il n'aurait pas voulu subir l'humiliation de mendier une place dans le véhicule d'un de ses forestiers.

L'avion s'était posé avec douceur et la portière s'était ouverte.

Là-bas, Élisabeth, élégante dans son tailleur marine, s'amenait à pas menus. La mine radieuse, elle se rapprochait. Devant elle, couraient Philippe et Dominique.

— Papa, papa, criaient-ils, les bras tendus.

Ému, un genou par terre, Antoine-Léon les pressa contre sa poitrine. Il était heureux. Il prenait conscience de son bonheur d'être père. Sa pensée se porta sur le sien, son père, Léon-Marie Savoie, qui avait connu cette même joie lors d'un premier mariage, qui avait tout perdu et avait recommencé pour former une seconde famille. Une vive émotion noua sa gorge. Il se pencha vers ses enfants, les entoura encore de ses bras et les serra à les étouffer.

— Papa, papa, tu me fais mal, se débattit Philippe en se libérant de son étreinte pour aller se réfugier dans les jupes de sa mère.

Antoine-Léon le suivit du regard tandis qu'il s'éloignait sur ses jambes courtes qui étalaient leur rondeur, sa vivacité, son petit corps dodu.

Se redressant, il considéra Élisabeth qui attendait, souriante, qu'il termine ses effusions. À son tour, il l'entoura de ses bras et la tint longuement contre lui.

— Tu m'as manqué, mon amour, lui susurra-t-il, tu ne peux savoir combien tu m'as manqué.

Élisabeth se blottit contre lui. Ses prunelles brillaient.

Elle lui apparaissait radieuse. L'évasion qu'elle s'était accordée auprès de son père lui donnait un air épanoui, tranquille.

— On couche les enfants de bonne heure, chuchota-t-il en posant un baiser sur son cou.

— Honte à toi, le repoussa-t-elle dans un éclat de rire. À peine arrivé que tu renies ta progéniture.

Elle passa tendrement son bras sous le sien et l'entraîna vers le véhicule.

— Les enfants vont se coucher de bonne heure, assura-t-elle avec une œillade complice.

***

Ils avaient soupé tranquillement. Élisabeth avait ouvert une bouteille d'un excellent vin rouge et ils le dégustaient en prenant leur temps. Les restes du repas traînaient sur la table. La lessiveuse ronflait dans son coin.

— Je donne le bain aux enfants et j'en prends un à mon tour, décida Antoine-Léon.

— J'espérais te l'entendre dire. Tu sens n'importe quoi sauf le savon parfumé.

— J'aurais dû prendre un bain avant de passer à table, s'excusa-t-il, mais après avoir crevé de faim pendant une semaine, faut me comprendre.

— Je plaisantais. Tu n'es pas si pire.

— C'est bien ce qu'il me semblait. Peut-être qu'on n'a pas en forêt de salles de toilette organisées comme à la maison, mais je me suis savonné dans l'eau froide du lac Sainte-Anne avant de partir, et ça, ça revigore son…

On cognait à la porte.

— Tu attends quelqu'un ? fit Antoine-Léon, en fronçant les sourcils.

— Ce doit être monsieur Thériault, répondit Élisabeth. Je lui ai demandé de surveiller notre logis pendant mon absence. Je suppose qu'il veut te faire son compte-rendu.

Octave Thériault était leur voisin de palier. Retraité, sans malice, ancien camionneur pour la *QNS*, il s'était pris d'affection pour le jeune couple. Comme un rituel, chaque fois qu'Antoine-Léon entrait de voyage, tout juste lui laissait-il le temps d'avaler son souper qu'il s'amenait à leur porte.

— Faudrait pas qu'il s'éternise, ronchonna Antoine-Léon. Je n'ai que le week-end à passer avec toi et je veux en profiter pleinement.

— Cette fois, il a une raison, l'excusa Élisabeth.

— Pourquoi n'as-tu pas plutôt demandé à la p'tite femme du dessous de te rendre ce service, reprocha Antoine-Léon. Elle se mêle de ses affaires, elle.

— Antoine-Léon Savoie! Es-tu en train de me reprocher d'avoir requis l'aide de monsieur Thériault quand il est notre voisin le plus proche?

La lèvre dédaigneuse, elle ajouta sèchement:

— De toute façon, je n'ai rien de commun avec la *p'tite femme du dessous*, comme tu dis.

Subitement, des larmes amères gonflèrent ses paupières.

— Je voudrais bien te voir à ma place. Passer des semaines, seule avec deux enfants en bas âge. On dirait qu'ils n'ont pas de père, ces petits-là. Je fais de mon mieux et je ne récolte que des blâmes.

Elle se retourna avec raideur. La belle entente qui avait régné depuis son retour avait disparu.

Du côté de l'entrée, on frappait de nouveau, avec insistance.

— Va répondre, lança-t-elle. Si tu as le cœur de refuser ta porte à ce bon Samaritain, fais-le toi-même.

Le voisin avait fait un pas sur le palier.

— Vous v'là de retour, Monsieur Savoie. J'ai jeté un œil sur votre logement pendant l'absence de vot' dame, je voulais vous dire qu'il s'est rien passé de spécial.

Machinalement, comme un tic, il frottait ses pieds sur le paillasson.

— Pis, vous, comment ça s'est passé, en haut?

D'un élan résolu, il pénétra dans la cuisine et tira une chaise près de la table. Assis à son aise, il croisa sa cheville gauche sur son genou droit et découvrit largement son épaisse semelle de cuir.

La mine curieuse, il jeta un coup d'œil autour de lui.

— Elle est pas là, vot' p'tite dame?

— Elle est là, mais elle est occupée, répondit-il avec ennui. Je viens tout juste de me pointer après quatre semaines passées dans le bois. On a des tas de choses à voir, précisa-t-il dans l'espoir que l'autre comprendrait.

Le voisin poursuivait comme s'il n'avait pas perçu l'allusion.

– Vous savez que le père de Caduc est ben malade.

Antoine-Léon fit un geste d'indifférence.

– D'abord, je sais pas qui est Caduc et je sais encore moins qui est son père !

– Caduc, c'est le gars que la maison a brûlé, en 66. Il reste au pied de la côte, vous vous rappelez…

– Non, je me rappelle pas, répondit Antoine-Léon sur un ton sec.

– Caduc, c'est mon grand chum. Si y nous arrive quelqu'chose, on est toujours là pour s'entraider, c'est comme quand sa maison a brûlé…

Antoine-Léon ne l'écoutait plus. L'autre avait abandonné l'histoire de Caduc et enchaîné sur la politique, sur le fédéral qui ne faisait pas sa part, sur le gouvernement du Québec qui ne distribuait pas les subsides à bon escient.

Élisabeth s'était retirée dans la salle de bain avec les enfants. Antoine-Léon entendait leurs cris joyeux et le clapotis de l'eau accompagnés des remontrances de leur mère tandis qu'elle procédait à leur toilette. De temps à autre, il consultait la pendule et poussait un soupir.

Seul avec son visiteur, il se demandait comment donner le signal du départ à cet encombrant personnage. Bien sûr, il fallait montrer patte de velours, l'individu logeait à deux pas et on ne s'aliène pas un voisin proche quand on risque d'avoir besoin de ses services. À cet égard, Élisabeth avait raison. «À moins qu'il ne soit invivable», marmonna-t-il.

Élisabeth avait terminé la toilette des petits. Elle les avait bordés dans leur lit et rentrait dans la cuisine.

– Je dois vous enlever mon mari, Monsieur Thériault, dit-elle du même élan. Faudra remettre cette conversation à un autre jour. J'ai fait couler un bain pour lui et je pense que ce n'est pas un luxe, ensuite nous…

Elle lui adressa un large sourire.

– Je suis sûre que vous comprenez cela.

Il sursauta. Immédiatement, comme mû par un ressort, il se leva.

– Beau dommage que je comprends ça, ma p'tite dame, beau dommage.

Dans un marmonnement, il se dirigea vers la porte. Il hochait la tête à grands coups compréhensifs.

– J'ai vécu ça, moé si. Ben certain que je comprends.

– Merci encore d'avoir surveillé notre logement, répéta-t-elle tandis qu'il s'enfonçait dans l'ombre du corridor.

Rieuse, elle se tourna vers Antoine-Léon.

– Et voilà le travail. Dire simplement la vérité. Après pareil aveu, tout mâle, s'il porte bien son nom, va manger dans ta main.

– Ouais, mais pour mieux rebondir à la prochaine occasion, bougonna Antoine-Léon. C'est pas ça qui va dompter le bonhomme Thériault. Je vais tout de suite me mettre à la recherche d'un terrain et je vais faire commencer la construction de notre maison. Tant pis si j'attends pas d'être muté en ville! J'en peux plus de le voir arriver chaque fois que je me pointe, comme s'il pouvait pas se passer de moi.

– Qui te dit qu'il vient pour toi, tu n'as pas pensé qu'il pourrait venir pour moi? Tu ne sais pas ce qui se passe quand tu n'es pas là, glissa Élisabeth.

Antoine-Léon sursauta.

– Que c'est que tu me dis là?

– Viens, mon amour, s'esclaffa-t-elle en posant un baiser sur ses lèvres, allons rattraper le temps perdu. Un bon bain de mousse et ensuite…

Antoine-Léon passa son bras autour de sa taille. De l'autre, il poussa les commutateurs. L'appartement plongea dans l'obscurité. Tendrement enlacés, à tâtons, ils se dirigèrent vers leur chambre.

6

Antoine-Léon n'attendit pas la venue de l'été pour se mettre à la recherche d'un terrain afin d'y construire sa maison. Après la débâcle du printemps, sitôt rentré, il résolut ne pas attendre son affectation dans la grande bâtisse de la rue Marquette avant d'installer sa famille dans un endroit plus agréable.

Il trouverait des arrangements, se convainquait-il, il requerrait les services d'un homme à tout faire sur qui Élisabeth pourrait compter, qui effectuerait les petites tâches en son absence afin qu'elle ne manque de rien.

Installé temporairement dans un local de l'édifice à bureaux, il cogitait ses rêves en même temps qu'il rédigeait ses rapports dans l'attente que la forêt s'assèche, quand, un matin, il fut convoqué par monsieur Macintoch, le directeur du personnel.

– Tu as fait un bon job, mon garçon, et tu as su exploiter les capacités de tes hommes, le complimenta-t-il en guise d'entrée en matière, faisant référence à la semaine qu'il venait de passer en forêt avec son équipe, captifs de l'inondation.

Assis derrière son meuble, adossé à son fauteuil, il laissait ses doigts jouer avec son coupe-papier.

– Voilà pourquoi je t'ai demandé de venir. L'ingénieur Harvey a atteint ses soixante-dix ans et il m'a fait part de son intention de prendre sa retraite. Il quittera en décembre. Nous avons pensé à toi pour le remplacer. Tu aurais pour tâche la surveillance des travaux en forêt avec Bellemare et Côté. Est-ce que cette proposition t'intéresse ?

Le regard incrédule, il l'avait fixé. Est-ce que cette proposition l'intéressait, répétait-il. Il ne pouvait y croire !

Il savait que la vie ne serait plus la même, il savait aussi qu'elle ne serait pas toujours facile, le choc des idées ne manquant pas de se produire avec des gens de même ordre, mais de conceptions différentes. Il convenait qu'il devrait se plier à des règles beaucoup plus strictes que celles auxquelles il s'adonnait dans ses tâches forestières où il était le décideur, qu'il lui faudrait démontrer de la détermination et une maîtrise totale du métier.

Tous ces impondérables le tourmentaient bien un peu, mais il saurait y faire face. Il y voyait de telles compensations !

Cette mutation signifiait qu'à partir de l'hiver, il n'aurait plus à remplir son *pack-sac* de ses affaires, oublier le confort de la civilisation pour aller passer des semaines dans la forêt. Il exercerait ses compétences à trois pas de sa résidence, rue Marquette, dans une salle lumineuse et douillette, percée d'une belle grande fenêtre donnant sur la mer.

Il aurait bien encore quelques virées à faire en forêt afin d'initier à ses tâches son remplaçant, le jeune ingénieur Raymond Blouin, lui avait précisé monsieur Macintoch, mais il passerait le plus clair de son temps en ville.

Il avait fermé les yeux. Une foule d'autres projets s'étaient précisés dans sa tête. Il s'investirait dans les activités sociales de sa paroisse. Avec Élisabeth, il s'adonnerait aux sports locaux, le golf l'été, le ski alpin l'hiver, il adhérerait à un club d'échecs et quand Philippe aurait atteint l'âge, il l'accompagnerait dans ses séances d'entraînement de hockey et surtout, il veillerait à installer sa famille dans une maison bien à eux.

Encore fallait-il qu'il déniche un endroit où se construire.

L'hiver avait passé, le printemps 1969 était arrivé, qu'il cherchait encore l'emplacement de ses rêves.

On était en avril. De même que chaque soir après avoir quitté le bureau avant de réintégrer son logement, il allait faire une tournée du côté des zones moins peuplées à la recherche d'un terrain vacant.

Ce jour-là, il avait décidé d'orienter ses recherches vers les hauteurs. Il parcourrait les rues Laurier, Roberval et les autres environnantes. Il visait autant que possible un emplacement près de son lieu de travail, un beau site, dans un milieu cossu. Quelques résidences étaient déjà érigées sur ce plateau. Entourées de jeunes arbres, elles étaient coquettes et bien entretenues.

Ce n'était pas la première fois qu'il sillonnait ces rues, mais en cet après-midi tiède, abreuvé de soleil, avec la neige qui s'affaissait de chaque côté de la chaussée jusqu'à ne laisser poindre que de petites éminences givrées, il redécouvrait les lieux, les percevait d'un œil différent.

L'endroit était agréable, rappelait une banlieue tranquille, de belle classe et, surtout, la vue y était spectaculaire. Donnant sur le fleuve vers l'est, elle offrait de magnifiques levers de soleil.

Impressionné, il stoppa sur un promontoire.

À sa droite, un terrain vague, constellé de bosselures, avec ses plaques neigeuses comme un rocher aux arêtes douces, s'étirait en une ligne mince qui épousait la déclivité de la route pour aller mourir plus bas, au croisement de la rue transversale.

Il l'examina longuement.

Informe, aride, jonché d'ordures, il ne présentait qu'une bande étroite, sans aucun intérêt.

« C'est bien dommage, déplora-t-il. S'il était seulement un peu plus large…, le site est superbe. »

Il se dégagea de son véhicule, alluma sa pipe et les mains dans les poches, s'en approcha.

– Ce terrain vous intéresse ? entendit-il demander une voix derrière lui.

Il sursauta. Au milieu de la chaussée se tenait un vieillard. L'air digne, appuyé sur sa canne, il le fixait, l'expression remplie de curiosité.

– Peut-être, opina-t-il, ou plutôt non. Je ne crois pas qu'on puisse faire quelque chose de convenable avec cette lisière de terre. C'est trop limite. Ce qui m'attire, c'est la vue qui est à couper le souffle. Je trouve malheureux de devoir se résoudre à faire un parc d'un endroit pareil.

– Pas si limite que ça, répartit le vieillard. Si on a l'audace de redresser le versant par l'arrière et égaliser la superficie, le terrain peut être approfondi de plusieurs mètres, assez que vous en seriez surpris. Pour celui qui aurait le courage de l'aménager, il l'aurait pour une bouchée de pain.

Sceptique, Antoine-Léon enjamba le talus et alla se positionner au bord du cap. À ses pieds, le sol dévalait en pente douce pour aller s'embrouiller dix mètres plus bas dans un tas de broussailles.

Campées au pied de la colline, les maisons basses et leurs cours réclamaient leurs places.

— C'est une tâche de titan que vous proposez là.

— Pour celui que l'endroit intéresse, rien n'est impossible.

Antoine-Léon se pencha encore une fois sur la déclivité. Il s'agissait pour lui de déterminer la dimension exacte du lot dans la côte. En établissant une ligne verticale, il saurait.

Se retournant, il considéra le vieillard.

— Vous semblez connaître fort bien ce terrain. Je puis savoir pourquoi ?

— Parce que j'en suis le propriétaire, mon ami. Mon nom est Adélard Fortin, juge à la retraite, et j'habite en face.

Il reprit tout de suite.

— Pour quelqu'un qui n'a pas peur de l'ouvrage et pour un prix dérisoire, il pourrait s'organiser un beau terrain couvrant un bon quinze mètres de profondeur et, pour la largeur, tout lui appartiendrait jusqu'en bas, à la limite de la rue Mance. Ça dépasse les quarante mètres.

Le regard d'Antoine-Léon émit des petites étincelles.

— Je veux d'abord en parler avec ma femme.

Des pas précipités ébranlèrent l'escalier de l'immeuble et la porte claqua sur son chambranle. Antoine-Léon venait de pénétrer en coup de vent dans la cuisine.

— Habille-toi, j'ai trouvé le terrain.

Occupée à plier des carrés de coton, avec son panier débordant de linge qui répandait une fraîche odeur d'ozone, Élisabeth leva les yeux et retourna à sa tâche. Depuis un an, son mari avait si souvent surgi ainsi dans leur logement, surexcité, la poitrine gonflée d'enthousiasme, qu'elle n'y croyait plus.

— Assieds-toi, que je te raconte, dit-il en l'obligeant à abandonner sa besogne.

Figée, une pièce de tissu entre les mains, Élisabeth le dévisageait.

– Cette fois, tu m'as l'air sérieux, on dirait vraiment que tu as trouvé le terrain de tes rêves.

– C'est un bel endroit, tranquille, distingué, expliqua-t-il. Tel qu'il est, il ne paye pas de mine parce qu'il ressemble à un bord de côte plein de trous. Mais en l'égalisant et en le surélevant jusqu'au niveau de la rue, on pourrait en faire un des plus beaux terrains de la ville. Je monterais un mur de béton et je demanderais aux entrepreneurs de venir y déverser leur terre de remplissage. Une fois le tout bien compacté, j'y ferais construire un bungalow de bonne grandeur. Le plan est déjà dans ma tête. Il ne me reste qu'à le mettre sur papier, mais ça ne se réaliserait pas demain matin. Il y a bien des démarches à faire auparavant, des permis à demander, des entrepreneurs à voir, des ingénieurs civils, des architectes, des…

Élisabeth s'était repliée sur elle-même. Elle freina son enthousiasme.

– Tu ne penses pas que c'est un peu compliqué, ton affaire. Pourquoi ne pas choisir un terrain plat, prêt à construire ? Il y en a autant que tu en veux du côté de Hauterive. Tu dessinerais ton plan et tu le remettrais à un entrepreneur qui effectuerait les travaux sans faire de problèmes. Avec toutes ces interventions et permissions que tu veux demander, ton projet va s'éterniser et, comme d'habitude, tout va tomber à l'eau.

– Cette fois, j'ai confiance en ma bonne étoile. Laisse de côté ta lessive, et viens avec moi. Je vais te montrer l'emplacement.

– Quoi qu'il en soit, tu ne vas m'en révéler que des bribes, fit Élisabeth, la lippe boudeuse, je peux bien aller le voir, ton terrain, mais je me demande à quoi ça m'avancera, tu n'en fais jamais qu'à ta tête.

Un tic, furtivement, creusa la joue d'Antoine-Léon.

Il se pencha vers elle.

– Pourquoi es-tu si injuste ? demanda-t-il, subitement exaspéré. J'ai rencontré le propriétaire tandis que j'étais sur la butte. Je lui ai signé une offre d'achat conditionnelle à bien des choses, dont une acceptation de ta part, parce que tu as ton mot à dire. C'est toi qui vas vivre dans cette maison-là. D'autre part, je n'agirais pas à la légère. Avant de m'engager, je vais prendre information auprès de la municipalité, m'assurer que tout est en règle et que d'aussi gigantesques travaux de terrassement seront permis.

Élisabeth laissa tomber sa pièce de linge sur la table.

– Cette fois, ç'a bien l'air que tu es sérieux.

– Ce projet est le plus sérieux parmi tous ceux que j'ai faits à ce jour pour nous trouver un terrain.

Poursuivant son rêve, il enchaîna :

– Dès que le contrat sera signé, j'érigerai le mur de fondation. Je le ferai en béton armé pour bien retenir la côte et je ne ferai qu'une toute petite courbe vers l'intérieur, juste ce qu'il faut pour respecter l'angle de solidité. La ligne étant presque verticale, ça augmentera d'autant la superficie du terrain.

– Un ouvrage de maçonnerie ! se dressa Élisabeth de nouveau sur la défensive et perdant sa réceptivité. Je l'avais oublié celui-là. Ça va coûter une fortune.

– À l'exception du béton, ça ne coûtera pas un sou. Je vais tout faire moi-même, les soirs et les week-ends.

– Tu dérailles, s'énerva Élisabeth, tu ne pourras jamais y arriver seul. C'est un travail d'Hercule.

Agacé, d'impuissance, il laissa tomber ses bras. Il lança avec colère :

– Pourquoi ne me fais-tu jamais confiance ? Pourquoi ne cesses-tu jamais de me décourager ?

– Parce que je voudrais que ce ne soit pas qu'une illusion, proféra-t-elle sur le même ton courroucé. Je voudrais que ce soit la réalité, quelque chose de tangible, d'équilibré, de faisable. Peux-tu comprendre ça, toi aussi ?

Des larmes brouillèrent ses yeux.

– J'essaie de ne pas me plaindre, d'être gaie, d'avoir l'air heureuse, il n'en reste pas moins qu'en dedans de moi, je suis sans cesse en lutte et que je joue un rôle. Je ne suis pas la femme comblée qu'on imagine.

Ébranlé, il reprit un peu son calme.

– Je sais que la vie n'a pas été facile pour toi depuis que je t'ai emmenée dans cette région, reconnut-il, mais si tu veux que ça change, faut m'aider. Je veux entreprendre un tas de choses. Je demande seulement ta compréhension.

Il laissa tomber, la voix subitement cassée :

– Je fais d'énormes efforts pour améliorer notre sort.

Se ressaisissant, de nouveau enthousiaste, il exposa :

– Le projet est tout entier dans ma tête. À la condition que la ville approuve mes travaux, j'embaucherais un architecte et je lui ferais confirmer mes plans, il ne me resterait qu'à trouver un bon entrepreneur. La construction pourrait débuter à l'automne. L'automne, c'est le meilleur temps pour construire.

Il avait retenu la leçon de ses parents. La saison chaude passée, les constructeurs sont moins occupés, ils travaillent plus rapidement et à meilleur prix.

– Nous fêterons Noël 69 dans notre nouvelle maison, s'écria-t-il. J'ai presque le regret d'avoir accueilli nos familles à Noël, l'an dernier.

– Rien ne nous empêche de les inviter de nouveau.

– Nous déciderons lorsque la maison sera terminée.

***

Antoine-Léon troqua son costume de ville pour une salopette et chaussa les grosses bottes qu'il utilisait dans ses randonnées en forêt.

Rentré vers seize heures trente, il avait pris une légère collation et rassemblé sans attendre ses affaires. Il était impatient de rejoindre son chantier et poursuivre le montage de son coffrage devant élargir son terrain, qui progressait un peu plus chaque jour.

– Je veux profiter de la clarté, expliqua-t-il à Élisabeth en enfilant ses épais gants de cuir et en saisissant son coffre d'outils. Te donne pas la peine de me garder un souper au chaud. Quand j'en sortirai, j'irai prendre une bouchée chez l'Italien.

– Tu n'es pas raisonnable, gronda Élisabeth. Le midi, tu manges la nourriture grasse du *petit bedon* avec tes confrères, et le soir, tu te contentes d'une pizza au bout d'un comptoir. En tant que fille de médecin, j'affirme que tu te nourris mal et je te prédis que tu vas tomber malade.

Antoine-Léon laissa fuser un grand rire et déposa son coffre à ses pieds. Penché vers elle, tendrement, il la serra dans ses bras avec ses grosses moufles qui éraflaient la peau douce de son cou.

— Si tu savais comme j'apprécie ton inquiétude. Je vais me hâter de monter ce mur et je te promets de ménager mes forces, chuchota-t-il, je vais les garder pour autre chose.

Pressé soudain, il s'écarta d'elle.

— Si je veux terminer, je dois y aller.

— Tu as l'air d'un véritable ouvrier, affublé comme tu es, lui fit remarquer Élisabeth qui avait reculé d'un pas.

L'œil critique, un peu snob, elle l'examinait des pieds à la tête.

— Je me demande si je dois t'aimer.

— Tu n'as pas le choix. À partir du moment où j'ai quitté le bureau, je suis devenu un ouvrier de la construction, mais je demeure ton mari, plaisanta-t-il en posant un rapide baiser sur ses lèvres.

— Au fond, ce n'est pas une si mauvaise idée que de planter des clous et renforcer tes muscles, dit-elle. Je lisais, l'autre jour, que les manuels font les meilleurs amants, que les intellectuels sont plutôt...

— Ce que je t'aime, lança-t-il pénétré subitement d'une délicieuse frénésie.

Joyeux, en sifflotant, il franchit le seuil et se dirigea vers son lieu de travail. L'emplacement était à quelques pas, mais il accélérait son allure. Il avait encore beaucoup à faire. Sitôt son terrain acquis, il avait informé les entrepreneurs de la région que son lot était ouvert à tous ceux qui voulaient y déverser leur terre de remplissage. Ceux-ci ne s'étaient pas fait prier. Les poids lourds s'étaient succédé. En peu de jours, son terrain semblable à une étroite lisière déboulant vers la rue basse, tapissé d'anfractuosités et de crevasses, s'était transformé en un monticule fangeux dans lequel foisonnait une débauche de pierres et de débris de toutes sortes.

Pendant que le sol se compactait sur la butte, à son tour, il avait monté son mur et il le faisait seul.

— C'est tout un ouvrage!, disaient les retraités d'en bas qui sur-veillaient l'avancement des travaux en se berçant sur leur perron arrière,

— Ça prend de la force physique plus que le p'tit gars en a, pis ben de la prétention pour croire qu'il peut faire ça tout seul, sans seulement engager un second. Il va se casser le cou, c'est certain, auguraient-ils encore en aspirant la fumée de leur pipe, les yeux rivés sur le chantier et hochant la tête, sans jamais proposer leur aide.

Antoine-Léon avait rejoint la rue Mance. Sans ralentir, il la traversa, à grandes enjambées s'introduisit dans la cour arrière d'une modeste habitation et marcha vers le dessous du cap.

– Vous permettez que je passe encore sur votre terrain ? demanda-t-il en croisant le propriétaire, installé aux premières loges sur son perron arrière et pompant tranquillement le tuyau de sa pipe.

– T'as ben en belle, j'ai rien à redire. À ce qu'il paraît, tout le fond de ma cour serait à toé.

Antoine-Léon lui jeta un coup d'œil narquois. Son voisin d'en bas était vexé et lui marquait son dépit. Il se comportait ainsi depuis que, répondant à la demande de la municipalité, un arpenteur-géomètre était intervenu pour déterminer les limites de chacun et y planter des bornes.

Après avoir profité pendant des années d'une cour rieuse, émaillée de verdure sauvage qui embroussaillait le cap de la base jusqu'en haut, le voisin appréciait peu de voir les ronces et les cenelliers remplacés par un ouvrage de grosse maçonnerie qui, en plus d'apporter une ombre sévère sur son jardin, si rieur les jours de soleil, rappellerait la muraille d'une forteresse moyenâgeuse, dépouillée et laide.

– Vous deviez ben penser que la civilisation vous rejoindrait un moment donné par le dessus de la côte, avait argué Antoine-Léon, mais prenez courage, une fois les travaux finis, je planterai des vignes sauvages qui descendront jusqu'en bas. À l'automne après la gelée, vous cueillerez les petits raisins noirs et vous vous ferez du vin Saint-Georges.

Avec un grand rire, il s'était penché sur son ouvrage.

Il procédait par étapes, chaque jour montait une partie du coffrage et coulait le béton. Hier, il l'avait haussé d'un mètre et, tantôt, la bétonnière viendrait y déverser une autre masse d'agrégats. Il était arrivé au stade le plus critique, à mi-chemin dans la côte, là où l'expansion était le plus forte.

L'air était humide et les maringouins voraces. Grimpé dans une échelle, il peinait à clouer les pièces de bois devant consolider la charpente.

L'été était commencé et, bientôt, la touffeur l'obligerait à ralentir son activité.

Il s'arrêta pour reprendre son souffle et essuyer son front moite.

– T'as pas pensé t'engager un *helper*, le jeune? interrogea le voisin d'en bas qui roulait un œil abasourdi sur l'envergure de sa fortification.

– Vous avez qu'à faire application, le père, répondit-il en haletant, je verrais ce que je peux vous offrir.

– Compte pas sus moé, ti-gars, j'ai fait ce que j'avais à faire dans le temps, *astheure*, j'ai passé l'âge.

– En ce cas, dites pus un mot et laissez-moi travailler, proféra Antoine-Léon, subitement impatient, entre deux toux sonores.

En haut, sur la butte, un grondement de moteur lui avait fait prêter l'oreille. Il étira le cou pour mieux voir. C'était la bétonnière. Elle arrivait à l'heure convenue.

Le conducteur en était descendu et venait d'apparaître sur l'éminence. Impassible, les mains dans les poches, les jambes écartées, il mâchouillait son cure-dent. Bien planté sur ses jambes, près de son mastodonte, la benne orientée vers la côte, avec sa cuve rotative qui tournait dans un mouvement continu et lent, il attendait. Il était prêt à procéder à la coulée.

Antoine-Léon sauta sur le sol et considéra le travail fait. Son bâti s'étalait sur une distance de vingt mètres qu'il haussait progressivement, avec régularité et constance jusqu'à atteindre le sommet une dizaine de mètres plus haut. Le projet était gigantesque, il le reconnaissait et il ne pouvait s'empêcher d'en éprouver une certaine inquiétude.

Parfois, dubitatif, il se demandait s'il ne s'était pas attaqué à une entreprise au-dessus de ses forces et de son savoir.

Il n'osait imaginer le désastre qu'il engendrerait s'il fallait qu'il ait commis une erreur de calcul.

D'un bond nerveux, vivement, il escalada les degrés de l'échelle.

– Tu me donnes une minute, cria-t-il au camionneur, je voudrais consolider un colombage.

– Prends tout ton temps, répondit l'autre.

Il ne se fit pas prier. Tout de suite, il alla se jucher tout en haut des barreaux et, d'une secousse vigoureuse, agita, tour à tour, les panneaux formant son assemblage.

À chacun de ses mouvements, il fronçait les sourcils, reprenait son geste et secouait la tête. Enfin, par souci de prudence, il plongea la main dans sa ceinture poche-outil, en extirpa trois longs clous et les enfonça jusqu'à la tête dans une pièce de bois maîtresse.

D'une poussée énergique, il ébranla encore l'ensemble. Rassuré, il recula.

– Cette fois, je pense que c'est du solide. Tu peux y aller, cria-t-il en descendant les échelons.

– C'est toi qui décides, Savoie.

L'employé se dirigea vers son camion. Avec lenteur, sans cesser de mâchouiller son cure-dent, d'une pression de la main, il dégagea le mécanisme de la goulotte.

Un claquement métallique troubla l'air et un léger gargouillis se répercuta dans l'orifice sombre. Une coulée grisâtre, épaisse, se profila dans la rigole, roula et s'étira avec lourdeur.

Le béton frais sourdait, se distendait, atteignait l'extrémité du conduit et s'amplifiait. Tout doucement, il commença à tomber, à petits graillons d'abord, puis brusquement comme un gros saucisson. Autour d'eux, un bruit mat, soutenu, accompagné du vrombissement de l'engin, couvrait les chuchotements de la nature. Sans ralentir, le béton s'échappait.

Dressé dans la cour au pied de l'ouvrage, à l'attention, Antoine-Léon suivait la chute de la pâte grise et pesante, poussée par la lente rotation de la bétonnière, qui allait combler le coffre de bois malaisément conformé, s'étalant sur un nombre impressionnant de mètres.

Concentré sur la masse il ne quittait pas des yeux le mortier qui rejoignait les planches transversales, les dépassait en abandonnant au-dessus de chacune une enfilade de boudins consistants, comme des anglaises sur la joue d'une petite fille.

La coulée était presque terminée.

Il agrippa sa pelle et se dirigea vers la charpente. Il lui revenait maintenant d'escalader l'échelle, avec son outil, repousser les accumulations et égaliser l'amas compact.

Soudain, un long craquement monta près de lui. Il sursauta violemment. Là, tout près, en plein centre de l'assemblage, un colombage s'était écarté. Épouvanté, les yeux agrandis, il considérait l'ouverture ainsi dégagée. Dans une sorte de clapotis, comme un souffle léger, une forme sans couleur lentement se déployait, ballonnait, gonflait et créait une protubérance comme un gros ventre mou. Tout autour, les panneaux du coffrage craquaient dangereusement.

Une douleur vive, insupportable tortura ses entrailles.

Pris de panique, les bras levés, il se rua plus avant, hurla vers l'opérateur de la bétonnière :

– Jésus-Christ ! Arrête-moi ça tout de suite, les colombages sont en train de céder.

Le geste prompt, l'homme referma le clapet de la goulotte.

Tremblant de tous ses membres, Antoine-Léon dégringola de l'échelle et courut chercher un long morceau de bois de charpente. La pièce dressée dans sa main, il tentait d'en faire un étai.

– Approche-toé pas de là, rugit l'opérateur, tu veux ta mort ? Pis vous autres, les *écornifleux*, lança-t-il vers l'attroupement de badauds qui suivaient le déroulement, éloignez-vous. Si ça lâche, ça va vous tomber dessus comme un véritable éboulis.

Les curieux reculèrent vers la rue. Sidérés, ils fixaient l'assemblage en équilibre précaire.

– Pourtant, j'avais pris la peine de le consolider, répétait Antoine-Léon qui persistait à rester au milieu de la cour, sa planche entre les mains.

Un frisson parcourut son échine à la pensée de ce qu'aurait valu son échafaudage s'il n'avait pas décidé d'y ajouter prudemment quelques clous.

Le silence était total. Les minutes passaient sans que la brèche s'agrandisse.

À l'ouest, le soleil déclinait et irisait la mer de frêles rayons d'or. L'ombre rampait sur la charpente de bois blond qui avait stoppé sa progression, comme dans une attente menaçante, prête à s'éventrer de nouveau.

Antoine-Léon se remettait à espérer que la cassure se soit arrêtée à ce stade et qu'il n'ait plus qu'à colmater.

Brusquement un timide grincement troubla le silence, un bruit long, aigre, rappelant le gémissement des arbres dans la tempête.

La poitrine d'Antoine-Léon se crispa à nouveau, douloureusement, comme une contrainte. Encore une fois, l'horreur noua ses entrailles. Le cœur battant, il attendait que se déchaînent les forces gravitationnelles, que la loi de la pesanteur s'exprime. Autour de lui, c'était le calme absolu, il n'entendait que les cris des enfants qui s'amusaient plus bas dans les rues, inconscients de la catastrophe qui menaçait leur côte, si près de leurs jeux.

Il se passa un interminable moment sans que rien ne bouge. Antoine-Léon ne savait que faire. Combien de temps devrait-il demeurer ainsi, à suer et à tenter de se convaincre que tout danger était écarté? Il avait les nerfs à vif. Devrait-il passer la nuit à surveiller son coffrage jusqu'à ce que le béton se soit solidifié?

– On fait quoi? s'enquit-il à l'employé de la bétonnière. On prie le ciel que ça nous tombe pas dessus ou ben, on ajoute des étais?

– J'ai ben peur qu'il y ait pas autre chose à faire que d'implorer le ciel, répondit l'autre. On n'a pas de machinerie lourde, on n'a que nos bras. Si ça recommence pas à bouger, ça va sécher et, demain, il restera rien qu'un beau gros renflement, une bonne boursouflure, pour te rappeler que t'es passé ben proche…

Derrière eux, les résidants s'étaient affolés.

– Pis nous autres, qu'est-ce que vous faites de nos maisons, on va-ti endurer qu'elles soient éclaboussées, pire qu'elles soient ensevelies sous des tonnes de béton?

– Faudrait quand même pas exagérer, se récria Antoine-Léon. Une vingtaine de verges de ciment déversées dans vos cours, c'est pas le Vésuve sur Pompéi.

– Peut-être ben, le jeune, mais as-tu pensé au dégât que ça ferait sur nos terrains? Des blocs de ciment durci, ça se ramasse pas à la petite pelle. Qui c'est qui ferait l'ouvrage?

Antoine-Léon le fixa et serra les lèvres. À quoi bon présumer, quand il n'y avait pas encore de dommage?

Suivant son idée première, il alla chercher quelques madriers et les réunit en un solide arc-boutant. Avec effort, il souleva son bâti sommaire, le plaqua fermement sur la lézarde qui ouvrait le coffrage et l'étaya à partir du sol.

– Je pense que ça va faire pour tout de suite… pis pour ensuite, termina-t-il, subitement enflammé.

– En tout cas, Savoie, je me gênerai pas pour le dire, déclara le voisin d'en bas, je t'trouve pas mal fantasque. Si tu persistes avec tes plans de nègre, un de ces jours, il va t'arriver malheur, et c'est pas moé qui vas te plaindre. Pis imagine-toé pas que tu vas m'envoyer tes grenailles sur la tête quand tu seras installé au-dessus de ma côte sans que je te remette à ta place.

Antoine-Léon laissa paraître son désagrément. La relation entre voisins qu'il avait voulue amène débutait plutôt mal.

– J'ai épousé une femme qui sait vivre, Monsieur Chabot.

– Appelle-moé, Caduc, comme tout le monde. C'est moé, le malchanceux, qui s'est retrouvé dans rue en plein hiver, il y a trois ans, parce que j'ai passé au feu. Comme je viens à peine de m'installer dans ma maison neuve, je voudrais ben en profiter un brin avant que tu me la démolisses en envoyant des coulées de béton dessus !

Un vague souvenir monta dans l'esprit d'Antoine-Léon. Revenaient à sa mémoire les propos de monsieur Thériault, leur voisin de palier dans leur immeuble résidentiel.

« Caduc, c'est mon grand chum. »

Ainsi, son futur voisin d'en bas était une relation de monsieur Thériault leur voisin actuel. Était-il possible que de quitter leur logement et son désagréable entourage ne fasse que déplacer le problème ?

Un rictus déforma sa bouche. Il vivait à Baie-Comeau, une ville d'à peine douze mille habitants, en formation sur la côte. Dans ces endroits éloignés, c'était l'entraide, mais c'était aussi un regard sur les autres, une appréciation, parfois aussi un jugement porté. Il avait compris qu'il devrait en tenir compte.

7

La construction de la maison était terminée. L'ouvrage s'était étiré sur deux longs mois pendant lesquels Antoine-Léon et Élisabeth avaient multiplié les efforts. Tous les jours sans y manquer, ils avaient fait la navette entre le logement et le chantier, chacun s'y rendant à son heure et réglant de son mieux les imprévus inévitables liés à une telle entreprise.

Décembre allait débuter quand ils purent considérer leur projet complété, leur rêve si longtemps nourri devenu réalité.

Leur nouvelle habitation comptait trois étages. Celui du dessus comprenait quatre chambres et une salle de bain. Le rez-de-chaussée groupait un salon, une salle à manger, une cuisine, un coin bibliothèque, une salle de jeux et une salle d'eau.

Le sous-sol avait aussi été aménagé. S'apparentant à un étage au niveau de la rue, doté d'une sortie extérieure s'ouvrant sous l'abri d'auto, il comportait trois pièces, dont deux chambres séparées par une salle de bain et une grande salle de séjour. Un renfoncement avait été réservé dans cette dernière composante, afin de servir, si besoin était, de cuisine.

Ils avaient voulu aménager cet endroit pour leurs invités, en faire un lieu de séjour quand ils viendraient en visite et s'il n'allait pas servir, ils le convertiraient en un logement qu'ils loueraient un bon prix.

Les autres étages ayant été pourvus de meubles neufs, ils l'avaient garni de leurs vieilles affaires.

Après avoir parachevé son mur de soutènement, Antoine-Léon avait établi les mesures du terrain nouvellement élargi et ébauché le plan de leur habitation. Élisabeth et lui avaient longuement débattu et pris conseil. À maintes reprises, ils avaient gommé et recommencé.

Ils avaient tenu à prévoir leurs besoins avec la plus grande minutie, car il ne fallait pas faire d'erreurs.

Bien des fois, éveillé la nuit, Antoine-Léon avait quitté son lit et était allé modifier un détail.

Enfin, un matin du mois d'août, le long papier quadrillé enroulé dans un cylindre de carton, il était allé frapper à la porte de deux amis, l'un architecte et l'autre ingénieur civil.

Avec un orgueil non dissimulé, il avait étalé son croquis sur leur planche.

Pour la énième fois, il s'était penché et l'avait décortiqué. Patiemment, il avait laissé palabrer les deux spécialistes pour raisonner à son tour et s'expliquer. Après de longues discussions, il s'était rendu à leurs arguments.

Comme un mandat précieux, il leur avait laissé la tâche de parfaire son essai.

Quelques semaines plus tard, ils lui avaient remis un plan amendé, enrichi de suggestions qui l'avaient emballé. Le temps était venu d'entreprendre les travaux. On était à la mi-septembre. Comme promis à Élisabeth, ils fêteraient Noël dans leur nouvelle demeure.

Le déménagement s'effectua à la fin du mois de novembre.

Tout juste installés, le premier geste d'Antoine-Léon qu'il avait voulu symbolique, fut de se rendre dans la forêt avec ses enfants et d'y couper le plus beau sapin qu'il put trouver.

Élisabeth rayonnait.

Faisant fi des caisses et des objets éparpillés à travers la maison, avec les chants de Noël qui remplissaient l'air, ils procédèrent à sa décoration. Les festivités de fin d'année étaient toutes proches et l'atmosphère était joyeuse. Les boîtes et les meubles s'entrecroisaient dans tous les coins, la cuisine, les couloirs et les chambres en étaient couverts.

Un après-midi, une nuée d'amies d'Élisabeth se présentèrent et, comme une main-d'œuvre providentielle, lui proposèrent leur aide. En à peine quelques heures, chaque item trouva sa place et la maison prit une allure impeccable.

La collaboration ne manquait pas dans ces régions éloignées, chacun se faisant un devoir de fournir son apport. Les corvées étaient aussi des occasions de se rassembler, créer l'illusion d'une famille pour, pendant un instant trop bref, oublier l'isolement.

Aussitôt la demeure proprement rangée, Élisabeth s'empressa de pendre la crémaillère.

C'était chez eux plus qu'une tradition, c'était l'expression de la solidarité des nouveaux propriétaires avec leur groupe social, un geste d'accueil qui devait se faire sans tarder.

Tout le gratin de Baie-Comeau et des villes avoisinantes vint célébrer l'événement avec eux.

Noël arriva et le jour de l'An suivit. Ces célébrations passèrent trop vite, entrecoupées de cocktails et de repas conviviaux.

Puis chacun retourna à ses affaires. Élisabeth prépara Philippe pour l'école, la petite Dominique qui n'avait que quatre ans recommença à bercer ses poupées et Antoine-Léon alla retrouver son bureau dans l'édifice de la compagnie.

***

L'hiver s'était installé avec sa beauté froide et la Côte-Nord avait vécu sa première grosse tempête de neige. Partout à travers la ville, de hautes congères façonnées par les chasse-neige montaient et emprisonnaient les rues comme d'imposantes murailles grises, sales, et ils savaient qu'elles s'y cramponneraient pendant de longs mois.

Insatiable, le vent du nord hurlait sa rage, exhalait son souffle glacial sur les montagnes et frigorifiait les habitants.

Les rues étaient vides. Les enfants ne jouaient plus dehors. À peine quittaient-ils la chaleur de leur école qu'ils couraient vers celle de leur foyer. Les adultes faisaient de même. Dès qu'ils abandonnaient leur aire de travail, le visage emmitouflé, protégé derrière leurs gants de laine, ils se pressaient d'aller les rejoindre.

Installée dans sa nouvelle demeure, Élisabeth passait de longs moments sans rien faire. Malgré le modernisme, l'agrément que lui procurait sa belle résidence, elle s'ennuyait. Elle regardait la rafale courir sur leur ville avec une rigueur inhabituelle et elle regrettait de devoir remettre à des jours plus cléments son plaisir de dévaler les pentes du mont Ti-Basse.

« Que vienne l'été », soupirait-elle.

Autant les hivers étaient rudes dans ce coin de pays, autant la saison chaude y était agréable et apportait la sensation d'être perpétuellement en vacances.

Là-bas, du côté de l'horizon nord, une couche de neige blanchissait la cime des montagnes. Elle y jeta un regard lourd de mélancolie.

Pensive, elle alla puiser quelques légumes dans un sac et commença à les peler.

Une bouffée glaciale, brusquement, s'infiltra par la porte avant et l'atteignit jusque dans la cuisine. Un long frisson hérissa la peau de ses bras.

Une main serrant une pomme de terre, l'autre fermée sur son couteau-éplucheur, elle étira le cou vers le hall.

Entouré d'un nuage opaque, Antoine-Léon venait de s'immobiliser sur le seuil et secouait ses vêtements.

Dans le corridor, l'horloge grand-père sonnait midi.

— Qu'est-ce qui t'amène à la maison à cette heure, tu ne manges pas au *petit bedon* comme d'habitude avec tes amis ?

Elle éclata de rire.

— Laisse-moi deviner. L'usine de copeaux a épuisé sa réserve de bois. La dalle humide ne fonctionnant pas l'hiver, vous n'avez plus rien pour vous occuper et on vous a renvoyés chez vous.

— Ce n'est pas tout à fait ça, répondit Antoine-Léon en riant à son tour.

Élisabeth leva un œil interrogateur.

— Ne va pas t'imaginer que de te voir me contrarie. Bien au contraire, il n'y a tellement rien à faire par cette froidure ! Je suis simplement curieuse de savoir ce qui t'amène ici à l'heure du dîner.

— Il se prépare une expédition et je voulais t'en faire part, expliqua-t-il.

Il enchaîna en même temps qu'il se débarrassait de son paletot.

— Ça concerne l'arpentage du territoire entourant les monts Groulx. On m'a demandé d'y participer à titre de représentant de la compagnie avec un arpenteur-géomètre : Benoît Gariépy, tu connais ?

– Bien sûr que je connais monsieur Gariépy, je joue au golf avec Lily, son épouse.

Intriguée, elle réitéra sa demande.

– Tu veux me dire à quoi rime cet empressement à m'en faire part ? Cette incursion en forêt n'est pas la première ni la dernière que tu fais. Je ne comprends pas ce qui t'a retenu de me l'annoncer ce soir comme tu as coutume de faire en sirotant ton apéro.

Il la fixa un moment, il hésitait.

– Je t'ai parlé du territoire des monts Groulx, reprit-il avec lenteur. Cette expédition n'est pas une virée d'une semaine pour apprendre à un jeunot à faire de l'exploration forestière. Ce sera un long travail d'arpentage qui couvrira la montagne à partir du lac Grandmesnil jusqu'à Manic-5.

– Ah !…

Silencieuse, elle le fixa.

Faisant un effort, elle prononça d'une petite voix fragile :

– Tu serais absent… pendant combien de semaines ?

– Pendant combien de mois, devrais-tu demander.

Elle eut un mouvement de recul. Elle n'avait plus envie de plaisanter.

– Corrige-moi si j'ai mal compris. Tu veux dire qu'on te propose une odyssée qui t'éloignerait de ta famille pendant plusieurs mois, me laissant seule avec deux enfants en bas âge, dans une maison neuve, avec tous les arias que cette situation pourrait comporter, et l'hiver en plus ? Est-ce à dire que pas une seconde, tu as songé à l'énorme fardeau que tu me fichais sur les épaules ?

Révoltée, son légume dans la main, elle arpentait le corridor à grandes enjambées furieuses.

– Les monts Groulx, répétait-elle comme devant un cataclysme, c'est presque le Pôle-Nord.

– Peut-être pas jusque-là, mais je reconnais que ce n'est pas à la porte.

– Combien de mois resterais-tu absent ?

– Sûrement jusqu'à la fin de mars.

– Jusqu'à la fin de mars, souffla-t-elle atterrée. Pourquoi t'a-t-on choisi, toi, quand on aurait pu demander un ingénieur qui exerce déjà en forêt, je pense à Raymond Blouin, celui qui t'a remplacé et qui est célibataire en plus!

— Les ingénieurs en forêt ont déjà leurs charges. On a demandé un ingénieur du bureau et je suis le dernier arrivé. Les techniciens seront presque tous constitués d'Indiens à cause de leur connaissance du territoire et...

Élisabeth ne l'écoutait plus. Le regard indéfinissable, elle se tenait figée. Un léger frémissement agitait ses lèvres.

Il baissa les paupières. Il y avait plusieurs mois qu'il n'avait eu à se rendre en forêt pour faire des vérifications d'aménagement. Il avait le sentiment qu'Élisabeth s'était habituée à ce rythme de vie pantouflard et qu'elle s'y complaisait. Il évoquait l'animation qui couvrait leur demeure, le soir, quand il rentrait, les tâches ménagères qu'ils se partageaient, la toilette des enfants, leur coucher qu'ils faisaient ensemble, car il était un bon père.

Bien sûr, de laisser son épouse seule pour s'occuper de la maison, le préoccupait. C'était l'hiver, il y aurait d'autres tempêtes avec toutes les difficultés que cela pourrait engendrer. Mais elle ne serait pas démunie, déjà, il lui avait déniché un manœuvre pour l'entretien.

— Je sais qu'il va neiger pendant mon absence, accorda-t-il, et qu'il va falloir pelleter. Pour ça, tu téléphoneras à Caduc. C'est un ami de ton monsieur Thériault que tu trouvais si complaisant quand nous habitions notre logement. Comme lui, il est à la retraite et il fait des *jobines* pour les autres. Il habite en bas de la côte, en ligne avec notre cour. Ce n'est pas ce qu'on pourrait appeler un gars bien vaillant, mais il va faire ce que tu lui demanderas. Pour le reste, tu t'en référeras à nos amis.

— Pas besoin de me rappeler nos amis, cingla Élisabeth. Je sais que je peux compter sur eux. Je ne suis pas si bête.

Heurté, Antoine-Léon baissa les yeux.

— Tu es déçue à ce point?

— Je suppose que je vais m'y faire et si je ne m'y fais pas, j'irai me réfugier avec les enfants chez mon père. Ce ne sera pas la première fois.

Il serra les lèvres. Il était malheureux de ce qu'il lui imposait et pourtant, au fond de lui-même, cette expédition comblait un vide. La forêt lui manquait. Il y avait longtemps qu'il entendait l'appel des grands résineux. Bien souvent, il avait soif de leur ombre, était avide de la gomme d'épinette qu'il mâchouillait en battant les sentiers, de l'air pur, des parfums forts du bois vert.

Après avoir mené une équipe, commandé des techniciens et des bûcherons pendant presque dix ans, depuis qu'il travaillait dans les bureaux, à peine était-il retourné dans la forêt deux fois afin d'évaluer des opérations de coupe. Ces déplacements avaient été de trop courte durée, trois jours, pas davantage, l'avion le prenant le lundi pour le ramener vers la civilisation le mercredi.

Il avait la nostalgie de ce temps passé, parfois difficile, mais qui était loin de lui déplaire. Cette proposition lui apparaissait comme une relâche au milieu de ses occupations routinières dans la tiédeur de l'édifice. C'était la bouffée d'air qui lui manquait après avoir goûté aux grands espaces.

Élisabeth ne le ferait pas changer d'avis. Il veillerait à ce qu'elle ne manque de rien et il serait du voyage.

***

Les hommes avaient bouclé leurs sacs à dos. Pour la énième fois, penché sur les caisses qui jonchaient la chaussée enneigée comme autant de taches noires, Antoine-Léon s'assurait qu'ils avaient tout l'équipement nécessaire à la durée de leur séjour. En plus de l'organisation des tentes et de la cuisine, il fallait s'assurer qu'ils avaient apporté les haches, les scies à chaîne, les bidons d'huile et d'essence dans leurs bagages, sans compter les instruments d'arpentage.

— Je viens de faire le décompte et je pense qu'il ne manque rien, dit-il à Benoît, avec qui il partageait les tâches.

— T'en es pas sûr, Savoie, qu'il faut que tu vérifies encore, s'était moqué Benoît, quand toi et moi avons consulté la liste plus qu'il ne faut. C'est toujours ainsi que tu procèdes quand tu pars en voyage ? Tu vides tes valises, tu refais tes valises…

— S'il manque quelque chose, c'est pas rendu au bout du monde qu'on pourra revenir le chercher.

Benoît fit un geste large. Ingénieur forestier avant de devenir arpenteur-géomètre à son compte, il avait toutes les compétences et était aguerri à ce genre d'expéditions.

— Il ne manquera rien, jeta-t-il d'un ton ferme, *fie-toé sus moé*, comme dit Daniel pour les *ski-doo*.

Antoine-Léon ne répliqua pas. Il considéra les trois motoneiges qui s'alignaient le long de la route. Ils avaient confié à Daniel la responsabilité des véhicules de transport. Ancien mécano, expert en réparations de toutes sortes, ils avaient en lui la plus grande confiance.

Benoît avait même pensé aux raquettes.

« Dans la profondeur des bois, sous un froid sibérien, avec la neige folle qui couvre les obstacles, il faut être bien chaussés », avait-il observé.

Vincent avait suggéré des raquettes d'un genre nouveau, lacées au fil de nylon. Il connaissait un bottier qui en fabriquait. Légères et chaudes, elles ne pochaient pas, avait-il assuré. De plus, contrairement à celles faites en babiche, elles ne se détremperaient pas quand ils pataugeraient dans la neige humide ou en traversant les ruisseaux.

Benoît avait été enchanté. Soucieux de veiller au confort de ses hommes, il en avait commandé pour toute l'équipe.

Les Indiens n'avaient pas manifesté le même enthousiasme. Malgré ses mérites, l'idée de Vincent n'avait pas eu leur faveur. Vincent était trop proche des Blancs, disaient-ils, les lèvres serrées, ce qu'ils réprouvaient. Chez leur peuple, depuis la nuit des temps, les traditions ancestrales prévalaient et étaient inviolables.

Un peu plus tard, Benoît lui avait raconté avoir vu chacun des Indiens ajouter furtivement ses propres raquettes en babiche dans son *packsack*.

Il émergea de ses pensées. Un mouvement venait d'animer le groupe. Les hommes s'étaient avancés au bord de la chaussée et avaient tourné la tête vers la route. Au loin, un autobus scolaire se rapprochait en cahotant. Il était suivi d'un camion. Les deux véhicules avaient été nolisés pour leur usage. Le premier effectuerait le transport des douze hommes de l'équipe, tandis que l'autre servirait au convoyage du matériel et des provisions de bouche. Ils seraient amenés par le chemin forestier à cent soixante kilomètres au nord de la route 138, vers le camp de base de la *QNS* planté au bord du lac Sainte-Anne où ils passeraient la nuit. Le lendemain, ils se dirigeraient avec armes et bagages vers la piste d'atterrissage de la rivière Toulnustouc, en bas du barrage. De là un Twin Otter viendrait les prendre pour les conduire, cent trente-cinq kilomètres plus au nord, au bord du lac Grandmesnil.

Ils chargèrent le camion de leurs affaires. Instinctivement, ils jetèrent un regard sur la neige blanche, s'assurèrent que la chaussée était libre de tout objet oublié et s'entassèrent dans le bus. Épuisés, ils fermèrent les paupières.

Antoine-Léon avait étiré ses jambes sous le siège devant lui et, les mains croisées sur son ventre, se laissait ballotter par les soubresauts du véhicule.

Il retrouvait son calme. Leur départ était amorcé. Il restait à espérer que leur long déplacement se déroule sans anicroche. Il avait laissé une Élisabeth encore outrée, incapable d'accepter son absence, lui rappelant ses enfants qu'il abandonnait et lui faisant mille reproches et recommandations.

Il avait promis de lui donner des nouvelles chaque fois qu'il se servirait de la radio et il était parti l'âme tranquille.

— Huit tranches de pain par jour, calcula à brûle-pourpoint Benoît comme s'il se parlait à lui-même. Jusque-là, ça va, mais combien de tranches y a-t-il dans un pain et combien de pains peut-on boulanger avec une poche de farine, parce que le cuisinier a besoin de farine, c'est lui qui va faire les fournées.

Antoine-Léon sursauta.

— Je commençais à peine à me rassurer que tu viens m'inquiéter avec tes histoires de pain. Es-tu en train de me dire qu'on n'a pas calculé assez de poches de farine ?

— Je veux seulement te dire que si on en manque, on demandera au *cook* de faire de la *banique*, j'haïs pas ça, moi, de la *banique*.

Les sourcils froncés, Antoine-Léon le fixa. Encore une fois, Gariépy se moquait de lui, c'était évident. Ils avaient pris toutes les précautions concernant la nourriture, jusqu'à consulter les archives de la compagnie, quoiqu'ils n'aient pas trouvé là des renseignements très pertinents, que des quantités de mélasse, de fèves sèches et de gros lard pouvant sustenter une tablée de cinquante bûcherons.

Ils visaient un menu plus raffiné.

Après discussion avec Gerry, leur cuisinier, ils avaient établi une liste de leurs besoins. Ils avaient de plus décidé d'ajouter une bonne provision de *pokouéchikan*, dans les mots indiens de leur *cook*, du pain acheté chez un boulanger, afin que personne ne crève de faim jusqu'à ce que, le campement monté et organisé, il puisse faire lui-même ses cuissons.

Lorsque la tente-cuisine serait fonctionnelle, avec la quantité de poches de farine qui s'amoncelleraient dans leur réserve, Gerry aurait de quoi faire du pain jusqu'à la fin des temps, songea Antoine-Léon.

Le dos appuyé sur la banquette inconfortable du vieil autobus, il laissa poindre un sourire. Benoît pouvait se moquer de lui autant qu'il le voulait, il n'en avait cure. La sérénité l'avait gagné.

***

Éveillés avec l'aurore, ils avaient pris un copieux déjeuner au camp de base de la compagnie et s'étaient amenés sur les motoneiges vers la rivière Toulnustouc. Arrivés tôt, cadres, techniciens et préposés au ravitaillement s'étaient mis ensemble et avaient aidé les *portageurs* à débarrasser les toboggans des effets dont ils les avaient encombrés.

Groupés près de leur matériel, ils attendaient que se pointe l'avion devant les transporter vers le lointain lac Grandmesnil.

La rivière qui servait de piste d'atterrissage était recouverte d'une belle couche de glace vive qui luisait dans le soleil levant.

Le matin était glacial. On était à la mi-janvier et le froid était vif en montagne. Grelottant et piaffant, avec leurs lourdes bottes qui creusaient la neige, les douze braves consultaient impatiemment le ciel, dans l'espoir d'y apercevoir le Twin Otter qui les conduirait vers le nord. L'expédition se composait de huit Indiens incluant le *choboy* et le cuisinier, deux techniciens blancs, un arpenteur-géomètre et un ingénieur forestier.

Le lever du soleil était à peine amorcé et la basse température qui sévissait la nuit était encore âpre, incisive. Une buée blanche s'échappait de leur bouche et décrivait des arabesques devant leur visage pour se transformer en un léger givre qui allait blanchir la barbe de leurs joues et former des glaçons sous leur nez.

– Il doit bien faire moins quarante, supposa Benoît, sa bouche raidie l'empêchant de former clairement ses mots. Ce ne serait pas le temps de réciter : *trois grands gars aux grands bras…*

— Faudrait pas que l'avion tarde trop, sinon ce ne sont pas des grands bras que le pilote va trouver ici, mais des momies congelées, jeta Antoine-Léon.

— Nous, pas *fret*, dit Théodore. Mitsi manitou donné Montagnais, peau épaisse.

— Ça tient pas debout ce que tu dis là, protestèrent les Blancs. Avoue donc que vous avez froid comme nous autres.

— Mi pas peur ôter tuque, ôter parka, persista Théodore, mi…

Il se tut brusquement. Tous les visages avaient convergé vers le ciel.

Un ronron se faisait entendre du côté de l'horizon est. Là-bas, un point argenté se dessinait et perçait les rayons du soleil. Un Twin Otter s'amenait, grondait, grossissait. C'était leur transporteur.

Antoine-Léon, dont c'était la responsabilité, alla se poster devant les hommes et prit les rênes de l'organisation.

— Daniel en tant que chef d'équipe, vous autres, Gerry et Armand les préposés à la cuisine, de même que deux *portageurs* Samuel et Paul-Émile, vous serez du premier voyage. Daniel, tu choisiras l'emplacement du campement et vous commencerez à monter la tente-cuisine.

Il évalua la surface disponible dans l'avion.

— Vous apporterez une motoneige, une partie de l'équipement de cuisine et des provisions de bouche. On fera embarquer le reste au second voyage.

— Pourquoi pas faire partir les trois motoneiges par la rivière? proposa Daniel. Six hommes pourraient embarquer dans l'avion avec les tentes. Les autres feraient le trajet sur les cours d'eau par groupes de deux, avec les toboggans chargés de provisions et de bagages.

Antoine-Léon l'écouta avec intérêt. Il considéra la belle glace qui recouvrait la rivière. Le courant était fort dans ces torrents qui dévalaient la montagne. Malgré la froidure, souvent les remous fragilisaient la surface des cours d'eau. Il déclina la proposition.

— On a aucune idée de l'état des pistes, on courra pas ce risque.

— Vaut mieux ajouter un voyage supplémentaire à notre allocation de dépenses plutôt que de mettre la vie de nos gars en péril, renchérit Benoît. Je voudrais pas voir la glace s'ouvrir sous eux et qu'ils disparaissent dans quelque entonnoir.

Au-dessus de leurs têtes, le ronron s'était amplifié et rejoignait le lac Sainte-Anne. L'avion avait fait un piqué et planait vers la rivière. Il effectuait son approche avec douceur comme s'il se laissait glisser sur un trait de lumière.

– V'là un atterrissage comme on les aime, lancèrent ensemble les hommes rassurés pour la suite du voyage.

– Mais je connais ce gars-là, s'écria le technicien Gabriel Boudreault, son œil réjoui rivé sur la silhouette du pilote qu'il distinguait dans le cockpit. C'est Réal. Vous devez le connaître, Monsieur Gariépy, Réal Gagnon.

– Non, mon ami, je ne connais pas Réal Gagnon, répondit l'arpenteur.

– Et vous, Monsieur Savoie, insista l'autre, sûrement que vous… ?

Antoine-Léon hocha négativement la tête. Il ne connaissait pas davantage ce Réal Gagnon qui avait fait un atterrissage comme ils les aimaient et il en était étonné. Depuis les onze ans qu'il habitait la région, qu'il parcourait la forêt à bord d'appareils de la compagnie ou loués par elle, il n'avait jamais seulement entendu prononcer ce nom.

La porte de la carlingue s'était ouverte et une ombre s'était profilée devant le fuselage.

Un jeune homme mince, frêle s'était dégagé et se tenait, une main agrippée à la portière, l'autre frileusement enfoncée dans sa poche.

La peau de ses joues, lisse comme une pomme mûre, le sourire angélique éclairant son visage et découvrant ses dents trop blanches permettaient de se demander s'il avait seulement vingt ans.

– J'espère qu'il a accumulé ses heures de vol et que sa belle descente est pas qu'un coup de chance, souffla Benoît à Antoine-Léon. Être pilote de brousse, c'est pas évident. J'ai une famille, moi, cinq garçons et une fille à conduire à l'université.

Antoine-Léon acquiesça. La même inquiétude avait effleuré son esprit. Il considéra le jeune aviateur. Enfin, il héla les passagers choisis.

– Daniel, Gerry, Armand, Vincent et Paul-Émile…

– S'il vous plaît, Monsieur, l'arrêta le pilote.

Antoine-Léon se retint de sursauter.

Le jeune aviateur se substituait à lui. D'autorité, il décidait qui embarquerait et quels bagages combleraient son appareil.

Il faillit s'objecter et, enfin, s'inclina.

Son expérience de la forêt lui avait appris une certaine souplesse et à respecter les exigences du pilote.

Quatre employés montèrent à bord au lieu de cinq, deux moto-neiges au lieu d'une et une lourde cargaison de caisses.

La portière se referma.

Le pilote s'enfonça dans l'habitacle et alla occuper son siège.

— Si les conditions météo ne changent pas, je devrais être de retour dans trois heures, lança-t-il au groupe resté au sol, sa tête émergeant par la vitre de son cockpit. À vous d'être prêts, parce qu'il me faut rejoindre ma base avant la noirceur, sinon votre départ sera remis à demain.

Sans rien ajouter, il pressa les boutons de commande de son tableau de bord et, encore une fois, un ronron secoua l'appareil.

— Décidément, il est pas très sympathique, notre jeune pilote, bougonna Antoine-Léon. Pète-sec, p'tit Jos connaissant qui pense tout savoir, sourd à tout conseil venant des vieux, ne se fiant qu'à lui-même. As-tu compris quelque chose dans sa façon de calculer?

— Moi, rien pantoute, répondit Benoît, et c'est nous qui allons écoper. Un peu de blanc sur la tête lui ferait pas de tort, renchérit-il.

Ils espéraient que la compagnie, en donnant à ce freluquet la responsabilité de ses hommes, savait ce qu'elle faisait.

L'avion s'était élevé dans les airs et s'amenuisait vers le nord. Ils se tournèrent les uns vers les autres.

— Trois heures à poireauter par moins quarante, jeta Benoît sur un ton ennuyé. Toi, Savoie, vous autres les gars, on fait une partie de bluff à savoir qui le premier va geler bien dur?

Sur la rivière, la bise courait et soulevait de petits nuages de poudreuse qui allait s'infiltrer sous leurs parkas. Ils refrénèrent un frisson.

La solution aurait été d'aller rejoindre la base de la compagnie, cinq kilomètres côté est, et profiter confortablement de la bonne chaleur des poêles à bois, mais ils n'avaient plus qu'une motoneige. Monsieur Gagnon avait décidé d'emporter les deux autres et celle qui restait ne suffirait pas à véhiculer huit gaillards. Il leur faudrait faire le trajet à pied.

Par ce froid sibérien, même chaussés de raquettes, ils refusaient de parcourir une telle distance, escalader les bancs de neige, lutter contre le vent qui fouetterait leur visage et risquer les engelures dans une exténuante chevauchée.

— Puisqu'on est pris pour rester ici à attendre, on se laissera pas geler tout rond, décida Benoît. On va monter un camp et se faire un thé. On va au moins se réchauffer.

Les hommes ne se firent pas prier. Immédiatement, ils éventrèrent une caisse et déplièrent une tente.

Chacun assuma sa tâche. Tandis que Gabriel dressait l'abri avec deux compagnons, les autres allèrent couper des branches basses de résineux pour faire un feu de brindilles.

Benoît et Antoine-Léon s'armèrent d'une hache, allèrent casser la glace dans la rivière et puisèrent de l'eau.

Une casserole de fer-blanc fut déposée sur le feu vif et, en quelques secondes, le thé fut prêt.

Rassemblés autour de la flamme dansante, ils trinquèrent avec leurs tasses.

— À la vie de château, blaguèrent-ils.

Des bouffées de bonne chaleur montaient jusqu'à eux, poussées par la rafale. Ils bavardèrent un moment. Leur verve épuisée, ils se turent.

La casserole et les gobelets étaient vides et l'agréable feu de broussailles ne formait plus que des cendres éteintes. Debout, oisifs, déambulant en cercle comme des blanchons, ils avaient allumé une cigarette. Antoine-Léon avait bourré sa pipe et aspirait à petites bouffées.

Les heures passaient. En haut, dans le ciel, le soleil allait atteindre le zénith.

Chacun profitait de cette relâche provisoire. Lorsqu'ils auraient rejoint les autres, les conditions ne seraient plus à la détente. Ils auraient à aider au montage du camp et à préparer les couchettes pour dormir. Ils devraient, de plus, déballer leur attirail de même que tous les instruments d'arpentage. Ces préparatifs devaient se faire le même jour, car la forêt n'accordait pas de répit. Sitôt arrivés, les activités débuteraient.

Ils s'étaient réfugiés sous la tente et avaient allumé une seconde cigarette. De temps à autre, masquant leur impatience, ils passaient la tête par l'ouverture, consultaient les nues, ensuite leur montre-bracelet et réintégraient l'abri sans rien dire. Frigorifiés, ils frappaient des mains dans leurs moufles.

— Si je sais compter, ça doit ben faire trois heures qu'on fixe le nord, fit remarquer Gabriel.

— Ça fait plus que trois heures, rectifia monsieur Gariépy.

— Il est en retard, dit Antoine-Léon, je me demande ce qui peut bien le retenir. Il devait être ici vers dix heures et il approche midi. Avoir su, on aurait eu le temps d'aller se mettre au chaud dans les installations de la base.

Les hommes ne répondirent pas. Une forme de préoccupation mêlée à de l'agacement se lisait sur les visages. La journée avançait. Le soleil avait atteint le zénith, bientôt il amorcerait sa descente vers l'horizon.

Ils commençaient à désespérer, à craindre que cette couche de glace inconfortable qui emprisonnait la rivière leur serve de matelas pour la nuit.

Soudain, ils sursautèrent. Un ronron se faisait entendre, semblait provenir des hauteurs. Excités, ils se ruèrent dehors.

La nuque arquée, ils scrutaient l'horizon nord, ratissaient la crête des montagnes et plus haut, les nuages. C'était à qui le premier pointerait sa mitaine et hurlerait que le Twin Otter était là, qu'il le voyait, qu'il s'amenait.

Du côté nord, le ciel était clair, d'une limpidité de cristal. Pas un seul objet en vue pour troubler l'étendue trop pure. Déçus, ils se replièrent. Ils allaient réintégrer leur tente.

Soudain, vivement, ils revinrent sur leurs pas. Le ronron s'était tu un moment et se faisait de nouveau entendre. Ils le percevaient maintenant de façon plus nette, amplifié, avec des ronflements de moteur, des vibrations dures, métalliques.

— Le voilà, cria Ti-Raoul, il est là.

Ils explorèrent le ciel. Surgi de l'est, s'amenait un Beaver.

Leur visage se rembrunit. Ils ne cachaient pas leur déception. Ils ne rejoindraient pas le camp cet après-midi.

L'avion avait obliqué et pointait vers la rivière Toulnustouc. L'œil morne, ils le regardaient se rapprocher avec ses ailes qui oscillaient, sa carlingue luisante dans la lumière et le bourdonnement de son moteur. Tout doucement, il amorça sa descente, rasa l'étendue glacée et, dans une longue glissade, vint s'arrêter près de leur groupe.

Une ombre s'était activée dans le cockpit. Presque aussitôt, la portière couina et s'ouvrit toute grande.

– Salut, les gars.

Antoine-Léon freina un sursaut. Mike, le pilote officiel de la compagnie qui l'avait tant de fois transporté et ramené à bon port, s'était dressé devant eux.

– Je gage que c'est pas ma face que vous attendiez, hein, les gars. Je viens vous chercher avec le reste des bagages, je dirais plutôt avec ce que je pourrai emporter.

Il s'était exprimé avec sa désinvolture habituelle, l'œil polisson, semblant s'amuser de la stupeur qu'il lisait dans leurs yeux.

– Qu'est-ce qui se passe ? s'enquit Benoît.

– Il y a que Gagnon, le p'tit gars de ce matin, a pas encore aiguisé ses dents, expliqua-t-il. Il s'est posé sur Grandmesnil et il s'est enlisé dans la *slush* avec son Otter. Je suis venu finir le boulot.

Il examina les bagages disséminés sur la neige et fit un calcul rapide.

– Ouais, ça va demander plus qu'un voyage de Beaver pour vous *rapailler*, pis *rapailler* votre gréement. Comme il est pas question que vous couchiez dehors par cette belle nuit de pleine lune, on va user d'astuce. Souhaitez qu'il m'arrive pas de pépins et que je réussisse à faire deux voyages. Pour ce qui restera des bagages, je finirai l'ouvrage demain.

– Gariépy, ça te dirait de partir avec Charlot, Vincent, Théodore et quelques caisses, suggéra Antoine-Léon. Rendu là-bas, tu pourrais mettre les hommes à l'ouvrage. Moi, je resterais ici avec Siméon, Gabriel et Ti-Raoul. Pendant l'attente je les ferais trafiquer les appareils qu'on va devoir abandonner, faire qu'on les récupère demain sans s'en être fait piquer la moitié.

L'avion envolé, demeuré seul avec ses trois travailleurs, Antoine-Léon organisa les tâches. D'abord, ils maintiendraient la tente montée. Après l'expérience du matin, c'était une sage précaution.

Il leur ordonna de mettre la motoneige en pièces détachées. Pour une plus grande sécurité encore, il décida que chacun apporterait avec lui dans l'avion quelque composante essentielle de l'engin afin de dissuader les chapardeurs. Bien sûr, dans les sommets, avec la pureté du ciel, l'immensité si près de Dieu, les gens sont honnêtes. Il n'avait pas raison d'être à ce point méfiant, mais, se disait-il, le diable non plus n'était pas loin de la terre.

Il jeta un œil critique sur leurs affaires. Tout était prêt pour le départ.

Dressés sur leurs jambes, patiemment, ils reprirent leur faction.

Les ouvriers avaient allumé une cigarette et Antoine-Léon, sa pipe. Lentement et en silence, ils se remirent à déambuler autour de leur camp provisoire. De temps à autre, ils levaient la tête, fixaient l'horizon nord pour ensuite consulter leur montre-bracelet. Les paupières baissées, ils grillaient une cigarette et encore une autre.

– Bon, ben là, y a quelqu'chose qui cloche, laissa tomber Gabriel.

Il approchait quinze heures. Le vent s'était levé et soufflait en bourrasques. La froidure cuisait leurs joues.

Excédés, ils frappèrent le sol de leurs semelles épaisses. Ils étaient las, ils avaient faim et ils avaient froid. Depuis leur réveil, à l'exception du repas pris au camp de base, ils avaient à peine grignoté la mie d'un pain extirpé de leurs provisions.

– Si Mike, y est pas plus pressé de r'venir, moé je vas aller *trapper* un lièvre, décida Ti-Raoul. On va le manger, ouvrir nos sleepings, pis oublier Mike jusqu'à demain.

Antoine-Léon serra les lèvres. Une crispation tenaillait sa poitrine. Cette situation le contrariait. Il n'était pas plus rassuré qu'il ne l'avait été devant le jeune Gagnon et son Otter de la matinée. Il se demandait comment le Beaver se comportait dans les conditions hivernales difficiles. Mike était un expert des amerrissages en été lorsque l'onde limpide et claire des lacs bruissait sous ses flotteurs, mais en hiver, avec les cours d'eau gelés, la neige folle qui jonglait et brouillait la vue, est-ce qu'il n'irait pas comme l'autre s'embourber dans un tas de *frasil* coiffant les eaux fougueuses de Grandmesnil ?

Il prêta l'oreille. Au-dessus de leurs têtes, un bruit de moteur se mêlait au souffle du vent. Un énorme soulagement détendit son visage. Le Beaver grossissait sur le lac et s'emmenait vers eux.

***

Ils avaient pris possession du territoire et les travaux d'arpentage allaient petit train, s'étiraient un peu plus chaque jour vers l'ouest, progressaient avec régularité, mais lenteur. L'endroit était difficile, le terrain fortement escarpé et souvent impraticable. Partout des arbres morts jonchaient le sol et des monticules de neige coupaient les espacements comme une suite de buttes pointues dans lesquelles ils devaient dessiner leurs chemins de portage, tous ces obstacles exacerbés par la morsure du vent.

Ils avaient cent kilomètres à parcourir en suivant la crête des montagnes jusqu'à atteindre le bassin de retenue du barrage Daniel-Johnson connu sous le nom de Manicouagan-5.

Chaque matin, partis du camp avec l'aube, installés sur deux toboggans tirés par autant de motoneiges, les travailleurs filaient vers leur ligne de départ, une randonnée de parfois dix kilomètres qu'il fallait accomplir sur les genoux.

Arrivés à destination, fortement secoués, les jambes et le dos endoloris, les hommes en avaient pour des heures avant d'être capables de procéder sans douleur à leur travail d'arpentage.

Les Indiens, pourtant endurcis, avaient avoué préférer cent randonnées pédestres à travers bois plutôt qu'un seul déplacement de ce genre, tant cette cavalcade était éprouvante. Bien des fois, ils avaient suggéré de faire le trajet en raquette, mais Benoît avait repoussé l'idée. La distance à parcourir aurait représenté en certains cas jusqu'à trois heures de marche dans la neige épaisse et les escarpements, une aventure tout aussi aliénante. En plus de la fatigue, il fallait aussi considérer le temps perdu.

Leur supplice s'allégeait un peu quand ils effectuaient un transfert de camp pour se rapprocher de leur ligne de travail. Pendant les périodes où ils n'avaient pas à couvrir de trop longues distances, ils se déplaçaient en raquettes. Mais tout juste étaient-ils remis de leur peine que les épuisantes équipées en motoneige devaient recommencer.

Le soir, rentrés au camp, ils profitaient d'un repos bien mérité.

Leur installation était rudimentaire, mais ils s'y accommodaient. Composée de trois tentes, deux d'entre elles servaient de dortoirs que se partageaient à cinq : ingénieurs, techniciens et *portageurs*. La dernière, plus spacieuse, qui faisait aussi office de réfectoire, logeait les deux Indiens chargés de la cuisine : Gerry, le *cook* et Armand, le chauffeur de poêle, aussi appelé le *choboy*. Gerry dormait au bout de la pièce près de ses provisions tandis qu'Armand s'allongeait près du fourneau.

Le rôle d'Armand était d'aider à la cuisine, couper le bois et charger les *truies* la nuit pour maintenir le chauffage dans les tentes-dortoirs. Mais cette fonction n'était pas pour lui exclusive, il faisait aussi office de *portageur*.

Durant le jour, abandonnant Gerry à ses casseroles, il quittait le camp avec les autres. Armé de sa scie et marchant en tête de groupe, il ouvrait les sentes, essartait et damait les pistes de ses raquettes. À l'heure du lunch, reprenant son rôle de *choboy*, il allait ramasser des brindilles, faisait un feu, cassait la glace dans le ruisseau le plus proche et y puisait l'eau de leur thé. Il était un vaillant homme et les autres le reconnaissaient.

Le dîner terminé, chacun se remettait à l'ouvrage, car ils ne devaient pas s'attarder. Tous les matins, avant de commencer l'arpentage, Benoît établissait un point précis qu'ils devaient s'efforcer d'atteindre.

Rentrés au camp le soir, dans l'attente du plantureux repas préparé par Gerry et afin de se détendre un peu, ils dégustaient en guise d'apéritif un petit boire délayé dans l'eau chaude, rouge, au goût de liniment *Minard*, un p'tit remontant qui ne risquait pas de les enivrer.

Le repas terminé, tous se délassaient. Groupés dans la tente-cuisine autour du poêle qui dégageait une vive chaleur, ils se remettaient de leur peine en chantant et en racontant des histoires.

Il y avait bientôt deux mois qu'ils battaient la forêt. Mars avait débuté et marqué un nouveau déménagement. Leur camp démonté, leurs affaires empaquetées en de lourds ballots déposées sur des toboggans, ils avaient transporté le tout une quinzaine de kilomètres plus loin vers l'ouest.

L'installation était terminée et, ce matin-là, toute l'équipe était à l'ouvrage. Armés de haches, à grandes enjambées de raquettes, les *portageurs* suivaient les sinuosités d'un lac, élargissaient le chemin de portage et le damaient encore.

Ils faisaient en même temps le ramassage de rondins devant servir au chauffage du camp. Les chicots secs de mélèzes, communément appelés épinettes rouges, abondaient en bordure des cours d'eau et constituaient un excellent bois de chauffage. Ils profitaient de l'aubaine.

Se déplaçant derrière eux, les techniciens procédaient au marquage, s'arrêtaient pour quelque annotation et se remettaient en marche.

Il approchait midi. Benoît avait consulté sa montre et fait s'immobiliser le groupe.

— On dirait que le temps est en train de changer, observa-t-il avec un peu d'inquiétude.

Les hommes levèrent la tête. Une sorte de pénombre les avait cernés. Le ciel s'était obscurci et un nuage épais cachait le soleil.

— M'avait semblé entendre qu'il neigerait seulement à partir d'à soir, dit Gabriel.

— C'est ben ce qu'a prétendu Ti-Raoul, notre expert en météo, acquiesça Vincent.

— Je veux ben vous prédire de la neige juste pour à soir, se défendit Ti-Raoul qui avait abandonné sa scie et s'était amené vers eux, mais si y se met à venter, y va neiger *betôt* et j'y serai pour rien.

— En ce cas-là, hâtons-nous de prendre une bouchée et reprenons le travail, ordonna Benoît. Si la neige se met à tomber, c'est pas de taper sur le météorologue qui va nous faire atteindre le kilomètre et demi que j'avais prévu pour aujourd'hui.

Brusquement, comme pour confirmer ses dires, un coup de vent s'éleva en bourrasque, chargea une traînée de neige sur le lac et les aveugla.

Ils mangèrent en vitesse et s'empressèrent de se remettre à l'ouvrage.

Une buée blanche s'exhalant de leurs bouches, les techniciens calculaient les distances et notaient les mesures. Les heures passaient et ils progressaient peu. L'arpentage était ardu dans cette région montagneuse, fortement abrupte.

Le ciel était gris, mais la neige tardait à tomber. Le sentier était redevenu un peu plus praticable et ils s'étaient sentis allégés. Avec une ardeur nouvelle, ils s'étaient penchés sur leurs instruments, dans leur désir d'atteindre au plus tôt leur objectif et rentrer au camp.

Soudain, les techniciens butèrent les uns sur les autres. Sans raison, les *portageurs* s'étaient arrêtés.

Irrité, Daniel partit de l'avant et alla les rejoindre.

— Qu'est-ce que vous attendez pour bouger, auriez-vous vu le diable ?

Ils ne répondirent pas. Cloués sur place, ils fixaient un point sur leur droite.

Vincent s'était tourné vers lui. L'œil allumé, il indiquait le noir de la forêt. Se mêlant aux ténèbres, une ombre se déplaçait, la tête altière et les bois relevés, avec ses puissants naseaux qui ronflaient, sans se soucier des bruits qui couvraient les alentours.

— C'est un orignal, un *buck* d'au moins mille livres, évalua-t-il. Il est trop gros. Il va mourir d'une syncope.

Interloqués, les autres le considérèrent en silence. Soudain ils s'esclaffèrent. Ils venaient de comprendre.

— Boss, je vas pouvoir emprunter un *ski-doo*, dimanche ?

Benoît fronça les sourcils.

— Dimanche que t'as dit ?

— Je voudrais faire une virée dans le bois, expliqua l'Indien. J'ai vu une piste intéressante et je serais curieux de voir où ça mène. Si y en a qui veulent me suivre…

— J'irais ben, offrit Charlot.

— Mi itou, fit Théodore.

Les trois Indiens s'étaient rejoints et tenaient un conciliabule.

— Remettez-vous à l'ouvrage. Et toi, Charlot, retourne à ton théodolite, les enjoignit Benoît. Avec le ciel qui menace de nous tomber sur la tête, c'est pas le moment de parlementer.

Chacun empoigna haches et outils. Comme si rien ne les avait distraits, ils avaient retrouvé leur allant. Avec bonne humeur, ils étiraient leurs galons et s'adonnaient à leurs plaisanteries coutumières.

Chargé de faire suivre le lunch qu'il portait sur ses épaules tout en traînant son instrument, Charlot déterminait la trajectoire.

L'œil sur la lunette, il mesurait les azimuts.

Le vent tourbillonnait et poussait un froid sibérien. Le col ouvert, les joues rougies et les cils auréolés de frimas, il haletait. Une buée s'exhalant de sa bouche, il progressait, effectuait sa besogne sans paraître préoccupé. Soudain, il détacha son sac et le traîna sur le sol.

– Maudit que vous êtes gloutons, lança-t-il, en même temps qu'il peinait à franchir un monticule. Autant de boustifaille pour dix gars, parce que moé, c'est connu, je mange comme un oiseau. Vous autres, on dirait cinquante loups affamés. Le pire, c'est qu'on est au temps du carême. Demain, toute la gang se met au jeûne, pis moé, j'vas me reposer un brin les épaules.

Ils éclatèrent de rire. Les repas étaient sacrés en forêt, même sur les lignes d'arpentage. Ils manquaient du confort de la civilisation, mais la compagnie compensait en leur offrant une nourriture abondante, délicieuse même, considérant leurs conditions de vie.

Composé de sandwichs au porc frais, au jambon en conserve et au salami, de tartes au sucre et aux pêches, ainsi que de muffins à la confiture, le lunch des onze membres de l'équipe était placé dans un seul sac à dos et c'était à Charlot, leur technicien d'instruments qu'il revenait de le porter.

– Tu iras pas jusqu'à nous priver de l'essentiel, fit Benoît sur un ton faussement désolé. Si les gars sont à demi morts, tu vas devoir te farcir l'ouvrage tout seul.

Heureux de sa plaisanterie, Charlot riait. Ses paupières ne laissaient filtrer qu'un tout petit trait. À bout de souffle, émettant une toux sonore, il chargea son bagage sur ses épaules.

Ils avaient dépassé une petite crique en amont du lac Dechêne. Leur avance était pénible et leur circuit s'effectuait avec lenteur.

Le ciel s'était encore assombri. Après une courte accalmie, le vent s'était remis à souffler avec plus de violence.

Quelques brins de neige avaient commencé à tomber, comme une neige folle qui virevoltait un moment devant leurs yeux avant d'aller se perdre dans une trouée.

Brusquement le lac se fondit avec les nuages. Autour d'eux, la bise sifflait, soulevait des masses de neige qui allaient se plaquer sur leurs visages.

Vincent qui menait l'équipe des techniciens s'immobilisa. Il cria derrière lui :

– Qu'est-ce que je fais, boss ? Je vois pus rien *pantoute*.

– Arrêtons-nous et attendons que ça passe, décida Benoît. C'est l'hiver, c'est pas inhabituel, faut vivre avec.

La tourmente déferlait. Le col de leur parka relevé, ils se protégeaient du mieux qu'ils pouvaient.

Enfin, après quelques minutes, le vent s'essouffla.

Benoît donna l'ordre de repartir.

Ils se penchèrent sur leurs instruments, mais leur progression était devenue plus laborieuse. La piste compactée plus tôt avait disparu. Comblée par la rafale, elle se confondait avec le lac.

Patiemment, les *portageurs* revinrent sur leurs pas et damèrent la surface.

Là-bas, au milieu du cours d'eau, insidieusement, le vent faisait rouler de petits nuages. Il recommençait à rugir. Comme s'il n'était jamais assouvi, il reprenait sa lancée. Subitement, il souffla avec fureur, en bourrasques successives, rapprochées. Déséquilibrés, les hommes se retinrent les uns contre les autres et relevèrent encore le capuchon de leurs parkas.

Une neige drue s'abattait maintenant et formait un mur opaque. Le blizzard déferlait, la tempête commençait.

– Y a pas moyen de faire un ouvrage qui a de l'allure par ce temps de chien, jeta Benoît. Si t'es d'accord, Savoie, on s'arrête là pour aujourd'hui.

– C'est pas moi qui vais t'obstiner, répondit Antoine-Léon, la bouche figée derrière son col relevé.

Benoît hocha la tête. Dans ses pérégrinations à titre d'ingénieur forestier, il avait souvent connu de ces perturbations atmosphériques qui bouleversaient la nature et chamboulaient toutes les prédictions.

— Peut-être que je prends de l'âge, mais pour une fois, j'aurais souhaité être transporté sur la ligne en motoneige.

— On pouvait pas deviner que le temps tournerait aussi vite au vinaigre, répliqua Antoine-Léon. Par beau temps, trois kilomètres en raquettes vers le camp, c'est qu'une promenade.

— Je sais, mais en plus de la tempête, ma botte est lacée trop serré et ma jambe me fait souffrir. Quand j'avance d'un pas normal, ça va, mais avec les bancs de neige qui comblent la piste…

Pressés d'en finir, les hommes avaient chargé leurs épaules des instruments et s'étaient remis en route.

Le dos courbé, fendant les tourbillons, ils se déplaçaient sur leurs raquettes en laissant derrière eux un long sillage comme la queue d'une comète qui s'effaçait aussitôt. La neige cinglait leurs visages et brouillait leur vue.

Benoît et Antoine-Léon leur emboîtèrent le pas. Essoufflés, comme avalés par un nuage de froidure, ils avançaient avec peine, en soufflant et en toussant. Des monticules de neige freinaient leur marche. Au-dessus de leur tête, des bruits secs se faisaient entendre. Les arbres se tordaient dans la tempête et émettaient des craquements sinistres. À leur droite, un immense résineux grinçait dangereusement.

Les hommes firent un violent écart.

— Éloignez-vous vers le lac, cria Benoît, ça peut vous tomber sur la têt…

La suite de ses mots se perdit dans le meuglement du vent.

Soudain, dans un énorme souffle, l'arbre se courba en deux et chuta juste derrière eux. Le sol trembla et la secousse se répercuta en écho.

Antoine-Léon se retourna. Il n'apercevait plus Benoît qui fermait leur cortège.

Vivement, il rebroussa chemin en suivant la piste Plus loin, il distinguait une ombre noire. Étendu dans la neige, sa jambe gauche chaussée de sa raquette retenue sous un énorme tronc, Benoît était incapable de se dégager.

— C'est moi qui vous bombardais de mes conseils et c'est à moi que ça arrive, ironisa-t-il à la vue d'Antoine-Léon. Aide-moi à me sortir de là.

Les autres étaient accourus.

– Son pied est coincé, faut le dégager, dit Charlot.

– C'est ce que j'essaie de faire depuis tantôt, répondit Antoine-Léon, ça veut pas bouger.

Charlot attrapa sa hache et commença à bûcher autour.

– Malgré que tu y voies pas grand-chose, j'espère que tu vas faire la différence entre ma jambe et un tronc d'arbre, railla Benoît. Dépêchez-vous, ça commence à me faire drôlement souffrir.

– Je vais délacer ta botte, fit Antoine-Léon en se penchant sur lui, ensuite…

L'équipe l'entoura. Avec un mouvement d'ensemble, leurs mains passées sous ses aisselles, ils tirèrent.

Un craquement se fit entendre. Benoît étouffa un cri de douleur. Son pied fut dégagé, libéré de sa chaussure et de sa raquette.

– J'ai bien peur de m'être luxé la cheville, dit-il. En plus d'avoir de la misère à me déplacer pendant quelques jours, je vais coûter une paire de bottes et de raquettes à la compagnie.

– C'est un moindre souci, fit Antoine-Léon. Le plus préoccupant, c'est que tu peux pas marcher et qu'il reste un bon kilomètre à parcourir jusqu'au campement. Daniel, Charlot, commanda-t-il, allez au camp, revenez avec une motoneige et le toboggan.

– Mes orteils commencent à geler, se plaignit Benoît.

Les hommes restés sur place s'agenouillèrent autour de lui et firent se joindre leurs parkas autour de son pied.

– C'est à souhaiter qu'ils vont penser à apporter une couverture, s'inquiéta Antoine-Léon.

Il scruta la forêt avec impatience. Les minutes passaient et les deux travailleurs tardaient à réapparaître. Enfin, il entendit le bruit d'une motoneige qui fendait la brume. Charlot et Daniel s'en revenaient à fond de train. Derrière le véhicule était attaché un toboggan. Sur le dessus tressautait une couverture bouchonnée comme si on l'avait attrapée à la hâte.

De retour au camp, malgré l'événement éprouvant, le premier geste d'Antoine-Léon fut d'ouvrir sa radio. Il voulait signaler la mésaventure arrivée à leur arpenteur.

Ce dernier avait eu de la chance. Il n'avait qu'une entorse.

Armand qui s'y connaissait en médecine indienne l'avait examiné et avait décrété qu'il n'avait rien de cassé. Il supporterait un peu d'enflure, mais, avec les cataplasmes d'herbes dont il avait entouré sa cheville, il serait vite remis.

Antoine-Léon en avait ressenti un immense soulagement. Pareils incidents étaient fréquents en forêt. Les risques étaient partout.

Le temps était venu d'avertir la compagnie.

Sa radio installée sur la table, l'antenne orientée vers le sud, le bouton au vert, il saisit le micro et déclina d'une voix morne :

« Allô, allô, base 2, ici l'expédition Grandmesnil. »

Il n'obtint pas de réponse et il n'en était pas surpris. À ce point de leur itinéraire, ils longeaient la partie la plus haute des monts Groulx.

Il attendit un moment et essaya de nouveau. Il savait que la transmission deviendrait erratique de déménagement en déménagement et qu'il faudrait répéter plusieurs fois les messages avant d'établir la communication.

Aussi longtemps qu'ils longeraient la montagne, les liaisons seraient souvent interrompues, leurs échanges devenant presque un jeu d'énigme à déchiffrer.

Pourtant, à cet instant, il aurait eu bien besoin d'une connexion efficace. Il y avait urgence. De plus, ils venaient d'aménager dans une nouvelle clairière et il devait indiquer leur position. S'il ne donnait pas signe de vie, on s'inquiéterait du côté de la civilisation et on commencerait des recherches.

Il tenta un nouvel essai.

« Allô, allô, base 2, articula-t-il en martelant ses mots, ici Grandmesnil. »

Il attendit encore. Entre ses mains, le petit appareil s'entêtait à demeurer muet.

Il comprit que la montagne bloquait les ondes.

Le seul moyen de se mettre en rapport avec la base était d'aller sur les cimes. De là, aucune interférence ne serait possible.

Mais il ne pouvait s'y rendre sur-le-champ, en tout cas, pas par ce temps. Dehors, la tourmente hurlait et claquait à grands coups sur les parois de la tente-cuisine où toute l'équipe s'était réfugiée.

– Lorsque la tempête sera calmée, j'aurai besoin d'un volontaire pour m'accompagner sur la montagne, émit-il dans le silence.

Les jambes étirées devant le poêle, leur petit boire rouge à la main, les Indiens fixaient la flamme qu'ils voyaient miroiter entre les parois de fonte. Pas un muscle de leur visage n'avait bougé. Antoine-Léon fronça les sourcils. Les Indiens étaient, parmi leurs bûcherons, les plus aptes à se déplacer en forêt et à gravir les montagnes.

Leur expression disait leur refus, comme une sorte d'obstination.

– Que se passe-t-il ? Je pensais vous faire plaisir.

– Tu sais pas que la cime des monts Groulx est taboue pour les Indiens, chuchota Benoît. Ils croient que c'est la planque à Mitsi Manitou et que, s'ils vont le déranger, il va les avaler tous ronds. Si tu veux que quelqu'un t'accompagne, demande à un Blanc, à moi, par exemple.

– Je te l'aurais demandé, mais avec ta blessure…

– Ma jambe va pas si mal. Avec ce temps à pas mettre un chien dehors, je t'accompagnerais peut-être pas, mais après-demain, par exemple, c'est dimanche, on se permettrait une belle randonnée.

***

Antoine-Léon se réveilla tôt. Encore revêtu de ses chaudes combinaisons d'hiver, il alla passer la tête par l'ouverture de leur abri de toile.

Le ciel était clair et un beau soleil nimbait les cumulus.

On était dimanche et la tempête s'était apaisée. Elle avait duré deux jours pendant lesquels la froidure s'était infiltrée partout, avec la poudrerie qui enveloppait la montagne et les rejoignait jusque dans leur clairière, deux jours à s'encroûter devant le fourneau de la tente-cuisine, l'appétit aiguisé par les bonnes odeurs de pain de ménage, des tartes aux pommes et au sucre que ne cessait de préparer Gerry.

Dehors, les geais bleus jasaient. Il alla secouer Benoît.

– Et puis, tu viens ?

Benoît se redressa dans son *sleeping* et grimaça de douleur.

– Ma cheville me fait mal ce matin et elle est enflée. Tout compte fait, j'aurais de la difficulté à te suivre. Tu voudrais pas remettre ça à dimanche prochain ?

– Si je tarde trop à donner signe de vie, la base va s'inquiéter. Ils n'ont pas notre position. Et puis, faut que je commande quelques poches de farine. Gerry ne cesse de menacer de faire de la *banique*, paraît-il que sa réserve tire à sa fin.

– Je voudrais bien t'accompagner, soupira Benoît, tu me vois navré.

Antoine-Léon se retourna. Songeur, il alla de nouveau passer la tête par l'ouverture. Soudain, il se redressa. Il venait de se décider. Puisque personne ne voulait l'accompagner, il irait seul.

Il revêtit son chaud parka. Se déplaçant d'un pas pressé, il se dirigea vers la tente-cuisine, attrapa la radio, l'antenne et une pile supplémentaire. Au passage, il saisit quelques galettes, les fourra dans sa poche et marcha vers la sortie.

– Ti t'en vas sus le mont Groulx, dit Gerry, tandis qu'il le croisait devant ses chaudrons. T'as pris ton chapelet, parce que, en haut, y a Mitsi Manitou.

– Ton Mitsi Manitou me fait pas peur, répondit-il, à moins qu'il ait des crocs de carcajou.

Il se retrouva dehors. Chaussé de ses raquettes, résolument, il se dirigea vers les hauteurs en suivant une montée en pente douce.

Du côté de l'est, le soleil encore frileux miroitait à travers les arbres.

La journée débutait. Il ralentit le pas et alluma sa pipe, il avait tout son temps. Il avait décidé de considérer ce déplacement comme une promenade du dimanche.

Il avançait d'un pas tranquille et progressait par un étroit sentier naturel ménagé dans une grimpette. Autour de lui, des oiseaux voletaient comme s'ils l'accompagnaient dans sa course. Les minutes passaient, les heures peut-être sans qu'il daigne en évaluer la durée. Il se sentait paisible.

Avec des gestes lents, tout en marchant, il bourra encore sa pipe. Sans qu'il puisse s'expliquer pourquoi, un sentiment de bonheur l'avait envahi. Il oubliait ses soucis, sa famille. Une sorte de sérénité se dégageait de ces lieux, de cette forêt silencieuse, de cette montagne à la crête douce, de cette blancheur que piquetaient les résineux aux verts profonds.

À la mesure de sa progression, autour de lui, le paysage changeait. Les épinettes lui apparaissaient plus rabougries et plus distancées les unes des autres. Il poursuivait sans s'en préoccuper. Le sol était propre, la neige dure et les sentiers, non balisés, faciles d'accès.

De temps à autre, il jetait un regard vers les hauteurs. Il était encore loin de sa destination. Le trajet était plus long qu'il ne l'avait prévu et il commençait à éprouver une certaine fatigue. Il s'arrêta un moment pour reprendre son souffle. Le soleil avait monté dans le ciel et filtrait entre les arbres comme de longues coulées lumineuses. Il songea que la matinée devait être avancée.

Il se remit vaillamment en marche et atteignit un tertre. D'un saut agile, il l'escalada. La montagne s'était rapprochée.

Persévérant dans sa montée, il accéda à un surplomb. Les hauteurs avaient encore grossi, il les sentait toutes proches. Encouragé, il redoubla d'efforts, gravit un dernier raidillon et se retrouva sur un large plateau.

Il avait atteint le sommet.

Ses yeux balayèrent les alentours. Le paysage qui s'offrait à lui était sublime. Le cœur pénétré d'une sorte de béatitude, presque d'extase, cloué sur place, il regardait autour de lui.

Il découvrait le bleu du ciel dans toute sa pureté, il découvrait le silence, la paix, il découvrait brusquement le désert.

Partout, c'était l'immensité blanche. Ici et là, d'énormes cailloux enneigés d'un ambre givré semblaient filer vers le Pôle-Nord. Pas un arbre, pas le moindre chicot pour troubler cet espace infini. Il avait l'impression que, sans s'en rendre compte, il avait franchi la forêt boréale et se retrouvait face au néant.

Impressionné, il se remémora les propos de Gerry.

– Mitsi Manitou, marmonna-t-il avec un respect nouveau, pardonnez-moi, j'aurais dû apporter mon chapelet.

Il se secoua pour se ressaisir. Il ne s'était pas emmené dans cet endroit pour évoquer les esprits. Il avait autre chose à faire.

Vivement, il dégagea sa radio de son sac, y greffa l'antenne et posa les taquets permettant d'établir la communication.

Il considéra son assemblage. Tel quel, il savait qu'il ne réussirait pas à capter les ondes. Il fallait hausser son système de réception. Pour ce, il avait besoin d'un poteau et cet endroit n'offrait que roches et désert. En vain, il chercha un bâton pour l'y accrocher. Il fallait trouver un support, une pièce de bois, un arbre d'au moins trois mètres. Il engloba du regard la petite forêt sous ses pieds, presque miniature. Les épinettes rabougries qu'il y voyait ne faisaient qu'un mètre et demi, et encore.

Il décida de dévaler le raidillon et voir ce qu'il pourrait faire. Il ne poussait là que des résineux chétifs. Il en choisit quatre, les coupa à la base et les ébrancha. Les superposant, il les lia ensemble avec un fil à collets.

Il s'était fabriqué un support d'antenne d'une hauteur raisonnable qu'il orienterait directement vers la base de la compagnie. Satisfait, il remonta sur le plateau.

Un peu fébrile, il actionna le bouton de la radio. L'aiguille était au vert. Il attrapa le micro et poussa le commutateur.

«Allô, base 2, ici Grandmesnil. Vous m'entendez? Over.»

L'œil fixe, il se tenait penché sur l'appareil, pressé d'entendre cette sorte de friture qui accompagnerait leur échange.

Dans la petite boîte métallique, c'était le silence.

Patiemment, il se reprit. Avec lenteur, il recommença son appel. Il attendit. Encore une fois, il n'entendait que le silence.

Étonné, il laissa s'écouler une minute, puis recommença la procédure.

Comme butée, la petite boîte grise et froide s'obstinait à demeurer muette.

Contrarié, il décida de se donner un peu de répit. Redressé sur ses jambes, il fit quelques pas et en profita pour grignoter une galette.

De temps à autre, un peu de friture lui parvenait et lui donnait un certain espoir, mais il était vite déçu.

«Peut-être me suis-je mal synchronisé», présuma-t-il.

Fébrile, il poussa les boutons, secoua l'attirail, tapa sur les cadrans, recommença. Au paroxysme de l'irritation, il y mit plus d'aigreur, le ballotta rudement. Ce n'était toujours que le silence.

L'appareil devait être brisé. Il ne pouvait rien faire et il en était énormément déçu.

Frustré, sans égard, il le repoussa.

Se retournant, il s'éloigna vers le nord, considéra autour de lui, l'étendue imprégnée de paix profonde, presque irréelle, qui s'étirait sans limites.

Brusquement, il fit un geste d'impatience.

– Mitsi Manitou, appela-t-il, si tu es là et que tu es en train de me faire le coup de saboter mon appareil, je te dirai que c'est pas le moment.

L'oreille aux aguets, il tenta de saisir les bruits de la nature. Sans comprendre pourquoi, il n'était plus rassuré. Si Mitsi Manitou était vraiment là et si c'était lui qui le contrariait de cette façon, voulait lui montrer son désaccord?

Pris d'une sorte de frayeur, il scruta les alentours à la recherche d'un être quelconque qui tenterait de le surprendre. Partout, c'était le vide, le calme total. Il était seul sur cette montagne, seul sur ce sol aride, avec le vent qui soufflait et s'infiltrait sous son parka. Aucun oiseau n'avait voulu le suivre sur ces hauteurs, comme si le lieu les en chassait, portait malheur.

Au-dessus de sa tête, le ciel s'était obscurci.

Un sentiment d'angoisse le pénétra subitement. Il avait le sentiment que le paysage s'était recouvert d'une ombre lugubre, que les rochers s'étaient arrondis comme autant de fantômes derrière lesquels Caïn enveloppé dans sa fourrure se sauvait de l'œil de Dieu.

Un frisson courut sur ses épaules. L'épouvante comprima son ventre.

Les Indiens avaient raison, cet endroit était maudit.

Et sa radio qui ne fonctionnait pas!

Il était encore moins rassuré. Il se demandait pourquoi il avait décidé de se déplacer ainsi, aussi loin, et seul. Que pourrait-il faire en cas de détresse, sans moyen pour appeler à l'aide, ses cris ne se rendant pas à un kilomètre, sans même un écho pour répéter ses hurlements, sans personne, et surtout sans pouvoir compter qu'un Indien viendrait à son secours.

D'un mouvement rageur, il roula l'antenne et fourra le tout dans son sac.

Après avoir déployé autant d'effort, il avait été incapable d'entrer en communication avec la base et il en était furieux.

Planté sur ses jambes, il se retourna et enveloppa l'espace. Malgré son insuccès et sa frayeur, il n'avait rien perdu. Il avait accédé à un univers qu'il aurait pu ne jamais découvrir. Il contempla une dernière fois cette vastitude, ce paysage grandiose. Il devait considérer ce déplacement comme un pèlerinage, le plus impressionnant, le plus sublime de sa vie. Il savait qu'il ne pourrait l'oublier. Il y jeta un dernier regard, lentement, fit demi-tour et dévala la pente.

Le soleil déclinait à l'horizon. Se retenant de déraper sur la neige, il rejoignit le sentier et se dirigea vers le camp.

Au loin, l'ovale givré d'un lac se dessinait avec douceur. Tout à côté, il distinguait les tentes pointues de leur installation.

— Pis, t'y as pas vu Mitsi Manitou ? le héla Gerry, tandis qu'il pénétrait dans la clairière.

Encore ébranlé, Antoine-Léon faillit ne pas répondre.

— Si, répondit-il après un moment d'hésitation, et il te ressemble.

Gerry éclata de rire.

Antoine-Léon laissa poindre une grimace. Il était moins guilleret. Leur radio ne les servait plus, ils n'avaient aucune possibilité d'entrer en contact avec le monde extérieur et il restait deux semaines d'arpentage à faire encore, peut-être davantage.

Lorsque le temps serait venu de rentrer, il leur faudrait trouver un moyen d'en avertir la base.

L'endroit le plus proche possédant une radio lors de leur prochain et dernier déménagement serait Manic-5. Ils auraient quinze kilomètres à battre avant d'arriver au bassin de la Manicouagan, mais avec les détours à faire pour descendre jusqu'au barrage… Il serra les lèvres.

Mentalement, il évalua la distance à parcourir en motoneige. Avec les difficultés qu'ils pourraient rencontrer, il devrait calculer une trentaine de kilomètres.

Et pour la bouffe, il leur faudrait apprendre à se débrouiller.

La mine pensive, il jeta un regard autour de lui. La clairière était tranquille. Pas un bruit, pas un humain ne l'animait. La journée était pourtant belle.

— Qu'est-ce qui arrive pour que les gars soient pas dehors, ils se seraient-y tous terrés dans les tentes en pensant que la tempête est pas finie ?

– C'est que Vincent, Charlot pis Théodore, y ont emprunté un *ski-doo*, à matin, pis y sont partis en virée. Monsieur Gariépy, il l'a permis. Y ont dit qu'ils s'en reviendraient *betôt*, justement…

Il prêta l'oreille. Là-bas, un énorme bruit de moteur déchirait la profondeur des bois.

– Justement, les v'là, s'écria-t-il sur un ton joyeux.

Les trois Indiens rentraient.

Chacun revêtu d'un coupe-vent sombre, ils avaient enfourché le véhicule et s'agrippaient les uns aux autres.

Accrochée derrière, une luge ballottait, épousait les soubresauts de la sente. Dessus, une imposante peau de bête avait été étalée. Encore sanguinolente, elle était couverte de pièces de viande.

Les hommes restés au camp étaient sortis de leurs tentes et venaient entourer les chasseurs. Leurs regards étaient chargés d'admiration.

Antoine-Léon, notamment, était sidéré. Lui qui, pendant des semaines, quelques années auparavant, avait scruté la forêt, *câlé* l'orignal à s'en décrocher les mâchoires sans jamais seulement réussir à en apercevoir un, voilà qu'en à peine quelques heures, ces trois Indiens avaient réussi à débusquer une grosse bête et l'avaient abattue. Pire, il n'avait pas entendu un seul coup de feu !

– Vous choisissez quoi, messieurs, interrogeaient fièrement les trois Indiens. Nous autres, on a déjà décidé.

Assis autour de la table, les autres reluquaient gloutonnement les pièces de viande.

– On voudrait pas vous priver de votre prise, hésita Benoît, elle vous appartient.

– D'après nos coutumes, ceux qui font partie de la tribu ont droit à leur part du gibier, lança Vincent. Que c'est que vous choisissez ?

Les forestiers blancs éclatèrent de rire. Ainsi ils faisaient partie de la tribu.

– Eh ben ! moé, je me ferai pas prier longtemps, décida Daniel en désignant un beau morceau de filet tout rouge et frémissant.

– Tant qu'à ça, moi non plus, enchaîna Antoine-Léon, en désignant une épaisse portion d'aloyau.

À son tour, Benoît pointa un doigt hésitant sur une pièce de viande.

Il avança sur un ton timide :

— Je prendrais six petits cubes de cette partie.

— Allons donc, Monsieur Gariépy, s'écrièrent les chasseurs. Vous faites trop de scrupules, il y en a pour tout le monde et encore, il va en rester assez pour faire des six pâtes et des ragoûts, même que le chef va devoir en fumer pour pas gaspiller.

— Je vais me contenter de ces six cubes, s'entêta Benoît. Gerry, demanda-t-il au chef, t'as une réserve d'huile *Mazola* ?

Tandis que chacun, assis autour de la table, salivait devant l'épais morceau de viande qu'il s'apprêtait à faire cuire selon sa méthode, Benoît alla chercher une marmite en aluminium, y versa une bonne demi-bouteille d'huile à cuisson et la déposa sur un coin du poêle.

Les yeux rivés sur la casserole, il attendait que montent les premiers bouillonnements.

Enfin, il saisit un cube, le piqua dans une baguette de bois et le tint plongé dans le liquide jusqu'à ce qu'il soit bruni. Du bout des dents évitant les brûlures, il y mordit.

— Hum ! dit-il avec des ronronnements goulus.

Il mangeait avec lenteur, en même temps que, sans se préoccuper des autres, il dardait de sa baguette un autre cube et l'enfonçait dans l'huile bouillante.

Il allait laisser tomber son pic dans le récipient. Soudain, il sursauta. Couvrant l'étendue huileuse, une multitude de petits carrés de viande usurpaient l'espace. Le groupe l'avait entouré et avait décidé de profiter de son idée.

— Eh, les gars ! Je fais quoi, moi ?

— Espérez, Monsieur Gariépy, je vais régler ça, fit le cuisinier.

Il alla puiser dans sa réserve d'ustensiles, choisit sa plus grosse marmite, y versa un gallon entier d'huile *Mazola* et la mit à chauffer.

Dressés devant le panneau qui servait de comptoir, armés de couteaux, Charlot, Vincent et les autres avaient disposé une grosse fesse d'orignal et la partageaient en cubes. L'huile bouillonnait. Le chef invita le groupe à s'asseoir autour de la marmite.

Chacun plongea un cube dans l'huile.

La tablée était devenue subitement bruyante, endiablée, ils ne s'étaient jamais autant régalés.

– C'est la bouffe du siècle, s'exclamaient-ils l'œil allumé de gourmandise, le menton huileux, la bouche pleine. «La bouffe du siècle», répétaient-ils, incapables de manifester de façon plus originale, leur excitation.

Une fesse entière y avait passé.

***

Le printemps débutait, la neige devenait de plus en plus lourde et le lac commençait à noircir ses rives. Au centre, des mouchetures de frasil bosselaient la bande qu'ils avaient tracée pour en faire une piste d'atterrissage.

Chaque soir, après avoir pris leur souper, toute l'équipe se faisait une règle de s'y aventurer. Groupés en un rang serré, les hommes le damaient de leurs pieds afin d'y maintenir une surface dure, assez solide pour accueillir un avion. Ils avaient doublé les balises pour indiquer la direction de la piste et ils souhaitaient du froid. Ils ne voulaient pas que, comme à leur aller, le Twin Otter devant les ramener s'enlise dans la *slush*.

Encore fallait-il que le pilote identifie l'endroit où les prendre. Lors du dernier ravitaillement, ils lui avaient remis une carte situant leurs prochaines haltes, mais cela, c'était bien avant de perdre l'usage de leur radio. Ils n'avaient pu confirmer leur emplacement par la suite.

Le travail était sur le point d'être terminé, mais les provisions n'allaient pas durer jusque-là. De plus en plus fréquemment Gerry laissait poindre ses inquiétudes.

– Boss, lançait-il lorsqu'il croisait l'un des deux chefs, y a presque pus de farine, on va devoir manger de la *banique*.

Il se plaignait comme si l'un ou l'autre connaissait une cache qu'il refusait de révéler, celle d'un entrepôt dégorgeant de denrées, une véritable caverne d'Ali Baba. Il avait tant de fois menacé de manquer de farine que ni Benoît ni Antoine-Léon n'y prenaient plus garde.

Ce jour-là, il avait quitté sa cuisine et était venu accueillir le groupe des travailleurs. Dressé au bord de la clairière, ses bras supportant un large plateau chargé de galettes de maïs, il avait lancé d'une voix forte :

— Boss, on avait pus de farine, mi faire de la *banique*.

— Quoi, t'as pus de farine !

Il avait acquiescé de la tête. C'était vrai, leur réserve était épuisée.

— Ben voyons, tu nous fais marcher, se récria Benoît. Où il est, ton dépôt ? Tu dois ben en avoir un quelque part ?

— Y en reste pus. Pis à part une brique de lard salé, y reste pus de viande.

— Il reste plus de viande non plus, répéta Benoît, sidéré. Ces tonnes de viande d'orignal que t'as entreposées, t'en as fait des pâtés, on a pas déjà tout mangé ? Le bris de la radio commence à nous déranger sérieusement. La vie sera pas facile à partir d'aujourd'hui.

— On va trouver un moyen, l'encouragea Antoine-Léon, il y a toujours de quoi à manger en forêt, on va s'arranger.

Il interrogea Gerry.

— On peut savoir ce que t'as préparé pour le souper ?

Gerry fixa le sol.

— Mi fait une chaudronnée de fèves au lard, mais ça aussi, il…

— Ça va, coupa Benoît. Savoie a raison. Demain, on va mettre les gars à la chasse.

Derrière eux, les Indiens se faisaient des signes. Ils n'attendraient pas au lendemain pour poser leurs collets, semblaient dire leurs prunelles noires, brillantes comme des billes.

Prestement, ils se débarrassèrent de leur équipement et se dispersèrent dans la forêt. Ils réapparurent une heure plus tard, juste à temps pour engouffrer une platée débordante de fèves au lard nappée de mélasse.

Ils avaient truffé les résineux de pièges.

Chaque matin, ils en faisaient l'inspection. La chance aidant, ils y découvraient de temps à autre, un lièvre, ce qui était bien peu pour satisfaire l'appétit de douze bouches voraces après les orgies qu'ils s'étaient permises au cours des mois précédents. S'ils pouvaient seulement se trouver face à un autre orignal, soupiraient-ils.

Un soir, Vincent surgit avec un porc-épic. Malgré la famine, Gerry refusa tout net de le faire cuire. Le grillage des piquants dégageait une odeur infecte, avait-il argué, une puanteur difficile à supporter pour un *cuisinier* qui faisait une cuisine raffinée comme la sienne.

— On en avait mangé lors de l'inondation qui nous avait isolés en forêt pendant une semaine, expliqua Antoine-Léon. Je me rappelle pas avoir décelé une puanteur.

— Vous autres, creviez de faim, argua Gerry, vous prêts à manger bouse d'orignal et pis, vous être dehors.

— Je vais faire un feu près du lac et le cuire sur une broche, offrit Vincent, tu sentiras rien.

Encore une fois, Gerry refusa net.

— Moé, cuisinier. Personne tripoter ma cuisine.

***

Les travaux tiraient à leur fin. Tout le long de l'hiver, ils avaient suivi la crête des montagnes, délimité la ligne de partage des eaux entre les grands bassins et ils avaient calculé qu'il restait trois jours d'arpentage.

Le temps était venu de rejoindre le réservoir de Manic-5 afin d'avertir la base de leur position et demander qu'un avion les ramène chez eux.

— Je te confie la tâche, avait dit Benoît à Antoine-Léon. Tu vas amener avec toi deux de nos *portageurs*. Nous autres, pendant ce temps-là, on va terminer l'ouvrage.

Antoine-Léon choisit Ti-Raoul et Charlot.

***

L'aube pointait quand les trois hommes se dégagèrent de leurs sacs de couchage.

Ils prirent un frugal petit-déjeuner constitué d'une galette de *banique* et d'une tasse de thé, en glissèrent quelques-unes dans leur poche et sortirent dans le crépuscule.

Tandis que Charlot s'assurait du bon état du moteur, les autres accrochèrent une luge derrière la motoneige, y déposèrent un baril de dix gallons d'essence et une toile pour s'abriter au cas où ils seraient obligés de camper.

La randonnée serait longue et ils devaient prendre toutes les précautions. Ils avaient quinze kilomètres à parcourir dans des sentiers mal définis, truffés d'obstacles avant de joindre le grand lac Manicouagan et ils auraient une autre douzaine de kilomètres à parcourir encore avant de se retrouver plus bas, devant les installations de Manic-5.

Avec Charlot au volant du bolide, Ti-Raoul et Antoine-Léon agrippés à lui, ils s'enfoncèrent dans le sous-bois et filèrent vers l'ouest.

À leur gauche, du côté de l'horizon, le soleil avait étiré une ligne rose et montait lentement dans le ciel.

Sous les hauts conifères, une neige fine recouvrait le sol, semblable à un tapis immaculé, parsemé d'épines jaunes, semées de paillettes d'or sur lesquelles perlaient des petites lueurs vibrantes.

Assis inconfortablement sur la motoneige, les muscles tendus et fortement secoué, Antoine-Léon se retenait de grimacer. Derrière eux, la longue trace laissée par leur véhicule brisait la pureté de cette étendue sauvage, chevauchait entre les arbres et s'étirait sur d'interminables kilomètres. Devant eux, la sente était tout aussi longue et secrète.

Les heures filaient et le soleil montait dans le ciel. Il allait atteindre le zénith, sans qu'ils approchent de leur destination.

Ils étaient arrivés devant une dénivellation. Charlot ralentit. La surface était soudain abrupte, comme si la piste allait débouler de la montagne. Avec précaution, il s'engagea dans l'escarpement.

Ils se retrouvaient dans une trouée. La forêt leur apparaissait tout à coup moins oppressante.

– Voulez-vous qu'on s'arrête pour manger un peu? cria-t-il.

– Faisons encore un bout, s'égosilla Antoine-Léon dans le hurlement du moteur.

Charlot pressa l'accélérateur et contourna une paroi rocheuse. Au loin se dessinait une rivière, plus loin encore se distinguait une immense éclaircie. Ils respirèrent d'aise. Ils avaient traversé les presque quinze kilomètres de forêt et ils approchaient du bassin de la Manic.

Encouragé, Charlot enserra la manette et augmenta la vitesse. D'une seule lancée, il franchit l'étroit cours d'eau et se retrouva dans le grand espace libre semblable à un vaste pâturage tapissé de neige.

Le soleil pétillait sur l'ample champ découvert et les éblouissait.

Ils foncèrent en ligne droite et s'engagèrent sur le lac Manicouagan. Électrisé, Charlot accéléra encore son allure. Soudain, ils butèrent les uns sur les autres. Sans raison, le véhicule avait perdu sa puissance, émettait des saccades, s'immobilisait, repartait. Charlot avait empoigné l'accélérateur et l'écrasait par à-coups. Déséquilibré, leur appareil vrombissait, avançait, reculait pour se recaler dans le même enfoncement.

Il stoppa le moteur.

– Il y a rien à faire, on est pris dans la *slush*.

Pénétrée de chaleur, la neige encore épaisse sur le lac s'était alourdie et les chenilles s'enfonçaient sous leur poids.

La journée était belle, trop belle peut-être et trop douce.

– Charlot, tu vas traverser le lac, décida Antoine-Léon, faire une première trace et damer une piste. Ensuite tu viendras nous chercher.

Charlot remonta sur son bolide et comprima la manette d'accélérateur. Les pieds chaussés de leurs raquettes, Antoine-Léon et Ti-Raoul le suivirent. Ils avaient parcouru un demi-kilomètre.

Soudain, un puissant vrombissement secoua les airs.

Étonnés, ils plissèrent les paupières pour mieux voir.

Là-bas Charlot avait quitté son siège. Avec des mouvements déchaînés, il activait le moteur, accélérait d'avant, d'arrière, puis d'arrière et d'avant. De leur poste, ils voyaient les chenilles qui s'affolaient sans se déplacer, tandis que le lourd appareil s'enfonçait un peu plus à chaque instant.

Les muscles tendus, Charlot tentait de le soulever.

Brusquement, un craquement troua les airs. La glace ondulait sous ses pieds, se distordait, fendillait. Déstabilisé, Charlot se retenait de toutes ses forces à son véhicule. Comme une vague, l'eau montait, recouvrait ses jambes, atteignait ses genoux.

– Charlot, cria Antoine-Léon.

Ils se ruèrent à son secours. Avec l'énergie du désespoir, ils rampèrent sur l'étendue glacée, ventre contre le sol, glissèrent et progressèrent avec lenteur. Enfin, ils l'atteignirent. Joignant leurs efforts, à bout de souffle, ils le saisirent sous les aisselles et le tirèrent sur la surface dure.

– C'est pesant, ce machin-là quand c'est bourré de *slush*, observa Charlot, lui aussi hors d'haleine, en secouant ses vêtements, j'y serais pas arrivé tout seul.

– T'as failli prendre tout un bain! Comment te sens-tu? s'enquit Antoine-Léon.

– Les pieds et les jambes mouillés, mais je peux faire encore un boute.

Ensemble, ils empoignèrent l'appareil, le couchèrent sur le côté et enfoncèrent l'accélérateur. Des éclaboussures de neige giclèrent partout autour d'eux. Le bruit du moteur, discordant d'abord, s'allégea d'un coup. Libérées, les courroies portantes et les chenilles avaient recommencé à se mouvoir normalement.

Il restait une douzaine de kilomètres à parcourir avant d'atteindre le pied du portage de la Mushalagan qu'ils s'étaient fixé comme but. C'était trop loin pour la capacité de leur véhicule. Tout près à moins de trois kilomètres se dessinait l'île Levasseur.

Ils décidèrent de prendre cette direction. Mais avant tout, il fallait détacher la luge pour délester la motoneige. Ils l'abandonneraient là et ils viendraient la prendre plus tard.

Ce travail fait, ils donnèrent une poussée vers l'appareil afin d'aider Charlot à filer vers cet asile.

Ils empruntèrent sa trace. Sous leurs pas, la neige d'abord d'un blanc pur, se couvrait rapidement d'un liséré jaune.

– Faudra pas être trop *pésant*, dit Ti-Raoul. Icitte, le printemps, il est arrivé. La glace est mince en dessous de nous.

Ils forcèrent leur allure. Il leur tardait de s'extraire du lac, s'éloigner de cette eau qui s'infiltrait et du risque qu'ils prenaient.

Des cris lointains leur parvenaient sans qu'ils puissent les identifier. Ils scrutèrent les alentours. Soudain, ils l'aperçurent. C'était Charlot. Descendu de son appareil, il sautait à pieds joints, dansait sur la surface glacée.

– Cesse de te démener de même, hurla Antoine-Léon. As-tu envie que la glace cède et que tu plonges dans dix mètres d'eau?

– C'est du solide, s'égosillait Charlot, je suis sur du solide.

– Du solide, répéta Antoine-Léon, incrédule, du solide?

Ils coururent le rejoindre. Ils étaient sur une piste de motoneige bien damée et large, sans doute faite par des gens de la Manic qui venaient s'éclater sur cette étendue.

Le rivage était tout près. Ils avaient à peine deux cents mètres à parcourir pour y accéder. Encouragés, ils rembarquèrent à trois sur le bolide et se dirigèrent vers la terre ferme.

Exténués, mouillés, glacés, d'un commun accord, ils décidèrent de s'arrêter un moment à cet endroit, faire un feu et boire un peu de thé.

La luge était restée derrière eux. Ainsi qu'ils avaient décidé, ils la feraient retirer plus tard. Leur sécurité était assurée et c'était ce qui comptait. Ils avaient avec eux des galettes de *banique* et le réservoir de leur motoneige était presque plein.

De nouveau, installés à trois sur le véhicule, ils foncèrent vers la piste qui menait au lac Observatoire.

Ils se retrouvaient au milieu de l'immense réservoir de la Manicouagan.

Le paysage était spectaculaire. Ils descendirent du véhicule et firent quelques pas pour se dégourdir les jambes.

Charlot précéda les autres. En tant qu'enfant de la place, il entreprit de décrire les alentours.

– À votre gauche, c'est ce que nous autres, les jeunes Indiens, on appelait la petite bourgade. On s'emmenait souvent là, l'été, en canot. On y avait organisé un camp pour chasser le gros gibier, mais aussi le gibier à plumes. On appelait pas la montagne le mont Babel, nous autres, on l'appelait la montagne du Vieux Buck. Vous le savez peut-être pas, mais, quand j'ai eu dix-huit ans, j'ai travaillé à la construction du barrage. C'était en 1960. J'avais été engagé pour ma connaissance de la place. Ben certain que je la connaissais! Ces bois-là c'était ma vie, mon village, je connaissais pas autre chose.

Sa voix, subitement, s'étouffa. Comme s'il en appelait au manitou, du bout de son index, il indiqua plus bas au pied d'un cap, un point à demi submergé par le bassin hydraulique.

– Regardez, dit-il, des larmes embuant ses yeux, c'est là que je suis né.

Antoine-Léon fixa l'endroit. Il était ébranlé, muet d'émotion contenue. Par le pouvoir des Blancs, on avait arraché à cet Indien le site de son enfance, l'endroit qui l'avait vu naître et, étonnamment, il ne s'en révoltait pas, il avait même aidé à le transformer.

La poitrine d'Antoine-Léon se crispa douloureusement. Aujourd'hui, de par son rôle, encore une fois, il piétinait son cœur.

Il commanda le départ. Ils ne devaient pas s'attarder, ils devaient descendre au plus tôt vers la partie habitée de Manic-5. Du côté des monts Groulx, près d'un lac, neuf travailleurs forestiers isolés dans un camp escomptaient le fruit de leurs efforts.

Encore une fois, ils chevauchèrent leur motoneige et s'orientèrent vers les installations hydrauliques et les bureaux de Manic-5.

Pendant de longues heures, secoués par leur véhicule, ils suivirent une piste forestière bien damée et dure.

Enfin, à demi dissimulées derrière un bosquet d'arbres, se dessinèrent une suite d'imposantes bâtisses. C'était la Manic. Charlot actionna furieusement les chenilles.

Le soleil baissait à l'horizon quand ils pénétrèrent dans la cour des visiteurs.

Antoine-Léon se dirigea tout droit vers le poste de barrière et demanda à rencontrer un supérieur.

L'homme qui le reçut lui tendit la main et secoua la sienne avec vigueur, de celle dont les hôtes se faisaient si rares qu'il était au comble du bonheur d'en accueillir un.

Antoine-Léon expliqua leur situation et demanda l'autorisation d'appeler la Base 2. Il fallait avertir la compagnie d'aller quérir les hommes restants de l'expédition Grandmesnil cantonnés de l'autre côté du lac. Il fallait sortir au plus tôt du bois neuf gaillards qui n'avaient rien à manger à l'exception du gibier de leur chasse et de quelques galettes de *banique*.

Il demanda des nouvelles d'Élisabeth. Ils ne l'avaient peu vue dans les groupes pendant l'hiver, ni sur les pistes de ski, lui avait expliqué monsieur Bellemare qui avait pris la communication. Chaque week-end, elle était allée se réfugier chez son père.

Il perçut un certain reproche dans l'attitude d'Élisabeth.

Comme un adolescent avide d'aventures, il avait souhaité participer à cette odyssée. Il n'avait pas tenu compte des énormes responsabilités qu'il aurait à assumer et, du côté d'Élisabeth, il n'avait pas saisi le poids dont il avait chargé ses épaules. « Sous ses dehors fragiles, Élisabeth est une femme forte, disait son entourage » ce qui ne lui enlevait pas son mérite. Il se demandait ce qu'il pourrait bien faire pour lui prouver son amour et sa gratitude. Un bijou ? Il était loin de *Birk's*, la grande bijouterie qui la comblait. Une idée germa dans sa tête. Pourquoi ne pas inviter le docteur Gaumont à venir passer quelques jours chez eux au cours de l'été ? Il pourrait aussi inviter sa mère. Aucun d'eux n'avait encore vu leur nouvelle demeure.

8

Antoine-Léon ouvrit la portière de sa voiture et aida sa mère à s'en extraire. Dressée sur le bord de la chaussée, son bibi de paille élégamment enfoncé sur sa tempe, son sac à main en équilibre sur son avant-bras, elle fit un pas vers l'avant et examina sous tous ses angles la nouvelle résidence de son fils. Un léger hochement agitait sa tête. Elle n'avait pas eu l'occasion de revenir à Baie-Comeau en dehors de cet agréable Noël, deux ans plus tôt, sous un paysage différent, figé dans le froid de l'hiver. Par la suite, il y avait eu la construction. Élisabeth lui en avait longuement narré les étapes lors de ses séjours dans leur région et elle brûlait d'impatience de voir le résultat dans l'attente qu'ils l'invitent.

Aujourd'hui, on était en mai et une touffeur de printemps maintenait la ville dans une sorte d'indolence.

Elle avait répondu à l'appel de son fils et elle venait seule. Le docteur Gaumont n'avait pu l'accompagner.

Délicatement, elle ouvrit son sac, en retira un petit mouchoir de dentelle et épongea son front.

– C'est toujours aussi humide, chez vous ?

Héléna n'aimait pas la chaleur, c'était connu.

– Au contraire, la rassura Antoine-Léon. La température est plutôt équilibrée par rapport à celle des autres régions, idéale même. Il peut nous arriver des petites bouffées d'humidité venues d'ailleurs, comme aujourd'hui, mais ça ne dure pas.

Il se tenait à ses côtés et il se sentait comblé. Aussitôt revenu de son expédition, il avait communiqué avec elle. Comme d'habitude, elle s'était fait un peu prier, mais il la connaissait, il savait qu'au fond de son cœur, elle était ravie de l'invitation et, surtout, elle était curieuse de voir comment il s'était débrouillé sans même lui demander conseil.

Pendant la saison d'hiver, elle avait eu souvent l'occasion de rencontrer Élisabeth quand elle s'amenait dans le village de Saint-Germain pour rendre visite à son père. Celle-ci n'avait pas manqué les occasions de se rendre à la Cédrière. Tout en sirotant un thé, elles bavardaient de tout et de rien. Élisabeth était une enfant unique et elle lui avait confié les soucis qui étaient les siens.

Âgée d'à peine trente ans, elle n'avait pas trouvé très réjouissant de vivre comme une veuve pendant trois longs mois, avoir la charge d'une maison neuve et de deux jeunes enfants.

Héléna l'avait écoutée avec sollicitude. Antoine-Léon aurait intérêt à ne pas s'éloigner trop souvent s'il voulait garder la paix dans son ménage, avait-elle songé, à cet instant, comme touchée par une intuition. Il faudrait qu'elle le mette en garde, quoique, s'il voulait exercer sa profession, ils n'avaient pas le choix de faire parfois cette sorte de sacrifices.

— Et puis, maman, comment trouvez-vous notre nouveau home? interrogea Antoine-Léon qui s'était penché vers elle.

— Ton home? Voilà que tu t'anglicises, mon garçon, sourit Héléna. Évidemment, au contact des Anglais…

Antoine-Léon ferma les yeux. Il était si heureux d'accueillir sa mère qu'il n'osait lui dire que ce mot, bien que d'origine anglaise, était depuis longtemps passé dans la langue française.

Partie seule de Saint-Germain, le même matin, elle s'était rendue à Matane dans une voiture taxi et avait emprunté le traversier en direction de la baie des Anglais.

— C'est une belle résidence, accorda-t-elle, quoique pas aussi imposante que celle où tu es né. Ton père l'avait construite du temps de sa première épouse pour loger une famille de cinq enfants. Lorsque j'y suis entrée, en plus de nos quatre enfants, j'y ai logé deux grands-mères et une bonne.

Elle posa un regard sur l'ensemble de la bâtisse.

— Mais cette maison est amplement suffisante pour vos besoins.

D'ossature solide, avec ses quatre côtés habillés de briques blondes, la maison offrait de grandes fenêtres égayées de volets en bois de cèdre naturel finement ciselé. L'ensemble, d'un aspect classique sans être dépouillé, donnait une impression de confort. Elle louait son fils pour son bon goût, car elle s'y connaissait en construction, elle qui était propriétaire de quatre immeubles à location.

Son attention se porta sur le terrain de forme particulière, sorte de triangle rectangle dont un côté épousait la bordure de la rue, s'étirait interminablement pour aller mourir tout en bas de la déclivité qui rejoignait la rue transversale.

– J'ai dû user d'imagination pour en faire un emplacement propre à recevoir une construction, mentionna Antoine-Léon qui avait surpris son air perplexe.

Comme une disculpation, il décrivit la raison de son choix, les obstacles qu'il avait rencontrés, comment il avait monté les échafaudages et défié la nature, solidifié, coulé le béton et agrandi considérablement la surface à bâtir.

– T'es-tu assuré que tout ce bel assemblage ne déboulera pas sur les habitations d'en dessous à la suite d'une grosse pluie ou d'un dégel? ne put-elle s'empêcher d'apporter comme argument contraire. Tu n'as pas oublié, j'espère, l'affaissement dans la côte de l'usine McGrath bâtie sur l'emplacement de la scierie de ton père, trop lourde et trop près du versant de la rivière, le gâchis que cela avait causé?

– Je n'ai pas fait l'erreur de McGrath, assura-t-il. Tout a été calculé et prévu. Je suis ingénieur, maman.

– Tu es ingénieur, oui, mais tu es un spécialiste de la forêt, du bois debout, pas un expert en géométrie et en physique.

– Maman, vous m'étonnez, vous avez de ces connaissances.

Elle éclata de rire.

– Je ne suis pas ignare. Depuis que Marie-Laure et toi êtes partis de la maison, avec mademoiselle Bonenfant qui gère le territoire comme une matrone, je n'ai que ça à faire, lire, me renseigner.

Ils marchaient en prenant leur temps, nullement pressés de rentrer dans la maison. Poursuivant son inspection de la demeure, son doigt ganté pointé vers la porte peinte qui s'ouvrait sous l'abri d'auto, elle observa avec enthousiasme:

– Je suppose que c'est en prévision d'un logement dans ton sous-sol ? Voilà une idée qui me plaît. Tu vas avoir un revenu pour t'aider à payer ta dette.

– Pas tout à fait, corrigea-t-il. Notre intention est d'en faire un lieu de résidence pour nos invités. Nous vivons loin de nos familles et si nous voulons les voir souvent, il faut leur offrir un endroit confortable, sans qu'ils aient l'impression de nous embarrasser. Bien sûr, si nous n'avions pas eu cet espace, nous vous aurions logée dans notre quatrième chambre, mais vous ne vous seriez pas sentie à l'aise, elle nous sert de débarras et elle est exiguë, vous auriez…

– Cesse de multiplier les arguments, coupa sa mère, tu ne me feras pas approuver pareil gaspillage. Tu construis une maison pour tes besoins, pas pour ceux de tes invités potentiels. Si tu n'as pas de chambre disponible, envoie-les coucher à l'hôtel. Même si tu devais payer toi-même leur nuitée, cela te coûterait moins cher que de laisser ces lieux inoccupés en prévision de quelques rares visites.

– J'y réfléchirai, fit Antoine-Léon, mais aujourd'hui, le local est libre et il est à votre usage. Vous y dormirez la nuit et le jour, vous monterez rejoindre la famille en passant par l'escalier intérieur.

Il lui jeta une œillade complice.

– Et si l'envie vous prend d'aller faire un tour, vous pourrez accéder directement à l'extérieur sans être vue.

– Va pour cette fois. J'occuperai ces pièces parce que tout y est organisé, mais tu vas me faire le plaisir de mettre cet appartement en location. En attendant, termina-t-elle, moqueuse, je me permettrai de faire l'école buissonnière.

Elle enchaîna sur un ton décidé :

– Maintenant, allons retrouver Élisabeth. Elle doit se demander ce qui nous retient dehors au milieu de la rue.

Galamment, il soutint son bras et l'entraîna vers le porche avant.

– Nous n'entrons pas par la porte de la cuisine ?

– Chez nous, les invités entrent par la grande porte, comme monsieur le curé, déclina-t-il, la lèvre malicieuse.

***

Héléna enfila un lainage et se dirigea vers la sortie. Il était tôt, toute la maisonnée dormait encore, mais elle n'avait plus sommeil. Le piaillement des oiseaux qui avait accompagné les premières lueurs de l'aube l'avait éveillée. Elle avait bien tenté de replonger dans l'inconscient, mais elle n'y était pas parvenue.

– À mon âge, avait-elle coutume de dire, quand l'heure du réveil est trop proche, la folle du logis déborde et nous fait ruminer le passé. Vaut mieux alors quitter son lit et s'occuper.

Attentive à éviter les bruits, elle referma doucement la porte et se retrouva dans la rue. Pendant un moment, immobile au bord de la chaussée, ses cheveux blancs proprement lissés, ramenés en toque sur son cou, la sangle de son sac à main ceignant son poignet, elle contempla le paysage qui s'offrait à sa vue.

Le soleil flamboyait dans le levant et vibrait sur la mer. De l'autre côté, la masse violacée des montagnes encore prisonnières des ombres bombait l'horizon.

Elle pensa combien le panorama était magnifique. Son fils avait eu bon flair en choisissant ce site.

En bas, du côté du centre commercial, quelques camionnettes de livraison avaient commencé à circuler et entreprenaient leur circuit journalier. C'était l'activité matinale.

Elle choisit de descendre la côte et rejoindre la rue Mance. Il y avait trois jours qu'elle était en visite dans la ville et, chaque fois qu'elle en avait la possibilité, elle ratissait les environs, élargissait ses limites.

Ce matin, elle avait décidé d'aller explorer les assises du mur de soutènement de son Antoine-Léon, voir de plus près ce travail d'Hercule ainsi que tous l'appelaient, tant il avait mis d'audace et d'énergie à le réaliser. Elle l'avait bien entrevu une première fois, à son arrivée, à partir des hauteurs alors que ses petits-enfants, excités de guider leur grand-mère, l'avaient persuadée de se pencher sur le bord de l'escarpement. Mais avec ces voisins d'en bas qui étaient sortis sur leurs perrons arrière, leurs yeux avides braqués sur elle, elle n'y avait jeté qu'un coup d'œil rapide et s'était écartée.

Cette fois, le jour débutait et la ville était endormie. Elle pourrait examiner le colosse à son aise, par sa base, être aux premières loges sans être dérangée.

L'arrière-cour de la petite maison, rue Mance, qui s'adossait à leur propriété juchée sur les hauteurs appartenait à un monsieur Chabot, lui avait expliqué Élisabeth.

Caduc, de son surnom, il était un ami de monsieur Thériault, ce voisin obligeant qui l'avait si souvent tirée d'embarras lors des absences de son mari alors qu'ils n'étaient que locataires. Plutôt rébarbatif au moment de leur installation, il s'était graduellement apprivoisé. À l'égal de monsieur Thériault, elle avait pu compter sur sa serviabilité ce même hiver, pendant cette autre longue absence de son mari.

— S'il vous plaît de le connaître, je vous le présenterai, lui avait-elle offert. C'est un personnage plutôt coloré.

Héléna avait repoussé sa proposition. Elle n'en demandait pas tant. Elle ne souhaitait qu'entrevoir la cour du bonhomme, jauger de plus près ce grand œuvre érigé de main de maître et en dépit des dangers, par un seul homme, son fils.

Se déplaçant avec prudence, elle descendit la pente et progressa dans la rue basse jusqu'à l'entrée de la maison de Caduc.

Debout sur le trottoir bordant la chaussée, elle jeta un regard autour d'elle. L'emplacement était désert, tranquille dans la clarté du levant et de doux effluves de lilas embaumaient l'air.

Plus loin, une suite de petites maisons s'échelonnaient, humbles, toutes semblables dans une sorte de sommeil. Une entrée de cour en terre battue, durcie par les jeux des enfants, s'ouvrait entre chacune d'elles. Au milieu d'un chemin de traverse, un gros ballon de caoutchouc gonflé d'air gisait, abandonné, peut-être après l'appel impatient d'une mère. Une bicyclette rouillée, bosselée à force d'avoir servi avait été appuyée contre un mur de façade. La rue, peu passante, lui apparaissait comme une ruelle, l'aire des petits.

Elle fit quelques pas vers la petite habitation de Caduc et s'immobilisa, se refusant d'aller plus loin. Le spectacle qui s'offrait à sa vue lui suffisait. Au fond de la cour, frappant son visage, s'élevait une haute muraille, massive, grossière, comme une véritable fortification, un ouvrage gigantesque. Elle était estomaquée.

Une brise fraîche, humide, comme un souffle d'ombre, se dégageait de l'ensemble et effleurait sa peau. Machinalement, elle resserra sa veste sur sa poitrine.

Elle considéra encore la paroi de béton, sévère, lourde, qui retenait la déclivité, plus semblable à une haute falaise qu'à un versant abrupt. Médusée, elle prenait conscience de l'immense ténacité de son fils, de la force qu'il avait mise dans l'édification de ce gros œuvre.

Elle qui pourtant n'avait jamais eu peur du travail, reconnaissait que cette construction était au-dessus de ses capacités, bien au-dessus aussi des capacités de gens de grande détermination.

– Jamais Léon-Marie Savoie, l'homme de la rivière, n'a reculé devant l'effort, se dit-elle avec une subite arrogance. Antoine-Léon Savoie est bien son noble héritier.

Elle éprouvait une immense fierté pour son défunt mari et elle lui associait son fils.

– Vous ne seriez pas la mère du jeune ingénieur Savoie d'en haut de la côte ? entendit-elle demander derrière son dos.

Arrachée à ses pensées, elle se retourna. Un vieillard, grand, solide sur ses jambes, les mains dans les poches, s'était arrêté près d'elle et lui souriait.

– Je suis bien la mère du jeune ingénieur Savoie, comme vous dites, répondit-elle, quoique, à trente-six ans, je ne considère plus mon fils comme un très jeune ingénieur.

Elle le dévisagea. Cet homme lui était inconnu, elle en avait la certitude. Après tant d'années à servir le public, elle avait développé un sixième sens et elle avait la mémoire des visages. Parmi tous ces gens que son fils et sa belle-fille lui avaient présentés depuis son arrivée, elle ne le comptait pas parmi eux.

– Je puis savoir à qui j'ai… ?

– Je suis confus. J'aurais dû me présenter au lieu de chercher à vous tirer les vers du nez.

Il s'inclina.

– Je suis Félicien Harvey, moi-même ingénieur forestier, mais à la retraire. C'est votre fils qui a pris mon siège à la compagnie, même qu'il occupe mon bureau.

– Vraiment ! Je suis heureuse de l'entendre. Cette nomination a été la meilleure nouvelle de ma vie de mère, avoua-t-elle. J'en avais assez de voir mon fils courir les bois et affronter tous les dangers.

Vous avez appris, je suppose qu'il a fait face à un ours et à combien d'autres situations encore qu'il s'est bien retenu de me raconter.

– Nous aurions tous des tas d'incidents semblables à raconter, répondit-il. C'est la vie de bois. Moi-même, j'ai été frappé par la foudre et j'ai failli me noyer. Ce sont les risques du métier.

L'expression moqueuse, il se pencha vers elle.

– La vie dans les bureaux n'est pas moins dangereuse. Peut-être ne faisons-nous pas face à des bêtes sauvages et ne tombons-nous pas dans des précipices, mais nous avons des boss et des comptes à rendre, ce qui n'est guère mieux. Parfois c'est pire que les pires dangers de la forêt.

Héléna pouffa.

– S'ils vous entendaient.

– Il vous a rapporté son hiver passé dans les hautes montagnes ?

– Il m'en a narré quelques bribes.

– Il vous a raconté le bris de sa radio ? Paraît-il qu'ils ont été plusieurs jours sans manger autre chose que le petit gibier que prenaient leurs travailleurs indiens au lasso, l'avion devant les approvisionner n'ayant pas leur position. Bellemare était furieux et l'a fustigé d'importance à son retour : « Une radio, ça se brise pas de même, tu aurais pu la réparer ? » Antoine-Léon s'était défendu. « Ma profession, c'est ingénieur forestier, pas électronicien. » « Nos ingénieurs auraient besoin de quelques notions d'électronique », avait repris Bellemare. Et leur altercation de se poursuivre.

Monsieur Harvey prit un ton moqueur.

– Vous voyez ça, nos jeunes ingénieurs ajoutant un cours d'électronique à leur formation. L'ingénieur forestier en charge n'était pas seul dans cette galère, raisonna-t-il. Bellemare a eu tort de tout lui mettre sur le dos. Les travailleurs participant à des expéditions lointaines ont aussi leur rôle à jouer. Ils sont choisis parmi les plus débrouillards, capables d'affronter les pires situations. Bellemare a oublié ses années de jeune ingénieur responsable d'une équipe d'exploitation forestière pour être aussi sévère. C'est un personnage méticuleux, plus facilement austère et inclément que bon enfant. Enfin il s'est calmé. Il a terminé en disant : « Il semble que l'expédition ait été un succès. »

– À la bonne heure! s'exclama Héléna. Mais j'ignorais cet événement. Je vois que mon fils ne me dit pas tout.

Plutôt embarrassée, elle changea de sujet.

– Puis-je savoir, Monsieur, ce qui vous amène ici, si tôt le matin?

– Je pourrais vous faire la même remarque, plaisanta monsieur Harvey, je suppose que comme moi, vous n'aviez plus sommeil?

Héléna inclina la tête. Elle chuchota comme une confidence:

– La maison de mon fils est tranquille, mais à mon âge, bientôt soixante-quatorze ans, j'ai moins besoin de dormir.

– J'ai moi-même soixante-douze ans et j'ai pris ma retraite à soixante-dix, déclina-t-il à son tour. Je commence à *bardasser* avant le réveil de la moyenne des citadins. Aussitôt que se pointe le soleil, les jambes me frétillent, c'est plus fort que moi, je dois sortir du lit.

Ses lèvres s'entrouvrirent dans un sourire amène.

– Vous avez pris votre petit-déjeuner?

– Pas encore. Toute la famille dormait. J'aurais pu me préparer des toasts, mais l'odeur du pain grillé les aurait réveillés. De plus, je ne voulais pas me servir dans la cuisine de ma belle-fille. Je n'aime pas farfouiller dans les affaires des autres.

– Que diriez-vous d'aller casser la croûte dans un café sans prétention? J'en connais un tout près d'ici, *Le Cheval blanc*, on y fait d'excellentes omelettes baveuses, des œufs brouillés comme disent les gens pincés. Je vous invite.

– Je ne suis pas sûre que ce serait correct, fit Héléna, subitement sur ses gardes. Il faudrait expliquer à mon fils pourquoi sa mère s'est dévergondée et il y a aussi votre épouse…

– Dévergondée? se récria monsieur Harvey. D'abord, je suis veuf et je sais que vous l'êtes, vous aussi. Pourquoi, parce que nous sommes âgés, n'aurions-nous pas droit à un peu de bon temps? Votre fils n'a rien à dire. Jamais je n'ai rencontré plus grande dame que j'aurais la fierté d'escorter et c'est sa mère.

***

Antoine-Léon s'éveilla en sursaut. Il avait cru entendre un bruit. Soucieux de ne pas déranger Élisabeth qui dormait profondément, la tête enfoncée dans son oreiller, il repoussa avec précaution la couverture, enfila ses pantoufles et descendit au rez-de-chaussée. Marchant sur la pointe des pieds, il se dirigea vers l'escalier du sous-sol et l'appartement où il avait installé sa mère. Le silence le surprit. La porte de la chambre était ouverte et le store levé laissait filtrer puissamment le soleil. Étonné, il descendit la dernière marche et parcourut les pièces. Sa mère n'était pas là.

Il alla se poster à la fenêtre et scruta l'extérieur. Il ne distinguait personne sur le trottoir, non plus que sous le couvert des feuillus qui ombraient les parterres. Du côté de l'est, le soleil montait et irisait le ciel. Il regagna l'étage. Sa mère était allée faire une promenade. Elle reviendrait tantôt et elle serait assise au bout de la table, juste à temps pour le petit-déjeuner.

***

Héléna rentra vers dix heures. Élisabeth qui était occupée à ranger les chambres poussa un soupir de soulagement.

– Où étiez-vous passée? Nous commencions à nous faire du mouron. Nous avons déjeuné depuis longtemps et j'ai laissé la table mise pour vous.

– Je vous remercie, ma fille, mais ce ne sera pas nécessaire, j'ai déjà mangé.

Elle précisa, les coins de ses lèvres retroussés dans un sourire:

– J'ai pris un solide petit-déjeuner.

Élisabeth haussa les sourcils. Sa belle-mère semblait s'être départie de son habituelle impassibilité, elle avait quelque chose de différent. La curiosité la dévorait, mais la veuve de l'artiste avait toujours été reconnue comme une femme hermétique, c'était dans sa nature, aussi, elle ne l'interrogea pas. Elle ne comprenait qu'une chose, sa belle-mère avait fait une rencontre qui lui avait apporté un tel agrément qu'elle illuminait ses traits.

Il n'y aurait qu'Antoine-Léon pour percer ce mystère. Tantôt, elle ferait un appel à son bureau.

***

Antoine-Léon rentra un peu avant le repas du soir.

Installés devant le téléviseur, les enfants abandonnèrent leur écoute et coururent se jeter dans ses bras. Joyeux, il déposa sa mallette sur le sol et les serra contre lui. Élisabeth s'était aussi approchée.

– Comment avez-vous passé l'après-midi, ma mère et toi? interrogea-t-il en posant un rapide baiser sur ses lèvres.

La maison s'était animée. Élisabeth riait et les enfants babillaient autour de lui.

– De façon très agréable, répondit-elle. Nous sommes allées au parc et si j'avais disposé de la voiture je lui aurais fait faire un tour de ville, je lui aurais montré notre club de golf, je l'aurais même amenée jusqu'au barrage de Manic-2.

Antoine-Léon frappa durement son front.

– Et moi qui n'ai pas pensé à te laisser la voiture! Ça ne m'est pas venu à l'idée une seconde. Le pire, c'est que je n'en ai pas eu besoin. Je n'ai pas mis le nez hors du bureau de la journée.

Il regarda autour de lui.

– Où est maman?

Héléna qui lisait le quotidien dans la bibliothèque s'était levée et était apparue dans la porte.

– Je vous invite à manger au restaurant avec la famille, ce soir, dit-elle. Ça vous dirait d'aller au manoir? J'avais beaucoup aimé lors de mon dernier séjour.

– J'avais pensé faire des grillades sur la véranda, dit Antoine-Léon. La soirée est douce. Même si la cour n'est pas encore aménagée, nous profiterions du bon air.

La terrasse en bois donnait sur la porte de la cuisine et s'étirait sur un côté de la maison. Sommairement aménagée d'un barbecue portatif et de meubles de jardin, visible à tous les passants, elle n'était pas un endroit très intime. Plus tard, expliqua Antoine-Léon, ils se déroberaient à la vue des curieux en installant un treillage sur lequel ils feraient s'accrocher des plantes grimpantes. Pour tout de suite, la rue était tranquille et seuls les résidants y déambulaient lors de leur promenade du soir.

Ils prirent place autour de la table. Antoine-Léon s'occupa de la cuisson des steaks sur le grill. Un bon arôme flottait dans l'air et les faisait saliver.

– Je te pensais incapable de cuisiner, mon fils, s'étonna Héléna. Je te découvre et je trouve cela délicieux.

– Antoine-Léon est surprenant, n'est-ce pas ? dit Élisabeth. J'ai l'intention de lui apprendre à faire la vaisselle.

– Tu es injuste, se récria Antoine-Léon. Le barbecue est mon domaine. Depuis que nous sommes mariés, je me suis toujours occupé de la cuisson des viandes. Tu as préparé le beurre à l'ail ?

– Mais il ne manque pas de se fait servir, fit remarquer Élisabeth.

Ils mangeaient avec appétit en bavardant joyeusement.

– N'est-ce pas mon jeune voisin que je vois là, en train de profiter du beau temps avec sa famille, entendirent-ils.

Un vieil homme appuyé sur sa canne avait traversé la rue et s'amenait vers eux. Il stoppa brusquement sa marche.

– Oh ! je vous demande de m'excuser, je n'avais pas vu que vous étiez en train de manger, aussi je ne m'arrêterai pas longtemps. Je ne voulais que vous saluer.

Antoine-Léon se leva et, le geste bienséant, tendit la main.

– Comment allez-vous, Monsieur Fortin ? Prenez au moins le temps de faire la connaissance de ma mère, elle est en visite pour quelques jours.

Monsieur Fortin s'inclina légèrement. Les sourcils levés, il prononça sur un ton d'admiration :

– C'est pour moi un honneur.

Il se tourna vers Antoine-Léon.

– Et vous, mon ami, vous vous portez bien ?

De nouveau, il posa les yeux sur Héléna.

– Vous savez que votre fils est plein de talents, qu'il accumule les réalisations autant dans ses loisirs que dans son travail. Il a même pris la place de l'ingénieur Harvey à la compagnie de papier. Félicien Harvey occupait le plus haut poste après les dirigeants anglais, c'est tout dire.

– Vous exagérez, Monsieur Fortin, protesta Antoine-Léon. Peut-être que j'occupe le local de monsieur Harvey, mais je ne remplis pas ses fonctions. J'aurai bien des croûtes à manger avant d'atteindre ses compétences. J'ai peut-être quitté l'exploration forestière, mais la forêt ne m'a pas quitté pour autant. Je suis le dernier arrivé dans l'édifice et c'est à moi que reviennent les tâches ingrates, les tournées d'inspection et quand il y a des problèmes…

Il se tourna vers Héléna.

— Vous avez rencontré monsieur Harvey?

Héléna bougea sur sa chaise. Son front se colora légèrement. Élisabeth qui l'observait perçut son trouble. Elle se retint de sourire. Elle avait deviné, mais elle ne dit rien.

— Votre fils est aussi tout un gaillard, reprenait monsieur Fortin sans rien voir de son inconfort. Je suppose que vous avez vu son mur.

— Je suis allée le voir ce matin, de la cour de monsieur… Caduc? fit-elle en interrogeant Élisabeth. Je ne peux croire qu'il a fait ça tout seul.

— Il a défié la nature, lança monsieur Fortin. La ville entière en parle encore. Même si j'habite en face, je n'ai pas eu l'occasion de le féliciter. Faut dire que je ne le vois pas souvent, il est très occupé.

— Plus que vous le pensez, Monsieur Fortin, s'immisça Élisabeth incisive. On lui demande même encore de participer à des expéditions qui durent des mois.

— J'ai appris, oui. Alors ça s'est bien passé en forêt?

Sans attendre de réponse, le regard vif, de sa main libre, il repoussa une mèche invisible. Reportant ses yeux sur Héléna, il fléchit galamment la taille.

— On raconte que la mère de l'ingénieur Savoie est une femme remarquablement belle. On ne s'est pas trompé. Je comprends votre fils, Madame, d'être aussi fier de vous.

Un léger clignement fit miroiter ses prunelles.

— J'ai presque envie de venir accrocher mon fanal à votre porte, comme disaient les anciens. Ma femme est morte, il y a un an et…

Héléna s'était redressée. Elle était stupéfiée. Deux galants le même jour dépassaient tout ce qu'elle aurait pu imaginer.

— J'espère que vous plaisantez, Monsieur, éclata-t-elle. J'ai eu deux époux, je m'en suis occupée jusqu'à la fin de leur vie et je n'ai nulle envie de recommencer avec un troisième.

Monsieur Fortin avait reculé.

— Bien sûr, je plaisantais.

Prenant appui sur sa canne, il prononça avec un peu de raideur:

— Je vous ai dérangés dans votre repas, je poursuis ma promenade.

Sans plus, enserrant le pommeau de sa canne, il s'éloigna.

Héléna le suivit l'œil fixe, indéchiffrable. Sitôt qu'il eut disparu au bout de la rue, elle interrogea Antoine-Léon.

— Tu veux me dire qui est ce personnage ?

— Ce personnage, comme vous dites, maman, est un juge à la retraite. Je pense que vous l'avez froissé.

— Pareilles avances envers moi, une étrangère, de la part d'un individu prétendument éduqué, me dépasse. Ce qui me surprend encore plus, c'est sa solitude. Il n'a pas appris à regarder autour de lui, ce monsieur ? Il doit y avoir un tas de veuves qui n'attendent qu'un geste de sa part pour s'accrocher à ses basques. Pensez donc, un juge, veuf, qui recherche une compagne.

— Vous vivez dans une région qui fourmille de femmes, expliqua Antoine-Léon. Ce qui n'est pas le cas ici. Plusieurs épouses se découragent et abandonnent le foyer parce qu'elles n'en peuvent plus de vivre dans une région aussi éloignée. Ces maris abandonnés font face à la solitude. Aussi, lorsqu'ils rencontrent une femme libre, ils ne ratent pas l'occasion de lui faire la cour. Il est difficile pour un homme de vivre seul.

— Que dis-tu là, Antoine-Léon, se dressa Élisabeth. La solitude est aussi difficile pour une femme. À la différence qu'ici, elles ne restent pas seules longtemps.

Elle reprit en appuyant sur chacun de ses mots.

— Il n'est pas recommandé pour un mari de s'absenter trop souvent et trop longtemps. S'il n'est pas là pour veiller au grain et qu'un spécimen intéressant se pointe, il risque de la perdre.

Héléna fronça les sourcils. Elle avait saisi l'allusion dans la réplique de sa belle-fille. Jusqu'à cet instant, leur couple lui avait semblé vivre dans une parfaite harmonie. Une vague inquiétude montait en elle.

— Vous allez peut-être me trouver vieux jeu, hasarda-t-elle, mais quand il y a de l'amour, je pense qu'une femme est capable d'attendre son homme.

— Il arrive un âge où une vie tranquille à la maison est satisfaisante, répliqua Élisabeth, mais à trente ans, une femme a plus d'exigences.

— Élisabeth ! Ne commence pas, la retint Antoine-Léon.

Sans l'entendre, Élisabeth poursuivit sur un ton ferme, comme si ce qu'elle avait à dire l'étouffait, débordait depuis longtemps de son cœur :

– À trente ans, une femme a besoin de se distraire. Malheureusement, la société impose de telles restrictions qu'elle est rejetée si elle n'est pas accompagnée. Se présente-t-elle seule dans un restaurant ? Même dans les meilleures salles à manger, après un immense effort mental, on lui dénichera une petite table près des toilettes ou on la reléguera près de la porte de la cuisine qui lui ballottera le derrière de la tête chaque fois qu'elle s'ouvrira. Une femme se présente-t-elle seule dans un bar pour une consommation ? Tout de suite, elle est classée comme une cocotte. Elle ne peut non plus voyager seule. Je me rappelle une sœur de ma mère, encore jeune, qui avait perdu son mari. Elle s'était jointe à un groupe pour un circuit à travers l'Europe et elle s'était retrouvée la seule femme sans escorte parmi les passagers. À peine débarquée de l'avion, elle s'était fait dire par une dame bien intentionnée, elle-même accompagnée de sa mère, mais qui allait rejoindre son époux ingénieur en Indonésie : « À votre place, je ferais modifier mon billet et je rentrerais immédiatement à la maison. » Une autre avait été plus directe ; elle avait lancé : « Quand on n'a pas de mari, on reste chez soi. »

Elle reprit sur un ton avivé :

– Pourquoi une femme seule est-elle destinée à la solitude quand un homme seul, lui, peut aller où il veut, à son aise ? Heureusement, ce n'est pas mon cas. Mon mari s'éloigne, mais il revient.

Héléna l'avait écoutée sans l'interrompre. Elle ne tentait pas de discuter. La vie changeait, elle l'avait compris, les mentalités aussi. Elle avait la sensation qu'en cette année 1970 sa façon de voir et ses conseils ne rejoignaient plus l'autre génération. Ils subissaient des influences de personnes venues d'ailleurs. Elle se demandait ce que Léon-Marie en aurait pensé, lui qui ne voyait qu'un cap, la ligne droite.

Elle se sentait soudain inutile. Vient un temps où il ne reste à ceux qui ne sont plus dans la course que le loisir de regarder vivre les autres.

– J'ai passé un agréable moment avec vous, émit-elle. Le temps est venu de rentrer chez moi. J'ai décidé de partir demain par le premier traversier.

– Et moi qui voulais vous amener visiter Manic-2, demain, regretta Élisabeth.

– Il faudra revenir, maman, dit Antoine-Léon. L'appartement sera toujours là, à votre disposition.

– Non, mon garçon. Tu vas plutôt t'empresser de trouver un locataire. Tes invités iront loger au manoir, et ce sera leur affaire, répliqua-t-elle.

– Mais vous allez revenir, insista Antoine-Léon.

Elle le considéra sans répondre. Ses prunelles étincelaient. Elle aurait bien voulu savoir, si elle revenait, ce que lui réservait l'avenir.

9

— Ta mère s'est fait un amoureux, et je sais qui c'est, annonça Élisabeth sur un ton triomphant.

— Tu te trompes, répondit Antoine-Léon. Je connais ma mère. Elle ne remplacerait jamais mon père.

— Ça, c'est la réponse classique du petit enfant qui place ses parents sur un piédestal.

Cette année, pour la première fois depuis qu'ils habitaient la Côte-Nord, ils passeraient leurs vacances estivales à la maison. Il restait une foule de détails à parachever dans leur nouvelle habitation. Les alentours offraient encore l'aspect disgracieux de la terre bousculée lors de l'excavation, étaient raboteux, constitués de granulat et de débris de construction qui déparaient l'ensemble. Il fallait aplanir, enrichir avec un bon terreau et couvrir de gazon.

Dans un but d'économies, ils avaient décidé de procéder eux-mêmes à ces travaux.

Tandis qu'Élisabeth s'échinait à aménager un jardin de fleurs, il avait peint en blanc le garde-fou en fer forgé enté l'été précédent dans le mur de soutènement qui courait à l'arrière de leur propriété. Il avait planté une haie le long de la rue et fiché trois conifères pyramidaux devant la façade, toutes ces occupations entrecoupées de parties de golf auxquelles ils s'adonnaient avec des amis, rituellement, chaque fin de jour.

Mais son premier geste, avant d'extraire ses râteaux et ses bêches de la remise, avait été de réaménager le sous-sol de leur maison. Obtempérant à l'ordre de sa mère, il en avait fait un meublé avec cuisinette et avait cherché un locataire.

Le mois d'août avait cédé la place au mois de septembre et les premiers signes précurseurs de l'automne étaient apparus. L'air avait fraîchi et une légère couche de givre coiffait les gazons du matin. Le temps était venu pour Élisabeth de préparer la rentrée scolaire des enfants. Philippe qui était âgé de huit ans entamerait sa troisième année au collège et pour la première fois cette année, Dominique, sa petite dernière de six ans, ferait ses débuts d'écolière. Élisabeth avait choisi pour elle l'école Sainte-Amélie, une institution privée dirigée par les Sœurs de Sainte-Croix.

Antoine-Léon avait repris ses fonctions qu'il partageait entre son bureau et les inspections des établissements de la compagnie.

Cet après-midi-là, Élisabeth s'était rendue au centre-ville pour y effectuer des courses en prévision de l'ouverture des écoles et elle allait s'introduire, rue La Salle, dans une boutique de vêtements pour enfants.

C'était une agréable journée de fin d'été. Du côté du port, l'activité était grande. Bruyants, les dockers allaient et venaient sur l'aire de stockage, poussaient des chariots et maniaient des treuils. Dans le bassin, des navires-porte-conteneurs s'enfilaient avec leurs coques rouillées, rappelant de gros dauphins bigarrés se chauffant au soleil.

Une forte odeur de carburant brut mêlée aux relents sulfureux de l'usine de pâte et papier remplissait l'air.

Son regard se perdit vers l'horizon marin. Au loin, le transbordeur accentuait son teuf-teuf. Dans quelques minutes, il effectuerait son abordage.

La mine absorbée sur le trottoir, elle le regarda lentement se diriger vers la baie des Anglais.

Le vent doux caressait son visage et se mêlait aux cris des mouettes qui fouillaient la ville à la recherche de quelque festin de détritus.

— Elle n'est pas revenue, n'est-ce pas ? entendit-elle prononcer une voix mi-interrogative, mi-désolée.

Elle émergea de son rêve. Monsieur Harvey venait de s'arrêter près d'elle.

— Je suppose que vous voulez parler de la mère de mon époux.

— C'est exact. J'aurais aimé la revoir, admit-il avec un peu d'embarras, ne serait-ce que pour bavarder. Nous nous sommes croisés lorsqu'elle est venue chez vous en début de saison. Vous ne le savez peut-être pas, peut-être que je ne devrais pas le dire, mais…

— Mais vous avez « petit-déjeuné » avec elle.

— Elle vous a dit ?

Rieuse, Élisabeth hocha la tête.

— Que non, elle n'en a rien dit, mais j'ai deviné.

— Nous avons passé un charmant moment ensemble. Votre belle-mère est fort sympathique. Je n'aurais pas détesté la revoir.

— Ma belle-mère n'est pas *sorteuse*, répondit Élisabeth. Nous ne cessons pas de l'inviter, mais elle refuse. Un jour, elle va se décider et elle va revenir.

Curieuse, elle questionna :

— Alors vous avez apprécié votre petit-déjeuner pris en sa compagnie ? Puis-je vous rapporter mon impression lorsqu'elle est rentrée ? Je pense qu'elle aussi a apprécié.

Elle éclata de rire. Ses prunelles pétillaient de plaisir.

— Il me vient une idée. Ça ne vous dirait pas de vous évader un peu avant l'hiver ? Si la montagne ne vient pas à vous, pourquoi n'iriez-vous pas à la montagne ?

Il la fixa longuement, il hésitait.

— Vous voulez dire… Peut-être que je…

— Vous n'êtes jamais allé dans le Bas-du-Fleuve ?

— Si, j'y suis déjà allé, mais j'avoue que j'en ai peu de souvenirs, il y a si longtemps.

— La Rive-Sud va vous séduire au point de vouloir vous y installer, lança-t-elle avec enthousiasme, la luminosité de ses plages, ses merveilleux couchers de soleil… Et vous allez constater que la verdure là-bas est différente de celle de la Côte-Nord. Elle est plus riante, d'un vert doré, tandis qu'ici, elle est d'un bleu vert, ombreux, plus sévère.

— Vous croyez ? fit Monsieur Harvey, sceptique.

Elle ouvrit son sac et dégagea son agenda. Détachant un bout de papier, elle griffonna à grands traits.

— Même si ça ne donne pas de résultat, vous vous serez permis un beau voyage. Je vous donne son adresse, vous en ferez ce que vous voudrez.

— Mais… sans m'annoncer ?

– Sans vous annoncer.

Fière de son intervention, elle fit demi-tour et pénétra dans la boutique.

Pourquoi sa belle-mère encore alerte, ne faisant pas son âge, ne s'accorderait-elle pas un peu de joie de vivre, se disait-elle, ne serait-ce qu'un ami, un délassement ? Monsieur Harvey avait de la classe, en plus d'être un fin causeur.

Et puis, Antoine-Léon ne lui ferait pas le reproche de porter intérêt à sa mère, de chercher à mettre un peu de piquant dans son existence.

Elle riait sous cape. Ce soir, elle lui annoncerait qu'elle avait joué l'entremetteuse et que, si Cupidon savait s'y prendre, il se découvrirait peut-être un nouveau père.

À petits pas, elle se dirigea vers le rayon fillettes et s'absorba devant un étalage de manteaux. Elle dégagea de son cintre un joli imperméable à capuchon.

Enchantée, elle jaugea son moelleux, sa thermicité. La belle saison s'en allait, bientôt viendrait l'automne. Elle imaginait les matins froids qui feraient grelotter sa petite Dominique tandis qu'elle serait sur le chemin de l'école.

Elle songeait en même temps que sa benjamine était bien jeune pour se rendre à pied jusqu'à la grande institution et cet état l'inquiétait. Il faudrait l'y conduire en voiture et la ramener. Hélas, depuis qu'Antoine-Léon avait obtenu son poste, elle n'avait plus l'usage du véhicule familial. Ce soir, tandis qu'ils prendraient l'apéritif, elle aborderait la question.

À quelques pas d'elle, dans un coin, un chuchotement se démarquait des bruissements de la clientèle. Deux femmes conversaient. Élisabeth ne saisissait que quelques bribes de leur échange. Elle n'était pas de nature indiscrète et elle allait se pencher sur ses affaires quand une répartie retint son attention.

– Tout ça, l'ingénieur Savoie le doit à sa femme, sifflait l'une entre ses dents, cette pimbêche qui ne cesse de minauder devant les dames anglaises.

– Pas si fort, la retenait l'autre, on pourrait t'entendre.

Élisabeth se rapprocha sans bruit. Elle aurait aimé identifier ce simulacre de grandes dames qui jacassaient sur les autres, et en public, par surcroît.

Elle reconnut l'épouse de Thomas Bordelais, un ingénieur comme Antoine-Léon, qui dirigeait une équipe d'exploration forestière. D'indifférence, elle haussa les épaules. Ce couple ne comptait pas parmi leurs amis et ses liens avec la dame Bordelais étaient si tenus qu'elle n'avait même pas mémorisé son prénom. La femme qui l'accompagnait lui était inconnue. Peut-être l'avait-elle aperçue une fois au pavillon du club de golf, mais sans plus.

Qu'avaient donc ces femmes à se mêler de ses relations! En quoi cela les dérangeait-il? Sa situation excitait-elle autant leur jalousie?

Choquée, elle abandonna le petit manteau à son éventaire, pirouetta sur elle-même et marcha vers la sortie. Elle n'avait pas procédé à son achat. Elle était impatiente de rentrer à la maison, raconter à Antoine-Léon le bavardage qu'elle avait surpris, et surtout, il lui pressait de le mettre en garde contre cette catégorie de gens qui ne pouvaient que lui causer des ennuis.

Autant elle avait été outrée de ce qu'elle avait découvert, autant Antoine-Léon prit l'incident à la légère.

– Les femmes! raisonna-t-il. Ça ne peut s'empêcher de faire du caquetage, mais ce n'est que du caquetage et cela ne porte pas à conséquence. Nous autres, les hommes, on s'occupe de choses sérieuses. Bordelais est un bon bougre, je n'ai rien à lui reprocher.

– Antoine-Léon Savoie! se récria-t-elle. Ce que tu peux être aveugle, des fois! Je te défends d'accorder le moindre avantage à ce Thomas Bordelais, ne serait-ce que par respect pour moi, ton épouse, que sa femme a traitée de pimbêche.

Il se contenta de rire.

Leur conversation devint plus légère lorsqu'elle lui rapporta sa rencontre avec monsieur Harvey.

– Je me demande comment ma mère va prendre ça, dit-il. Tu n'en sauras rien, parce qu'elle est polie, mais elle n'aime pas qu'on se mêle de ses affaires.

– Alors, parlons d'autre chose, reprit-elle. J'aurais besoin d'une voiture.

– Une voiture !

Il sauta presque sur sa chaise.

– Tu n'y vas pas de main morte. Nous venons à peine d'acquérir une maison et maintenant tu veux une voiture. Tu penses pas qu'on devrait d'abord se renflouer un peu.

– Tu n'aurais qu'à l'acheter à crédit.

– À crédit, soupira-t-il.

Il était consterné.

– Enfin, je vais voir ce que je peux faire.

***

Le mois d'octobre était arrivé et, pour la première fois depuis son périple de l'hiver précédent dans les monts Groulx, Antoine-Léon dut se rendre en forêt pour former un nouveau meneur d'équipe. Son absence ne durerait que trois jours, avait-il rassuré Élisabeth.

L'exercice consistait à cerner une zone adjacente au lac des Passes et à y diriger le jeune ingénieur et ses travailleurs.

Élisabeth n'avait pas protesté et il en avait été surpris. Accaparée par ses mondanités, un Sherry au profit du cancer dont elle organisait la vente des billets, des thés et autres activités, en plus de la présidence du conseil des parents, responsabilité qu'elle avait acceptée à l'école de sa fille, elle n'avait pas une minute à elle.

– Trois jours à cette période de l'année, ce n'est pas une éternité, avait-elle lancé, en lui plaquant un baiser sonore sur la bouche, ce n'est pas comme abandonner sa femme pendant tout un hiver. D'autant plus que je vais disposer de la voiture, avait-elle ajouté avec une pointe d'ironie.

Il avait éclaté de rire. Généreusement, il avait plongé la main dans sa poche, en avait retiré les clefs et les avait déposées sur la table.

Convoyé pour l'aller dans un *pick-up* de la compagnie jusqu'à la hauteur du barrage de Manic-5 afin de rejoindre son point de travail, il n'avait pas besoin de sa voiture.

Pendant les trois nuits de son séjour, il logerait dans un grand camp de bûcheron établi près du lac Manicouagan où un avion de ravitaillement viendrait le prendre pour le ramener vers la civilisation.

— Si tu me promets d'être dans le stationnement de la piste pour me ramener à la maison, je réponds à tous tes désirs.

***

Il avait terminé sa première journée de travail et il allait pénétrer dans le camp lorsque surgit devant lui Hubert Lesage, un ingénieur mécanique, affecté lui aussi dans les bureaux de la *QNS*.

Antoine-Léon connaissait peu l'homme et n'avait pas eu souvent l'occasion de le rencontrer depuis qu'ils œuvraient dans le même édifice. Pourtant, sans qu'il puisse s'expliquer pourquoi, il ne lui était pas particulièrement sympathique.

Petit, hâbleur et nerveux, les cheveux rares, sans cesse à l'affût de quelque bobard, il avait l'heur de l'agacer souverainement.

— Je suis venu vérifier le fonctionnement de nouvelles abatteuses, lança-t-il fièrement, et je rentre après-demain, avec toi, Savoie, par l'avion.

— Tu m'en vois ravi, répondit Antoine-Léon tout en poursuivant son chemin.

Immédiatement, comme si leur copinage était acquis, Hubert le suivit jusqu'au long banc du réfectoire et s'attabla près de lui.

Surexcité, le repas terminé, il l'accompagna vers l'angle tranquille où il allait se réfugier afin de tracer l'itinéraire du lendemain pour son groupe. Pendant toute la soirée, il l'accapara de son bavardage. Antoine-Léon avait peine à se concentrer.

Il se disait, s'il avait eu la possibilité de décider d'un compagnon de séjour, qu'il aurait jeté son dévolu sur n'importe qui d'autre.

— On se revoit demain, lui dit encore Hubert avant de grimper dans sa couchette.

Le lendemain soir, tout juste Antoine-Léon avait-il franchi le seuil du camp de bûcherons, qu'il le vit venir à lui, semblable à un gringalet qui se déplaçait en faisant craquer ses os.

Fatigué après une rude journée, il avait peine à taire son déplaisir.

Aussitôt qu'il apercevait son ombre, Hubert s'accrochait à ses basques comme un noyé à une bouée. Constamment en mouvement, il n'avait de cesse de lui rapporter quelque événement survenu pendant la journée et Antoine-Léon ne savait comment s'en débarrasser.

Leur souper avalé, Hubert s'empressa de marcher sur ses pas et le suivre jusqu'au coin retiré où il s'installait pour remplir ses rapports.

— J'en ai appris une bonne, aujourd'hui, lui dit-il, alors que, son plan de travail sur les genoux, Antoine-Léon organisait son espace. C'est un tuyau que je veux te donner, une affaire qui va t'intéresser.

Antoine-Léon prêta vaguement l'oreille.

— Ça concerne la mesure des cordes de bois pour les copeaux, poursuivit Hubert, il se fait des passes qui vont ben te surprendre.

Intrigué, Antoine-Léon dégagea sa pipe de ses lèvres.

— Que c'est que tu veux dire ?

— Tu sais que les *pitounes* sont coupées en bouts de quatre *pieds*, expliqua Hubert, qu'en raison de la perte sur le flottage, le gouvernement alloue à la compagnie pour le même prix, un *pouce* de plus par corde.

— Ce qui fait quarante-neuf *pouces*, c'est ce qui est convenu.

Hubert se pencha. Il prononça sur un ton de confidence :

— J'ai entendu dire qu'au moment de la coupe, le mesureur de la compagnie se sert d'un galon en caoutchouc et qu'il l'étire jusqu'à cinquante *pouces* et même davantage. Ç'a l'air de rien, mais un *pouce* ou deux de plus sur cent mille cordes, ça commence à paraître.

— T'as pas tort, rétorqua Antoine-Léon, mais qu'est-ce qu'on peut y faire ? On peut pas engager un mesureur qui surveillerait l'autre mesureur, as-tu pensé à ce que ça coûterait ?

— Faut que ça se sache qu'on est au courant.

— Il y a toujours des gens qui ont la conscience élastique en ne pensant pas que c'est du vol, même si ç'en est. Qu'est-ce que tu proposes de faire, un rapport ?

— Ce serait la manière, répondit Hubert, faudrait dénoncer.

— Au nombre de fonctionnaires du gouvernement qui sont au courant et qui s'en plaignent pas, on pèserait pas gros dans la balance.

— Toi, Savoie, tu pourrais organiser quelque chose, alerter, former un mouvement.

— Et prendre tout l'odieux sur mon dos ? Non, mon ami. C'est ton idée, assume-la.

– C'est aussi l'idée des bûcherons. On en a discuté ensemble dans le camp. Moi, je peux pas m'en occuper parce que j'ai pas affaire avec l'administration, mais toi, tu le peux.

Irrité, Antoine-Léon arqua la nuque.

– Es-tu en train de me dire que tu veux m'embarquer dans une patente où je me battrais pour ta satisfaction contre des moulins à vent. J'ai autre chose à faire.

– C'est ton choix, convint Hubert, cachant mal sa déception, mais s'il te revient des come-back tu pourras pas dire que je t'ai pas averti.

– Woh, tu vas m'arrêter ça, explosa Antoine-Léon. Quoi qu'il arrive, je suis payé à titre d'ingénieur forestier, pas pour jouer les pions de collège.

Il préférait cent fois céder un pouce sur chaque corde de bois qu'ils produisaient et axer ses croisades sur la sauvegarde des travailleurs, se disait-il. Il pensait aux dangers que couraient les ouvriers forestiers à l'ouvrage, aux scies mécaniques qu'ils maniaient, aux pointes de raquettes des *portageurs* coupées, quand ce n'étaient pas les jeans qui étaient effleurés à la hauteur des cuisses jusqu'à laisser une rougeur sur la peau.

Reprenant son stylo, il se plongea dans ses notes.

– Perds pas ton temps, ma réponse, c'est non.

Hubert le dévisagea. Son attitude, son regard fixe disaient son désappointement.

– J'ai décidé de me construire un voilier, annonça-t-il changeant subitement de propos.

– Un quoi?

– Un voilier, une quille, une voilure à deux mats, tout le bataclan. Comme celui de monsieur Robertson.

Antoine-Léon éclata de rire. Encore une fois, il abandonna son stylo. Lesage ne cesserait jamais de l'étonner. Il fourmillait d'idées, toutes aussi saugrenues les unes que les autres.

– Un inspecteur de coupe que j'ai rencontré cet après-midi s'en est construit un et il s'amuse comme un p'tit fou, raconta Hubert. Qu'est-ce que tu dirais si on s'en bâtissait un ensemble? Je te le demande à toi plutôt qu'à un autre parce que t'as des connaissances en menuiserie. Ton père était dans le domaine, ton frère construit des grosses bâtisses commerciales et…

– T'es pas un peu malade, ironisa Antoine-Léon. On bâtit pas un voilier comme on érige une maison. Sais-tu seulement pourquoi certaines masses que tu jettes dans l'eau tombent au fond tandis que d'autres flottent ? Tu me feras pas embarquer dans une *amanchure* pareille et tu me feras pas croire que ça fonctionne à tout coup, sur des roulettes.

– Le gars d'après-midi m'a dit qu'il avait pas de problèmes, répondit Hubert, sauf une p'tite mésaventure qui lui est arrivée, mais qui a pas rapport avec la construction… C'est plutôt comique. Il m'a raconté une affaire qui s'est passée lors du lancement. Il avait choisi la marée haute et invité tout le village. Comme il se doit, il a cassé une bouteille de mousseux sur la coque, il a détaché les étais et les amarres puis il a laissé glisser son voilier dans l'eau. Il le regardait aller sur la vague quand il s'est aperçu qu'il avait oublié un détail qui avait ben de l'importance. Il avait mis personne à la barre pour le diriger et le faire revenir. Le voilier était parti tout seul. Il avait dû emprunter un canot à moteur pour le rattraper. J'ai pas besoin de te dire qu'il a fait rire de lui.

Antoine-Léon pouffa.

– Ouais, avec les conseils d'un pareil étourdi, je suis pas sûr qu'il flottera, ton voilier.

Redevenu sérieux, il prononça sur un ton ferme :

– Tu m'as pas convaincu d'embarquer dans cette affaire-là. J'ai bien d'autres préoccupations. Peut-être plus tard quand j'aurai plus rien à faire, mais ça m'étonnerait que j'aie pus rien à faire un jour.

Déçu encore une fois, Hubert serra les lèvres. Enfin, il se redressa.

– Tu sais que le séminaire de la compagnie a lieu samedi prochain, lui rappela-t-il. As-tu l'intention d'y participer ?

Antoine-Léon sursauta.

– Le séminaire ? Bon Dieu ! Ça m'était complètement sorti de la tête. J'en ai aucune idée. Je te donnerai ma réponse lorsqu'on retournera en ville.

– Je suppose que tu peux pas décider sans demander la permission à ta femme, fit Hubert les lèvres pincées. Il paraît qu'elle est plutôt pointilleuse sur les bords.

Antoine-Léon lui jeta un vilain regard. Un tic creusa sa joue.

Lesage ne méritait pas une réplique. Quoiqu'il en pense, Élisabeth avait son mot à dire puisqu'elle l'accompagnerait, se disait-il.

– J'ai ma journée à préparer, laisse-moi travailler.

Penché sur son cartable, il se désintéressa de lui et recommença à tracer des lignes.

***

La matinée était passée et Antoine-Léon se rapprochait de son escale finale. Le quart de travail terminé, il serait conduit en haut du barrage Manic-5 où un avion viendrait le prendre.

Tantôt, ils s'étaient arrêtés non loin du lac Magdaillan sur un chemin mal tracé, encombré de broussailles, qui aboutissait à la rivière du même nom. Document à la main, il allait donner ses dernières instructions. Toute l'équipe l'entourait. Avec de grands efforts et précisions, il détaillait ses graphiques.

L'été des Indiens était commencé et soufflait sa chaleur. Les mouches noires étaient revenues en force. Comme un escadron de chasseurs baïonnette au poing, semblables à un brouillard gris, elles défiaient l'huile de citron et les couvraient de morsures. Ils s'étaient mis en marche en un groupe compact, tandis que, ses gestes soulignant ses explications, il indiquait les dangers, les reliefs, les coulées.

Soudain, il se tut. Ses yeux s'étaient agrandis, il était stupéfié.

Devant lui, une clairière avait été créée, dans ce qui lui apparaissait comme un ravage d'orignaux. Des arbres avaient été abattus, d'autres, courbés en arc, avaient été retenus au sol au moyen de fils de fer.

Toute bête empruntant ce passage risquait de se faire happer et pendre par le cou. Étranglée, elle agoniserait lentement.

– Jupiter! Les gars, lança-t-il tourné vers l'équipe, voyez-moi ça.

– Un piège à orignal! s'exclama un *portageur* d'origine indienne.

Choqué, vivement, il devança les autres. Balançant sa hache à bout de bras, il se rua vers le fourré.

– C'est pas comme ça qu'on abat le gibier chez les gens de ma race. On nous a appris à tuer pour nous nourrir, d'une seule flèche ou d'un seul coup de fusil.

Ses compagnons le suivirent. Dans un craquement de branches, ils se précipitèrent vers le dispositif. Assénant de forts coups, ils détachèrent les fils métalliques et dégagèrent les rameaux. Les arbres se redressèrent dans un long souffle.

Resté derrière, Antoine-Léon les observait.

Ils s'avancèrent encore et ouvrirent leur braguette. À grands jets, ils urinèrent sur les troncs aussi loin et aussi longtemps qu'ils purent. Ils ne s'arrêtèrent qu'en entendant le timbre sévère d'Antoine-Léon, impatienté, leur ordonnant de se remettre à l'ouvrage.

— Ça suffit, les *sparages*, on a pus le temps de s'amuser.

— On s'amuse pas, on répand l'odeur de l'homme, se justifièrent-ils, c'est pour repousser les animaux.

— Les braconniers vont recommencer ailleurs, dit Antoine-Léon. Il y aura toujours des inconséquents qui font pas la différence entre chasse et massacre. À ça, on ne peut rien.

— Ces gars-là mériteraient qu'on leur fasse le même sort, gronda un Indien.

— Dire que c'est nous autres qu'on traite de sauvages ! éclatèrent-ils, soulevés d'indignation en revenant se mêler au groupe.

— Il y a des braconniers aussi parmi les Indiens, jeta un technicien blanc.

Les Indiens se retournèrent d'un seul mouvement. La main fermée sur leur hache, le regard noir et silencieux, ils marchèrent vers lui.

Alerté, Antoine-Léon fit un grand pas en leur direction. Sans attendre qu'ils se soient rattrapés, il se plaça entre eux comme un rempart.

— Mettez-vous à l'ouvrage, ordonna-t-il. La compagnie ne tolère aucun grabuge dans les équipes, si vous voulez garder vos jobs, tenez-vous-le pour dit.

Il avait parlé fermement, avec toute son autorité et la dignité de sa fonction.

Ils se séparèrent. Antoine-Léon alla regagner sa place à la tête de l'équipe et ils reprirent à la fois leur écoute et leur avance. Comme si rien ne les avait perturbés, ils avaient retrouvé leur allant, progressaient dans la sente et s'adonnaient à leurs plaisanteries coutumières.

La journée avait passé. Le moment était venu pour Antoine-Léon de monter dans l'hydravion devant le ramener chez lui.

Avec des gestes gourds, il entassa ses effets dans son *pack-sac*. Il se sentait las. Les trois jours qu'avait duré la formation l'avaient obligé à parcourir de longues et épuisantes distances, sous un climat accablant, à la merci des brûlots voraces. Il avait perdu l'habitude, n'avait plus cette vigueur qui l'avait animé au cours de ses explorations forestières.

Hubert était déjà là et l'attendait près du débarcadère.

— En fin de compte, as-tu décidé si tu venais au séminaire de la compagnie ?

— Je t'ai dit que je te donnerais ma réponse une fois arrivés en ville. Je peux pas dire que ça me tente bien gros, je suis fourbu. Et puis, il y a Élisabeth, elle est pas très enthousiaste de ce genre de réunions.

Hubert dodelina de la tête. Il connaissait l'épouse d'Antoine-Léon. Fille de la haute, habituée à vivre dans son grand monde, elle était sélective. Qu'elle refuse, se dit-il, elle aurait la leçon qu'elle mérite.

— As-tu pensé que ça pourrait être mal vu pour ton avenir si tu y assistais pas ? insista-t-il, les congrès, c'est un plus à ajouter à ton C.V.

Antoine-Léon haussa les épaules.

— Tu peux venir sans ta femme, suggéra Hubert. Pour une fois, tu goûterais la vie de célibataire. La liberté, ç'a pas de prix. Moi, j'ai repris la mienne et je me mettrai plus jamais la corde au cou. Quoique, à mon avis, ta femme va accepter. C'est pas fréquent pour elle de se balader dans le grand Montréal. Pendant que tu seras assis sur une chaise dure, à te faire bourrer le crâne de technicités, elle va courir les magasins, ça va lui faire plaisir de dépenser ta paie de la semaine, et pis…

Se rapprochant de son oreille, il chuchota :

— J'ai prévu un p'tit spécial. Après le souper, on *envoie* les femmes se coucher et on s'amuse entre hommes.

— Bravo pour la clique de *placoteux* ! s'écria Antoine-Léon. Si Élisabeth l'apprenait, je serais pas mieux que mort.

Pensif, il considéra l'étendue boisée, tranquille. La vie était sans rebondissements dans leur région et les relations avec l'entourage rappelaient celles d'un village. Il ne faudrait pas qu'un citoyen connu déroge de sa réserve, la ville entière s'en régalerait, avec les conséquences qu'il n'osait imaginer.

— Si Élisabeth m'accompagne, c'est oui, si elle refuse, c'est non, trancha-t-il. J'ai pas autre chose à ajouter.

— Te voilà un vrai saint homme, persifla Hubert. Montréal est grand, personne ne te connaît.

Antoine-Léon hocha négativement la tête. Il maintiendrait sa décision. Hubert raisonnait à sa manière, mais leur situation était différente. Hubert était divorcé, libre, il pouvait se permettre toutes les extravagances. Libertin, inconstant, il vivait dans un loft et avait à son actif une collection impressionnante de filles qui, toutes, n'avaient été que des aventures. À l'inverse, il avait une famille et il menait une vie rangée.

— Tu vas manquer quelque chose, railla Hubert.

Antoine-Léon ne répondit pas. L'hydravion était déjà sur le lac et attendait. Mike, leur pilote, qui s'était extrait un moment de son cockpit avait regagné sa place.

Il assujettit son bagage sur son épaule. Ses épaisses semelles écrasant les prêles délicates et les cônes, il sauta sur le quai, sorte de ponton branlant formé de troncs équarris reliés ensemble par un entrecroisement de chaînes, et grimpa dans l'appareil.

— Tu le verras en assistant au colloque si Élisabeth et moi avons décidé de participer, cria-t-il à Hubert en allant occuper le siège du copilote.

L'appareil s'éleva dans les airs et déploya ses ailes sur la forêt. Antoine-Léon oublia son confrère pour porter son attention sur le paysage. Il aimait ces déplacements qui lui donnaient l'impression de dominer la terre.

Cernés par la nature sauvage, ils suivirent la longue bande argentée de la rivière dans laquelle se mirait le bleu du ciel. Ils distinguèrent bientôt au loin les installations aéroportuaires. La distance était courte jusqu'à la ville.

Du côté sud, quelques nuages laiteux couraient comme des cerfs-volants accrochés aux navires qui cavalaient vers le golfe.

— Il va faire beau, demain, se dit-il.

En bas, sur le sol en terre battue, près d'un arbre, un peu soustraite à la vue, une voiture était garée. Élisabeth était là, sans retard. Bientôt, il saurait s'ils seraient du colloque.

Le visage accroché au hublot, Hubert surveillait lui aussi leur descente. Le profil aquilin, un peu frondeur, les yeux globuleux, il paraissait sûr de lui.

– Je vois que ta femme est au poste, tu me donnes un lift?

Antoine-Léon acquiesça d'un signe de tête et le considéra, la mine songeuse. Il ne s'expliquait pas pourquoi, mais il se sentait incapable de lui accorder sa confiance. Il aurait donné gros pour percer ses intentions, connaître ses pensées profondes. S'il participait à la conférence, quelle que soit l'insistance d'Hubert, il se le promettait, il ne serait pas de son « p'tit spécial ».

***

Les ingénieurs avaient passé l'après-midi dans une des salles du vénérable hôtel *Windsor*. Le dos arrondi sur une chaise inconfortable, une jambe croisée sur leur genou, ils s'étaient tenus à l'écoute de conférences qui s'étaient enchaînées sans répit.

Les épouses les avaient abandonnés à leurs affaires. Revêtues de leur plus joli tailleur, elles étaient allées se balader rue Sainte-Catherine. Pendant tout l'après-midi, excitées comme des petites filles, elles avaient couru les boutiques, pris le thé chez *Eaton*, encore une fois, s'étaient retrouvées sur le trottoir et avaient lorgné les vitrines. Lorsque l'horloge du grand magasin *Birks* avait indiqué dix-sept heures, elles avaient réintégré leurs chambres. Le temps était venu de se préparer pour la réception du soir.

Accrochées au bras de leur époux, fraîches et parfumées, elles descendraient dans la belle salle réservée à leur groupe et participeraient à un dîner d'apparat suivi d'une soirée dansante.

***

Les lustres de cristal étincelaient de tous leurs feux et le repas était terminé. Les organisateurs avaient débité quelques palabres et remerciements au moment du digestif, puis les serveurs avaient dégagé l'espace pour en faire une piste de danse. Dans un angle, un rideau de velours ouvert dévoilait une estrade. Les musiciens étaient déjà là. Assis sur une chaise droite, leur instrument de musique sur les genoux, ils attendaient.

Hubert s'était avancé vers le centre de la salle et regardait s'approcher le couple que formaient Antoine-Léon et Élisabeth. L'œil allumé, il tenait par la taille, comme un trophée, une jolie jeune femme aux longs cheveux blonds et plats, dénichée personne ne savait où, revêtue d'une robe de soie chatoyante, couleur lie de vin, un peu criarde au goût d'Élisabeth.

— Vous dansez ? les invita-t-il.

Élisabeth fronça les sourcils et serra plus fort le bras d'Antoine-Léon.

— Ma femme et moi sommes fatigués, prétexta Antoine-Léon. On s'attardera pas longtemps. Peut-être une ou deux danses, ensuite on veut monter à notre chambre.

— Vous trouvez pas que vous faites pépère ? se moqua Hubert. Juste deux petites danses, pis après, dodo. Si Élisabeth est fatiguée qu'elle aille se coucher, mais toi, t'es pas une mauviette. Je te garde pour une consommation. Je voudrais qu'on commente la conférence.

— Peut-être, balbutia Antoine-Léon sans trop d'enthousiasme.

Il entoura la taille d'Élisabeth et l'entraîna sur la piste. Collés l'un à l'autre, ils se déplacèrent en traînant le pas.

Doué pour le folklore, Antoine-Léon était un piètre danseur lorsqu'il s'agissait du moderne. Ils exécutèrent une valse lente, puis, sans trop suivre le rythme, un fox-trot sur une musique endiablée et s'arrêtèrent. Élisabeth consulta sa montre. Elle indiquait vingt-trois heures. Elle n'en pouvait plus.

— S'il n'y a rien de mieux à faire que de danser sur des vieilles, aussi bien aller se coucher. J'en ai plus qu'assez de me faire marcher sur les pieds. De toute façon, à cette heure, nous ronflons comme des bûches.

— Je suis mauvais à ce point ? se récria Antoine-Léon. Je sais que je n'ai rien d'un Gene Kelly dansant sous la pluie, mais tout de même…

Hubert cligna de l'œil.

– C'est vrai, Savoie, que tu danses comme un pied. Laisse Élisabeth aller au lit et accepte mon invitation, viens prendre un verre.

Antoine-Léon interrogea Élisabeth du regard. Il hésitait. Hubert avait une arrière-pensée, c'était évident. Restait à savoir dans quoi il cherchait à l'embarquer. «J'ai prévu un p'tit spécial, lui avait-il chuchoté au moment de monter dans l'avion. On va envoyer les femmes se coucher et…»

D'autre part, Antoine-Léon reconnaissait qu'il avait besoin d'une évasion. Ses trois jours passés en forêt, ponctués de longues marches avaient été épuisants. Un scotch-glace ne lui ferait pas de mal, et puis il n'avait pas sommeil.

– Prends une consommation si ça te fait plaisir, convint Élisabeth. Tout ce que je te demande, c'est d'être silencieux lorsque tu rentreras dans la chambre. Tu sais que j'ai le sommeil léger.

Antoine-Léon se tourna vers Hubert. Il était embarrassé. Il se sentait comme le petit garçon à qui sa mère vient de donner la permission de minuit.

À peine Élisabeth disparue dans le corridor, Hubert prit son bras et l'entraîna à l'opposé de la salle vers un petit comptoir devant lequel se tenait un serveur en uniforme. C'était un aménagement temporaire composé d'un long panneau verni et de quelques tabourets. Derrière, disposées sur des tablettes, des bouteilles de toutes les couleurs et grosseurs scintillaient dans la lumière tamisée.

Quelques confrères y étaient déjà installés. Assis nonchalamment, un verre à la main, ils discutaient.

– Je te paie un drink, proposa Hubert à Antoine-Léon en fendant leur groupe.

– Enfin, Lesage, lancèrent les autres, t'en as mis du temps, à croire que t'avais changé d'idée.

– C'est la faute à Savoie qui se faisait prier. Je dirais plutôt que c'est sa légitime qui voulait pas décrocher.

– Moi, j'ai envoyé la mienne se coucher aussitôt après le repas, déclara Jean-Marie Côté.

– Tu peux ben faire ton faraud, maugréa Antoine-Léon. T'as passé la semaine au bureau, t'es rentré à la maison tous les soirs, tandis que moi, j'ai passé trois jours à parlementer et à vérifier des marquages. Et depuis mon retour, je soigne mes piqûres de mouches noires, aussi…

— C'est ça, invente-nous des raisons pour cacher que t'as peur de ta femme, cria un autre.

— Bon, qu'est-ce qu'on attend, interrogea Jean-Marie, coupant court aux remarques qui fusaient de toute part.

— Vous me suivez dans ma chambre, dit Hubert.

Une main emprisonnant leur verre, l'autre dans la poche de leur pantalon, avec Hubert qui marchait en tête de file et conduisait la troupe, ils se dirigèrent vers le couloir.

Antoine-Léon avançait derrière les autres. Jusque-là, il avait porté peu d'attention à la blonde jeune femme qui accompagnait Hubert au dîner et était restée accrochée à son bras pendant tout ce temps. Il venait de comprendre.

La fille avait pris les devants et commandé l'ascenseur. C'est elle qui tint la grille tandis qu'ils s'introduisaient à l'intérieur et c'est encore elle qui les précéda à la sortie dans le corridor de l'étage. Le pas assuré, amorti par la moquette épaisse, à la façon d'un guide, elle foulait le long passage, comme si elle déroulait le tapis rouge les menant tout droit à la chambre d'Hubert.

Celui-ci n'eut pas à tourner la clef dans la serrure. Un souffle chaud fortement parfumé frappa leurs visages. La porte venait de s'ouvrir.

Une autre fille, celle-là, en jupe courte et chandail moulé, ses longs cheveux blonds déroulés jusqu'à la taille, les accueillit. Souriante, son bras agrandissant l'embrasure, elle coulait un regard enveloppant sur les hommes qui défilaient devant elle pour s'introduire à l'intérieur.

Antoine-Léon hésita un bref moment. Se décidant, il suivit les autres.

Deux filles se trémoussaient déjà sur une estrade improvisée. Avant que les hommes aient trouvé une place où s'asseoir, la blonde amie d'Hubert était allée les rejoindre.

Antoine-Léon s'immobilisa près de la porte. Embarrassé, il se sentait comme un adolescent qui s'apprête à découvrir les mystères de la vie. Il se disait qu'il pourrait au moins se joindre au groupe et faire bonne figure, s'il ne voulait pas être la risée de ses confrères, faire les frais des gorges chaudes pendant des semaines.

Il pénétra dans la chambre. Tous les sièges disponibles avaient été monopolisés. Certains avaient pris place sur le lit. Leur verre de scotch à la main, ils gardaient les yeux rivés sur le spectacle.

La musique que diffusait la petite radio, jusqu'à cet instant, d'ambiance, s'était amplifiée. Les filles qui avaient ondulé dans une danse lascive, avaient accéléré leur rythme, s'étaient mises à se tortiller, frétiller et simuler l'orgasme. Les unes après les autres, elles enlevaient leurs chandails et les lançaient au hasard vers les hommes. Avec des déhanchements invitants, elles se débarrassèrent de leur jupe, puis de leurs bas et les projetèrent encore en direction des hommes assis sur l'édredon. Elles n'étaient plus revêtues que de leur soutien-gorge et de leur petite culotte en dentelle noire.

L'œil tourné vers Antoine-Léon qui n'avait pas encore trouvé place où s'asseoir, elles commencèrent à dégrafer leur bustier. Les bretelles glissèrent de leurs épaules et tombèrent sur leurs avant-bras pour aller atterrir entre les doigts des participants. Dans une rotation habile, un vêtement alla aboutir entre les mains d'un vieil homme assis dans un fauteuil. Elles n'avaient plus que leur petite culotte. Avec des mouvements saccadés des hanches, elles les dégagèrent, les firent frôler leurs cuisses puis descendre jusqu'à leurs chevilles où elles les saisirent. Dans un tourniquet, elles les lancèrent devant elles.

Un petit dessous alla atterrir entre les mains d'Antoine-Léon. Le visage empourpré, incapable de se tenir sur ses jambes, il se laissa tomber lourdement sur le lit, moitié sur la cuisse d'un confrère, moitié dans le vide.

Les filles avaient fait un pas vers lui. La poitrine nue, elles n'étaient plus revêtues que d'une étroite bande de tissu noir qui dissimulait leur sexe. Antoine-Léon soufflait dru.

– On dirait que ça te chicote, Savoie, ricana Hubert. T'as jamais vu ça? Si y en a une qui t'intéresse, t'as qu'à choisir. Elles sont toutes disponibles. C'est entre nous autres. Élisabeth en saura rien.

Plongé dans une sorte de torpeur, Antoine-Léon le regarda. Soudain, il bondit.

– Élisabeth!

La seule pensée de sa femme le fit émerger de son engourdissement. Vivement, il se leva et se dirigea vers la porte.

– Tu te débines, Savoie. Nous dis pas qu'à trente-cinq ans passés, t'as pas connu autre chose que ta régulière.

– On s'expliquera là-dessus une autre fois, Lesage, bougonna-t-il.

Il se rua dans le corridor. Sans freiner son allure, il emprunta l'escalier de service vers l'étage où se situait sa chambre et tourna la clef dans la serrure. Il poussa un soupir de soulagement.

Il ne voulait donner de leçon à personne, mais il avait ses principes et lui seul était concerné.

Avec d'immenses précautions, il enleva ses chaussures, sur la pointe des pieds, se dirigea vers la salle de bain et se débarrassa de ses vêtements.

Tandis qu'il enfilait son pyjama, il éprouvait un certain déplaisir. Il se disait qu'il n'aurait causé de mal à personne en goûtant cette expérience. Peut-être même aurait-il été un amant plus enflammé par la suite pour sa femme?

Il se prenait à regretter son départ précipité. Il imaginait, à l'étage du dessous, les moqueries de ses confrères, lui, le petit garçon à Léon-Marie dont les parents trop âgés faisaient l'amour dans la position du missionnaire, sans chercher à connaître autre chose.

Il se secoua vigoureusement. Il n'était pas si naïf. Qu'est-ce que ces filles savaient de plus que lui, ces donzelles qui n'avaient pour tout éventail que leur jeunesse amochée et qui ne faisaient que répéter les mêmes gestes?

Il s'introduisit dans la chambre. Là-bas, dans l'ombre du lit double, se profilait une silhouette. La tête enfoncée dans l'oreiller, ses lèvres laissant filer un léger ronron, Élisabeth dormait comme un petit chat.

Il arqua la nuque. Subitement hardi, d'une seule impulsion, il se débarrassa de son vêtement de nuit et s'avança à grands pas. Le sexe brandi, il se glissa sous la couverture.

Machinalement, Élisabeth se tourna sur le dos au milieu de son sommeil et l'entoura de ses bras. Sa peau était chaude, brûlante et exhalait un parfum de Chanel.

Brusquement avide, il lui arracha sa chemise de soie douce et la couvrit de baisers. Élisabeth répondit à ses caresses. Impatients, leurs corps se joignirent. Pendant un long moment, ils demeurèrent haletants, soudés l'un à l'autre.

Repus, ils reposèrent leur tête sur l'oreiller et laissèrent exhaler leur souffle. Hubert pouvait aller se faire voir, songea Antoine-Léon, il ne regrettait pas sa défection.

Animé d'un sentiment nouveau, il chuchota à l'oreille d'Élisabeth:

– J'ai décidé qu'à l'avenir, les jaquettes pis les pyjamas vont rester dans le tiroir. Si t'as froid, t'auras qu'à te coller contre moi.

– Inutile de prendre cet air venimeux, il y a longtemps que j'espérais te l'entendre dire.

Il se pencha encore et la serra dans ses bras.

– Si je me retenais pas, je recommencerais.

– Je me demande pourquoi tu te fais prier…

10

Antoine-Léon sortit de son bureau à grands pas fébriles, monta dans sa voiture et se dirigea vers la maison. Il n'avait pas pris le temps comme il faisait chaque soir au sortir de l'établissement de s'accorder un brin de conversation avec les confrères et échanger quelques blagues.

On était en novembre. Le ciel était sombre, aussi sombre que cette journée qu'il avait passée, difficile, contraignante, en constantes argumentations avec monsieur Bellemare, l'ingénieur en chef, à qui, hélas, il devait le respect. Celui-ci n'avait pas accepté son rapport d'évaluation d'un lot rédigé la semaine précédente. « Tu as la tête dure, Savoie », n'avait-il cessé de lui marteler à chacune de ses objections.

Antoine-Léon était exténué. Il avait eu beau réviser le dossier avec lui, lui rappeler qu'il s'était déplacé en forêt, qu'il avait lui-même évalué et analysé l'ensemble, qu'il avait étayé son raisonnement sur le savoir de réputés confrères, mais il n'était pas parvenu à le convaincre. Monsieur Bellemare avait rassemblé les pages, lui faisant comprendre que le sujet était clos. Il restait de leur échange une sorte de refus injustifié et cette incompréhension l'agaçait.

Son rapport était juste et il s'en défendrait avec vigueur, se disait-il tandis qu'il s'engageait dans la côte pour se diriger vers sa résidence.

Le paysage triste, figé dans la froidure de l'automne ajoutait à son humeur morose. Les arbres étaient dépouillés de leurs feuilles et le gazon était cristallisé sous le gel. Les quelques fleurs qui avaient résisté au sécateur des jardinières étaient brunies et leurs tiges grêles oscillaient lamentablement dans le vent. Tout annonçait l'interminable hiver.

Il se rapprochait de sa demeure. Bientôt, il distinguerait ses fenêtres vivement éclairées derrière lesquelles il devinerait Élisabeth occupée à la préparation du souper, avec Philippe et Dominique, assis devant la table de la cuisine et faisant leurs devoirs. Un peu de chaleur l'enveloppa.

Brusquement impatient, il enfonça l'accélérateur. Aussi rapidement, il ralentit. Il venait de distinguer deux ombres sur le trottoir, face à sa demeure. Emmitouflés dans d'épais manteaux, avec leur capuchon relevé, se tenaient deux jeunes gens. Comme statufiés, ils semblaient en contemplation devant la façade de sa maison.

Il gara sa voiture. Intrigué, sa mallette à la main, il se dirigea vers eux.

– Vous êtes Monsieur Savoie, le propriétaire ? devina l'étranger qui le regardait s'approcher. Mon nom est René Gervais et voici mon épouse, Danielle. On se demandait si votre meublé était encore à louer ?

Antoine-Léon tressaillit et se retint de montrer son contentement. Il y aurait bientôt quatre mois qu'il faisait publier de façon ponctuelle une annonce dans le quotidien de la Côte-Nord pour la location de son trois-pièces et il commençait à désespérer de trouver preneur.

– Il n'est pas encore loué.

– Vous m'en voyez soulagé, s'écria l'étranger. Je pense que vous avez là exactement ce que nous cherchons.

Antoine-Léon était ravi et se retenait de trop le laisser paraître. Depuis quelques années, les meublés avec fenêtres soupiraux n'étaient pas très populaires. Les locataires choisissaient plutôt de s'entasser dans les gros immeubles à étages qui étaient du dernier cri, préférant, à la relation avec la terre, partager bruits, odeurs et promiscuité.

Le couple paraissait dans la vingtaine. Le garçon, le teint frais, coloré, la tête nue sous le bonnet de son parka, avait les cheveux foncés, abondants et ondulés. Une mèche rebelle jouait sur sa tempe et lui donnait un petit air décidé.

Sa compagne, plutôt frêle, avait un fin visage ovale et pâle. Un chapeau de fausse fourrure était enfoncé sur son front et débordait de son capuchon. D'allure timide, elle enserrait précieusement le bras de son compagnon de sa main gantée dans un geste possessif.

– Que diriez-vous de commencer par visiter le logement, les invita-t-il. Comme ça, vu de l'extérieur, ça ne dit pas grand-chose.

Sans attendre leur assentiment, il les précéda sous le porche.

– Vous êtes de la région ? s'informa-t-il tandis qu'il enfonçait la clef dans la serrure.

– Que non, répondit le garçon, nous sommes originaires du Bas-du-Fleuve, comme vous d'ailleurs. Nous sommes arrivés, il y a quelques minutes, par le traversier.

Antoine-Léon se retourna d'un trait.

– Êtes-vous en train de me dire que vous êtes de Saint-Germain ?

– Nous sommes effectivement originaires du village de Saint-Germain, précisa-t-il, mais pas du hameau de la Cédrière. Par contre, mon père, lui, était originaire de la Cédrière, de votre Cédrière. C'est vot' mère, la veuve de l'artiste, qui nous informés que vous aviez un logement à louer, un meublé. C'est ce qu'on cherchait. Plus tard, on va se bâtir une maison et s'acheter des meubles tout neufs, à nous autres.

Antoine-Léon hocha longuement la tête. « Chère maman ! se dit-il en lui-même, le cœur gonflé. Elle a réponse à tout. Il est vrai qu'elle baigne dans le milieu. »

– Je peux savoir le nom de vot' père ? s'enquit-il avec curiosité.

– Je suis le garçon de Laurent Gervais, le frère de Jean-Louis qui était marié à votre défunte sœur Cécile.

Antoine-Léon ouvrit de grands yeux.

– Ça veut dire que vous êtes le petit-fils de Jean-Baptiste Gervais ? déduisit-il, la voix subitement cassée. J'ai peine à le croire. Monsieur Gervais était le meilleur ami de mon père…

Il ne cachait pas son émotion. Une foule de souvenirs montaient en lui. Il voyait encore le petit homme remuant, soupe au lait, mais d'une générosité sans bornes, qu'était Jean-Baptiste Gervais. « Aspic », qu'il s'écriait chaque fois devant les interventions de Léon-Marie Savoie, son employeur et compagnon d'enfance, interventions qu'il jugeait souvent abracadabrantes.

Antoine-Léon évoquait aussi l'épouse de Jean-Baptiste, la grosse Georgette ainsi qu'il l'avait surnommée dans son jeune âge. Georgette, la sage-femme du village! Mais il l'aimait bien. Peut-être la trouvait-il parfois un peu indiscrète, elle qui cherchait toujours à tout savoir, qui ne cessait de surveiller les événements, son petit œil noir balayant autour d'elle, comme si, de par son état de soignante, elle pouvait tout régler. Mais, de même que son époux Jean-Baptiste, elle avait le cœur grand comme le monde et jamais elle n'était animée de mauvaises intentions.

– Ainsi vous êtes le fils de Laurent, répéta Antoine-Léon, le frère de Jean-Louis et aussi celui de Denis qui a fait la guerre 39-45. Votre grand-père, Jean-Baptiste, en était bien malheureux. Puis-je savoir ce qui vous amène à vivre sur la Côte-Nord?

– Je suis policier, répondit le garçon. J'ai fait une demande d'emploi pour un poste dans votre région et je l'ai décroché. Danielle et moi, on s'est empressés de se marier, et nous voilà!

– Eh, bien! fit Antoine-Léon, avec embarras, encore incapable de surmonter son bouleversement devant tous ces souvenirs que le jeune couple survenu fortuitement faisait remonter à la surface.

Il se ressaisit.

– Mais restons pas dehors, plantés là sur le pas de la porte, entrons.

Une bonne odeur de bœuf braisé les accueillit dans le portique. L'air était chargé de claquements de couvercles de casseroles. Élisabeth s'activait dans la cuisine.

– Tu peux pas deviner qui je t'amène, lui cria Antoine-Léon en essuyant ses pieds sur le paillasson.

Les bruits avaient cessé d'un coup. Un tablier entourant joliment sa taille, Élisabeth passa la tête dans le hall. Les sourcils haussés, les lèvres entrouvertes, elle l'interrogea du regard.

– Je suppose que tu ne connais pas ce petit couple-là, avança-t-il. Imagine-toi donc qu'ils viennent de descendre du traversier. Ils arrivent tout droit de Saint-Germain-du-Bas-du-Fleuve. Toi qui n'arrêtes pas de me dire que tu as le mal du pays, ben voilà que Saint-Germain vient à toi.

Élisabeth prit le temps d'éteindre les éléments de la cuisinière et alla les rejoindre.

– Je suis heureuse de vous rencontrer, prononça-t-elle avec plus de réserve, en leur tendant la main.

Elle se tourna vers Antoine-Léon.

– Que nous vaut…

– Ils sont venus louer notre trois-pièces, annonça-t-il, une flamme joyeuse dans les prunelles.

– Ah! fit Élisabeth. Alors, soyez les bienvenus chez nous, je devrais plutôt dire, chez vous, corrigea-t-elle avec une gracieuse inclinaison de la tête. Je suppose que mon époux vous a fait voir le logement et qu'il vous plaît?

Antoine-Léon se gratta la tête. Élisabeth l'avait ramené à la réalité.

– Bon gueux! Ma femme a raison. Avant de jubiler, faudrait commencer par ça.

Il était si heureux qu'il avait oublié l'essentiel qu'était la visite de l'endroit. Il savait que le jeune couple s'y plairait. Il l'avait aménagé avec soin, en avait fait un petit nid chaleureux et fonctionnel.

– Tout ce dont vous aurez besoin, ce sont vos valises de vêtements et vos affaires personnelles, indiqua-t-il en les entraînant vers l'étage du dessous. Le reste: literie, casseroles, vaisselle, tout est fourni par la maison.

– Ça veut dire qu'on pourrait s'installer immédiatement, conclut René.

– Vous avez bien beau, répondit-il, débonnaire.

***

Le trois-pièces était loué. «Un tracas en moins», avait-il laissé tomber tandis qu'il prenait place au bout de la table pour le souper.

Élisabeth avait relevé la tête.

– Je peux savoir ce que ce «Un tracas en moins» signifie?

Il ne répondit pas et fixa son assiette. Il n'était pas prêt à partager ses soucis professionnels, même avec son épouse.

Il avait peu d'affinités avec monsieur Bellemare et il entrait fréquemment en conflit avec lui. Leurs idées ne se rejoignaient pas et il ne pouvait rien y faire.

Pourtant, il connaissait son métier ; ses expertises étaient valables, il le savait, elles étaient même supérieures à celles des ingénieurs d'une autre époque moins au fait des techniques modernes.

Il devait affirmer son savoir, lui aurait conseillé son père. Par contre, son père l'aurait retenu d'être trop incisif. Un peu de tact assouplit les relations et favorise la bonne entente.

***

Novembre avait cédé la place au mois de décembre. Comme chaque année, Antoine-Léon était allé couper un beau sapin dans la forêt.

Tandis qu'Élisabeth se livrait à ses spécialités culinaires, aidé de Philippe et de Dominique, il l'avait dressé dans le salon et l'avait décoré d'une multitude de lumières et de boules.

Malgré les arias associés à sa profession, il trouvait des avantages à travailler en ville. Une agréable sensation de sérénité l'imprégnait chaque fois qu'il réintégrait sa demeure, à deux pas de son travail.

Combien de projets il avait mis en œuvre, combien de bricoles il avait réalisé de ses mains, qu'il n'aurait pu fabriquer s'il n'avait fait que passer comme autrefois à la maison, en coup de vent pour le week-end, tout juste pour vider sa poche de linge sale et la remplir de vêtements bien pliés et propres.

Au cours des semaines précédentes, tandis que ses voisins parcouraient les magasins à grande surface afin d'y dénicher quelque banal élément de décoration extérieure, il avait fabriqué une immense couronne, l'avait chargée de lumières et l'avait accrochée sur la cheminée extérieure. Il avait voulu un ornement qu'on ne retrouverait nulle part ailleurs et il avait réussi son effet. Ses voisins ne tarissaient pas d'exclamations admiratives.

— Ç'a été un jeu d'enfant, alléguait-il sur un ton détaché à qui voulait l'entendre.

Mais quiconque l'aurait observé avec plus de minutie aurait perçu dans l'étincelle qui allumait ses prunelles, dans le sourire qui entrouvrait ses lèvres, dans le léger frémissement qui soulevait sa poitrine, cette noble fierté, cette superbe qui rappelaient Léon-Marie Savoie, l'homme de la rivière.

***

On était la veille de Noël et, ce jour-là, les employés avaient fait relâche dans les bureaux. Pendant toute la semaine précédente, les secrétaires avaient décoré de clinquants les espaces de travail et les corridors afin de constituer une ambiance de fête. Les chants de Noël remplissaient l'air. Tout le long de la matinée et de l'après-midi, les ingénieurs avaient occupé leur temps de façon décontractée, se promenant d'un local à l'autre, débitant des blagues ou offrant une rasade de whisky puisée d'une bouteille apportée de la maison.

Tantôt, les chefs de division avaient offert des boîtes de chocolat aux femmes et jeunes filles, pour ensuite se réunir dans la salle de conférence et trinquer une dernière fois avant les vacances.

Les patrons anglais s'étaient mêlés à leur effectif. Plutôt distants dans la vie de tous les jours, cantonnés à l'étage supérieur, dans leurs locaux douillets lambrissés d'acajou, ils étaient devenus liants. Ils accordaient une grande importance à la fête de Noël et faisaient en sorte qu'elle soit vécue selon leurs traditions. Seigneurs et maîtres de la région, ils exerçaient leur influence sur les habitants qui la subissaient sans s'en rendre compte.

Il en était ainsi du *Christmas spécial*, ce défilé dans les rues, agrémenté de chants de Noël, cette tradition typiquement anglaise, considérée comme le clou de la journée à laquelle les ingénieurs se faisaient un plaisir en même temps qu'un devoir de participer chaque année.

— Vous venez? s'impatienta Jean-Marie Côté, le meneur du groupe. Toi, Duval, tu entonneras le *Joy to the World* devant la résidence de monsieur O'Grady, le nouveau grand boss. Les autres reprendront tous ensemble. Lesage et Gilbert, je compte sur vous pour faire l'alto dans le *Silent Night*, et chantez pas tout croche comme l'année passée. Faut dire que cette fois-là… enfin, je m'comprends. Pour le reste, on fera débouler les mêmes cantiques que d'habitude.

De sa main étalée, dominant leur cercle, il planifiait le déplacement et, d'une voix ferme, distribuait les rôles.

— Savoie, t'as une puissante voix de baryton. Chantes-tu juste, au moins?

— Je chante le folklore et je pense que je garde le ton, ça te convient?

— Je te dénicherai une *toune* avec des répons pour l'an prochain. Mais cette année, tu vas chanter à l'unisson avec tout le monde.

— Savais-tu qu'on m'a déjà proposé d'être chanteur d'opéra? avança Antoine-Léon, l'œil guilleret.

— Je suis content de l'apprendre, répartit Jean-Marie. Tu vas donner de la puissance à notre chorale, parce que, pour le départ, nous sommes seulement à six voix.

Ils se retrouvèrent dans la cour. Chaudement enveloppés dans leurs paletots, le col relevé jusqu'aux oreilles, leurs mains gantées enfoncées dans les poches, ils se dirigèrent vers la rue. Il y avait là, Jean-Marie Côté, Hubert Lesage, Bertrand Duval, Luc Gilbert, Antoine-Léon Savoie, de même que Raymond Blouin qui était rentré de son expédition en forêt. Tantôt, se joindraient à eux quelques autres ingénieurs œuvrant dans l'édifice, de même que Jean-Marc Rondeau, le directeur de l'usine de copeaux. C'était la coutume, l'activité débutait en petit nombre et, à mesure qu'ils s'arrêtaient devant les portes, elle s'agrandissait d'un autre membre.

— Parlant chorale, fit remarquer Jean-Marie à Antoine-Léon, maintenant que tu mènes une vie tranquille, tu pourrais faire partie de la nôtre, notre chorale d'église?

— Je peux pas accepter sans d'abord en discuter avec Élisabeth, répondit-il. Elle trouve déjà que je suis trop peu souvent à la maison en plus que je me rends encore en forêt de temps en temps pour des inspections.

— Ça va t'arriver de moins en moins. Bordelais est le prochain à s'installer dans les bureaux. Dans un an, un poste va se libérer. En tant que nouveau dans la place, c'est à lui qu'il reviendra de faire les jobs en forêt.

Encore indécis, Antoine-Léon dodelina de la tête. Il continuait à se faire prier. Pourtant au fond de son être, il ne demandait pas mieux que de participer aux activités bénévoles. Il avait compris, pour l'avancement de sa carrière, que la première condition était de s'impliquer, là et ailleurs.

Et puis, il était d'un naturel sociable. Ses déplacements en forêt l'avaient obligé à mener une existence plutôt contraignante, mais sans le retenir d'aimer la vie, rire, s'émoustiller. On n'avait pas à le solliciter bien longtemps pour qu'il fasse un pas devant les autres et anime une fête. Il évoqua cette période de son adolescence où il faisait partie de l'*ordre de bon temps*, combien il s'était engagé et combien d'excellents souvenirs il en avait gardés.

À cet instant, il en ressentait comme un grand vide. Il releva la tête.

— J'ai pas besoin de m'interroger plus longtemps, j'accepte.

— Tu viendras me rencontrer dimanche prochain, au jubé, après la grand-messe. C'est moi le directeur de la chorale.

Ils se mirent en mouvement en silence. C'était la nuit. Une neige duveteuse tombait sans bruit et brillait à la lueur des réverbères. En bas, du côté du manoir, une musique douce leur parvenait par les haut-parleurs installés dans les jardins. Le grand hôtel se préparait à la fête. Plus haut, sur leur droite, un cliquetis de patins qui ripaient sur la glace se faisait entendre et s'accompagnait de cris joyeux. La patinoire de l'école était remplie d'adolescents surexcités en train de disputer un match de hockey.

Jean-Marie Côté leva le bras et fit une rotation de sa main. De sa voix un peu enrouée, donnant le signal à sa chorale improvisée, il commença à moduler un fragile *Jingle Bells*. Les autres enchaînèrent à pleins poumons. En chantant, ils se dirigèrent vers les résidences sises sur les hauteurs.

Derrière eux, une galopade faisait écho dans la nuit. Roger Bellemare, cadre supérieur, venait se joindre à eux, simples ingénieurs.

— Vous étiez pressés de partir, s'essouffla-t-il. À croire que vous vouliez pas de moi dans votre groupe.

— Bien au contraire, répartit Jean-Marie. Pour une fois que vous ne nous ferez pas un sermon sur l'art de remplir proprement un rapport.

Antoine-Léon tressaillit. Il sentit une chaleur monter en lui. Ainsi il n'était pas seul à se plaindre des impératifs de Roger Bellemare.

— Est-ce que vous m'en voulez tant que ça, se récria Bellemare en jetant un œil effaré autour de lui ? Vous savez pourtant que je ne peux pas faire autrement, c'est mon job.

Ils éclatèrent de rire. Encore hilares, ils s'enfoncèrent dans une allée de pierre qui s'amorçait à partir de la rue. Ils étaient arrivés devant la résidence de monsieur Macintoch, le directeur du personnel. La porte d'entrée était ouverte. Dans l'encadrement, dressé sur ses jambes écartées, son paletot jeté négligemment sur ses épaules se tenait monsieur Macintoch. Un large sourire illuminant son visage, une bouteille de scotch à la main, de l'autre, il serrait une pile de verres plastifiés.

Leur groupe se rapprocha, en même temps que les voix modulaient un vibrant *White Christmas*.

Ravi, monsieur Macintoch remplit les gobelets et les distribua à la ronde. La main levée, il trinqua à la santé de tous et vida son verre d'un trait.

— *Thank's, boys*, disait-il en même temps. *Very, very good. Wait for me.*

Disparu prestement vers l'intérieur, il en ressortit les mains libres en enfilant son paletot. Il se joignait à eux.

Ils reprirent leur marche et atteignirent la maison suivante. Cette fois encore, ils chantèrent et trinquèrent. Le maître des lieux s'empressa à son tour de grossir leur formation. Comme un rituel, arrivés devant chaque maison, ils traversaient l'allée et allaient s'arrêter devant le porche. Groupés en cercle, ils entonnaient un cantique et ingurgitaient cul sec le verre d'alcool qu'on leur offrait. S'ajoutait alors un autre gaillard et ils poursuivaient leur circuit.

Ils avaient visité presque toutes les maisons amies et étaient maintenant en nombre imposant.

Leurs voix fortes, entraînantes, montaient dans l'air, portées par le silence. Le froid était piquant et l'alcool qu'ils ingéraient sans se faire prier leur infusait cette chaleur vivifiante dont ils avaient besoin pour ce parcours dans l'humidité glacée et le noir.

— Comme je sais que vous avez bu votre quota de punch, les gars, leur dit Jean-Marc Rondeau devant la maison duquel ils s'étaient arrêtés, j'ai décidé de vous offrir du jus de pomme.

— Pouah! grognèrent les autres, t'es pas mal cheap.

— C'est de bon cœur, les encouragea Jean-Marc en remplissant généreusement les verres.

– T'es sûr que c'est que du jus de pomme ? s'enquit Jean-Marie qui avait trempé ses lèvres dans le liquide, les gars ont trinqué pas mal fort depuis le départ des bureaux. J'ai peur que Duval soit pas capable de chanter son *Holy Night*. Déjà que Lesage et Gilbert ont massacré le *Silent Night*.

– Faudra pas faire face à la femme de Gilbert, c'est elle qui mène dans le ménage, lança Raymond Blouin. Le mieux, c'est d'ouvrir la porte, le pousser en dedans et s'en aller sans demander notre reste.

– J'ai peut-être mis un peu de rhum dans le jus de pomme, accorda Jean-Marc en baissant les yeux.

– Juste un peu ?

Guillerets, ils se défendaient bien d'être éméchés.

Au-dessus de leurs têtes, dans le ciel couleur d'encre, la neige tombait à gros flocons drus et virevoltait sous le halo des lampadaires. Ils en éprouvaient comme une sorte de bien-être.

Ils se déplacèrent avec précaution et lenteur, en creusant sous leurs pas une traînée de neige comme un long ruban gris auréolé d'une lueur chatoyante.

Enfin, ils se retrouvèrent devant la résidence d'Antoine-Léon Savoie. C'était la dernière habitation de la rue, avant la descente, et elle marquait la fin de leur tournée.

– Vous allez entrer et vous reposer, les invita Antoine-Léon. Il approche neuf heures et vous devez avoir faim. Élisabeth a préparé un tas de victuailles pour le réveillon. Je suis sûr qu'elle va nous en refiler un peu.

Ils s'entassèrent dans le hall. La maison étincelait sous les lumières tamisées. L'odeur de la dinde rôtie flottait dans l'air et se mêlait à l'arôme du sapin.

Dans la salle familiale, une musique de Noël leur parvenait du téléviseur allumé.

Spontanément, ils se mirent à parler tous ensemble. L'ambiance était animée, joyeuse.

Dressé au milieu d'eux, Antoine-Léon ne cachait pas son plaisir. La maison croulait sous le nombre de ses confrères. Il y avait longtemps qu'il s'était senti aussi encadré, aussi agréé. C'était pour lui comme une consécration.

Chacun reluquait les pièces, avec curiosité, sans réserve. À l'exception de quelques privilégiés, c'était la première fois qu'ils s'introduisaient dans la nouvelle demeure du couple Savoie.

L'œil admiratif, ils hochaient la tête.

— Ouais, Savoie, tu y as mis le paquet, bafouillait Bertrand Duval, tu y as mis... le... pa...

— Donnez-moi vos paletots, les invitait Antoine-Léon, il y a d'la place dans la pen, la prendr... la...

Sans comprendre pourquoi, leurs bouches étaient devenues molles. Ils mâchouillaient leurs mots, avaient peine à s'exprimer.

Antoine-Léon fit un violent effort pour se ressaisir.

— Voyons ! Que c'est qu'il me prend ? La... penderie... que je veux dire, articula-t-il difficilement en se balançant d'avant en arrière, pour garder tant bien que mal son équilibre.

— Dans le froid, dehors, on ingurgite et on ne ressent pas l'effet, expliqua Roger Bellemare, le doyen du groupe qui n'en était pas à son premier *Christmas spécial*, mais avec la chaleur de la maison, ça nous fouette le sang. Moi aussi... je me sens... un peu... étourdi.

Il bougea sur ses jambes, fit un pas vers l'avant et se laissa tomber lourdement sur une chaise. De grands rires éclatèrent à travers le hall. Sans cesse, ils tanguaient, se raccrochaient les uns aux autres, comme debout sur le pont d'un navire au milieu d'une mer agitée.

Hubert Lesage et Jean-Marc Rondeau trébuchèrent et se retinrent de leurs deux mains au chambranle d'une porte.

Élisabeth les fixa les uns après les autres. Elle s'esclaffa.

— Mais vous êtes soûls, mes amis. Venez prendre place dans le salon sur des sièges, sinon vous allez tous vous retrouver par terre.

— Je ne comprends pas ce qui nous arrive, bafouilla Antoine-Léon. Faut dire qu'on n'a pas raté une occasion de trinquer et on n'a pas compté les rations non plus.

— C'est Noël, fit Élisabeth, condescendante. J'ai préparé des sandwichs. Vous allez manger et prendre un café fort. Vous allez rapidement vous dégriser.

Chacun alla occuper un fauteuil. Bavards encore une fois, ils se mirent à discourir tous ensemble. L'attroupement était devenu bruyant, ils mêlaient les anecdotes vécues les bouffonneries et les jeux de mots.

– Vous connaissez tous le vieux technicien Fulgence, raconta Raymond Blouin. Une fois qu'on avait monté un nouveau camp, faut dire que c'est un joueur de tours, il avait organisé un lit de branches d'épinettes pour le *cook*, qui, à son avis, regardait les jeunes forestiers d'un peu trop proche, il disait que ça refroidirait ses ardeurs, il avait ajouté…

Les rires des autres fusèrent. Son histoire se perdit dans leurs bruyants éclats. Ils n'entendirent pas la suite.

Antoine-Léon ferma les paupières. Il ne s'était jamais senti aussi heureux.

Élisabeth était apparue dans l'entrée du salon. Un sourire accroché à ses lèvres, soutenant un plateau en argent débordant de sandwichs de fantaisie, elle se déplaçait devant les uns et les autres.

– Que faites-vous cette nuit ? interrogea Roger Bellemare. Pourquoi ne viendriez-vous pas tous réveillonner chez nous après la messe de minuit, il y a à manger autant que vous en voulez. Ma femme a préparé de la bouffe pour un régiment. Même vous, Monsieur Macintoch, qui êtes Anglais. Vous ne connaissez pas nos réveillons. Je vous invite avec votre femme. Vous allez voir que les Canadiens français, ça sait s'amuser.

Il se tourna vers Antoine-Léon.

– Viens, toi aussi, avec Élisabeth et amenez vos enfants.

– C'est aimable à vous, Monsieur Bellemare, répondit Élisabeth avant qu'Antoine-Léon ait eu le temps d'ouvrir la bouche. Mais nos enfants sont trop jeunes pour aller en visite pendant la nuit de Noël. De plus, ils attendent le père Noël. S'ils ne sont pas à la maison, ce ne sera pas pareil.

– Vous n'auriez qu'à faire la distribution des cadeaux chez nous, insista monsieur Bellemare.

– Ils ne comprendraient pas que le père Noël ait laissé leurs étrennes dans une autre maison que la leur, expliqua Élisabeth. Au retour de la messe, nous les éveillons et ils déballent leurs cadeaux en pyjama, bien que dans le cas de Philippe, il est moins convaincu. À huit ans, ce temps est un peu passé…

Un silence accueillit ses paroles. Le visage de Roger Bellemare s'était rembruni. L'effet de l'alcool se dissipait. Une sorte de mélancolie s'était installée, et succédait aux explosions de rires.

– C'est beau à voir, des p'tits mômes, à Noël, dit-il avec un soupir d'envie. Noël, c'est la fête des enfants et ma femme et moi, on n'en a pas.

– Vous m'en voyez désolée, murmura Élisabeth.

Antoine-Léon ne reconnaissait plus son supérieur. Autant celui-ci était sec, intraitable dans le cadre du travail, autant il le voyait aujourd'hui indulgent, attendri, presque paternel.

Une vague de tristesse avait enveloppé la pièce. L'atmosphère était devenue soudainement pénible. Il y eut une pause.

Enfin, tout doucement, quelques voix s'élevèrent et un peu d'agitation anima le salon. Ils se reprenaient à bavarder. Mais l'excitation qui avait accompagné leur arrivée les avait quittés. Les réparties se faisaient plus pondérées. Les enfants en eux avaient cédé la place aux adultes.

Au loin, venant du quartier des affaires, des sirènes hurlaient.

Antoine-Léon alla jeter un coup d'œil à la fenêtre. En bas, sur la route nationale, une suite de voitures de police tous gyrophares allumés se dirigeaient vers l'ouest.

– Il a dû arriver un gros accident, déduisit-il. Notre jeune locataire policier est de garde, il va avoir une nuit occupée. À une occasion comme celle-ci, les gens devraient rester chez eux et faire la fête, pas se retrouver à l'hôpital ou à la morgue.

Derrière eux, dans le hall, le téléphone sonnait. C'était l'épouse de Raymond Blouin. Lasse d'attendre son homme, elle s'impatientait.

Les autres se levèrent d'un même mouvement. L'heure était venue pour tous d'aller retrouver leurs familles. Le pas encore hésitant, ils se dirigèrent vers la sortie et s'engouffrèrent dans la nuit.

La maison s'était vidée d'un coup et était retombée dans un lourd silence. Antoine-Léon aida Élisabeth à ranger la vaisselle. Il se sentait las. Après un moment d'intense effervescence, le calme avait envahi leur demeure et l'accablait.

Il consulta sa montre. Il approchait l'heure de se rendre à la messe de minuit.

Comme chaque année, ils se partageaient la garde des enfants. Élisabeth se rendrait la première à l'église, tandis qu'il irait entendre la messe de l'aurore.

Toutes les cloches de la ville s'étaient ébranlées. Élisabeth se pressa de prendre son sac et d'enfiler ses gants.

— Mon Dieu! Déjà minuit, je te laisse terminer le rangement. Je suis en retard.

— Comme d'habitude, tu vas rater le *Minuit, Chrétiens*, la taquina-t-il.

Le visage collé à la fenêtre, il suivit ses manœuvres tandis qu'elle dégageait le véhicule de l'entrée, et s'orientait vers leur lieu de culte. Dehors, la neige tombait à gros flocons et ourlait les arbres d'un pétillement féerique. Tout lui apparaissait clair dans la nuit, d'une obscurité lumineuse comme si les lueurs de la ville irradiaient l'opacité du ciel sans lune.

Mélancolique, il alla s'asseoir dans le salon, activa le feu dans l'âtre pour se donner une ambiance de fête et alla occuper sa place devant le téléviseur. Assis devant le poste qui grésillait, sous le chatoiement du sapin, les doigts croisés sur son ventre, il ferma les yeux.

Il s'éveilla en sursaut. Le téléphone sonnait. C'était Jean-Marie Côté. Il paraissait nerveux.

— As-tu écouté les nouvelles? Paraît qu'un incendie fait rage du côté de Hauterive. Le feu se serait déclaré à la résidence de Roger Bellemare et se serait propagé à l'immeuble voisin. On pense que la femme de Bellemare serait dans le brasier, qu'elle n'a pas pu sortir. Tous les corps de police et de pompiers des alentours sont là.

Antoine-Léon sursauta, il s'était réveillé d'un seul coup.

— Qu'est-ce que tu racontes? Jupiter! Mais ça a pas de bon sens. Quand je pense qu'il y a pas deux heures, Bellemare était chez nous et nous invitait à aller réveillonner avec lui. C'est épouvantable. Est-ce qu'on peut faire quelque chose?

— Je ne pense pas, je voulais seulement t'avertir.

Antoine-Léon déposa le récepteur. Il était consterné. Incapable de se ressaisir, il se mit à arpenter la maison. Montait en lui la période difficile qu'avaient vécue ses parents lors de l'incendie de leur résidence et par la suite, lors de l'éboulis qui avait failli engloutir toute la Cédrière. Ces malheurs anciens l'étreignaient comme une blessure avivée, il les ressentait comme s'ils étaient encore tout proches et il en souffrait.

La porte d'entrée avait fait entendre un déclic. Élisabeth revenait de l'église. Il poussa un soupir de soulagement. Puisqu'il ne pouvait rien faire, il se dit qu'il irait entendre la messe et que, malgré les fréquentes prises de bec qu'il avait au bureau avec monsieur Bellemare qui était son chef, il prierait pour lui. Il alla enfiler son paletot.

Brusquement, il revint sur ses pas.

— Sais-tu si notre jeune policier est avec sa femme dans le logement, en ce moment ?

— Je viens de croiser madame Gervais à l'église, répondit Élisabeth en se débarrassant de ses fourrures. Elle était seule. Son mari est de service cette nuit. Il paraît qu'il y a une conflagration à Hauterive.

— Je vois que tu ne connais pas toute l'histoire. Jean-Marie Côté vient de me téléphoner la nouvelle. Le feu aurait débuté à la résidence de Roger Bellemare. Pire il semblerait que sa femme est dans le brasier.

Élisabeth pâlit. Elle était atterrée.

— Tu parles bien de Roger Bellemare qui était avec nous, tantôt. Mon Dieu ! Pendant qu'il s'amusait ici, sa femme… C'est affreux. Il mentionnait leurs Noëls sans enfants et il en était malheureux. Et moi qui n'ai rien trouvé d'autre à lui dire que j'étais désolée. J'aurais dû mieux choisir mes mots.

— Hélas, on ne peut rien faire pour lui. D'autre part, à cet instant, il y a la jeune épouse du policier Gervais qui s'apprête à passer sa première nuit de Noël de femme mariée, toute seule, loin des siens. Que dirais-tu si on l'invitait à réveillonner avec nous ?

— J'allais te le proposer, dit Élisabeth en collant son front contre sa joue.

Antoine-Léon entoura sa taille de ses deux mains et posa ses lèvres sur les siennes.

Sa pensée franchit le grand fleuve et alla s'arrêter non loin d'une montagne pelée sur une humble maison de bois s'élevant tout à côté de la belle résidence de sa mère.

Si Jean-Baptiste et Georgette sont là comme deux bons esprits et qu'ils nous voient, prononça-t-il avec émotion, ils doivent être contents de nous.

11

L'hiver avait passé. Le mois de mai allait se terminer et Antoine-Léon s'était levé de bonne humeur. Comme chaque matin, depuis le début du dégel, il avait enfilé son imperméable et était sorti dans la cour. Du même pas, en faisant tinter les clefs de sa voiture, il s'était dirigé vers la limite arrière de son terrain. Il allait s'assurer du bon état de son mur de soutènement. Il avait pris cette habitude, avant de se rendre au travail, de procéder à la vérification de sa paroi ajoutée depuis qu'un de ses voisins d'en bas avait mis en doute la solidité de son ouvrage, le poids de la couche de béton et son appui sur le roc.

Au début, il avait haussé les épaules, puis, lentement, comme le ver qui ronge le cœur de la pomme, une sorte de désagrément s'était infiltré en lui jusqu'à en ressentir un malaise. Avec l'hiver rigoureux, le gel, il éprouvait le besoin de se rassurer, vérifier la moindre craquelure qui, à la longue, aurait pu affaiblir l'imposante structure avec les conséquences qu'il n'osait imaginer.

Mais, chaque matin, il soupirait d'aise. La falaise paraissait infrangible, la coulée de béton se révélait ancrée solidement, comme soudée à la masse de pierre. Tandis qu'il faisait demi-tour, il se reprochait vigoureusement d'oser mettre en doute ses capacités et laisser sa confiance s'ébranler. Presque gêné d'avoir procédé à cette vérification, il se pressait vers l'édifice de la rue Marquette… jusqu'au lendemain où ses craintes le reprenant, il refaisait son inspection.

Côté travail, ses obligations lui paraissaient de plus en plus aisées. Après le malheur qui avait atteint Roger Bellemare, l'attitude de celui-ci s'était modifiée. Comme assommé, il était moins intransigeant, moins radical. Laissé à lui-même et délesté d'un poids, Antoine-Léon multipliait les initiatives.

Progressivement, il prenait de l'importance au sein de la compagnie. Arrivé dès huit heures trente, il allait occuper son bureau. Toute la journée, les yeux rivés sur les cartes étalées sur sa table de travail, fausse-équerre et règles à calcul en travers, il se penchait sur la planification de lots appelés à l'exploitation. Le soir venu, il se retrouvait dehors et se joignait à ses confrères pour quelque loisir, notamment pour une partie de golf. Pendant les week-ends, il jouait encore, mais à ces occasions, il était accompagné d'Élisabeth.

Le golf, inauguré chez eux par les Anglais, était l'activité à la mode de la belle saison, le sport adopté par toute l'élite de la ville.

Plus tard, se disait-il, lorsqu'il serait saturé du golf et qu'il en aurait les moyens, il damerait le pion à Hubert Lesage et s'achèterait un yacht. Chaque soir, il amènerait Élisabeth et les enfants faire une promenade sur la mer dans le coucher du soleil. Au retour, ils iraient manger des hot-dogs dans le petit snack de la marina.

Bien entendu, lors de ses vacances annuelles, il continuerait à se rendre à Saint-Germain afin de faire la tournée de la famille, tandis qu'Élisabeth rendrait visite à son père.

C'était une tradition à laquelle il ne pouvait se soustraire.

Ce n'était encore qu'un rêve, mais il voulait plaire à Élisabeth. Il la savait instable, un peu trop gâtée par la vie et il ne pouvait s'empêcher d'être indulgent. Sa jolie épouse avait d'autres qualités qui compensaient largement ces désagréments.

D'une aisance au-dessus de la moyenne, elle rayonnait dans les soirées mondaines et les dames anglaises raffolaient d'elle, la requéraient pour chacune de leurs entreprises bénévoles et à la moindre de leurs activités.

Immobile au milieu de la cour, il admira les plates-bandes qu'elle avait ordonnées.

Ici et là, des pousses vertes proprement alignées trouaient la terre. Les bulbes de tulipes qu'elle avait plantés l'automne précédent commençaient à émerger de leur long sommeil d'hiver.

Élisabeth avait fait sa large part dans l'agencement de leur nouvelle demeure et il souhaitait qu'elle fixe ses amarres dans ce coin de pays. Jusqu'à maintenant, il avait lu en elle une constante fébrilité, comme si ses espoirs, son cœur étaient ailleurs, comme si elle n'était dans cette région que de passage. C'était la seule ombre à son bonheur.

Il consulta sa montre-bracelet. Il approchait huit heures vingt. L'heure était venue de se rendre au travail. Il se pressa vers sa voiture. Le trajet était court, il n'avait qu'à descendre la côte, s'engager dans la rue Mance et pendant quatre courtes minutes, longer cette artère vers l'est.

Tandis qu'il se dirigeait vers l'usine, il déplorait qu'Élisabeth n'ait pas de véhicule pour ses déplacements personnels. Sans cesse, elle devait demander à ses amies de la conduire où elle voulait ou encore elle devait se déplacer en taxi. Cette situation n'avait rien pour faciliter son adaptation. Ils en avaient bien discuté brièvement l'automne précédent et il avait commencé à faire des économies, mais ce n'était pas la solution la plus rapide.

Le temps d'amasser les quelques milliers de dollars nécessaires à cet achat, il pourrait quitter la maison un peu plus tôt et faire à pied le trajet, raisonnait-il. Cet exercice serait même salutaire pour sa santé.

Il rejeta tout de suite cette idée.

Avec les sorties imprévisibles qui lui étaient imposées dans le cadre de son travail vers les installations de l'industrie, il avait besoin de sa voiture.

Pourtant, il serait téméraire de ne pas chercher une solution au risque de voir Élisabeth s'impatienter.

Sa décision fut rapidement prise. Ce soir, après le bureau, il se rendrait chez les concessionnaires, prendrait toutes les informations sur les petits modèles, puis l'y emmènerait. Leur choix arrêté, il ferait un emprunt à la banque.

Il était arrivé devant l'usine. Il ralentit, manœuvra vers sa gauche et alla occuper sa place de stationnement.

— Paraît que les capelans s'en viennent, lui annonça au passage Jean-Marie Côté qui venait de ranger son véhicule près du sien. Le bruit court en ville que les vieux habitués auraient senti l'odeur.

Le menton pointé, la lèvre moqueuse, Antoine-Léon huma l'air.

— Ouais! Moi aussi, je sens l'odeur de concombre caractéristique.

– Fais pas ton faraud. T'as pas le nez assez fin, toi, un fumeur de pipe. Et pis, faut être un initié pour flairer le capelan.

– T'oublies que je suis un habitué de la mer, j'ai passé toute mon enfance dans le Bas-du-Fleuve.

– On verra ça quand les capelans rouleront dans le sable. Ce soir, ça devrait être la manne, c'est la marée haute. Pas de golf pour moi après le bureau. J'ai décidé d'être sur la grève avec la brunante. Tu seras de la partie ?

Antoine-Léon acquiesça. Les capelans étaient un délice des dieux qui faisaient s'enorgueillir les riverains des deux côtés du golfe. Ils étaient une richesse locale, un privilège. Chaque année, la nouvelle de leur arrivée se répandait en moins de deux à travers la ville.

Sa langue mouillant ses lèvres, son regard fouilla la mer. Il salivait à l'avance à la pensée de ces petits gadidés luisants comme de l'argent poli au clair de lune qui, tantôt, viendraient s'échouer par milliers sur la plage et se laisseraient gober par leurs épuisettes.

Il aurait bien aimé comprendre ce qui amenait ces petites créatures de haute mer à quitter les profondeurs des eaux salées et froides, pour entreprendre un long voyage, déferler comme une avalanche, vers les rives du fleuve, afin d'y pondre leurs œufs et, pour la plupart, s'y laisser mourir.

L'arrivée des capelans constituait une véritable fête. Pendant quelques heures, aussitôt que le soleil aurait quitté l'horizon et jusqu'au matin, le rivage de la baie des Anglais grouillerait de citadins joyeux, munis de seaux, s'interpellant, puisant à même ce festin annoncé une orgie d'abondance. Chacun apporterait nourriture, bière ou alcool et ferait ripaille devant un feu de camp. L'aube venue, la baie se viderait. Comme si rien ne les avait dérangés, les citadins retourneraient chez eux et reprendraient leurs activités.

Pendant des semaines, dans tous les foyers de la côte, les repas seraient constitués de ce poisson à la chair tendre et délicieuse.

Il avait décidé de reporter au lendemain son projet de marchander une voiture. Une occupation plus urgente et agréable l'attendait et elle avait priorité, car la pêche serait brève.

– Je serai là comme un seul homme. Je refuserais pas ça pour une terre en bois debout, lança-t-il en s'engouffrant dans l'édifice.

La journée s'écoula avec lenteur. Enfin l'heure du départ sonna. Fébriles, les confrères se concertèrent. Il fallait avaler un casse-croûte en vitesse, troquer son costume de ville pour une salopette et surtout ne pas oublier l'épuisette et les seaux.

Antoine-Léon s'était pressé vers la maison et avait enfilé ce qu'Élisabeth appelait ses habits de menuisier. Une panoplie de seaux plastifiés, les anses glissées sur ses bras comme une suite de bracelets cliquetants, il s'était dirigé vers le fleuve.

Le soleil avait basculé derrière les montagnes et l'ombre s'élargissait sous ses pas.

Là-bas, sur la grève, un feu de branches avait été allumé et son crépitement se répercutait à travers les murmures confus du crépuscule.

Des gens s'amenaient de toute part et le brouhaha de leurs voix s'amplifiait dans l'air, accompagnait la vague qui rugissait et mouillait le sable blond. La ville presque entière allait bientôt être rassemblée sur les rives de la mer.

À la pêche au capelan, tous les résidants étaient égaux, bavardaient comme des frères, tandis que courbés vers le sol, ils suivaient le roulis de l'onde qui venait baigner leurs pieds.

— Tu veux une bière? offrit Jean-Marie qui était venu rejoindre Antoine-Léon.

— C'est pas de refus.

— Ils approchent, annonça-t-il. Même moi qui ne renifle rien, je sens l'odeur.

Devant eux, l'onde déferlait avec puissance et les obligeait à reculer. Les bruits étaient durs, percutants, semblables à un hurlement. Ils avaient peine à s'entendre.

Une petite bouteille de bière mollement retenue dans sa main, Bertrand Duval s'était approché d'eux.

— Élisabeth t'a laissé sortir, Savoie?

— Comme ta Josette, répondit Antoine-Léon du tac au tac. Pour une chaudronnée de poisson frit, à la condition que tu l'aides à les parer, y a pas une femme qui lâchera pas la bride à son homme pour une soirée.

Ils éclatèrent de rire.

Dressés sur leurs jambes écartées, dégustant à courtes gorgées leur liquide blond, ils fixèrent la mer, l'écume qui frémissait, la lame qui affluait, se soulevait, vrombissait dans un grand souffle, atteignait les rochers et lentement se déroulait.

Les heures avaient passé, la nuit était noire, profonde.

Sans s'arrêter, par saccades, l'eau courait un moment sur la grève, se retirait et allait se fondre avec la mer enténébrée. Soudain, une exclamation secoua l'assistance.

Les capelans étaient là! Comme un essaim grouillant, tassés les uns contre les autres, entraînés par la houle, ils gigotaient. Avec des mouvements vifs, ils tournoyaient, battaient de la queue.

Au-dessus d'eux, la lune avait agrandi son cercle et couvrait les dunes de mille reflets argentés.

Chacun s'empressa d'attraper ses seaux. Jean-Marie, Bertrand et Antoine-Léon s'étaient rejoints. Comme des chasseurs de papillons, ils maniaient les épuisettes.

— Deux coups de salebarbe et j'ai deux seaux bien remplis, s'écria Antoine-Léon qui ne cachait pas sa joie. C'est pas croyable. Je m'y habituerai jamais.

— J'ai-tu rêvé, mais il m'semble avoir entendu dire que vous seriez intéressé à vous acheter un immeuble à appartements comme vot' mère, si une bonne occasion se présentait.

Il se retourna et fixa l'homme qui s'était adressé à lui. Il s'était désintéressé momentanément de sa pêche miraculeuse.

Monsieur Chabot, dit Caduc, son voisin d'en bas, s'était approché et l'avait interpellé avec une politesse nouvelle.

Pour une première fois, il avait abandonné les familiarités, cessé de l'appeler « le jeune » ou encore « p'tit-gars », comme il faisait d'habitude pour le vouvoyer.

Antoine-Léon appréciait.

— Un immeuble à appartements, répéta-t-il, comme ma mère.

Son regard se posa sur le lointain. Une lueur rose commençait à paraître côté est. Le soleil allait poindre.

— Je me rappelle pas avoir raconté à quiconque que j'étais intéressé à m'acheter un immeuble, mais dites toujours, on sait jamais.

— Je connais une veuve qui veut se défaire de son *bloc*, expliqua Caduc. Il appartenait à son mari, Fernand Martel, vous avez dû le connaître, un grand six pieds qui travaillait comme camionneur pour la Cargill. Il s'est tué, il y a deux ans, quand son camion a manqué un virage à l'entrée de Sept-Îles.

Antoine-Léon hocha négativement la tête.

— Elle a ben essayé de garder l'immeuble, poursuivait l'autre, mais à trouve ça dur pour une femme seule. À l'a décidé de vendre.

— Elle n'a qu'à le donner à un agent immobilier, fit Antoine-Léon.

— C'est ben ce qu'à va faire. Mais d'abord, à l'a pensé refiler le tuyau à ceux que ça pourrait intéresser. Ben certain, si l'envie vous prend et que vous préférez passer par un agent, vous avez ben en belle et payer quelques mille piastres de plus en commission… à la condition que le *bloc* soit toujours sur le marché, si elle a pas déjà trouvé preneur.

Antoine-Léon fronça les sourcils. Pendant un moment, il s'absorba dans ses pensées.

— Je vous avouerai que vous me bousculez un peu, dit-il. Je viens à peine de me bâtir une maison, je suis pas prêt à m'embarquer dans une autre business. Mais ça coûte rien de s'informer. Où c'est qu'elle habite, vot' veuve Martel, où c'est qu'il est situé, son immeuble ?

— Rue La Salle. À reste au rez-de-chaussée, le logement du concierge. Mais à peut vous expliquer tout ça elle-même, elle est icitte, avec nous autres, en train de ramasser des capelans.

— C'est une amie à vous, je présume, pour que vous preniez autant ses intérêts, fit Antoine-Léon.

— Je la connais un peu, laissa tomber Caduc avec un sourire en coin, significatif.

Antoine-Léon hocha la tête. Il dégagea sa pipe de sa poche et, en prenant son temps, la bourra de tabac frais.

Des parcelles brunes s'échappèrent de chaque côté de lui comme de lents flocons qui brasillaient dans le soleil levant. Il ouvrit la bouche.

— Vous connaissez la raison de la vente ?

— Je vous l'ai dit, un *bloc*, c'est dur à gérer pour une femme seule. Il y a les locataires qui sont jamais contents, les réparations, l'entretien…

— Ma mère a commencé à gérer des immeubles locatifs bien avant la mort de mon père et à soixante-quinze ans, elle en possède encore trois.

– Vot'mère, c'est pas la même chose. C'est la veuve de l'artiste. La veuve de l'artiste, c'est connu autant sur la Côte-Nord que sur la Rive-Sud. C'est pas une femme, c'est un taureau, ça se compare pas.

Antoine-Léon tiqua de la joue. Il se demandait s'il devait prendre la remarque de caduc comme un compliment ou s'il devait s'en formaliser.

Monta à sa mémoire une réflexion de sa mère. « En affaire, on s'embarrasse pas de susceptibilités. »

Elle avait ajouté à cette même occasion : « S'il te vient à l'idée de t'acheter un immeuble, je t'aiderai. C'est ce genre d'héritage que je veux laisser à mes enfants. »

Il s'agita. Quelque chose en lui le retenait de plonger dans pareil gouffre. Il voulait profiter d'un peu de tranquillité, pour quelque temps encore, mener une existence sans souci. D'autre part, les bonnes occasions ne se présentaient pas tous les jours.

La nuque arquée, il lança avec un peu de rudesse, dans un effort pour cacher son ambivalence :

– J'irai demain, après le bureau. Pour l'instant, je suis pressé. Il approche six heures et je dois être au travail à huit heures trente. Avant, je dois passer par la maison, prendre une douche et me changer. Où c'est qu'elle est votre veuve, que je me fasse une idée ?

De l'index, Caduc lui indiqua une femme courbée.

Antoine-Léon sursauta. Il pensait distinguer une vieillarde rabougrie, percluse de rhumatismes, le visage labouré de rides, avec ses jupes longues en coton passé, volant au vent, il n'entrevoyait qu'une jeune et élégante femme, revêtue d'un jean moulant ses hanches, le visage rose, ses cheveux savamment teints brillant comme de l'or dans les premiers embrasements du jour.

À la vue de Caduc, elle souleva légèrement le buste et lui sourit.

Encore une fois, Antoine-Léon sursauta. La femme avait de jolis traits, peut-être le nez un peu long, mais sa peau était lisse et elle était habilement maquillée. Ses lèvres entrouvertes découvraient une rangée de dents longues et blanches qui éblouissaient et ajoutaient à ses attributs particuliers.

Autant Élisabeth était distinguée, racée, hors d'atteinte, avec cette froideur intimidante qu'exhalaient les femmes de haute naissance, autant, à l'inverse, la veuve Martel était incendiaire, invitante, comme le sein chaud d'une mère, sans modération, généreux, accessible.

Il se demandait pourquoi, après deux années de veuvage, avec les célibataires qui foisonnaient dans la ville, elle n'avait pas encore trouvé un mari qui aurait pris en main et sa passion débordante et sa propriété à revenus.

Cette femme avait énormément de charme, il le reconnaissait. S'il devait traiter avec elle, mieux vaudrait n'en pas souffler mot à Élisabeth.

Près de lui, Caduc avait élevé la voix et avait interpellé la veuve d'une façon cavalière que n'aurait pas appréciée, non plus, Élisabeth.

La femme s'était redressée et marchait vers eux.

Béat, la bouche ouverte, Antoine-Léon la regardait s'avancer, se rapprocher et ne s'arrêter devant lui qu'avec leurs souffles qui s'emmêlaient.

— Monsieur Savoie, le secoua Caduc, v'là la veuve Martel.

Antoine-Léon se ressaisit et lui tendit la main. Il avait peine à dissimuler son trouble. Il se rendait compte combien il était fleur bleue. Hubert Lesage avait raison. À l'exception de quelques galanteries sans conséquence, de toute sa vie, il n'avait connu que les étreintes de son Élisabeth.

— Caduc m'a appris que vous seriez peut-être intéressé à acheter un *bloc* à la condition de trouver une bonne occasion, amorça la femme, je suppose qu'il vient de vous dire que le mien est à vendre.

Les yeux rivés sur les siens, elle compléta à voix basse, lente :

— Pour vous, Monsieur Savoie, je ferais un prix d'aubaine…

— Combien de logements ?

— Huit, sur quatre étages. Si vous désirez visiter, on peut y aller tout de suite. Les capelans peuvent attendre, la mouvée dure deux nuits, parfois plus, il y en aura encore demain.

Antoine-Léon abandonna sa tâche.

— C'est ça, il y en aura encore demain, répéta-t-il, une chaleur courant dans son ventre.

Ils quittèrent l'endroit, l'un derrière l'autre, chacun dans sa voiture, la veuve Martel le précédant pour lui indiquer la route.

Il avait le sentiment en roulant sur sa trace de suivre une de ces femmes aux mœurs légères, attirant son client vers une chambre d'hôtel ou une maison close et cette situation l'embarrassait.

Le visage enflammé, il imaginait sur les trottoirs, derrière les vitres des maisons, les regards des citadins braqués sur lui, curieux, amusés, il y ajoutait même celui de Caduc, le voyait émoustillé. Pourtant, ses intentions étaient honnêtes. Il ne comprenait pas ce malaise qui le consumait, cet inconfort qui lui apparaissait comme un remords avant même d'avoir commis la moindre incartade

Il suivit la femme à l'intérieur de son logement.

– Je vous offre un cognac, proposa-t-elle aimablement. Après cette nuit blanche, ça vous remonterait un peu.

Il refusa tout net.

– Je ne bois jamais le matin, encore moins quand j'ai l'estomac vide.

– Alors je vous offre un café, corsé, j'en fais un excellent.

– Si nous parlions plutôt affaires, l'interrompit-il, subitement pressé et la rappelant à l'ordre. Quel âge a la bâtisse, son état, quand pourrais-je visiter un logement ?

Ses questions se succédaient.

– Quand vous voudrez, fit complaisamment la femme. Les locataires ont été avertis de la possibilité de visites.

Il la suivit sur les paliers et les étages. L'immeuble lui paraissait négligé. Les escaliers de même que les planchers étaient gris de poussière. Ici et là, devant les portes, des mégots de cigarette et des rognures de papier jonchaient le sol. Il pensa que sa mère n'aurait jamais toléré pareil laisser-aller.

S'il décidait d'acquérir cet immeuble, il imposerait des règles strictes qui devraient être respectées sous peine de renvoi. Les locataires auraient à se bien tenir.

– Combien en demandez-vous ? interrogea-t-il.

– J'en demande cinquante mille dollars, mais pour vous, je ferais un prix spécial.

Antoine-Léon fronça les sourcils.

– Et pourquoi ?

– Vous ne voulez pas d'abord visiter un logement ? Ce sera plus aisé ensuite de discuter un prix, fit-elle en pointant sa clef passe-partout vers une serrure.

– Je suis curieux, mais vous pensez pas qu'il est un peu tôt pour déranger un locataire ?

– Vous avez raison, nous irons plus tard.

Elle recula vers l'escalier et le frôla au passage. Antoine-Léon sentit la pointe de ses seins fermes effleurer son bras.

– Pour tout de suite…

– Pour tout de suite, on va s'arrêter là, prononça Antoine-Léon, je reviendrai un autre jour.

– Pourquoi ne pas en profiter pour regarder les livres de comptes, nous les examinerions en sirotant une tasse de café.

Antoine-Léon éclata de rire. Il était tout à coup décontracté.

– Vous semblez y tenir à m'offrir une tasse de café, bien ! j'accepte.

Il prit place devant la table de la cuisine. Le grand livre de comptes étalé devant ses yeux, un bol de café fumant à sa droite, il entreprit d'analyser les chiffres.

La femme s'était levée de sa chaise et tournait autour de lui. De temps à autre, elle s'arrêtait et effleurait son épaule afin de mieux expliquer. À chacun de ses déplacements, sa main frôlait son bras ou encore, dans un geste en apparence involontaire, c'étaient ses seins dont il sentait la tiédeur sur sa peau.

– Caduc vous a dit que je suis veuve ? lui apprit-elle à brûle-pourpoint tandis que, de son index, elle indiquait un profit mensuel.

Antoine-Léon se figea. D'habitude, le réflexe vif, la réplique alerte, il savait se défendre, mais à cet instant, il ne savait que répondre. Subjugué, il la fixait. Ses prunelles rivées sur elle brillaient dans ce qui semblait être une attitude bienveillante.

Encouragée, elle tira une chaise et s'y laissa tomber. Elle renchérit sans lui laisser la possibilité de répliquer :

– Vous ne me connaissez pas, Monsieur… Sa… vous me permettez de vous appeler Antoine-Léon ? Vous ne me connaissez pas, répéta-t-elle, mais moi, il y a un bout que je vous connais. Ça date de bien avant la mort de mon mari. Je vous avais remarqué à l'église. Je vous trouvais beau mâle. Chaque dimanche, je vous observais. Bien sûr, vous vous en êtes pas rendu compte. Je suis certaine que jusqu'à aujourd'hui vous ignoriez même mon existence. Faut dire qu'on n'est pas du même monde, fit-elle en baissant les yeux.

Elle souleva les paupières et l'enveloppa du regard.

– Mais si vous achetiez mon immeuble, je deviendrais votre locataire alors…

Dodelinant de la tête, elle continuait à discourir. Antoine-Léon sentait son haleine parfumée de café qui frappait son visage. Hypnotisé, il attendait. Sa main était abandonnée sur la table et dessus, elle avait posé la sienne.

Un soupir gonfla la poitrine de la femme.

– Je me sens bien seule.

Antoine-Léon sursauta. Brutalement, comme s'il s'éveillait d'un songe, sa maison, sa famille venaient de surgir devant ses yeux.

Il recula sur sa chaise. Comme s'il se retirait dans son univers, dans son monde à lui où la veuve n'avait pas sa place, vivement, il dégagea sa main et se leva.

– Votre immeuble m'intéresse. Je suis prêt à faire des affaires, mais uniquement des affaires.

Son ton avait été froid, cinglant. Par sa remarque qu'il avait voulue claire, tranchée, passait le message qu'il était bien résolu à garder ses distances.

– Si une transaction devait se conclure, cela ne se ferait pas immédiatement, dit-il encore. Il me faut d'abord rencontrer mon comptable et mon banquier. Ensemble, nous étudierons votre proposition. Mais je dois commencer par visiter les logements. S'il y a lieu, je vous ferai une offre.

D'un élan vif, un peu raide, il se dirigea vers la sortie.

Comme s'il avait échappé de justesse à l'égarement, cédé à une imprudence qu'il devrait se faire pardonner, le même soir il se rendrait chez *Tessier automobiles*, un des plus importants concessionnaires de voitures de la ville. Il choisirait une jolie petite Chevrolet et en ferait cadeau à Élisabeth, sans lésiner sur le coût. Il en profiterait ensuite pour lui instiller subtilement son projet d'acheter un immeuble à logements, celui de la veuve Martel.

12

Élisabeth déposa son sac de golf dans le coffre de sa voiture. Sa visière ceignant son front, coquettement vêtue d'un t-shirt à manches courtes et d'une jupe de golfeuse s'arrêtant à mi-cuisses, elle tâta dans son fourre-tout son gant de droitière et sa pochette de tees. Le pas tranquille, elle alla prendre place sur le siège du conducteur et fit démarrer le moteur.

Comme chaque matin, elle se dirigeait vers le club situé dans la localité voisine, un parcours à neuf trous, aménagé par la compagnie forestière, semé de résineux sauvages, d'obstacles et de déclivités, qui s'étirait doucement vers la montagne.

Le chaud soleil éblouissait. L'été se poursuivait et les vacances d'Antoine-Léon étaient sur le point de débuter. Leurs malles étaient bouclées. Tôt demain matin, ils se mettraient en route.

Cette année encore, ils feraient le tour de la parenté. Ils iraient passer un moment auprès du docteur Gaumont, son père, et ils visiteraient la famille d'Antoine-Léon: sa mère, son frère David, de même que Lina et Marc-Aurèle, les enfants de Cécile. Sur le chemin du retour, ils s'arrêteraient chez Marie-Laure.

Après toutes les dépenses qu'ils avaient faites depuis quelques années, la construction de la maison et, plus récemment, l'acquisition de l'immeuble de la rue La Salle, sans compter l'achat d'une seconde voiture, elle avait compris que l'heure n'était pas aux extravagances, qu'elle aurait été mal avisée de suggérer un voyage dans les vieux pays comme se le permettaient la plupart de leurs amis.

L'achat de la petite Chevrolet avait été fortuit. Ils en avaient bien déjà discuté, mais ils avaient si souvent reporté le projet qu'elle n'y croyait plus. Aussi lorsqu'Antoine-Léon s'était présenté à la maison avec ce cadeau, elle en avait été longuement suspicieuse. Comme un mari qui apporte un soir, et sans raison, des fleurs à son épouse, peut-être Antoine-Léon avait-il voulu l'amadouer, lui faire accepter sa décision de se lancer dans l'immobilier? Peut-être voulait-il faire excuser ce que serait sa vie future, ses absences de la maison, ses loisirs qu'il passerait à répondre aux doléances de ses locataires ou encore dans la chaufferie de l'immeuble à trafiquer quelque bricole pour minimiser ses coûts?

Il y avait aussi la veuve Martel. Elle ne cachait pas que celle-là lui portait sur les nerfs. L'ancienne propriétaire occupait toujours son logement au rez-de-chaussée de la bâtisse et ne cessait de rôder autour de son Antoine-Léon. À peine, sa voiture pointait-elle dans la cour que cette pimbêche accourait sur le perron afin de lui relater les derniers potins de l'établissement.

Pareille attitude dépassait sa marge de tolérance et elle l'avait vertement fait savoir à son époux.

– Si je te suis bien, tu crains que j'aie des vues sur la veuve Martel? s'était-il écrié, en ponctuant sa répartie d'un bruyant éclat de rire.

Elle avait protesté avec véhémence. Elle se défendait bien d'être jalouse de cette gonzesse qui gobait les moindres paroles de son époux en roulant des yeux de merlan frit. Ce qu'elle réprouvait, c'était cette sorte d'indécence de la part d'une femme prétendument honorable à tourner, au su et au vu de tous, autour d'un homme marié et père de famille, par surcroît!

Elle émergea de ses rêves. Elle était arrivée devant le club de golf. Les barrières symboliques béaient comme deux grands bras ouverts sur un passage accueillant. Roulant avec lenteur, elle pénétra dans l'enclos et s'orienta vers l'aire de stationnement.

Le soleil inondait la vaste étendue, comme un pinceau lumineux qui dessinait des coulées d'or.

Le neuf trous était proprement aménagé avec ses aires de gazon d'un vert intense, ses fosses de sable blond et ses plans d'eau.

Des abris comme des appentis avaient été semés ici et là sur le parcours, autant pour permettre à ses hôtes de se reposer un moment que pour les protéger d'une pluie soudaine.

Le pavillon, modeste bâtisse en bois, devant lequel se dépliait un petit chemin caillouté, circonscrivait l'accès à l'aire de jeu.

Aujourd'hui, par cette belle journée, l'activité était grande. Massés devant la porte et s'appropriant le perron, quelques golfeurs gesticulaient. Ils organisaient leur circuit. Plus loin, près du tertre de départ, des joueurs s'agglutinaient.

En prenant son temps, elle troqua ses fines sandales pour ses chaussures cloutées, extirpa son sac de golf de l'arrière de sa voiture et passa la sangle sur son épaule. Le dos courbé sous son poids, elle se dirigea vers le bâtiment.

Les hommes étaient nombreux à suivre sa silhouette qu'ils apercevaient s'amenant dans la petite allée. Chacun souriait. Élisabeth était populaire. Enjouée, de conversation légère et rarement tranchante, elle avait sa place bien acquise parmi les golfeurs et elle était admirée de tous.

Elle alla s'arrêter près d'un petit attroupement et tout de suite s'engagea dans un bavardage ponctué de rires. Ils lui étaient tous familiers, car la ville était minuscule et le golf était prisé par une classe particulière, celle des employés des compagnies papetières, d'aluminium et de l'hydroélectricité, comme une chasse gardée, un cercle restreint.

— Te voilà enfin, Élisabeth, s'exclama Suzy, l'épouse de Jean-Marc Rondeau, avec qui elle avait projeté ce parcours.

Appuyée sur son chariot, elle tenait une tasse de café fumant à la main.

— Tu es en retard, ma chère, j'ai dû laisser un *foursome* de vieux retraités prendre notre tour de départ. Tels que je les connais, ils vont traîner sur le *vert*, noter leurs gageures, les commenter et nous retarder d'autant.

Sa voix était teintée d'un léger reproche sous son intonation moqueuse.

— Je sais, fit Élisabeth, c'est la faute de la gardienne, elle n'arrivait pas.

— Cesse de te chercher des excuses, c'est dans ta nature, mais je t'aime bien quand même, ajouta rapidement Suzy. Et puis, ce n'est pas si grave, nous sommes venues ici pour nous détendre et nous avons toute la journée pour nous.

Élisabeth remua légèrement les paupières, mais ne se formalisa pas. Suzy était ainsi. Elle avait son franc-parler, mais sa générosité et son bon sens débordaient.

« Suzy est de ces êtres qui nous attirent comme un aimant et on ne peut s'expliquer pourquoi », se disait-elle.

Elle la considérait comme l'une de ses meilleures amies.

De courte taille, légèrement rondelette, elle avait une jolie allure, un peu provocatrice, la première dame de leur société à maquiller outrageusement ses grands yeux bleus d'un trait de crayon gras indigo, épais, qui débordait vers ses tempes à la façon de Cléopâtre, et ce tracé lui seyait fort bien. Pour toutes ces raisons, elle s'attirait sa faveur.

— On soupe toujours ensemble ?

— C'est ce qui a été entendu, répondit Suzy. Pour ma part, j'ai averti Jean-Marc de venir me rejoindre ici.

— Antoine-Léon quitte le bureau vers quatre heures trente et lui aussi va venir nous retrouver. Nous aurons amplement le temps de faire deux neuf trous.

Poursuivant leur bavardage, elles se rapprochèrent nonchalamment du tertre de départ.

— C'est bien monsieur Harvey que je vois devant nous, s'écria Élisabeth. Lui aussi fait donc partie de la ligue des vieux.

— Si tu l'as oublié, monsieur Harvey vit de ses rentes depuis que ton mari réchauffe son fauteuil dans l'édifice de la *QNS*, précisa Suzy. Et crois-moi, il profite de la vie autant qu'il le peut. Paraît-il qu'il s'offre même des petits voyages.

Élisabeth laissa poindre un léger sourcillement. Elle aurait donné gros pour suivre les pas de monsieur Harvey, connaître ses destinations lors de ses « petits voyages ». Elle se demandait si depuis leur rencontre de l'automne précédent, il s'était rendu à Saint-Germain et avait rendu visite à sa belle-mère, ainsi qu'elle le lui avait suggéré, ou si l'envie lui avait passé comme il arrive souvent aux gens de son âge ?

Elle risquait de ne jamais l'apprendre. Elle n'était pas indiscrète, elle avait rarement l'occasion de rencontrer le vieil homme et sa belle-mère était peu bavarde.

– J'ai vu ta Dominique, l'autre jour, dit Suzy en même temps qu'elle fouillait dans une pochette de son sac pour y prendre son gant de droitière. Elle a beaucoup grandi. Quel âge a-t-elle maintenant ?

– Elle a sept ans, répondit Élisabeth, et Philippe en a neuf. Mes enfants vieillissent, bientôt je n'aurai plus besoin de gardienne.

– Plus de bébés à chouchouter, tu ne vas pas t'ennuyer ?

Élisabeth laissa poindre une moue.

– Je vais pratiquer tous les sports qui existent. Qu'est-ce qu'il y a d'autre à faire ici ?

Une profonde lassitude fit se soulever sa poitrine. Assombrie, elle tourna son regard vers l'horizon sud qu'elle apercevait de l'autre côté de la mer. Elle prononça à voix contenue :

– Mon Bas-du-Fleuve me manque. Je rêve du jour où je retournerai y vivre. Il y a là-bas un tas d'activités intéressantes.

– Pour les activités intéressantes, ton Bas-du-Fleuve n'est guère mieux que toutes les autres petites villes, répliqua Suzy. Si tu cherches vraiment du mouvement, je te conseille de reluquer du côté de Québec ou de Montréal.

– Dans le Bas-du-Fleuve, il y a d'abord mon père. Si j'y habitais, je le verrais plus souvent. J'ai perdu ma mère alors que je n'avais que dix-huit ans et je suis fille unique, mon père est ma seule famille.

– Lorsque mon mari prendra sa retraite, nous allons déménager à Québec, annonça fièrement Suzy.

Élisabeth ne répondit pas. Là-bas, du côté du bosquet de résineux, les quatre vieillards constituant le *foursome* avaient atteint le vert du premier trou. Leur coup roulé complété, tel que l'avait deviné Suzy, comme des habitués qui ont tout leur temps, ils sortirent un carton de pointage de leur poche et inscrivirent scrupuleusement leur résultat. Tournés les uns vers les autres, ils discutaient avec chaleur.

Le manège était connu, ils faisaient des paris. Beaucoup de joueurs masculins avaient cette habitude. Les deux jeunes femmes devinaient la cagnotte empoisonnée qui guettait le vainqueur. Ce serait à lui qu'il reviendrait d'honorer le dix-neuvième trou, dans leur cas le dixième par une tournée générale de bière.

Deux joueurs avaient déjà accédé au tertre de départ. Le coude appuyé sur leur bâton, une jambe croisant l'autre, la pointe de leur chaussure fichée dans le sol, Jean-Marie Côté et Luc Gilbert les regardaient s'approcher.

— Mesdames Savoie et Rondeau! Ce sera un honneur de faire le parcours avec vous, ironisa Jean-Marie. J'espère que vous n'en serez pas trop déçues.

— Déçues n'est pas le mot, mon cher Jean-Marie, répartit Élisabeth sur le même ton ironique, enfin nous allons nous en remettre.

C'était la coutume à cette période de l'été, alors que l'endroit était bondé de vacanciers, de procéder au jeu par équipe de quatre et ainsi réduire les temps de départs. Chacun devait se soumettre à cette exigence. Sans compter que le golf étant considéré comme une activité sociale, il était plus attrayant lorsque pratiqué en groupes.

Le parcours numéro un était une normale trois. Prudemment, le quatuor attendit pour frapper que les quatre retraités aient quitté le *vert*.

Leur carton de pointage glissé dans leur poche, avec une lenteur pesante, du même pas caractéristique, leur talon creusant le gazon tendre, la semelle cloutée de leur autre chaussure miroitant sous le soleil, les vieux routiers se dirigèrent vers leur voiturette électrique, s'y entassèrent et disparurent vers le trou suivant.

Élisabeth jouait la première. Elle dégagea son bois 1, prit dans la pochette de son sac un tee tout neuf et le plaça entre son index et son majeur. D'une pression du pouce, elle le piqua dans le gazon et y déposa la balle. Les jambes légèrement écartées, dans une souple rotation, elle frappa. La petite sphère siffla, effectua un bel arc très droit et alla rouler directement sur le *vert*.

— Que voilà une belle *drive*! s'exclamèrent les autres.

— Je n'ai pas ton habileté, se défendit Suzy, en piquant à son tour un tee dans l'herbe épaisse et en frappant une courte balle. Faut dire que j'ai moins souvent que toi l'occasion de jouer, j'ai quatre enfants à la maison, moi.

— Malgré cela, je trouve que tu ne te débrouilles pas si mal, l'encouragea Élisabeth.

Ils avaient atteint le vert et effectué leur coup roulé.

— Ainsi, vous avez décidé de faire l'école buissonnière, émit Suzy à l'adresse de leurs deux compagnons, tandis qu'ils se dirigeaient vers le trou suivant ou serait-ce que monsieur Bellemare vous aurait mis en pénitence ?

— Nous avons jeté un œil par la fenêtre et quand nous avons vu le soleil, nous avons décidé de prendre congé, répondit Jean-Marie. Au nombre d'employés qui bossent derrière leur pupitre sur deux étages, nous nous sommes dit que nous ne leur manquerions pas.

Suzy jeta un regard autour d'elle. Les cigales stridulaient et le soleil éclatait dans un ciel d'un bleu clair, sans nuages.

— Vous ne pouviez choisir plus belle journée *off*, Messieurs, s'écria-t-elle. La température est superbe.

Ils approuvèrent.

— Si le soleil continue à être de la partie, je vais presque regretter de partir en vacances demain, déplora Élisabeth. Depuis le mois de juin, je joue au golf presque chaque jour.

— Et tu es une de nos meilleures golfeuses, fit Jean-Marie. Combien de trophées as-tu à ton actif ?

Élisabeth éclata de rire. Cette remarque l'avait flattée.

— Je ne fais que m'amuser. Je n'ai rien d'une Jocelyne Bourassa.[1]

Ils avaient terminé le neuvième trou et étaient revenus à leur point de départ.

Ils consultèrent leur montre-bracelet, il approchait treize heures.

— Que diriez-vous d'aller prendre une bouchée au club-house avant de faire un autre parcours ? les invitèrent leurs deux compagnons.

— Pourquoi pas, répondirent-elles, nous ne sommes pas pressées, nos époux ne viendront nous rejoindre que vers dix-sept heures.

Le soleil brillait avec plus de puissance encore lorsqu'ils sortirent de la salle à manger du pavillon.

Éblouis, ils considérèrent le grand espace de jeux. Partout, c'était le silence, toute la nature semblait alanguie, sans un souffle de vent. Une lourdeur chargeait l'atmosphère. C'était l'heure tranquille après le repas de midi. La foule qui s'était pressée sur le parcours pendant la matinée s'était dissipée. Le premier trou et les autres étaient libres.

Un claquement, de temps à autre, troublait l'air et leur parvenait en écho. Au loin, quelques rares joueurs frappaient leur balle.

1. Jocelyne Bourassa, originaire de la ville de Shawinigan, était une championne golfeuse dans les années 1960.

Ils se dirigèrent vers le tertre de départ.

Il dépassait seize heures trente quand ils atteignirent encore une fois le dernier trou. L'après-midi avait passé agréablement. Là-bas, derrière le fourré, se dessinait le club-house.

– Je ne suis pas fâchée que nous approchions de la fin, jeta Suzy, cette longue marche m'a épuisée. C'est pire que de prendre soin de quatre enfants.

– Tu devrais être heureuse, répartit Élisabeth, pour une fois tu as pris du soleil au lieu de rester encabanée dans ta maison et il nous a accompagnés pendant toute la journée.

– Si je jouais mieux, si mes coups étaient plus longs, ce serait stimulant, mais je n'ai jamais aussi mal joué, j'ai l'impression de n'avoir fait que pousser ma balle et vous retarder.

– Tu sais bien que ça n'a pas d'importance, on joue pour soi. Ça ne nous a pas empêchés d'avancer.

Élisabeth posa sa balle sur un tee et frappa en ligne très droite.

Au loin, des voitures roulaient avec lenteur et franchissaient les barrières. Les unes derrière les autres, elles allaient occuper les places de stationnement. C'était l'heure de la fermeture des bureaux et malgré un petit nuage qui montait vers le ciel et l'enténébrait, les fanatiques du golf s'amenaient avec leur sac pour effectuer un parcours tardif.

Une femme s'était extraite de son véhicule et gagnait le pavillon à longues enjambées. Élisabeth identifia avec déplaisir la veuve Martel. Une silhouette s'était dessinée derrière elle. Elle reconnut Antoine-Léon. La veuve s'était retournée. Avec de grands gestes, les bras tendus, elle était revenue sur ses pas. « Quelle bonne surprise ! » semblait-elle dire.

Antoine-Léon avait répondu à son élan de cordialité. Élisabeth esquissa une grimace méchante. Son époux et la veuve s'amenaient ensemble et entretenaient une vive conversation. « Qu'est-ce qu'elle vient faire dans notre club, celle-là ? » marmonna-t-elle.

Bien sûr, le pavillon de golf n'était pas interdit aux non-membres, pourtant, elle était agacée. « Cette bécasse est par trop collante ! », se dit-elle.

Une pensée assassine durcit ses lèvres. « Qu'il ne prenne pas l'envie à Antoine-Léon d'entraîner cette femme sur le parcours, parce

que son intervention lui vaudra une belle demande en divorce »,
marmonna-t-elle encore.

Quelques grains avaient commencé à tomber. Là-bas,
Antoine-Léon et la veuve s'étaient mis à courir et avaient disparu
dans le pavillon.

— Il va pleuvoir, dit-elle à ses compagnons. Nous devrions arrêter
la partie ici et rentrer.

— Ce n'était qu'un tout petit nuage et c'est déjà terminé, objecta
Jean-Marie. Tu ne serais pas plutôt pressée de regagner le club-
house parce que tu viens de voir cette veuve qui s'accrochait au bras
de ton mari, observa-t-il crûment. Ça te turlupine ? Pourtant, tu ne
devrais pas, elle ne te va pas à la cheville.

Élisabeth rougit.

— Ça plairait à Pauline que tu lui fasses la même chose ?

— Certes pas, mais ça n'arrivera pas. Je n'ai pas l'ambition
d'Antoine-Léon pour m'approprier un immeuble. J'ai un excellent
salaire, un bon fonds de pension et je m'en contente, je pratique des
sports, j'ai mes loisirs et je n'en exige pas davantage.

— J'aimerais bien que mon mari pense la même chose, mais
comme s'il n'en avait jamais assez, il vient de s'acheter un immeuble
à logements.

— On en parlait ensemble, les gars, au début de l'été quand il en
a fait l'acquisition, on ne comprend pas pourquoi il s'est embarqué
dans une engeance pareille. Il a une bonne job, il est tranquille,
pourquoi il ne profite pas de la vie, tout simplement ?

— Moi non plus, je n'ai pas compris et je ne comprends toujours
pas, s'ingéra Luc Gilbert qui avait à peine ouvert la bouche tout
le long du parcours. Antoine-Léon est un gars intelligent, il a de
bonnes idées, mais il arrive des fois qu'il nous déroute.

Élisabeth les considéra l'un après l'autre. Elle était étonnée que
les confrères discutent entre eux et portent des jugements sur leurs
pairs. Elle n'avait pas approuvé l'achat de l'immeuble et elle ne
l'approuvait pas davantage aujourd'hui. Cependant, elle n'irait pas
jusqu'à partager ses ennuis avec des tiers, fussent-ils ses amis, quand
ces gens ne connaissaient rien à la question.

Sa vie avec son époux lui appartenait et le jour n'était pas venu où
elle se laisserait aller à faire des confidences sur un parcours de golf.

Pourtant, elle se disait qu'elle devait mettre Antoine-Léon en garde. La ville était petite et les bavardages faciles. Elle avait en preuve la conversation surprise, l'automne précédent entre la femme de Bordelais et sa semblable.

— J'espère que tu ne prends pas en mal ce qu'on vient de dire, émit Jean-Marie, interprétant son silence. S'il n'en était que de toi...

— Vous êtes une femme intelligente, Élisabeth, renforça Luc, très attirante et très belle en plus.

Élisabeth se raidit. Troublée, elle retint son souffle. La remarque de l'homme la flattait, pourtant, elle ne pouvait s'empêcher d'en ressentir un certain malaise. Luc Gilbert était considéré par toutes les femmes comme un fort bel homme. Plutôt avare de paroles, grand, d'allure racée, la peau fortement bronzée par le soleil, il avait les traits virils, un peu durs rappelant une sculpture taillée dans le roc. Ses prunelles noires, indéchiffrables exhalaient une certaine tristesse qui lui donnait un air encore plus séduisant. De même que les autres femmes, elle se sentait fléchir devant son charme.

— Bon, vous allez me cesser ces encensements et vous remettre à jouer, intervint Suzy, vous ne voyez pas que vous embarrassez mon amie?

Élisabeth lui jeta une œillade reconnaissante. Elle saisit son putter et fit rouler sa balle dans le trou. Les autres suivirent son geste, puis chacun attrapa son sac.

Pressant le pas, ils s'engagèrent dans l'allée vers le pavillon.

Une chaleur intense les accueillit. Une épaisse fumée de cigarette brouillait l'air et un vacarme étourdissant remplissait les lieux.

Les tables étaient toutes occupées par des joueurs excités, bruyants qui claironnaient leurs meilleurs coups. La nuque courbée, leur visière cerclant encore leur front malgré l'endroit exempt de soleil, ils enserraient dans leur main l'anse d'un pichet de bière.

— Hé! Côté, s'écria l'un d'eux à la vue de Jean-Marie. Tu t'en viens jouer ou quoi?

— Qu'est-ce que t'en penses? répondit-il.

Sans plus se préoccuper, l'autre reprenait son bavardage.

Élisabeth tenta en vain dénicher un siège où s'asseoir. Debout près de la porte, son regard balayant autour d'elle, elle se mit à la recherche de son époux.

Elle l'aperçut enfin, après un moment, dans l'ombre d'une petite table. Retranché tout au fond de la pièce, calé sur une chaise à dossier de paille, cerné par les vapeurs grises de sa pipe, il sirotait un broc de bière. Près de lui se tenait Hubert Lesage. Elle distinguait également devant la même table une autre silhouette, celle d'une femme. Assise, la tête penchée, la veuve Martel sirotait, elle aussi, un broc de bière, probablement offert par son Antoine-Léon, devinait Élisabeth, bouillante de colère.

Antoine-Léon l'avait, lui aussi, repérée. Il avait rougi et baissé les yeux.

Furieuse, elle prit une inspiration profonde. À grandes enjambées décidées, les narines vibrantes, elle marcha vers lui. Elle allait lui jeter sa honte à la face, lui dire son fait et il aurait tout un auditoire.

Subitement, elle se calma. Elle s'était ressaisie. Une idée germait dans sa tête. Le pas ralenti, de promenade, elle fit un ricochet et traversa la salle en diagonale.

Calmement, se déplaçant entre les groupes, elle souriait, prenait son temps, saluait au passage les gens de sa connaissance ou s'arrêtait pour un brin de causette.

Elle était arrivée devant l'angle sombre où se tenait son époux, à l'écoute de la tablée, mêlant ses remarques aux réparties d'un Hubert émoustillé, les gestes enflammés.

Contournant sa chaise par l'arrière, le mouvement gracieux, la main posée sur son épaule, elle inclina légèrement la tête près de son oreille. D'une voix douce, onctueuse, elle prononça sur un ton paisible :

– Je voulais te rassurer, mon chéri. Tes enfants, Philippe et Dominique, se portent bien.

Antoine-Léon sursauta. Le visage empourpré, comme mû par un ressort, il repoussa son pichet et se leva.

Confus, il s'excusa auprès des deux autres.

– J'étais venu rejoindre ma femme pour une partie de golf, je dois vous laisser.

La tête haute, Élisabeth s'en était retournée vers la salle. Antoine-Léon lui emboîta le pas.

– Cette invitation à souper tient toujours ? lui demanda Suzy tandis qu'elle longeait sa table.

– Plus que jamais, ma chère, répondit Élisabeth. Nous allons apprécier de nous retrouver dans notre monde, n'est-ce pas, Antoine-Léon ? fit-elle, les lèvres pincées en dardant sur son époux, son œil bleu, flamboyant.

13

On frappait à la porte du bureau d'Antoine-Léon.

Madame Flamand, sa secrétaire particulière, passa la tête dans l'embrasure. Une tasse de café à la main, elle pénétra dans la pièce.

– Voilà, Monsieur Savoie, déclina-t-elle de son timbre maternel en déposant le bol devant lui. J'y ai ajouté un sachet de sucre et un soupçon de crème, comme vous l'aimez. Buvez lentement, il est très chaud.

Stylée, sa forte poitrine emprisonnée dans son soutien-gorge rigide, elle dégagea de sous son bras son carnet de notes.

– Vous avez rendez-vous à l'usine de copeaux vers onze heures avec monsieur Rondeau, mais auparavant, vous êtes convoqué dans la salle de conférence vers neuf heures par monsieur Bellemare pour un meeting d'exception.

Antoine-Léon la fixa avec étonnement. Il n'avait pas eu vent de cette réunion.

– Vous avez tout votre temps pour boire votre café, le rassura-t-elle avant de s'éloigner vers le corridor.

Le mois de juin allait se terminer. L'hiver et le printemps avaient passé sans désagrément ni accrochage, chaque jour le retrouvant à ses tâches dans lesquelles il se plongeait à l'égal de ses collègues. Il était curieux de savoir ce que lui voulait cette fois, monsieur Bellemare.

À l'heure dite, il se dirigea vers la salle de conférence.

Un bruit de porte qu'on referme lui fit tourner la tête. Luc Gilbert sortait de son bureau et accordait son pas au sien.

— Serait-ce que, toi aussi, on t'a convoqué ? lui demanda-t-il. Un ingénieur forestier et un ingénieur mécanique, t'as idée de ce qu'ils nous veulent ?

— Aucune, mais nous ne tarderons pas à le savoir, répondit Gilbert avec son stoïcisme coutumier, ses semelles heurtant lourdement le parquet vers la salle de conférences.

Quatre hommes étaient déjà arrivés. Assis sur le devant de leur siège, le visage empreint de gravité, ils se tenaient dans l'attente, les coudes appuyés sur la table, un document fermé devant eux.

Il y avait là leurs deux supérieurs immédiats : Roger Bellemare et Laurier Harnois. Tout au bout du panneau, le visage rouquin, son œil d'un bleu vif rivé sur eux, se tenait monsieur O'Neil, vice-président des affaires extérieures de la compagnie. Près de lui, ramassé sur lui-même, le teint gris, la mine hermétique, comme surgi inopinément dans leurs lieux, avait pris place un petit homme qui leur était inconnu, qu'ils devinaient être lui aussi un représentant des hautes autorités.

Une odeur pénétrante d'encaustique frappa leur odorat. Antoine-Léon songea à quel point la vaste pièce était d'une sobriété monacale voulue, contexte qui accentuait sa sévérité et y rendait toute plaisanterie inappropriée. Meublée presque exclusivement d'une longue planche rectangulaire, en bois verni, elle comptait douze chaises disposées tout autour, aussi en bois verni. Au centre, un plateau d'argent avait été posé, s'y alignaient six verres renversés et un pichet d'eau fraîche. Sur les murs lambrissés d'acajou, quelques photographies représentant le fondateur de la compagne, de même que ses principaux initiateurs avaient été accrochées. Elles constituaient les seules composantes décoratives de la salle.

À leur approche, Roger Bellemare se leva. D'une façon officielle qui n'avait rien de commun avec l'attitude condescendante dont il usait d'habitude, oubliant toute familiarité, il leur indiqua des chaises.

— Je vous présente monsieur Alphonse Rochon, haut fonctionnaire à la société Rexfor, annonça-t-il en indiquant le petit homme. Monsieur Rochon est membre du conseil d'administration. Il est responsable de l'étude qui nous amène à vous convoquer ici, ce matin. Je n'ai pas à vous présenter monsieur O'Neil du bureau de

Montréal, de même que Laurier Harnois et moi-même qui sommes de la maison.

Il s'assit.

– Je cède la parole à monsieur Harnois.

Celui-ci se racla la gorge. Quinquagénaire, spécialiste de la foresterie et du traitement du bois d'œuvre que les dirigeants avaient subtilisé depuis peu à un compétiteur, il s'apprêta à parler à son tour.

Les yeux rivés sur ses notes, il exposa avec lenteur, de sa voix un peu éteinte :

– Vous êtes tous au courant de l'étude commandée, il y a quelques années, ayant trait à une alliance entre la *QNS* et le gouvernement du Québec, visant un projet d'implantation d'une scierie. La recherche est maintenant terminée et les conclusions nous ont été remises.

Les yeux fixés tour à tour sur ses auditeurs, il lança sur un ton enthousiaste :

– Les résultats de l'étude s'avèrent hautement favorables. Aussi, nous avons résolu de passer à l'action. Ce rapport nous amène à vous annoncer que bientôt, nous ne nous limiterons plus à la production de copeaux et de pâtes et papier. Nous allons en plus fabriquer du bois d'œuvre conjointement avec le gouvernement du Québec. La société d'État sera propriétaire de l'entreprise à raison de 60 % et la *QNS*, à 40 %.

Sa voix s'était encore enflammée tandis qu'il ajoutait.

– L'usine que nous projetons de construire sera la plus importante de toutes celles existant à ce jour au Canada, des provinces de l'est jusqu'aux Rocheuses.

Abandonnant ses notes, il s'adressa à Antoine-Léon.

– Ce que je m'apprête à dire vous concerne, Monsieur Savoie. Vos compétences ont été analysées. Votre force est dans la planification. Nous avons besoin de votre savoir-faire pour conduire notre projet.

Le menton levé, il fit une pause déclamatoire avant d'articuler comme s'il lui faisait un grand honneur, la grâce d'un prince :

– Monsieur Savoie, vous avez été choisi pour veiller à l'édification de la nouvelle usine. Le site retenu est le grand emplacement longeant la rivière aux Outardes sur lequel actuellement… et vous aurez la responsabilité de…

Ébloui, Antoine-Léon n'écoutait plus. Il connaissait bien l'endroit pour y avoir déjà contrôlé des travaux relatifs au transport des billots vers l'usine de copeaux. Le terrain était la propriété de la société Rexfor et servait au collectage des bois descendant le cours d'eau.

Dravé tout en haut, le produit des coupes entourant le bassin hydrographique d'Outarde-4 rejoignait sa destination par la rivière jouxtant cette aire de récupération. Le bois coupé en tronçons de quatre pieds était entassé dans un espace défriché de cette immense surface pour être ensuite déplacé par camion jusqu'à l'étang de la Manic qui servait de déversoir aux différents cours d'eau. De là, il s'engouffrait dans la dalle humide et allait terminer sa course à l'usine de la rue Marquette. Avalé par les puissants *drums*, déchiqueté, broyé, il était réduit en pâte, prêt pour sa transformation en papier.

— L'usine portera le nom de scierie des Outardes, poursuivait monsieur Harnois. Mais vous ne serez pas seul. Monsieur Gilbert ici présent vous secondera en tant qu'ingénieur mécanique. D'autres spécialités seront aussi représentées.

Estomaqué, Antoine-Léon le dévisageait.

— Cela signifie que la *QNS* te prête au consortium qu'elle formera avec la société Rexfor, expliqua Roger Bellemare. Tu auras pour tâche de mener le projet à terme. Par la suite, nous verrons. Soit que tu réintègres ton poste ou que tu occupes une fonction dans l'usine même.

— Dans nos rêves les plus optimistes, la scierie procurerait du travail à trois cents pères de famille et à cinq cents autres en forêt, reprenait monsieur Harnois. Nous créerions ainsi huit cents nouveaux emplois. L'affaire est prometteuse. Déjà, nous sommes en pourparlers avec l'étranger pour la signature de contrats coulés dans le béton. Nous acheminerions par bateaux et sans faillir, des tonnes de bois d'œuvre à travers le monde, et ce, pendant des années.

— Les travaux débuteraient dans deux ans, précisa Roger Bellemare, soit en 1975, et nous prévoyons les terminer vers…

Il fit un calcul rapide.

– *Two or three years*, coupa monsieur O'Neil, prenant la parole. *We hope that everything will be finished by spring 78. I presume that you will strive to meet this deadline.*[2]

Le haut administrateur avait marqué ses exigences sur un ton poli, mais péremptoire, celui qu'Antoine-Léon connaissait bien, qu'il voyait presque comme un ultimatum. Il ne pouvait s'empêcher d'en éprouver un certain malaise et hésiter à accepter cette responsabilité. Le projet était d'importance et requérait des capacités qu'il n'était pas sûr de posséder.

– J'espère que vous n'attendez pas une réponse immédiate, souffla-t-il. J'aurais besoin de digérer ça un peu. C'est pas mal subit, il me faut étudier les implications autant professionnelles que familiales.

Suffoqué, il quitta la salle.

Assis dans son bureau, songeur, il enfouit son visage dans ses paumes.

Il devait user de prudence, se disait-il, et surtout comprendre avant de s'engager. Il se demandait si de lui retirer ses études et ses rapports pour l'assigner à la construction d'un tel édifice représentait un avancement ou si cette décision n'équivalait pas plutôt à une exclusion de l'équipe, une façon de le larguer en douceur avec au-dessus de lui des décideurs lointains, installés dans la ville de Québec, dépourvus de gants blancs, qui n'auraient nul remords à discuter ses prises de position, lui enlevant tout pouvoir pour le réduire à un niveau d'exécutant.

Dans une tentative pour se conforter, il faisait le raisonnement inverse.

N'était-il pas plutôt possible que cette affectation à un poste de hautes responsabilités témoigne de la confiance de ses supérieurs, démontre la reconnaissance de sa valeur?

Ses épaules s'affaissaient d'incompréhension. Il se sentait impuissant et son esprit était vide. Où était donc son habituelle faculté d'analyse?

Exaspéré, il laissa échapper un bruyant soupir.

---

2 Deux ou trois ans. Nous souhaitons que tout soit terminé pour le printemps 78. Je suppose que vous allez veiller à respecter cette échéance.

La matinée passa, puis l'après-midi sans qu'il trouve de solution, il avait peine à se concentrer et à vaquer à ses écritures, tant il était perturbé.

Il avait besoin d'une pause, se disait-il, convaincu qu'il était d'en perdre le sommeil. Mais il commencerait par en discuter avec Élisabeth.

Enfin quatre heures trente sonnèrent. Soulagé, il se pressa vers la sortie.

Roger Bellemare se tenait sur le perron et semblait l'attendre.

– Ç'a pas l'air d'aller, Savoie, remarqua-t-il en l'accompagnant vers l'escalier. Je sais qu'il est un peu tôt pour te demander si tu as pris ta décision, pourtant, je t'aurais imaginé plus enthousiaste. C'est pas donné à tous les gars du bureau de se faire offrir pareille promotion.

– Avant de penser que la chance me tombe dessus, j'aurais besoin d'une boule de cristal pour voir quel piège se cache derrière tout ça.

– Holà, Savoie! reprends tes sens, je te pensais pas si défaitiste.

Penché vers lui, il reprit sur un ton conciliant, presque paternel.

– Je sais qu'on t'a bousculé, ce matin, avec notre proposition, mais on te demande pas une réponse immédiate, réfléchis-y, prends tout ton temps.

– C'est bien ce que j'essaie de faire, mais tout est tellement embrouillé dans ma tête. Il me faudrait m'éloigner, vider mon esprit, prendre des vacances.

– C'est faisable, avança Bellemare. Que dirais-tu si j'organisais un voyage de pêche? On pourrait, par la même occasion, en faire un voyage d'affaires. J'inviterais Harnois et Gilbert. On en profiterait pour discuter de ton engagement. Assis sur une grume, devant un lac tranquille, chapeau de paille sur ta tête et canne à pêche à la main, une bouteille de bière plantée dans le sable à tes pieds, y aurait pas meilleure façon de t'éclairer. Que penses-tu du lac Lemay?

Antoine-Léon réagit. Le lac Lemay... cette vaste nappe d'eau constituait l'une de leurs principales pistes d'amerrissage. Bien des fois lorsqu'il était affecté à la forêt et qu'il avait attendu le Beaver devant le ramener vers la civilisation, il avait arpenté ses rives. Il évoquait ses eaux bleues, transparentes, avec le ciel qui s'y mirait jusqu'à l'aveugler. Le lac Lemay fourmillait de belles truites et de ouananiches leur serinaient les Indiens, comme une tentation du diable.

Les patrons avaient aussi une préférence pour le lac Lemay et le choisissaient fréquemment pour leurs excursions de pêche. Bien des projets avaient pris forme, bien des transactions avaient été conclues à l'intérieur du chalet juché sur le piton, dans la méditation que suggérait le calme de l'endroit.

Cette proposition l'intéressait. On était en juin et la température était chaude.

— Une invitation à pêcher sur le lac Lemay, ça se refuse pas. Ça me replacerait les idées.

Roger Bellemare le fixa sans le voir. Ses lèvres tremblaient.

— À moi aussi, ça me replacerait les idées. Je me sens bien seul depuis la mort de ma femme.

***

— Je pars en voyage de pêche avec Roger Bellemare, Luc Gilbert et Laurier Harnois, annonça Antoine-Léon à Élisabeth. C'est un voyage d'affaires, pour m'aider à prendre ma décision.

— Pourquoi aller aussi loin pour un simple questionnement? réprouva Élisabeth. Vous pourriez tout aussi bien régler ça en jouant au golf ou en passant un après-midi en mer sur le bateau de monsieur Robertson. Les tâches abondent à la maison avec le début de l'été, il y a le gazon à râteler, les arbustes à tailler et toi, tu t'en vas à la pêche en me laissant tout le travail.

— J'ai un choix à faire qui demande réflexion et pour ce, il faut que je m'éloigne, se justifia-t-il. Je dois me convaincre que je ne commets pas une erreur. S'il fallait que je me plante, toi, les enfants, vous en souffririez tous. Là-bas, je vais analyser le projet dans la détente, je me gênerai pas pour m'informer et apporter des objections. Bellemare aussi a besoin de ce voyage. Il cherche toutes les occasions de s'évader. On s'est pas occupés beaucoup de lui depuis son épreuve.

— Moi, les voyages entre gars, les buveries, les farces plates, tu sais ce que j'en pense, proféra Élisabeth brusquement acerbe. Je vais finir par ne pas l'aimer, ce Roger Bellemare.

Lasse, elle secoua durement les épaules.

– Je peux savoir où il se trouve ce lac dont l'ouananiche est si abondante qu'on se croirait à Génésareth où Jésus faisait des pêches miraculeuses avec ses apôtres ?

– Élisabeth Gaumont, ne me fais pas accroire que tu ne connais pas le lac Lemay, ne me dis pas que tes amies anglaises ne t'ont jamais parlé des voyages que leurs époux organisent dans ce camp de pêche.

Il s'exprimait dans un débit rapide, avec un petit rire nerveux comme s'il redoutait sa réaction, elle qui, depuis qu'il avait acquis son immeuble, se montrait de plus en plus pointilleuse quand il quittait la maison.

Passer quelques jours en forêt, dans l'air pur des montagnes, les vastes étendues, lui permettrait de se concentrer. L'ambiance serait sans comparaison avec les locaux bruyants de la rue Marquette et l'air enfumé de l'industrie accolée derrière.

– J'ai besoin de m'aérer les poumons, autant au propre qu'au figuré.

Prompte à la riposte, Élisabeth débita sèchement :

– Je suis d'accord avec toi, si tu sous-entends l'air vicié de ton immeuble à logements et les relents de ceux qui y habitent. En tout cas, s'il arrive un pépin dans ce coin-là pendant ton absence, ne compte pas sur moi, pour m'en occuper.

Irrité, Antoine-Léon fit un geste d'impatience.

– Quand vas-tu cesser de faire tout un plat parce que j'ai rencontré la veuve Martel au golf. Ce n'était qu'un hasard et j'ai à peine bavardé avec elle. Lesage était avec nous et il caquetait tout le temps !

La mine revêche, Élisabeth serra les lèvres.

– Combien de fois devrai-je te répéter que je n'ai rien fait de mal, insista-t-il. Il y a presque un an de ça et depuis, tu n'as pas cessé de me le rabâcher sur tous les tons. Tu as failli gâcher nos vacances, l'été dernier, avec ta mauvaise humeur. Peux-tu comprendre que cette femme est ma locataire, qu'elle me rend des services et que je ne peux pas me la mettre à dos.

Élisabeth baissa les yeux. Subitement contrite, elle s'adoucit.

– Cette femme m'est tellement antipathique, c'est plus fort que moi.

Il se remémora ce vendredi d'août, l'année précédente, quand de retour au club-house après sa partie de golf, Élisabeth avait interrompu son aparté avec la veuve Martel.

Après avoir pris le souper au restaurant avec le couple Rondeau, ils étaient rentrés à la maison chacun dans sa voiture. Elle avait bouclé leurs malles en ronchonnant et, pendant tout le reste de la soirée, était demeurée silencieuse.

– T'as pas l'intention de faire cette tête-là tout le long de nos vacances, s'était-il récrié, si c'est ça, je démissionne, nous restons ici.

Ils étaient partis quand même, le lendemain. Les enfants avaient pris place sur la banquette arrière, tandis qu'assise sur le siège du passager, elle s'était plongée dans la lecture d'une revue de mode.

– Ma mère est incapable de lire en voiture, elle dit que ça lui donne la nausée, lui avait-il fait remarquer dans l'espoir d'amorcer une conversation.

Elle n'avait pas relevé sa remarque.

Déçu, il avait ouvert la bouche pour lui dire qu'il regrettait, mais les mots avaient refusé de franchir ses lèvres. Il avait son orgueil. D'autre part, elle aurait exigé qu'il se débarrasse de son immeuble et à ça, il n'était pas prêt.

Comment lui faire comprendre qu'il tenait à elle, qu'il ne l'échangerait contre nulle autre. Peut-être la veuve était-elle dotée d'un certain charme qui mettait un homme en appétit, mais il voyait en Élisabeth une autre sorte de magnétisme qui soulevait l'admiration. Il ne risquerait pas la chance qu'il avait pour une aventure sans lendemains.

Pendant un temps encore, elle avait poursuivi son manège.

Enfin, peu à peu, avec les visites à la famille, elle avait retrouvé son abord agréable. Tout allait pour le mieux à leur retour, quand il avait dû procéder à quelques travaux dans son immeuble. Immédiatement, elle était redevenue belliqueuse.

– Je me suis intéressé à l'immobilier dans le seul but d'augmenter mes revenus et te rendre la vie plus facile, avait-il allégué.

– Si c'est au détriment de notre couple et que cet argent ne serve qu'à défrayer les honoraires de notre divorce, avait-elle rétorqué dans une brusque virevolte, je n'y vois pas d'avantages.

Aujourd'hui, il s'apprêtait à partir encore et, cette fois, c'était pour un voyage de pêche.

– Je sais que la vie n'est pas toujours facile pour l'épouse d'un ingénieur forestier, à moins que celui-ci n'occupe un poste de fonctionnaire. Je suis devant une situation épineuse, presque un dilemme.

Il reprit, la voix subitement cassée :

– Si tu pouvais me donner une chance, juste une.

Avec ses nouvelles tâches de bureaucrate, il avait été entraîné comme dans un engrenage et il avait l'obligation de s'impliquer dans diverses causes. Son parcours tout entier, autant dans ses loisirs que dans sa vie professionnelle, était nécessaire à son avancement. Il y avait même ajouté la chorale de leur église.

Aujourd'hui, on lui confiait la construction d'une énorme scierie, un véritable défi qu'il ne pourrait refuser sans subir les conséquences de sa décision.

Il poussa un soupir.

– Où as-tu placé le contenant à réfrigération ? Si je veux rapporter du poisson bien frais, il me faudra de la glace. C'est l'été, même en montagne.

Élisabeth leva le menton. L'expression évasive, elle prononça avec lenteur :

– Il est possible que je sois absente de la maison quand tu reviendras. Antoine-Léon freina un sursaut.

– Qu'est ce que tu veux dire ?

– Je veux dire que si tu te permets un voyage de pêche, je me permettrai d'aller visiter mon père. Je partirai pour Saint-Germain avec les enfants aussitôt après ton départ.

– Mais je ne serai absent que pour le week-end.

– Moi, je serai absente pendant une semaine. À ton retour, le grand silence dans notre maison te permettra de compléter ta réflexion.

Antoine-Léon serra les lèvres. Avec des gestes rageurs, il rassembla ses affaires et boucla son sac de campeur.

***

L'hydravion les déposa sur le lac Lemay.

Les épaules chargées de leur bagage, les quatre compagnons se dirigèrent vers le camp de pêche.

Juché sur un piton, à une quarantaine de mètres du lac, le chalet en bois d'épinette formait un grand rectangle sur un côté duquel était adossé un appentis. Avec sa façade percée de belles fenêtres orientées vers la vaste étendue d'eau pure, il offrait une vue magnifique qui allait courir jusqu'aux nuages.

Construit à l'intention des invités de la compagnie, en plus d'une salle à manger et d'un grand living-room, il disposait de suffisamment de chambrettes pour y loger une dizaine de personnes, un luxe certain pour l'endroit malgré la simplicité des lieux.

Trois marches fraîchement repeintes menaient au perron. De chaque côté, sur la véranda, réunies en cercle, avaient été placées un groupe de chaises, comme une invitation aux échanges.

Les fondations de bois, habituellement lisses, avec leurs pieux ancrés dans la terre étaient grignotées et constellées d'innombrables entailles. Les porcs-épics et autres rongeurs étaient actifs en forêt. Attirés par les odeurs de nourriture, ils s'amenaient la nuit et y usaient leurs incisives. Ça et là des petites enfonçures creusées par les souris et les rats, attirés eux aussi par les odeurs des hommes trahissaient leurs tentatives pour s'introduire dans la bâtisse. C'était la loi de la forêt. Les bêtes sauvages y étaient rois et maîtres et s'appropriaient tout ce qu'ils trouvaient.

Ils déposèrent rapidement leurs effets dans leurs chambres et se retrouvèrent dehors afin d'apporter leur aide.

Devançant les autres, Roger Bellemare se dirigea vers la grève, regarda longuement autour de lui et repéra un bel espace sablonneux et plat. Sans plus hésiter, il déballa une tente-moustiquaire apportée dans ses bagages et la monta.

Tout en gardant ses invités à l'abri des moustiques, il voulait leur faire profiter le plus possible de l'air pur des bois et de la belle nature qui les entourait.

Il avait aussi prévu le nécessaire pour cuisiner les mets et il avait décidé qu'ils prendraient leurs repas au bord de l'eau.

Se référant à leurs campements forestiers temporaires, de leur propre initiative, les autres alignèrent quelques billots sur un tréteau et en firent une table de fortune.

Leur travail terminé, ils déambulèrent aux alentours.

Sur le lac, en bordure du quai rudimentaire composé de grosses billes encore recouvertes de leur écorce, étaient amarrées cinq chaloupes qui ballottaient dans les vagues en émettant un léger clapotis.

Des effluves forts de bois de grume portés par la brise flottaient dans l'air et se mêlaient à la fraîcheur de l'eau.

Ils revinrent lentement sur leurs pas, Roger les hélait. Le repas était servi. Ils avalèrent avec appétit les pièces de viande apprêtées par Roger, enfilèrent deux bouteilles de vin rouge, et se retirèrent sous la tente.

Cernés par les lueurs du couchant, ils aspirèrent tranquillement dans le tuyau de leur pipe.

Messieurs Harnois et Bellemare n'avaient pas fait d'effort pour aborder le sujet qui les avait fait se réunir. Ils avaient décidé de reporter à un autre moment la raison de leur voyage de pêche, au grand soulagement des deux intéressés : Antoine-Léon et Luc Gilbert.

Le lendemain, éveillés sous un ciel lumineux, ils prirent un copieux petit-déjeuner cuit sur le poêle au propane de leur tente-moustiquaire.

— Qui veut une bière ? offrit Roger tandis que chacun s'affairait à laver la vaisselle et les ustensiles dans les eaux du lac.

— C'est pas de refus, répondirent-ils.

— Profitez-en en même temps pour préparer vos lignes.

— J'espère que chacun a fait son lit, lança Gilbert sur un ton léger, dans une tentative pour dérider l'atmosphère.

Ils éclatèrent de rire et décapsulèrent leur petite bouteille brune. Le goulot entre les lèvres, ils déglutirent avec des bruits de clapotis, puis exhalèrent leur souffle.

L'air était humide et la chaleur accablante. Un essaim de moucherons noircissait les abords du lac. Comme une nuée grise qui brouillait le soleil, ils s'agitaient autour de leurs têtes à la recherche vorace d'un coin de peau douce pour y ficher leurs vrilles.

Ils épongèrent leurs fronts avec leurs mouchoirs.

– Enduisez-vous d'huile de citron, conseilla Antoine-Léon en faisant circuler un petit flacon de verre, sinon vous la trouverez pas drôle. J'en sais quelque chose. J'ai passé plus de douze ans de ma vie dans les bois et je me suis fait piquer plus souvent qu'à mon tour.

– Je pensais que tu nous proposerais de la graisse d'ours, fit Gilbert les lèvres déformées en une grimace déçue.

– J'en ai un pot à la maison. Avoir su, je l'aurais apporté, répondit Antoine-Léon le plus sérieusement du monde.

– Je te l'aurais déconseillé, proféra Roger. Comme le camp est pas muni de douches, j'aurais pas voulu avoir cette odeur sous mon nez pendant trois jours, vous auriez pas senti l'eau de rose, les gars.

– Voilà que monsieur fait le difficile. On est en forêt, que diable!

En plaisantant, ils extirpèrent leurs agrès. Installés chacun sur un billot échoué, à demi avalé par le sable, ils tendirent leurs lignes.

Redevenus graves, ils s'appliquèrent à leur pêche, au lac tranquille dans lequel allaient s'enfoncer leurs longs fils comme s'ils y prenaient racine.

Il y eut un moment de silence.

Monsieur Harnois, le premier, ouvrit la bouche. Sans détacher ses yeux de sa gaule, il s'adressa à Antoine-Léon.

– En quelle année avez-vous terminé vos études, Monsieur Savoie?

– En 1957.

Antoine-Léon avait donné une réponse laconique. Loquace d'habitude, il faisait montre d'une réserve prudente.

Depuis son départ de la maison, il n'avait pas cessé de se demander quel coup du sort l'avait foutu dans cette galère. Comme une bouffée d'angoisse, il se disait qu'il refuserait ce poste. Aussi rapidement montait en lui une autre forme d'anxiété. S'il refusait, obtiendrait-il que sa vie professionnelle se maintienne comme elle était hier, qu'il occupe la même fonction dans le même bureau avec les mêmes privilèges?

Pensif près de lui, monsieur Harnois avait hoché longuement la tête. Sa touffe de cheveux blancs clairsemés, dissimulée sous son vieux chapeau de paille, son profil austère estompé sous son large rebord, il fixait sa ligne.

Il prit un temps avant de reprendre de sa voix basse:

– Je ne suis chez vous que depuis un an, mais j'ai accès aux dossiers. Je sais que vous avez été responsable d'un groupe d'exploration forestière dès vos débuts dans la compagnie et que vous avez été muté dans les bureaux, il y a environ trois ans. Je sais aussi que vous possédez un immeuble à appartement, ce qui vous donne une expérience dans l'administration et je sais aussi que vous faites partie d'organisations sociales, de paroisse, d'église.

– C'est à peu près ça.

– Vous savez que tous ces engagements sont un plus pour vous. Nous connaissons vos compétences. En rapport avec cette scierie que nous projetons de construire, ce que nous recherchons, c'est un gestionnaire, un initiateur familier avec l'organisation administrative : surveillance des travaux de construction, approche auprès des travailleurs. Dans cette profession, on l'a ou on ne l'a pas. Êtes-vous de taille à mener des hommes ?

Antoine-Léon sursauta. Il se sentait piqué. Monsieur Harnois débitait ses exigences sans considération pour son statut d'ingénieur.

Il acceptait mal que, par son questionnement, son supérieur mette en doute son professionnalisme et sa capacité à diriger une équipe.

S'efforçant de prendre un débit patient, de déférence, il expliqua qu'il se comportait envers ses employés avec fermeté et souplesse, ce qui signifiait pour lui agir avec humanité tout en veillant aux intérêts de son employeur.

Le visage de monsieur Harnois s'anima. Il dévia ses yeux de sa canne à pêche pour les poser sur lui. Un large sourire arrondissait ses joues.

– C'est ce que je voulais t'entendre dire, mon garçon.

Pour la première fois, il l'avait tutoyé et il l'avait appelé « mon garçon ». La réponse à sa question avait été celle qu'il fallait donner.

– Quand monsieur Harnois se détache de ses pensées pour arborer un large sourire, lui avait signalé un jour Roger Bellemare, c'est que le sujet qu'il évalue est agréé.

Une onde tranquille baigna la poitrine d'Antoine-Léon.

Sans qu'il comprenne pourquoi, un sentiment étrange l'animait subitement. Il n'était plus sûr de vouloir refuser cette affectation. Il se rendait compte que son inquiétude était en lui, que son angoisse n'était que la peur de l'échec.

Cette réaction n'était-elle pas normale ?

La ligne de monsieur harnois avait bougé sur le grand lac, les détournant de leur échange. Rapidement, elle s'était agitée et tirait vers le large. Le grand homme s'était levé. Il ne cachait pas sa joie. Un poisson mordait à son hameçon.

Les jambes écartées, les muscles de ses bras durcis, il actionna le moulinet. La ligne s'enroula jusqu'au bout. À l'extrémité se débattait une toute petite truite. Il enclencha le frein.

Le visage réjoui, il l'éleva dans les airs. Comme un véritable trophée, il l'exhiba devant les autres avant de la décrocher et la laisser tomber dans un seau rempli d'eau qu'il gardait près de lui.

Un flic flac secoua le récipient et ce fut le calme.

Comme s'il était pressé de réaliser un nouvel exploit, il enfonça ses doigts dans une vieille boîte de conserve rouillée, choisit un ver dodu et le piqua aussitôt à l'hameçon. D'un mouvement circulaire, rappelant un coup de cravache bien porté, il lança sa ligne à l'eau.

La glace était rompue. Détendu, comme si rien n'avait entravé le cheminement de ses pensées, il approfondit sa réflexion.

– La scierie bâtie, si tu t'es investi à notre satisfaction, un poste de direction te sera proposé. Avec Gilbert, tu aurais la responsabilité de trois cents hommes. Est-ce que cette proposition t'intéresse ?

Antoine-Léon coula un regard vers son confrère ingénieur mécanique.

Impassible, celui-ci continuait à siroter sa bière et suivait les oscillations de sa ligne. Antoine-Léon savait qu'il avait déjà discuté la question et qu'il avait accepté le défi.

Pourtant, malgré cette invitation à foncer qu'il voyait dans son attitude placide, une onde d'hésitation, encore une fois, montait en lui. Comme il faisait en forêt, il aurait à encadrer des travailleurs. Il n'y avait là rien de nouveau pour lui, mais il serait loin des groupuscules de dix, vingt techniciens aguerris qu'il commandait là-bas. Cette fois, le nombre serait imposant, il se demandait s'il saurait montrer des qualités de chef.

En revanche, son employeur demeurerait le même. Comme dans l'édifice à bureaux, il aurait des comptes à rendre, mais sa relation avec ses supérieurs serait autre. Quitter l'édifice de la rue Marquette pour avancer dans un sentier parallèle et atteindre le même objectif était ce qu'on exigeait de lui.

Un frisson d'autosatisfaction courut sur sa peau. Presque aussitôt, son cœur se serra.

Après la confiance heureuse, de nouveau, survenait la démotivation. Pour la énième fois, il lui prenait l'envie de refuser.

— Tu m'as pas l'air convaincu, Savoie, proféra Bellemare qui avait deviné ses interrogations. Je te ferai remarquer que l'exercice a été commandé d'en haut et que c'est toi qui as décroché la timbale. Si tu déclines, enchaîna-t-il en tirant sur sa ligne, je devrai me tordre drôlement les méninges pour te trouver de quoi t'occuper dans ton ancien espace.

— Peut-être pas à ce point, tempéra monsieur Harnois, quoique…

La poitrine d'Antoine-Léon se crispa. Dans l'intervention de ses deux supérieurs, il lisait un ordre non discutable. Les multinationales étaient ainsi faites, implacables, sans âme. Il comprenait que, tout cadre qu'ils étaient, messieurs Harnois et Bellemare n'avaient pas de pouvoir décisionnel. Ils n'étaient que des exécutants. La résolution avait été prise en haut lieu et elle était sans appel. Sa profession, son avenir se jouaient à cette seconde précise. Il pensa à Élisabeth et aux enfants.

— Je vais tout faire pour vous donner satisfaction.

— À la bonne heure, s'écrièrent spontanément les deux hommes sur un ton exalté, délivré.

Monsieur Harnois posa sa main sur son bras.

— À partir de maintenant, mon garçon, puisque nous allons travailler ensemble, tu vas m'appeler Laurier et tu vas me tutoyer.

Sa canne à pêche s'agitait, de nouveau, se tendait frénétiquement vers le large. Abandonnant Antoine-Léon, il se leva et actionna le moulinet. Encore une fois, les bras levés, il exhiba sa prise. Il riait de toutes ses dents, paraissait comblé, allégé, comme si un poids lourd venait de délester ses épaules.

— Vous n'avez encore rien attrapé, les gars, se gaussa-t-il. On dirait bien que vous savez pas vous y prendre. La pêche, c'est un art.

— Vante-toi pas trop, fit Bellemare. Il se peut que demain ce soit notre tour de te dire que tu sais pas pêcher.

– Moi, demain, je détache un canot et je m'en vais pêcher au large, décida Antoine-Léon. C'est là que se tiennent les grosses bandes de poissons.

La journée avait passé et le soleil avait commencé à décliner. Las, un peu gourds, ils enroulèrent leurs lignes et se dirigèrent vers la tente-moustiquaire. Ils étaient affamés. Le temps était venu de préparer le repas du soir. Promu chef cuisinier, Roger alla soulever le couvercle du coffre à provisions.

– Savoie, tu nous sers un Martini, Gilbert, tu vas puiser de l'eau dans le lac et tu allumes le propane. Toi, Harnois, tu savoures ta réussite en vidant tes poissons. Je vais les fumer sur mon petit poêle et vous faire une de ces entrées dont vous me donnerez des nouvelles.

– Moi qui pensais les rapporter à la maison, se récria Laurier. Comment vais-je être accueilli par ma femme si je n'ai pas la plus petite preuve que j'ai fait un voyage de pêche ? Elle va penser que je suis allé aux danseuses.

– C'est pas toi qui disais tantôt que la pêche est un art ? répliqua Roger. Demain, ton seau va déborder et pis, d'aller aux danseuses, c'est rien qu'un accent différent sur ton péché… pêché… tu comprends ?

– Prends-moi pas pour un innocent.

Ils mangèrent dans une atmosphère détendue et agréable.

La soirée était douce. Ils se retirèrent sous la tente. Pendant de longues heures, chacun assis sur une souche, avec la fumée des pipes et des cigarettes qui dessinaient des volutes, le vent léger qui chuchotait dans le petit abri et exhalait des bouffées parfumées, ils évoquèrent quelque événement qui avait accompagné leur activité dans les bois.

Au-dessus du lac, le couchant dardait ses flammes orangées et enluminait les nuages de cercles d'or. L'air était humide et les oiseaux volaient bas.

– Cette partie de pêche en plein bois réveille bien des souvenirs, avança monsieur Harnois. Il y a longtemps, de même que vous, Roger et Antoine-Léon, j'ai dirigé une équipe d'exploration forestière. C'était au nord de La Tuque. Quand on partait pour l'exploration, on y restait trois mois, trois mois sans remettre les pieds à la maison, fallait être coriace. Les conditions étaient difficiles, mais c'était l'époque. Rentrés le soir dans nos campements, on se protégeait du froid comme on pouvait. Je me souviens d'une nuit où la température est descendue à moins soixante-sept degrés. Même dans nos *sleepings* à thermicité supérieure et habillés de combinaisons de laine, on grelottait. Nos clairières étaient toujours choisies près d'un ruisseau où on puisait notre eau, ça nous permettait de nous adonner à la pêche et sortir quelques truites.

Il les dévisagea tour à tour et éclata de rire :

– Ça explique pourquoi je sais pêcher. Qui parmi vous a attrapé un poisson aujourd'hui ?

Ils hochèrent négativement la tête. Respectueux, ils l'avaient laissé discourir sans l'interrompre. Ils n'osaient lui rappeler que leurs campements de la Côte-Nord étaient aussi installés près d'un cours d'eau et qu'ils s'adonnaient eux aussi à la pêche. Mais monsieur Harnois était leur supérieur, et surtout, il était le cadre le plus influent de souche française œuvrant au sein de la compagnie.

– Mais on savait s'amuser, reprit-il, et on ne tenait pas rigueur aux gars des tours pendables qu'ils nous jouaient parfois. Je me souviens…

Songeur, il fixa un point vague.

– C'était une nuit de février particulièrement froide où la température avait descendu à moins quarante. Le *choboy* était entré sous ma tente avec une brassée de rondins et avait chargé la *truie* pour ensuite l'arroser de kérosène. « Vous aurez qu'à l'allumer quand vous vous lèverez », qu'il m'avait dit. J'avais trouvé étrange qu'il ne l'enflamme pas lui-même comme il avait coutume de faire. En frissonnant dans mes combinaisons de laine, je m'étais levé pour faire flamber mon *attisée*. En vain j'avais gratté des allumettes. J'avais décidé de verser encore du kérosène, c'est à ce moment que j'avais trouvé qu'il ne sentait pas bien fort. J'avais humé le récipient pour me rendre compte qu'il ne contenait que de l'eau.

Ils s'esclaffèrent.

– Malgré tout, c'était le bon temps, émit-il sur un ton nostalgique.

– Quelle boussole utilisiez-vous ? demanda Antoine-Léon.

– Chez nous, c'était la Sylva. À mon avis c'était et c'est encore la meilleure. Sur trépied, c'était l'appareil que préféraient mes techniciens.

– Et je suppose que vous vous serviez de la sonde Presler pour déterminer l'âge des arbres.

– Exact. La vrille entre aisément dans le tronc et en ressort avec un bel échantillon bien net, contrairement à certaines sondes qui bloquent et donnent de piètres résultats.

Monsieur Harnois paraissait heureux des questions techniques que lui posait Antoine-Léon et répondait aimablement à ses interrogations. La pertinence de ses remarques le rassurait, faisait qu'il remontait dans son estime.

Enfin, chacun se tint silencieux.

Appesantis dans le calme du grand lac, aspirant dans le tuyau de leur pipe, ils savouraient le lent engourdissement de la forêt qui s'apprêtait à entrer dans la nuit. La paix était totale, même les oiseaux s'étaient tus.

Ils se levèrent. Fatigués, en bâillant, ils gravirent le petit raidillon qui menait au chalet et se glissèrent dans leurs lits.

Ils dormaient profondément quand retentit le premier coup de tonnerre.

Éveillés en sursaut, d'un même élan, ils se ruèrent vers la fenêtre. Du côté ouest, une infinité de lueurs roses embrasaient l'horizon dans un scintillement ininterrompu. Un orage se préparait et le ciel était magnifique.

Ils consultèrent leur montre-bracelet, elle indiquait deux heures. Les uns après les autres, ils sortirent de leur chambre et se dirigèrent vers le living.

C'était connu, les orages en forêt étaient impressionnants et ils voulaient profiter du spectacle.

Roger était déjà dans la grande pièce et alignait des sièges face à la baie vitrée.

– Venez vous asseoir, les invita-t-il. Lorsque vous rentrerez en ville, vous pourrez dire que vous avez pas fait qu'un simple voyage de pêche, zieutez-moi ça comme c'est beau.

Le lac était féerique. Une infinité de points lumineux émaillaient ses vagues comme autant de petites flammes vives. La crête des montagnes était éclatante, vibrante comme au coucher du soleil. Les éclairs fulguraient, irisaient les nues jusqu'à éclairer l'épaisseur des bois et un roulement continu secouait l'air.

— J'ai l'impression que l'orage va être plus violent que d'habitude, remarqua Antoine-Léon, j'ai bien peur que ça fesse fort tantôt…

— Ça t'inquiète ou quoi ? interrogea Roger

— Pas du tout, on est à l'abri et le chalet est solide. J'en ai connu des pires, c'est juste que quand un orage se déclenche en forêt, ça se fait vite et c'est fort, je voulais vous en aver…

Un fracas sinistre enterra la suite de ses paroles et ébranla les murs de l'habitation. Couvrant les bruits, toute la forêt fut agitée par un énorme vrombissement qui se perpétua durement en écho.

— Qu'est-ce que tu disais ? s'enquit Luc.

— J'allais dire que la résonance dans les arbres fait que c'est plus saisissant que dans les villes.

— Comme si on le savait pas, s'écrièrent les autres.

Il y eut un moment tranquille. Ils écoutèrent le silence.

— L'orage s'est arrêté pour mieux reprendre son souffle, dit Laurier. J'ai l'impression que c'est sur le point de recommencer.

Les yeux rivés sur l'extérieur, ils se tenaient à l'attention. La pluie commençait à tomber, quelques gouttes fragiles, puis de gros grains durs qui crépitèrent sur les vitres.

L'orage gagnait en puissance. Assis sur leurs chaises, ils attendaient, l'œil placide, comme s'ils devinaient la suite.

Soudain, un violent coup de tonnerre secoua les nues. Les nuages crevèrent. Ils tendirent les muscles.

Instantanément, dans un giclement brutal, l'eau s'abattit sur leur toit. Ils percevaient de grands claquements rapides, comme la course effrénée d'une horde de chevaux galopants. La pluie tombait, se déversait en un rideau continu et formait un écran opaque qui allait cravacher le petit perron de bois, écrasait la maigre végétation et rebondissait sur la terre. Sans s'arrêter, les éclairs zébraient le ciel.

Les grondements du tonnerre avaient encore augmenté et tambourinaient avec puissance avant de s'achever dans un terrible fracas menaçant de faire voler en éclat tout ce qui entravait leur déchaînement.

Le vent s'était levé et hurlait des sons lugubres rappelant la terreur d'un loup. D'inquiétants craquements se faisaient entendre.

Ils se redressèrent, préoccupés, incertains tout à coup de la solidité de leur abri.

En bas, amarrées au quai, les chaloupes malmenées se bousculaient et tiraient sur leur ancrage.

— Eh, bien, les amis, c'est pas bientôt qu'on va pouvoir retourner dans nos lits, remarqua Roger.

— J'espère que la pluie ne viendra pas gâcher notre voyage de pêche, s'inquiéta monsieur Harnois.

— Heureusement, je n'ai rien laissé dans la tente-moustiquaire, se félicita Roger, j'ai apporté dans le chalet tout ce qui concerne la cuisine. Je le fais le soir à cause des bêtes sauvages, mais cette fois… Quant à la tente, j'ai l'impression qu'elle va prendre le bord du bois.

— C'est pas grave, fit Gilbert, on la remontera. Pour le reste, le ciel va redevenir propre, propre. Comme moi, vous avez dû trouver la journée pesante. L'orage passé, ce sera moins humide, ça voudra dire moins d'attaques de brûlots qui se seront réfugiés dans les marécages. On sera moins remuants et le poisson va mordre.

Chacun y allait de ses observations et tentait d'alléger l'ambiance.

— Que diriez-vous si on allumait la lampe et si on jouait une partie de bluff? suggéra Roger.

Dehors, la pluie continuait à tomber rappelant mille seaux renversés que rien ne pouvait arrêter. Sans répit, les éclairs zébraient le ciel, comme attisés par un vieux Zeus qui faisait flamboyer sa colère.

Ils acquiescèrent mollement.

— C'est peut-être ce qu'il y a de mieux à faire.

Assis autour de la table, le regard fasciné, accroché à la fenêtre, leurs cartes à jouer en éventail entre leurs doigts, ils continuaient à observer l'orage, se demandant quand il atteindrait son paroxysme. Ils n'avaient pas peur. Hommes des bois, habitués aux débordements de la nature, ils voyaient cette perturbation plus comme un spectacle que comme un motif de détresse.

Le coude appuyé sur le panneau, ils n'éprouvaient plus l'envie d'analyser leur jeu ni de faire une enchère.

Ils se tinrent longtemps ainsi, fixant les nues avec la pluie qui s'abattait contre la vitre, à suivre l'évolution de l'orage qui courait vers la vallée. Ils y fixèrent leur attention jusqu'à ce que, hors d'haleine, le ciel s'apaise.

Il y eut un magistral roulement de tonnerre, puis, aussi brutalement qu'elle avait commencé, la pluie cessa. Non convaincus, ils attendirent encore, écoutèrent le grondement qu'ils percevaient dans le lointain et ne se détendirent que lorsque s'installa le silence.

Un dernier scintillement d'éclairs les entoura. Ils eurent le temps de discerner plus bas, à l'angle de leur chalet, un gros arbre mature terrassé que le vent avait déraciné et couché sur le sol. Plus loin, du côté des sentiers, d'autres carcasses encore vibrantes gisaient et obstruaient les trouées.

Subitement, la nuit devint noire. Le divertissement était fini.

Ils consultèrent leur montre, elle indiquait deux heures vingt.

L'orage avait duré à peine vingt minutes, ils avaient eu l'impression de la vivre pendant une longue heure. Ils réintégrèrent leurs lits et s'endormirent d'un profond sommeil.

***

Antoine-Léon dénombra les poissons qui gigotaient dans son seau. Il en compta sept. L'après-midi tirait à sa fin et la pêche était terminée. Le soleil éblouissait. Des bouffées de vapeur montaient encore des herbes détrempées entourant le lac à la suite du violent orage de la nuit précédente et une grisante odeur de terre mouillée chatouillait ses narines.

Le week-end avait passé trop vite et, demain, il quitterait cet endroit paisible. L'hydravion viendrait prendre leur quatuor en matinée pour les ramener vers la civilisation.

Il n'avait pas atteint l'objectif de douze prises qu'il s'était fixé. Mais les truites étaient dodues et chacune pourrait satisfaire plus d'une bouche.

Il avait maintenant hâte de quitter l'endroit, retrouver Élisabeth et analyser avec elle les implications que son changement d'affectation apporterait dans leur vie, car il était décidé, il acceptait le défi.

— Sors de la lune et sers les drinks, Savoie, s'impatienta Roger.

La tête penchée vers la glacière, il dégageait quatre épaisses tranches de bœuf qu'il avait jointes à leurs provisions.

– Pour notre dernier soir, j'ai décidé de nous improviser un barbecue dans le sable sur une belle braise, à la manière des sauvages. On va l'accompagner d'un petit rouge qui est pas piqué des vers.

L'œil avivé, il exhibait devant les autres une excellente bouteille du Domaine de l'Île Margaux.

– Je te savais pas aussi débrouillard, le complimenta Laurier qui salivait déjà.

Roger baissa les yeux. Son visage s'était subitement rembruni.

– Quand on a perdu sa femme et qu'on vit seul, on apprend à se débrouiller, jeta-t-il plutôt précipitamment, trahissant l'émotion qui nouait sa gorge.

C'était une des rares fois où il évoquait son malheur depuis les dix-huit mois qu'il était veuf et encore, c'était une remarque de Laurier qui lui avait fait dévoiler ses sentiments intimes.

Sa réplique amère avait provoqué un malaise. Embarrassés, ils s'activèrent. Chacun s'acquittant de la tâche à laquelle il avait été affecté.

– Voilà les drinks, dit Antoine-Léon en distribuant les verres. Pendant que vous vous enivrez sous mon nez, je vais préparer le barbecue.

Du talon de sa botte, à petits coups, il sonda le sol autour de la tente et arrêta son choix sur un point autour duquel ils pourraient s'asseoir pour prendre leur repas.

Agenouillé, à deux mains, il écarta le sable, creusa une cavité suffisamment profonde et large pour y déposer les braises. Du même mouvement, il alla ramasser quelques cailloux et les distribua en cercle afin d'y appuyer un grillage.

Il évalua son travail. Ils pourraient cuire aisément côte à côte, quatre belles pièces de faux-filet.

– J'ai appris ça des Indiens, expliqua-t-il devant ses confrères admiratifs. Il n'y manque que le combustible.

Messieurs Harnois et Gilbert s'empressèrent d'aller glaner sur la grève tous les débris qu'ils pouvaient trouver.

Ils en revinrent presque tout de suite, les bras chargés de branches mortes qu'ils tassèrent dans l'enfoncement.

– Après l'orage de la nuit dernière, on a pas eu besoin de chercher bien loin, dirent-ils. Le vent a fait tout un ménage.

Antoine-Léon arrosa copieusement l'ensemble de pétrole et frotta une allumette.

Silencieux, à la manière de louveteaux en contemplation devant leur premier feu, tous trois en cercle, ils suivirent la flamme qui se dégageait du brasier, timide d'abord, puis brusquement intensifiée, attisée par le mazout.

Les branches craquèrent et se consumèrent. Patiemment, ils nourrirent le feu d'autres brindilles. Bientôt une belle braise cramoisie, frissonnante couvrit la cavité comme une nappe brillante.

– Tu peux apporter les steaks, Bellemare, lancèrent-ils. Le barbecue est prêt, superbe. Il y a pas une briquette pour égaler ça.

– Le bois est pas totalement incandescent, décida Roger en bousculant ses casseroles. Je trouve qu'il monte encore trop de fumée, je la sens même sous la tente.

Étonnés, ils se penchèrent sur la grille. La cuvette rudimentaire débordait de tisons rougeoyants, rappelait une débauche de petites bêtes agglutinées qui brasillaient, leurs yeux clairs rivés sur eux.

– Ici, tout nous paraît ben beau.

– Ben moi, je persiste à dire que ça sent la fumée, pis drôlement fort à part ça, insista Roger, ça m'arrive par bouffées, même que des fois l'odeur est assez irritante pour m'oppresser. Je vais pas gaspiller mes beaux steaks en les faisant boucaner.

Déroutés, encore une fois, ils se penchèrent sur leur appareil de cuisson. La braise vibrait comme une pièce de velours d'un beau rouge vif en émettant un léger chatoiement. Aucune flamme ni fumée ne se dégageait de leur âtre improvisé.

Agacés, ils lancèrent avec un peu d'impatience :

– Coudon, Bellemare, tu dérailles ou quoi ? À moins que ce soit un prétexte pour demander un second Martini.

Assis à même le sable blond, ils savouraient leur boisson apéritive. Décompressés, tranquilles, ils se repaissaient des derniers rayons du soleil qui irisaient le lac.

Le clair-obscur était agréable et Antoine-Léon se disait qu'il en garderait le souvenir d'un moment enchanté où la sérénité l'avait rejoint après l'agitation des derniers jours.

Les paupières closes, il prit une inspiration. Brusquement, il redressa l'échine. Une odeur de fumée venait de chatouiller ses narines.

— Bellemare a raison.

Les sourcils froncés, il rapprocha son visage de leur cuisinière de fortune, puis leva la tête. Cette odeur qui le préoccupait était différente de celle d'un feu de brindilles sèches. Elle se révélait plutôt semblable à un feu de cheminée, âcre, suffoquant.

— Vous trouvez pas que ça sent la fumée, jeta-t-il, une odeur autre que celle de notre barbecue ?

Exaspéré, Luc se tourna vertement vers lui.

— Sais-tu, Savoie, que tu t'en viens aussi fatigant que Bellemare ?

— Savoie a raison, prononça sentencieusement Roger qui venait se joindre à eux. Ça sent la fumée et ça ne provient pas de notre barbecue.

Sceptiques, le nez dans le vent, ils humèrent l'air autour d'eux.

— Je l'avoue à ma honte, je ne sens rien, affirma Laurier.

— Moi non plus, dit Luc.

— Eh, ben, moi, j'ai vécu suffisamment longtemps en forêt pour apprendre à différencier les odeurs, déclara Antoine-Léon, ça faisait partie de mes tâches. Comme Bellemare, je dis qu'il y a une odeur de fumée dans l'air et que ça n'a rien à voir avec notre barbecue.

Un peu inquiets, en s'appliquant, ils scrutèrent le paysage d'un vert uniforme qui les entourait, ratissèrent les abords du lac, l'orée du bois et la clarté du soleil qui les éblouissait. Au-dessus de leurs têtes, une nuée de gros oiseaux noirs en escouade désordonnée, toutes ailes déployées, se dirigeait vers le sud.

Soudain, ils se crispèrent. Là-bas sur la montagne, une ligne sinueuse, sorte d'arabesque rappelant un esprit follet, se tortillait, tournoyait, montait vers le ciel pour former un gros nuage qui coiffait la cime des arbres.

Ils pensèrent à un braconnier qui aurait fait une flambée de broussailles au milieu d'une clairière, mais ils se ravisèrent. Le filet, si ténu soit-il, vu de cette distance, était trop considérable pour qu'ils en attribuent la cause à un simple chasseur.

Brusquement, leurs yeux s'agrandirent d'effroi, ils venaient de comprendre.

– Toryable! suffoqua Bellemare. Un feu de forêt!

Là-bas, tout en haut sur la montagne, un incendie consumait les arbres.

Abasourdis, ils se tenaient la bouche ouverte, figés, incapables de réagir.

– Je gagerais ma chemise que c'est le résultat de l'orage de la nuit dernière, déduisit sombrement Antoine-Léon, faut dire que ç'a frappé fort.

– On est pas dans les meilleurs draps, observa Laurier. Faut juste espérer que l'hydravion pourra venir nous prendre avant que la fumée l'empêche de s'approcher. Vaudrait mieux partir immédiatement. Bellemare, tu vas aller ouvrir ta radio et demander qu'on vienne nous ramasser ce soir.

Roger se précipita vers le chalet. Sa montre-bracelet indiquait dix-huit heures trente. Il avait l'habitude de communiquer avec le bureau vers dix-neuf heures. C'était l'entente qui avait été prise. À cette heure exacte, il branchait son poste émetteur tandis qu'un standardiste faisait de même et ils se transmettaient les nouvelles. Ce n'était pas encore l'heure, mais la situation était urgente et il devait tenter sa chance. En plus de demander qu'on les déloge au plus tôt de cet endroit, il fallait avertir les autorités de l'incendie de forêt qui s'amorçait.

La liaison était longue à s'établir et il ne cachait pas sa nervosité. Enfin, après plusieurs essais, il réussit à se faire entendre et passa le message.

– Les gardes forestiers ont fait leur job, annonça-t-il en revenant vers les autres. Le bureau était au courant et ils sont en train d'organiser les secours. On viendra nous prendre aussitôt que possible. Y a-t-il du changement? interrogea-t-il en consultant le lointain.

Ils hochèrent négativement la tête.

Le visage levé, rivé sur la montagne, ils suivaient la progression de la petite fumée noire, qu'ils voyaient impitoyablement allonger son volume.

Le feu était là, ils le savaient, mais avec le soleil qui mordorait l'horizon, comme un palet flamboyant irradiait les arbres, ils le confondaient.

Ils s'éloignèrent de leur barbecue et prirent place sur une longue grume échouée. Ils n'avaient plus faim.

– Venez manger, les secoua Bellemare. De rester là en observateurs n'éteindra pas le feu. La braise est encore belle et les steaks nous attendent.

Ils obtempérèrent. Le bon vin aidant, ils avalèrent leur pièce de viande avec appétit. Repus, leur énergie retrouvée, ils allèrent reprendre place sur la grume et allumèrent pipes et cigarettes. À la fois, curieux et inquiets, ils gardèrent leurs yeux rivés sur les hauteurs.

Pendant les longues heures précédant la pénombre, silencieux, ils interrogèrent le ciel et suivirent l'avancée du nuage noir qu'ils voyaient s'élargir un peu plus à chaque instant, ainsi qu'une anguille frétillante envelopper les arbres et s'étirer pour se transformer en un épais brouillard.

La nuit était entièrement tombée lorsqu'ils discernèrent la petite lueur rougeoyante, comme une dentelle fine, tourmentée, coupant l'horizon.

Longtemps encore, malgré l'obscurité qui les entourait, ils suivirent sa lente progression, en même temps qu'avec une angoisse nouvelle, ils prêtaient l'oreille et fouillaient les nues, tentant d'y déceler les lumières d'un objet grondant venant du sud, un appareil comme un sauveteur qui viendrait les chercher.

Les ténèbres les enveloppèrent et les bruits se turent. Il n'y avait plus rien à voir et l'avion n'était pas venu. Il ne leur restait qu'à rejoindre le chalet et tenter de dormir.

L'effet bénéfique du nectar de Bacchus s'était dissipé et l'anxiété, de nouveau, altérait leurs traits.

Le matin était noir quand ils s'éveillèrent le lendemain.

La fumée était devenue asphyxiante et piquait leurs yeux. Le foyer de l'incendie était situé loin du lac Lemay, plus haut en ligne droite vers le nord, mais le vent soufflait en cette direction et toute la région montagneuse était recouverte d'un voile opaque.

Les flammes avaient pris de l'ampleur. Il n'avait pas plu depuis plusieurs semaines et, malgré l'orage de la veille qui avait mouillé sa surface, le fond du sol était sec.

Ils sortirent sur le perron et observèrent les alentours. En bas, au bord du lac se tenaient une biche et son daim. Ils semblaient désemparés. À la vue des hommes, les deux bêtes avaient tourné la tête et étaient demeurées immobiles. Elles ne redoutaient plus l'humain, elles ne cherchaient plus à fuir.

Un oiseau survint, ils ne savaient d'où. Comme éperdu, en émettait des piaillements éraillés, il fit quelques cercles au-dessus du lac. Ses cris décrurent et il disparut vers le sud.

Le ciel leur apparaissait gris comme un jour de pluie. Le soleil était présent, ils le savaient, mais il était caché derrière l'épais rideau de fumée qu'il ne pouvait percer.

Le grondement d'un moteur au-dessus de leurs têtes, qu'ils identifièrent comme celui d'un canadair, les fit s'animer.

Les sapeurs des nues avaient commencé leur action. Ils se mirent à espérer qu'elle soit rapidement efficace et que la visibilité redevienne suffisamment bonne pour qu'un hydravion puisse amerrir sans danger.

Impuissants, ils ne pouvaient que se tenir à l'affût, demeurer près du lac et éviter les émanations nocives. Pour ce, ils devaient autant que possible respirer au ras de l'eau. C'est ce qu'on leur avait appris lors de leur entraînement aux techniques de survie.

La forêt autour d'eux était étrangement calme et silencieuse. Nul bruit, nul gazouillement ne la troublait. Cette sensation de fixité, de discontinuité, plus que l'activité des bûcherons, l'habituel pépiement des oiseaux, le craquement des branches que frôlaient les animaux sauvages, les angoissait.

Au-dessus de leurs têtes, comme un scintillement rapide, un frêle rayon de soleil avait percé. Une onde de confiance les inonda d'un coup. Presque aussitôt, le ciel s'assombrit.

Le vent déplaçait les flammes, ils le savaient, les poussait vers une autre direction, pour, quelques minutes plus tard, les ramener vers eux, annihilant leur fragile espoir.

La journée passa ainsi, entourée de soupirs et de silences, d'attentes et de déceptions.

Les ténèbres avaient envahi trop tôt la terre, comme un jour d'hiver.

Leurs repas s'étaient résumés à se partager quelques poissons, fruit de leur pêche du week-end, cuits sur leur gril improvisé, sans aucun légume d'accompagnement.

Mais l'heure n'était pas aux caprices. Par contre, les truites étaient fraîches et tendres.

Lorsque la nuit fut complète, ils distinguèrent de nouveau sous le voile épais de la fumée, les flammes qui mordaient la montagne, comme une langue avide qui avalait ses hachures. Le cœur crispé, ils suivirent la longue traînée comme une fine lame qui coupait l'arête de l'horizon et l'ensanglantait en jetant des lueurs incandescentes.

Des bouffées de vent chaud parvenaient jusqu'à eux. Le feu se rapprochait. Malgré les efforts des canadairs, il prenait de l'importance.

Ils s'interrogeaient en silence. Leurs traits creusés, leur regard mouvant disaient leur lassitude. Ils se demandaient s'ils n'en seraient pas réduits à aller se réfugier dans les eaux du lac.

Vers dix-neuf heures, Bellemare réussit une fois encore à prendre contact avec le bureau par sa petite radio. L'incendie n'était pas circonscrit, lui apprit-on. Aucun avion ne pourrait amerrir dans cette purée, mais les sapeurs se déployaient efficacement et ils auraient bientôt des résultats.

— L'ennui, c'est qu'on ne sait pas quand on aura du secours et qu'on n'a plus que quelques poissons en réserve, déplora Harnois.

— On va continuer à pêcher, décida Bellemare. Peut-être que ça va finir par mordre. De toute façon on n'a que ça à faire.

Pendant toute la journée, ils s'étaient appliqués à tendre leurs lignes, en vain. Les poissons, peut-être instinctivement avertis du bouleversement de la forêt, refusaient de se laisser prendre. Les boîtes de vers étaient vides et ils n'avaient pas d'autres appâts. Ils avaient bien fait quelques essais à la mouche, mais sans résultat.

— Dans de telles conditions, les poissons se réfugient dans les profondeurs du lac et n'en bougent pas, avait expliqué Laurier.

— Ça me rappelle la débâcle du printemps 68, raconta Antoine-Léon. On était bloqué au milieu d'une inondation et...

— Il y a plus important à faire, en ce moment, que t'entendre rabâcher tes exploits, coupa sèchement Bellemare. Essaie plutôt de te montrer utile.

Heurté, Antoine-Léon ouvrit la bouche pour répliquer avec la même verdeur, puis se retint

La situation était difficile, chacun était fébrile et avait les nerfs à vif, principalement Roger Bellemare qui était l'organisateur de l'expédition et qui se sentait responsable. Les circonstances étaient mal choisies pour engager une querelle et se donner raison. Pourtant, Antoine-Léon était ébranlé. Il avait l'impression que Bellemare, malgré ses apparentes bonnes intentions, n'était pas aussi bienveillant envers lui qu'il l'avait laissé entendre. C'est dans les moments éprouvants que l'humain révèle sa vraie nature. Il comprenait que son supérieur s'était retenu d'exprimer son agressivité pour les besoins de sa cause, mais qu'il n'en pensait pas moins.

Il reconnaissait que la prudence est de mise, mais pris dans l'engrenage, il se demandait bien comment il pourrait demeurer calme et circonspect.

Le temps était venu d'aller dormir. Ils se levèrent et se dirigèrent vers le chalet. Sans se départir de leurs vêtements, ils s'étendirent sur leurs lits.

Ils s'éveillèrent en sursaut. C'était encore la nuit. Recroquevillés sur eux-mêmes, ils toussaient, anhélaient.

Le vent s'était levé et poussait au-dessus de leur abri des bouffées de fumée plus denses encore. Ils avaient peine à respirer. La chaleur était devenue insupportable. La sueur ruisselait sur leurs fronts et de longues traînées de suie marbraient leurs joues.

Ils coururent vers le lac et y plongèrent leurs visages.

Entassés sur le quai, les pieds dans l'eau, un mouchoir mouillé protégeant leur bouche, ils suivirent la dernière empreinte de la nuit qui allait se dissiper et céder à l'aube qui traçait une faible lueur.

Fébriles, ils se reprirent à scruter le ciel, dans le fol espoir de distinguer sous le couvert noir, la brillance d'un avion qui plongerait vers eux et les ramènerait vers la civilisation. Mais le miracle ne se produisit pas.

Là-bas, l'incendie faisait rage, de son grand souffle, embrasait les épinettes les plus vigoureuses et se rapprochait dangereusement d'eux. Ils entendaient presque le crépitement des branches qui s'enflammaient d'un seul coup, comme le geste d'un magicien, de leur tête jusqu'à leur base.

Le regard apathique tourné vers l'est, ils se tinrent à l'affût du soleil qui devait se lever à cette heure, de sa lueur naissante qu'ils devinaient, escomptant la voir percer l'oppressant voile figé au-dessus de leurs têtes.

Mais le soleil monta dans le ciel sans que cèdent ni la chaleur intense ni le brouillard épais qui avait occulté la montagne.

Désœuvrés, ils occupèrent leur temps à mouiller leur visage pour ressentir un peu de fraîcheur. Ils n'avaient rien d'autre à faire. Ils avaient faim, la douleur tenaillait leur estomac, mais ils ne s'en plaignaient pas.

Stoïques, ils scrutaient les nues, prêtaient l'oreille et appelaient les secours de tous leurs vœux.

La journée passa dans le vide et l'attente. Ils allaient réintégrer le chalet pour une autre nuit sans sommeil quand un mouvement sous les résineux fit basculer leur cœur. Des pas faisaient craquer les branches basses et se rapprochaient.

Comme un grand souffle, les arbres s'écartèrent. Une équipe de forestiers venait de surgir dans leur clairière. Sans rien voir, en courant, ils vinrent s'arrêter au bord de l'eau.

Roger se rua vers eux. Il ne cachait pas son soulagement.

— On était campés près du lac Saint-Paul, quand on nous a confié une ligne de feu, indiqua l'ingénieur bordelais, le chef d'équipe.

Ils hochèrent la tête. Chacun connaissait la règle. Quand arrive un incendie de forêt, toutes les opérations des camps cessent et chacun devient un combattant.

— On a reçu l'ordre de rejoindre les autres. Il y en a un bon nombre qui sont déjà rendus en haut et qui creusent des tranchées.

— Si on se met tous ensemble, m'est avis que ça sera pas long que le feu va être circonscrit, prédit un technicien qui se voulait rassurant. Les gardes-chasse ont fait ce qu'il y avait à faire, ils ont averti et, depuis, les avions ont pas cessé de larguer des tonnes d'eau.

— Avez-vous faim, demanda Laurier. On n'a pas grand-chose à vous offrir, mais il nous reste un peu de poisson et peut-être quelques tranches de pain.

— Privez-vous pas pour nous autres, répondit Bordelais. On est habitués à la dure. Notre *pick-up* est juste à côté sur la piste. Demain on sera rendus au chantier. Là-bas, ils ont de quoi nourrir une armée.

Il poussa un soupir :

— Il approche minuit et mes hommes sont épuisés. On voulait que s'arrêter près d'un lac, se rafraîchir et dormir un peu. On veut repartir avec le lever du jour. Il nous reste encore deux bonnes heures de route à faire avant de rejoindre le brasier.

Sans demander leur reste, ouvriers et techniciens s'étendirent à même le sol sur le sable bordant le lac. Ramassés sur eux-mêmes, la tête reposant sur leur bras, ils sombrèrent dans le sommeil.

— Qu'en pensez-vous ? interrogea Laurier.

— Moi, je me dis qu'au lieu de rester planté ici à me faire du mouron, je devrais embarquer dans leur *pick-up* et me rendre utile, déclara Antoine-Léon. De toute façon, à quoi bon rester à attendre l'avion, il ne viendra pas.

— Je partage l'avis de Savoie, dit Luc. Vaut mieux se rendre utile. Sans compter que là-bas, on aura de quoi à manger sans priver personne. De plus, dans les chantiers, il y a le téléphone, on pourra prévenir nos familles. Les nôtres à la maison doivent se mourir d'inquiétude.

Leur décision fut rapidement prise. Sitôt, les forestiers éveillés et prêts à partir, ils se joindraient à eux.

***

Ils atteignirent le camp de bûcherons en début de matinée. Il y avait trois jours que le feu consumait le flanc sud de la montagne et n'était pas circonscrit. Ravis de cette main-forte, tout de suite, on leur indiqua un secteur où apporter leur aide. Un groupe imposant de bûcherons-sapeurs était déjà au travail. Tous munis de pompes-sacs, ils se dirigeaient vers un cours d'eau, remplissaient leurs gourdes et gravissaient une piste tracée par les machines, menant au foyer de l'incendie.

Leur appareil connecté à un tuyau d'arrosage, ils aspergeaient les flammes, patiemment redescendaient, remplissaient à nouveau leur sac et recommençaient leur manège.

Leur effort en était un de moine, ils en étaient conscients, mais, si lente fût-elle, l'offensive liguée de centaines de travailleurs qui avaient abandonné leur poste pour combattre le sinistre permettait de retarder sa progression et ainsi soutenir la tâche des canadairs.

Antoine-Léon y avait retrouvé bon nombre de ses anciens techniciens, dont plusieurs étaient d'origine indienne. À peine arrivé, malgré la fatigue et la lourdeur de leur besogne, Charlot, Gabriel, Vincent, ti-Raoul et combien d'autres l'avaient entouré, heureux de le revoir, avec leurs petits yeux bridés, sous leurs sourcils encrassés de fumée.

Par la suite, comme pour bien montrer les liens qui les unissaient, ils répétaient chaque fois qu'ils le croisaient :

— Mitsi-Manitou, il est pas loin.

Rieurs, ils se remettaient à leur tâche.

Il y avait deux jours qu'ils poursuivaient leur harassant travail, gravissaient le raidillon, se déplaçaient sur une interminable distance pour atteindre le brasier quand Vincent qu'Antoine-Léon considérait comme le plus débrouillard parmi ses travailleurs montagnais avait repéré un cours d'eau de bonne importance plus près du brasier, sorte de bassin naturel qui recueillait les eaux de la montagne. Il s'était empressé d'y conduire l'équipe. Cette découverte écourtait d'importance le trajet qu'ils devaient battre pour faire le plein de leurs sacs. L'endroit était entouré de hauts résineux, sains et imposants. À leur base poussaient de belles fougères tout aussi vertes. Chagriné, Antoine-Léon pensa à ce gâchis, à cette richesse de la forêt que les flammes qui se rapprochaient étaient en train de leur ravir.

Un matin, il aperçut non loin de leur groupe, une mère perdrix et ses perdreaux. À demi immergée, ses plumes étalées effleurant le bercement de l'onde, ainsi que la biche et son daim qui s'étaient réfugiés au bord du lac Lemay, devinant d'instinct le danger, elle avait dirigé sa famille vers un endroit sûr.

Elle n'avait pas battu de l'aile à l'approche des travailleurs, comme faisaient habituellement ces oiseaux pour détourner l'attention de leurs oisillons. Elle s'était tenue sans bouger et ses petits avaient fait de même.

Occupés à remplir leurs pompes-sacs, les hommes leur avaient jeté un regard vague sans plus s'intéresser. Devant pareil désastre, même les humains oubliaient leurs réflexes de chasseurs pour laisser la vie.

Les journées étaient dures et ils étaient soulagés quand, à la tombée de la nuit, une autre équipe venait prendre la relève.

Rentrés au camp, ils étaient accueillis par les cuisiniers qui se hâtaient de déposer devant eux des mets plein les tables. Affamés, ils engloutissaient soupe aux pois, fèves au lard, pain de ménage et tartes à la farlouche comme si c'était le premier repas de leur existence.

Ils avaient oublié combien cette nourriture simple pouvait être succulente.

Épuisés, en même temps que repus, ils se dirigeaient vers la paillasse qui leur avait été assignée et s'endormaient d'un profond sommeil.

— Mais dites donc, qui c'est que je vois là? entendit Antoine-Léon lancer un soir derrière lui. On dirait mon oncle, mon oncle Antoine-Léon Savoie.

Debout au milieu de la pièce, l'œil amusé, une casquette à visière enfoncée sur son occiput, les mains dans les poches, se tenait un jeune adulte.

Antoine-Léon marqua sa surprise.

— Mais je rêve pas, c'est ben le garçon à David qui est devant moi, mon neveu Emmanuel, que j'ai pas revu depuis des lunes parce qu'il est jamais là quand je vais faire ma tournée annuelle à la famille. Veux-tu ben me dire ce que tu fais ici, dans un chantier de bûcherons, en pleine montagne, avec le feu qui fait rage tout autour de toi?

— Je pourrais vous demander la même chose, mon oncle.

— Moi, c'est pas pareil. La forêt, c'est comme chez moi. J'étais en voyage de pêche quand on s'est retrouvés au milieu de l'incendie. Je me suis dit qu'au lieu d'invoquer les saints du ciel sans bouger, je serais plus avisé d'aller prêter main-forte aux sapeurs et me voilà.

— Les ingénieurs mènent une belle vie, plaisanta Emmanuel. Ça se permet des voyages de pêche. Aux frais de la compagnie, je suppose, tout ça en plus des vacances d'été.

— C'est pas si simple.

Interpellé, Antoine-Léon raconta le motif de leur voyage, l'offre qui lui avait été faite, ses hésitations et enfin son acceptation.

— Bien entendu, pareil changement comporte des risques. Si vous loupez l'affaire…

— Si je loupe l'affaire, comme tu dis, répondit Antoine-Léon, il me restera qu'à me chercher un job ailleurs, parce que je doute que je serais le bienvenu dans mon ancien emploi.

— Vous avez demandé l'avis de grand-mère ?

— Elle ne connaît pas le domaine, elle ferait que me servir sa logique habituelle. Et puis, je ne veux pas l'inquiéter avec ça. J'ai étudié la question sous tous ses angles. Je peux pas reculer.

— Si ça marche pas, vous viendrez me voir, lança Emmanuel en bombant la poitrine d'importance. Je vous ferai une proposition d'affaires.

— Une proposition, répéta Antoine-Léon.

Un léger rire faillit tirer ses lèvres. Il considéra son neveu. Âgé d'à peine trente ans, il lui paraissait jeune, vulnérable avec son épaisse chevelure châtain clair dont une mèche débordait sur son front, ses membres frêles, son visage délicat, la réplique de son père, David.

Antoine-Léon cherchait vainement dans ses yeux, derrière son air juvénile, cet esprit de décision qu'il avait lu dans le regard de son frère aîné au même âge et qui avait tant suscité son admiration d'adolescent.

— La dernière fois que je t'ai vu, tu étais à côté de ton père en train de bâtir des édifices commerciaux, tu veux me dire ce qui t'amène ici ?

— J'ai quitté l'entreprise du père pour partir à mon compte, expliqua Emmanuel. Je suis maintenant dans le camionnage.

— Tu veux dire que tu travailles pour une firme de camionnage, nuança Antoine-Léon.

— Non, mon oncle, rectifia-t-il fermement. Je travaille pour mon compte. Quand vous verrez en grosses lettres sur un camion transporteur de bois l'inscription «E. PARENT TRANSPORT», eh, ben! ce sera moi.

Antoine-Léon se gratta la tête.

— Ouais, mon neveu, tu me renverses. Je suppose qu'à ton âge, tu vas aussi m'annoncer que tu es marié.

Emmanuel éclata d'un fou rire qui découvrait largement sa denture.

— Là, mon oncle, vous êtes vieux jeu, aujourd'hui, on se marie pus.

— Va pas répéter ça devant ta grand-mère.

Il retint un bâillement.

— Je parlerais bien avec toi toute la nuit, mais je suis fourbu. On se revoit demain?

— Demain, je serai parti vers un autre chantier, mon oncle, mais on aura d'autres occasions… c'est certain que je vais rebondir par chez vous lorsque la scierie sera construite.

Antoine-Léon lui donna une tape amicale sur l'épaule, esquissa un sourire et se dirigea vers son dortoir. Sceptique, il se demandait ce qu'il adviendrait de son neveu. Une firme de camionnage peut être intéressante et rentable si son propriétaire a la capacité de remplir son carnet de commandes de contrats lucratifs, comme ce même propriétaire peut, pendant toute sa vie, demeurer un entrepreneur de second plan et tirer le diable par la queue. Il souhaitait de toutes ses forces que, sous ses dehors fragiles, Emmanuel ait hérité de la volonté de son père et de son esprit d'initiative.

Il se laissa choir sur sa couchette, il n'avait plus envie de réfléchir. Il ferma les yeux et, immédiatement, sombra dans le sommeil.

Des bruits de voix le réveillèrent. Il souleva les paupières. Le firmament lui paraissait encore noir. Il consulta sa montre-bracelet, elle indiquait trois heures. L'équipe de nuit rentrait. Il savait qu'il en serait de même aussi longtemps que le brasier ne serait pas éteint.

— Tu as vu le ciel? chuchota Luc qui était étendu près de lui. Jette un œil, c'est splendide.

Antoine-Léon étira le cou vers le carreau. Là-bas, au-dessus des montagnes, la voûte céleste était claire, d'une pureté froide, constellée d'étoiles brillantes.

Ce bleu profond piqueté d'or, cette impénétrabilité en d'autres temps l'aurait émerveillé. Mais cette nuit, elle le désolait. Elle signifiait que demain, il y aurait encore du soleil. Faudrait-il exécuter une danse rituelle pour que tombe enfin cette pluie bienfaisante qui mâterait les flammes?

— Il y a ça de bon que le vent a tourné de bord et qu'on peut respirer sans étouffer, dit-il.

– Et qu'on mange à notre faim, acheva Gilbert.

Redressé sur son coude, Gilbert remarqua encore :

– À propos, tu connais des bûcherons ? Je t'ai vu en grande conversation avec l'un d'eux.

– Ce n'était pas un bûcheron, répondit-il sans donner plus de précisions.

– As-tu rejoint ta femme ? demanda encore Luc.

– Elle est en promenade chez son père. J'ai tenté de l'appeler là-bas, mais il n'y avait pas de réponse. Je vais réessayer demain.

– Moi, j'ai rejoint la mienne. Elle a mauditement hâte que je sorte d'ici.

Antoine-Léon se retint de laisser fuser un petit rire. Il connaissait la femme de Gilbert. C'est elle qui dirigeait la maisonnée. Si elle avait pu, elle aurait levé une armada et elle serait venue le chercher.

Une autre nuit passa, puis une autre et encore une autre.

Une semaine entière s'était écoulée avant que le ciel s'ennuage, ouvre enfin ses écluses sur la montagne et qu'agonisent les flammes.

Les quatre compères pouvaient enfin rejoindre le lac Lemay où l'hydravion viendrait les prendre.

Ils monteraient dans la première camionnette descendant dans ce sens. Pour l'instant, ils prêteraient encore leurs bras aux travailleurs qui avaient la tâche de dégager les brûlés. Il fallait nettoyer, abattre les arbres arsins, débarrasser le terrain des chicots et de la cendre. C'était une tâche ardue, de mercenaires.

Un après-midi, on vint les avertir qu'un commissionnaire s'apprêtait à se rendre à Manic-5 et qu'ils pouvaient profiter de l'occasion. De là, ils trouveraient aisément un transport vers le lac Lemay.

– C'est pas qu'on n'aimait pas vous voir à l'ouvrage, plaisanta le contremaître, mais faut une fin à toute.

– Vous êtes noirs comme des nègres, cria le cuisinier, tandis qu'ils se pressaient vers la jeep. La compagnie a fait installer des douches lors du dernier gros feu, il y a une dizaine d'années. Ça vous dirait pas d'en prendre une avant de partir ? Ça serait pas un luxe.

Ils hochèrent négativement la tête. Ils étaient sales, enfumés, ils le savaient, mais ils étaient impatients de se rapprocher de la civilisation.

— Allez pas croire qu'on a pas essayé vos installations, qu'on s'est pas décrassés depuis notre arrivée, lança Roger. Mais aujourd'hui, on fera pas attendre notre transporteur. Merci quand même, mais on se douchera à Manic.

***

Élisabeth était assise dans le salon de son père et fixait le téléviseur quand on avait diffusé la nouvelle.

— Un incendie fait rage dans les forêts couvrant l'est de la rivière Manicouagan, annonçait le speaker. Les canadairs sont à l'œuvre, mais ils n'ont pas encore réussi à circonscrire le brasier.

Elle bondit sur ses jambes.

Effarée, elle se rua dans le cabinet de son père. Au risque de déranger le patient qui, avec moult détails, s'efforçait de décrire le point précis de sa douleur, elle lui annonça d'une voix forte, angoissée :

— La forêt de la Côte-Nord est en feu et mon mari est coincé là-bas. Je dois rentrer à Baie-Comeau.

— Je t'accompagne, ma fille, décida le docteur Gaumont. Laisse-moi seulement terminer mes consultations. Pendant ce temps, tu vas aller avertir madame Savoie mère. Peut-être qu'elle souhaiterait être là, elle aussi, pour suivre les événements.

Le soleil déclinait vers l'ouest quand, un petit sac de voyage à la main, Héléna vint les rejoindre dans la cour de la résidence du docteur Gaumont.

Pétrifiée près de sa voiture, son visage douloureux tourné vers le nord, Élisabeth réprimait ses sanglots. Au-dessus du fleuve qui allait se fondre avec l'horizon, le ciel était uniformément gris, comme un large stratus déversant ses cataractes. Elle savait qu'il n'en était rien. Même sur la lointaine Rive-Sud, une odeur de bois brûlé chatouillait ses narines.

— Mon Antoine-Léon qui est là-bas, gémit-elle, prisonnier des flammes.

Tantôt, elle avait rejoint le bureau et on lui avait donné l'information.

Mortellement inquiète, elle serra ses enfants dans ses bras. Pour la première fois, elle prenait conscience du danger que courait son époux.

Ils se dirigèrent vers Matane et s'embarquèrent sur le transbordeur.

Arrivés à destination, ils se tinrent à l'affût des communiqués.

Matin et soir, vaillamment, Élisabeth se déplaçait vers l'édifice de la compagnie, elle allait aux nouvelles. Elle rentrait à la maison le cœur brisé. Les pêcheurs étaient saufs, rapportait-on. Secourus par des forestiers, ils avaient été emmenés dans un camp de bûcherons où ils participaient à la corvée.

Enfin, après une interminable semaine, à n'en plus finir, on lui annonça que l'incendie était circonscrit. Surexcitée, elle se pressa vers sa demeure.

— Le cauchemar est terminé, cria-t-elle à la famille réunie dans le salon. Ils seront bientôt là. On les a transférés à Manic-5. Ils sont épuisés, mais ils sont vivants.

La forte tension qui l'avait habitée pendant cette période pénible se relâchait. Elle éclata en sanglots.

— Ils sont vivants, répétait-elle.

Elle pleura longtemps et, enfin, essuya ses yeux.

— Je vais me rendre au poste de la rivière Manic, hoqueta-t-elle, et je vais m'y tenir jusqu'à l'arrivée de l'hydravion. Je veux être là pour accueillir mon mari.

— Informe-toi d'abord de l'heure de l'amerrissage, fit son père, la priant d'être raisonnable. Et s'il n'arrivait que demain ?

Elle n'avait pas connu moment plus heureux que celui où elle distingua, sautant de l'appareil d'un mouvement souple, la silhouette de son époux.

Elle courut se jeter dans ses bras. Antoine-Léon la serra avec force contre sa poitrine.

— Ma petite chérie.

— Ce que tu m'as manqué, mon amour. Ne me fais plus jamais peur pareille, ordonna-t-elle la voix vibrante en s'écartant de lui.

— Tu tiendrais donc un peu à moi ? chuchota-t-il.

Les sourcils levés, elle recula.

— Tu sais bien que non, c'est à cause des enfants. Ils sont trop jeunes pour perdre leur père.

Il lui adressa une vilaine grimace.

— Grand fou, va !, lança-t-elle.

Levée sur la pointe des pieds, elle entoura son visage de ses deux mains et baisa goulûment sa bouche.

— Je tiens à toi plus qu'à ma propre vie, murmura-t-elle.

— Et moi donc, je n'ai pas cessé de penser à toi. L'attente, là-bas, a été insoutenable.

— Mais c'est fini, mon amour, maintenant, à nous les plaisirs.

— Tu ne commences pas par me proposer un bain de mousse ? Après une semaine passée dans une chaleur torride à suer et à me farcir de fumée, même si nous disposions de douches, les savons, là-bas, tu sais, ils sont plutôt ordinaires.

— Oh que si, même que ça s'impose. Tu empestes le savon du pays.

Tous deux enlacés, ils se dirigèrent vers la voiture.

— À propos, nous avons de la visite, annonça-t-elle. Ta mère et mon père sont là. Ils m'ont accompagnée, ils ne voulaient pas me laisser seule et…

— Tu ne peux pas t'imaginer qui j'ai rencontré dans le camp de bûcherons… je te le donne en mille, mon neveu, le garçon de David, je l'ai trouvé pas mal sûr de lui et fendant, il m'a fait penser à mon oncle Charles-Arthur, pourtant, ils n'ont aucun lien de parenté.

— Et il ne s'est pas arrêté à la maison pour nous saluer, il est vrai que je n'étais pas là, non plus…

Ils continuaient à discourir. Le quotidien avait repris sa place. Antoine-Léon en remerciait le ciel. Ce moment qu'il avait tant souhaité était enfin arrivé.

Élisabeth actionna le moteur et s'orienta vers la maison.

14

Héléna et le docteur Gaumont s'attardèrent pendant encore quelques jours dans la ville. Tandis qu'Élisabeth s'occupait de son père, Antoine-Léon s'était chargé de sa mère et l'intéressait à ses affaires. Sans en avoir l'air, il requérait son avis. Dès qu'arrivaient seize heures trente, il quittait le bureau et allait la prendre à la maison.

Le premier jour, il lui fit visiter son espace de travail en même temps qu'il lui relata le projet d'implantation d'une scierie et du rôle qu'il aurait à y jouer.

Le lendemain, il l'amena près du grand champ de récupération qui longeait la rivière et lui montra l'emplacement de la future usine. Il attendit vainement de sa part, une observation, un conseil.

Assise près de lui dans la voiture, sa mère demeurait silencieuse. Pourtant, il avait cru déceler dans ses prunelles une petite flamme disant son admiration et peut-être aussi, un peu son inquiétude, mais elle ne dit rien. Elle ne se permit qu'une remarque, tandis qu'ils roulaient sur la nationale après avoir visité le site :

— Ce beau bureau que tu as, avec vue sur la mer, est magnifique. Il aurait bien fait le bonheur de ton père. Il va te manquer.

— Peut-être, répondit-il, mais avancement signifie briser des habitudes et exige certains renoncements. Une adaptation est toujours difficile jusqu'à ce qu'on découvre d'autres valeurs, des compensations. Je m'attendais à ce que ma vie change un jour. Ce n'est pas dans ma nature de m'encroûter.

Il crânait, il en était conscient. Au fond de lui-même, il avait très peur, mais il ne pouvait retourner en arrière et surtout, pour rien au monde, il n'aurait voulu inquiéter sa mère.

Ils croisaient l'agglomération de Hauterive. Un îlot de résidences sommeillait à l'ombre d'un édifice à logements. Il ralentit.

– Vous voyez cette maison en pierre grise au coin de la rue. C'est la demeure de mon patron Roger Bellemare. Un incendie s'y est déclaré la veille de Noël, il y a deux ans et sa femme a péri. Les flammes se sont propagées à l'immeuble voisin et tous les locataires ont dû être évacués. Ce fut pour eux un drôle de Noël.

– Ce dut être une drôle de nuit de Noël pour le propriétaire aussi, compatit sa mère. Je ne sais pas ce qui se passe cette nuit-là, c'est comme si les éléments s'amusaient à se déchaîner. Je pourrais te citer des tonnes de pépins arrivés à Noël. J'ai vu une fuite de mazout, un tuyau d'eau qui crève… Pourquoi cette nuit-là et pas la semaine précédente ? Essaye de dénicher un plombier ou un ouvrier spécialisé le 24 décembre au soir, tu m'en donneras des nouvelles.

Il acquiesça.

– Trêve d'événements malheureux, lança-t-il avec bonne humeur. Que diriez-vous d'aller voir ma propriété à revenus ?

Sa mère bougea sur son siège. Il comprit, si elle avait marqué un intérêt mitigé pour ses activités professionnelles, que la suite de leur balade la remplirait d'enthousiasme.

Il fit gronder le moteur, quitta la route principale et s'engagea dans la rue La Salle.

– Est-ce qu'il arrive que papa vous manque ? lui demanda-t-il tandis qu'ils roulaient en direction de l'immeuble.

– Ton père me manque chaque seconde, répondit-elle.

– Vous aimeriez qu'il soit toujours vivant.

– Évidemment que j'aimerais. Sa présence me manque, son écoute, son entêtement aussi. C'était un personnage très coloré qui ne laissait personne indifférent.

Redevenue silencieuse, elle s'absorba dans ses pensées. Elle enchaîna à voix contenue :

– Hélas, ces beaux rêves ne mènent à rien. Quand on évoque nos disparus, on se remémore leurs réalisations, on les voit actifs, pleins de projets. On oublie leurs mauvais moments, quand ils étaient malades, si souffrants et malheureux, qu'on souhaitait presque que Dieu leur fasse la grâce de venir les chercher. À la fin de sa vie, ton père n'avait plus rien du géant qu'il avait été.

Ses lèvres frémirent. Elle enchaîna avec émotion :

— Dans mon raisonnement, j'inclus ta sœur Cécile.

— Vous devez vous sentir seule dans votre grande maison, émit-il avec douceur. Pourquoi ne pas vous remarier ? Nous, vos enfants, ne vous en tiendrions pas rigueur. Et ce ne sont pas les bons partis qui manquent autour de vous, pensez seulement au docteur Gaumont, il est veuf, lui aussi, et vous le connaissez bien.

— Tu plaisantes, fit Héléna dans un éclat de rire. Le docteur Gaumont s'organise très bien dans sa maison et il a une secrétaire toute dévouée qui se fait un bonheur de s'occuper de lui. Je suppose que c'est ta femme qui t'a mis pareille idée dans la tête ? Je la soupçonne d'être une marieuse, cette petite. Tu savais qu'elle m'a refilé monsieur Harvey, l'ingénieur à la retraite que tu connais. Il a frappé à ma porte un après-midi d'automne. J'admets que c'est un homme charmant et je l'ai accueilli avec politesse. Il est revenu à quelques reprises. Pendant un temps, j'y ai trouvé une distraction et lui aussi, puis nous avons perdu l'intérêt, la flamme était passée. Il s'en est rendu compte et il n'est plus revenu.

Elle souleva les épaules dans un geste d'indifférence.

— De toute façon, ça ne pouvait aller bien loin, je n'aurais jamais accepté un troisième mariage, je suis beaucoup trop occupée.

Antoine-Léon savait, oui. Il pensa à toutes les obligations de sa mère dans les affaires de son village, son bénévolat, ses associations, aux mois de mai marqués par les déménagements annuels de ses locataires.

Il n'avait pas oublié cette période particulière des premiers jours de mai. Il la revoyait encore quittant la maison tôt le matin avec mademoiselle Bonenfant, sa bonne, toutes deux équipées de seaux, de brosses, de savon et de gants de caoutchouc, allant s'enfermer dans les immeubles pour, pendant toute la journée, s'escrimer à nettoyer les logements vacants, en faire des pièces nickel, que, sitôt entré, le nouveau locataire s'empresserait de salir.

Il éprouvait les mêmes embarras à la différence qu'il n'avait pas ce temps à perdre à faire du récurage. Pas question non plus d'impliquer Élisabeth. Jamais, il n'aurait osé lui demander de débarrasser ses logements de la crasse des autres, elle en aurait étouffé dans sa salive.

Heureusement, il existait aujourd'hui des firmes d'employés de ménage qui fournissaient ces services. Il le suggérerait à sa mère.

La voiture s'engagea dans une descente. Presque immédiatement, il ralentit, pénétra dans une cour et stoppa.

— Et voilà, nous y sommes.

Héléna ouvrit de grands yeux.

— Ainsi, c'est cela, ton *bloc*! lança-t-elle sur un ton soufflé d'admiration.

La bâtisse était d'importance. Accrochée à la falaise, elle offrait quatre étages percés de chaque côté de larges fenêtres séparées au centre par un puits de lumière qui brasillait dans le soleil. Huit balcons, tous embarrassés de chaises ornaient la façade. Derrière, ajoutant à la carrure de l'édifice, surplombant l'ensemble et l'encerclant, se dessinait la ligne grise du roc, dépouillée et sans verdure dans un décor impressionnant, presque sinistre.

Un craquement attira leur attention. La porte d'entrée venait de s'ouvrir.

La veuve Martel en sortait. Elle était suivie d'un occupant du deuxième. Tous deux discutaient, ils paraissaient en colère.

— Ah! vous voilà Monsieur Savoie, s'écria la femme. Vous arrivez à point, on a tenté de vous joindre, tantôt, par téléphone.

Avec force gestes, elle expliqua que le dénommé Rosaire Ligori, un des locataires du quatrième étage, avait, depuis quelque temps, pris l'habitude de lancer ses ordures à partir de son balcon.

— Il l'a fait par deux fois aujourd'hui, se scandalisa la veuve.

— C'est un fainéant, renchérit le locataire du deuxième, un gars sus l'BS qui aurait rien que ça à faire, descendre les escaliers et aller jeter son sac dans le bac à vidanges. Mais il est trop paresseux. Moé, pis Mam Martel, on a nettoyé le stationnement avec de l'eau comme on a pu. C'était trop dégueulasse pour laisser la place de même, malgré que c'est pas à nous autres de faire ça.

— Faut que ça arrête, s'irrita la veuve. Le dernier sac, tantôt, est tombé en partie sur la galerie de Mam Ouellet. Elle l'a pas pris pantoute. Vous savez comment elle est péteuse.

Au-dessus de leurs têtes, une porte-balcon s'était ouverte et une femme en était sortie. Un tablier blanc autour de la taille, une enfilade de rouleaux à friser retenant ses cheveux, madame Ouellet faisait vibrer ses pas vers la balustrade.

– Vous êtes pas mal effrontée, Mam Martel, de me traiter de péteuse. Je suis tout simplement une femme propre. Je voudrais bien vous voir, vous, si votre balcon était aspergé à tout bout de champ d'eau sale, de pelures de patates pis d'os de poulet à moitié rongés. Je paie mon loyer, moé aussi, et j'ai droit à un minimum d'hygiène. On vit pas dans une soue à cochons.

Antoine-Léon cligna de l'œil vers sa mère et fit un geste d'évidence.

– Voilà les joies du propriétaire !

– J'ai toujours pensé qu'il y a un esprit de propriétaire et un esprit de locataire, raisonna Héléna. Dans ce contexte, les locataires, le plus souvent, se reposent entièrement sur le proprio. C'est une charge lourde à porter. Je me trompe ou tu n'as pas de concierge ?

– J'en avais un, mais je ne l'ai plus. Il s'est établi une sorte de gêne entre nous, ça concernait les lessiveuses automatiques.

Il raconta que les logements n'étant pas équipés pour installer des laveuses-sécheuses, les locataires devaient aller laver leur linge dans une buanderie payante aménagée au sous-sol de l'édifice. Lors de l'achat, l'ancienne propriétaire lui avait remis la clef des boîtiers dans lesquels s'accumulaient les pièces de monnaie.

Il allait lui-même vider les cassettes chaque mois. Il ne recueillait à ces occasions qu'une poignée de menue monnaie n'excédant jamais dix dollars. Il avait trouvé étrange que les locataires lavent si peu leur linge. Après quelque temps à s'interroger, il avait décidé de changer les serrures. Le mois suivant, il avait récolté presque cent dollars. Il avait compris que quelqu'un possédait un double. Or qui cela pouvait-il être à l'exception du concierge ?

– Étrangement, dit-il, tournant vers sa mère sa mimique amusée, dans le mois qui suivit, le concierge avait donné sa démission et déménagé.

– Qu'attends-tu pour en engager un autre, se récria-t-elle. Un concierge est essentiel dans un immeuble à location, ne serait-ce que pour maintenir l'ordre. Vivre dans ces boîtes, c'est presque comme vivre en communauté, on peut rencontrer les mêmes faces dix fois par jour et le lendemain, ce sont encore les mêmes. Pour empêcher que tout ce beau monde s'entre-déchire, il faut des règles que chacun doit respecter. Pour ça, il faut mettre les locataires au pas et qui peut mieux le faire qu'un concierge quand tu n'es pas là ? Comme aujourd'hui, avec ce malotru, ton concierge aurait réglé l'affaire. Tu ne dois pas tolérer pareille situation.

– Je suis de votre avis, il faut que ça cesse. La question est : comment lui faire passer l'habitude ?

La réponse de sa mère ne se fit pas attendre.

– Tu vas commencer par lui servir un avertissement, émit-elle sur un ton frémissant d'indignation. Si ça ne l'arrête pas, tu le menaceras d'expulsion et, à l'offense suivante, tu mettras ta menace à exécution.

– Qu'est-ce que vous pensez que le bonhomme va faire ? se récria-t-il, je connais cette race de monde. Il ne se donnera pas la peine de se déplacer bien loin, il va juste se rendre au bout de la rue, au bureau de la Régie du logement, et aller brailler dans le giron d'un inspecteur qui va m'obliger à l'endurer et à nettoyer ses immondices. La Régie du logement, c'est comme la tour de Pise, ça penche toujours du même bord, celui des locataires.

Héléna releva la tête. Une foule de souvenirs montaient en elle. Ses yeux pétillaient de malice.

– En t'y prenant bien, tu peux leur faire comprendre le bon sens. J'ai déjà gagné des causes devant la Régie, tu sais.

– Quand est-ce que vous avez vu des organismes de ce genre comprendre le bon sens et surtout agir en temps voulu ? répliqua-t-il.

Il narra un fait que lui avait rapporté la veuve Martel où le locataire ne payait plus son loyer depuis six mois. Il y avait cinq mois que le propriétaire avait fait une demande à la Régie pour l'expulser. La réponse ne venant pas, il avait décidé de ne pas lui renouveler son bail et il avait cherché un autre locataire.

Le preneur ayant vendu sa maison et devant la quitter à la mi-avril, il souhaitait s'installer dans le logement deux semaines avant l'échéance du précédent bail.

Le mauvais payeur avait refusé tout net de le lui céder avant le premier mai, même s'il ne payait plus son loyer depuis longtemps.

– Le nouveau locataire avait dû lui verser la somme de deux cents dollars pour qu'il consente à partir, proféra-t-il outragé. En plus d'avoir profité d'un loyer gratuit pendant une demi-année et davantage, il avait mis deux cents dollars dans sa poche. Au moment de son départ, l'organisme n'avait pas encore arrêté sa décision. Tout cet argent perdu pour favoriser un tout-nu, vous trouvez ça correct ?

– Certes pas, je dirais même que c'est une aberration. J'ajoute que votre administration ne se grouille pas beaucoup les fesses. Tu peux être assuré que cela ne se passerait pas de même chez nous.

Son ton s'était raffermi.

– Je ne vois qu'une solution, mon fils. Tu vas faire partie de la ligue des propriétaires, et tu vas t'en mêler. C'est ce que j'ai fait dans ma région, je suis même devenue présidente de l'organisme et j'ai fait passer des lois. Je veille au grain et il se gagne bien des causes grâce à mon intervention. Quand on se rallie, on est écouté.

Elle enchaîna sur le même ton de verdeur :

– Pour tout de suite, tu vas servir un sévère avertissement à ton merle et tu ne vas pas mâcher tes mots. S'il recommence, tu le menaceras, non seulement d'expulsion, mais de lui faire payer les dommages. Va tout de suite lui parler et fais ce que tu as à faire. Ensuite, nous irons retrouver Élisabeth. Il approche dix-huit heures. Elle nous en voudrait de laisser refroidir son souper.

– Ce sera pour moi un plaisir, proféra-t-il comme s'il n'attendait que son aval.

15

Pour la première fois, depuis leur mariage, Antoine-Léon et Élisabeth avaient passé leurs vacances annuelles en France.

Pendant trois semaines, ils avaient oublié les tracas journaliers pour jouer les touristes et visiter les principales attractions de la ville de Paris.

Hésitante au départ, inquiète pour ses petits, Élisabeth avait eu la chance de dénicher une merveilleuse gardienne. Chaudement recommandée par les dames anglaises, résidante de la place depuis toujours, madame Bergeron faisait office de gouvernante. Frôlant la cinquantaine, elle possédait sa propre voiture, et trimballait les enfants partout, l'avait encore rassurée Françoise Labrie, une amie qui usait déjà de ses services.

Françoise n'hésitait pas à confier ses six enfants à la dame lorsque, à l'égal de toutes les épouses de juge, elle accompagnait son mari dans ses déplacements hors de la ville.

Élisabeth était montée dans l'avion, le cœur léger.

Tous deux reposés, sitôt rentrés à la maison, Antoine-Léon s'était investi dans la ligue des propriétaires et avait été promu à l'exécutif avec l'intention de briguer un jour le poste de président. Il avait de plus écouté les conseils de sa mère et allégé ses tâches de propriétaire immobilier en engageant un concierge. De son côté, sa mère avait retenu sa suggestion et recruté une équipe d'entretien pour le ménage.

Avec l'arrivée du mois de septembre, Philippe et Dominique avaient déserté la maison pour fréquenter l'école. Restée seule, Élisabeth employait ses loisirs à répondre aux invitations de ses amies toutes curieuses de l'entendre relater son voyage. Elle y prenait un énorme plaisir.

Tandis que l'heure de sortie des établissements scolaires arrivée, elle allait retrouver ses enfants, elle se surprenait à penser qu'après tout, la vie dans cette petite ville n'était peut-être pas si désagréable.

Antoine-Léon, qui avait réintégré son bureau de la rue Marquette, n'éprouvait pas le même agrément. Cette pause qu'il s'était permise, loin de lui redonner force et courage, lui avait rappelé l'imminence de son départ.

Il se sentait fébrile. Malgré les plans, devis et études de toutes sortes, faisant pourtant partie de ses tâches qui embarrassaient sa table de travail, il n'éprouvait plus cette sensation bien assise d'être chez lui, ancré dans ses affaires. Il avait le sentiment que le fauteuil qu'il occupait ne lui appartenait plus, qu'il lui était prêté et il s'y sentait comme un étranger.

Le soir, sa journée terminée, il rassemblait ses objets personnels et les rapportait à la maison. Il ne laissait plus comme il avait fait jusqu'à ce jour, une provision de tabac à pipe dans un tiroir. Au moment de franchir le seuil, il glissait sa blague de cuir dans sa poche et il en était un peu triste. On ne quitte pas un endroit où on a œuvré pendant quatre années sans en ressentir un deuil.

Après ce voyage agréable qui avait comblé leur été, l'inquiétude était revenue le hanter. Cette mutation qu'il s'apprêtait à faire équivalait à un nouveau départ. Il avait trente-neuf ans, dix-sept ans d'expérience et il craignait de se tromper. Chaque jour, chaque fois qu'un craquement, un bruit de pas se faisaient entendre près de sa porte, son cœur se crispait d'angoisse. Il se demandait si le moment n'était pas venu de partir. Il appréhendait l'avenir, il ignorait ce qu'il lui réservait et il le redoutait. Il ne croyait pas au hasard, il croyait aux influences et aux mauvaises décisions.

***

Le mois d'octobre allait se terminer. C'était un de ces matins chaleureux et tièdes comme ils en avaient peu avant l'arrivée de l'hiver. Il avait mieux dormi et il s'était éveillé de bonne humeur.

Du côté de la montagne, les résineux chatoyaient sous les rayons du soleil. Plus près d'eux, la mer roulait ses vagues comme des brassées d'or.

Tandis qu'il se déplaçait, il se disait que c'était un de ces jours où il se sentait capable de se mesurer au plus coriace.

Il allait franchir la porte de son bureau quand madame Flamand, sa secrétaire, le rejoignit.

— Il y a un appel pour vous, Monsieur Savoie, il semble que c'est urgent.

C'était la veuve Martel.

— Monsieur Savoie, criait la femme, son timbre chargé d'indignation, Rosaire Ligori vient de recommencer. J'allais sortir sur le perron pour aller faire mon épicerie, quand il a laissé tomber un sac vert, presque sur ma tête. En tout cas, c'est bien là que j'ai failli le recevoir. C'est juste qu'il a mal visé parce que cette fois, je suis certaine qu'il l'a fait exprès. Monsieur Savoie, ça peut plus durer. Si vous agissez pas, ensemble, les locataires, on s'est concertés et on a décidé qu'on renouvellerait pas notre bail le printemps prochain.

Antoine-Léon raccrocha. Toute la bonne humeur qu'il ressentait depuis son réveil s'était envolée. Il bouillait de colère. En juin dernier, lors de la visite de sa mère, il avait servi un sévère avertissement à son locataire. Cette semonce l'avait contenu pendant un temps, mais il semblait bien que sa fainéantise soit plus forte et qu'il reprenait ses mauvaises habitudes.

— Il y a des comportements qu'on ne peut extraire de certaines têtes, lui avait expliqué sa mère. Il n'y a qu'une façon de régler son problème à un locataire qui est un salaud et qui ne veut rien comprendre, c'est de demander un droit d'expulsion et l'envoyer vivre dans un endroit qui lui ressemble. Une réputation est vite perdue dans l'immobilier. Il faut tenir tes lieux propres et tranquilles, sinon ton immeuble perdra de sa valeur et tu y perdras aussi tes profits. On ne loue pas au même prix, un immeuble occupé par des individus bas de gamme.

Il avait compris que le temps était venu de faire appel à la Régie du logement et cette situation le contrariait. Il avait bien d'autres choses à faire que de soutenir des discussions oiseuses avec des fonctionnaires pompeux qui refuseraient tout effort de compréhension, ne sachant que se référer au texte de la loi, la tête appuyée sur leur accotoir et tournant distraitement un stylo entre leurs doigts.

Pourtant, il savait qu'il n'y avait pas d'autre solution.

Son index pressant le bouton de l'interphone, d'une voix où perçait l'exaspération, il informa sa secrétaire qu'il devait s'absenter pendant un moment pour une raison personnelle et importante.

Sans attendre, il monta dans sa voiture et se dirigea vers les bureaux gouvernementaux.

— Je viens chercher un mandat d'expulsion, proféra-t-il sur un ton frémissant de colère vers la réceptionniste de la Régie du logement. Je dois expulser un locataire et ça presse.

— Vous avez une raison sérieuse? s'enquit la dame.

— J'AI une raison sérieuse, martela-t-il.

La dame éclata d'un grand rire, sonore, interminable, hilare. Enfin, elle retira ses verres de lecture et, du revers de la main, essuya ses yeux embués.

— Antoine-Léon Savoie, que te voilà de mauvais poil! Calme-toi un peu. Tu ne me reconnais donc pas?

Interloqué, Antoine-Léon se redressa. Son emportement venait de fondre d'un seul coup.

— Pauline Côté, souffla-t-il, Pauline, la femme de Jean-Marie? Qu'est-ce que tu fais ici? Avec tes lunettes sur le bout du nez, je t'avais pas reconnue. Je pense que je viens de faire toute une gaffe.

— C'est toujours de cette façon que tu interpelles les gens à qui tu viens demander des services? Je te dirai que ce n'est pas la manière.

— Si tu étais propriétaire d'un *bloc* et que tu avais comme locataire l'énergumène qui m'oblige à m'amener ici, toi aussi, tu ruerais dans les brancards.

La tête courbée, il exposa son problème. Son poing fermé heurtant le bureau, il insista sur l'urgence d'agir; la situation avait assez duré.

— Je te vois venir avec tes gros sabots, Antoine-Léon. Tu vas me dire qu'il est temps pour la Régie de montrer son efficacité, pour une fois, dépenser l'argent des contribuables à bon escient. Ils disent tous cela, mais ce n'est pas si simple.

Rieuse, le menton levé, elle prit un air faussement hautain.

– Votre arrivée comme une tornade et votre ton impératif n'ont pas eu l'heur de me plaire, Monsieur! Voilà ce que je pourrais te répondre et je pourrais ajouter...

Elle éclata encore de rire.

– Quand je vais raconter ça à mes amies, surtout à Élisabeth, elle va vouloir te tuer.

– Vous autres, les femmes, quand vous vous tenez, lança Antoine-Léon. Puisqu'il me faut passer par toi pour avoir un mandat d'expulsion, eh, ben! vas-y, donne-le-moi, je suis pressé, j'ai pas que ça à faire.

– Tu es un peu trop vite en affaires, quoiqu'il m'a l'air d'un coriace, ton locataire.

– C'est un fainéant, et un fainéant, c'est pas facile à faire bouger.

– Malheureusement, il peut faire opposition et on ne peut lui refuser ce droit.

De nouveau emporté, il se pencha sur le meuble.

– Es-tu en train de me dire que la Régie va perdre un temps précieux à écouter les propos d'un tout-nu qui va se prétendre justifié de jeter ses ordures du haut d'un quatrième étage, les laisser dégouliner sur tous les balcons qu'elles rencontreront pour s'écrabouiller sur le stationnement et, qu'en considération de ça, le temps que vous allez prendre à examiner ses arguments, il pourra poursuivre son manège? C'est pas dans six mois que j'ai besoin de cette autorisation-là, c'est aujourd'hui. Sans compter que quelqu'un peut passer par là juste au moment où il s'*épivarde* et être blessé, comme ç'a failli arriver ce matin!

– Ce n'est pas une situation facile, compatit Pauline. Je dirais même que c'est aussi une question de salubrité.

Elle ouvrit tranquillement un tiroir. De son ongle pointu élégamment verni de rouge, elle dégagea trois feuillets qu'elle poussa devant lui.

– Voilà mon conseil. Plus vite tu auras rempli ces formulaires, plus vite le processus sera enclenché. Comme de raison, ce n'est pas moi qui réglerai le litige, je ne suis que proposée à l'accueil. Par contre, je puis te dire comment la Régie va agir.

Reprenant appui sur son siège, les doigts croisés sous son menton, elle récita comme une tirade bien apprise:

– Tu dois remplir ce formulaire de plainte en trois copies pour ouvrir un dossier. Un comité sera formé qui étudiera ta demande, consultera le code de procédure et décidera si elle est justifiée. Les arguments de la partie adverse seront mis en preuve avant d'arrêter une décision. Par exemple, si un handicap empêche ton locataire d'emprunter l'escalier pour répondre à l'hygiène la plus élémentaire, tu seras sommé par la Régie de lui fournir les moyens nécessaires au maintien de la salubrité des lieux. Les dehors d'un édifice sont la responsabilité du propriétaire, peu importent les circonstances, et c'est à lui qu'il revient de le maintenir libre de toute nuisance. S'il ne s'acquitte pas de ses devoirs dans ce sens, il sera passible d'une amende au municipal. S'il s'avère que la faute est imputable à un locataire, c'est au propriétaire qu'il revient de sévir, par exemple en lui faisant payer les frais de nettoyage. Le tribunal d'instance serait du même pas saisi de l'affaire et te remettrait le mandat d'expulsion demandé.

Elle poussa un ouf retentissant.

– Comme tu vois, ce n'est pas demain matin que ça peut se régler.

Dégoûté, Antoine-Léon serra les poings. Son timbre était bas, frémissant.

– Quand le ministère des Transports défend de lancer des déchets le long des routes et impose une amende au contrevenant, un saligaud va éparpiller ses poubelles sur une propriété privée et c'est le propriétaire qui va en être garant, qui va payer les frais si la municipalité sévit? Pour l'humain rationnel, je parle de celui qui a l'usage de sa tête – les autres, on n'en parle pas, on les renferme –, la conscience collective, le devoir de citoyen, ça dit rien au gouvernement, ça? C'est comme ça qu'on forme une société responsable? Selon leurs vues, un citoyen, parce qu'il est handicapé, peut se permettre de jeter ses immondices où il veut et ce sont les autres qui vont devoir assumer son incapacité? C'est ça qu'on vous a appris à l'école? D'abord, mon bonhomme, il est pas handicapé.

– Tu sais bien que je pense comme toi, l'apaisa Pauline. J'aimerais pouvoir t'aider, mais, dans un organisme gouvernemental, la loi est bardée de fers et n'a qu'une règle. Elle n'a pas la souplesse des institutions privées. Tu fais partie de la Ligue des propriétaires, nous as-tu appris ? Pourquoi ne pas la rallier à ta cause ? Quand on a une équipe avec soi, c'est plus facile de contre-attaquer et gagner son point.

— C'est ce que me répète ma mère.

Le buste tendu vers l'avant, elle chuchota comme si elle allait lui faire une confidence.

— En ce moment, la Ligue des propriétaires n'est pas très active, nous nous en rendons compte, ici. Il vous faudrait un leader, quelqu'un qui a de la poigne. Tu n'as pas pensé poser ta candidature à la présidence ?

Antoine-Léon fit une moue. L'invitation n'était pas nouvelle. Depuis son adhésion au mouvement, l'idée lui trottait dans la tête, mais il se contenait. Il faisait partie de plusieurs organismes qui accaparaient déjà trop ses loisirs, lui laissaient bien peu de temps à passer avec sa famille.

— Et mon locataire dans tout ça, comment m'en débarrasser ? Je suppose qu'il serait inutile de vous demander de m'accorder le droit d'augmenter son loyer avant le renouvellement de son bail ce qui l'inciterait à partir de lui-même !

— Mon pauvre Antoine-Léon, ça signifierait pour toi une autre forme de procédure et d'autres délais, le dissuada Pauline.

Ses lèvres s'entrouvrirent. Elle lui jeta un coup d'œil à la dérobée.

— Je sais bien ce que ferait mon Jean-Marie. Il ne serait pas aussi limpide. Il donnerait certes un dernier avertissement au zozo et si celui-ci refusait de comprendre… il attendrait son heure et il lui ferait une de ces entourloupettes…

Antoine-Léon hocha la tête d'un long mouvement affirmatif.

— Je vais lui donner un avertissement et ensuite…

— Ensuite, au cours d'une partie de golf, tes confrères et toi en discuterez ensemble et vous vous servirez de votre imagination…

Elle posa ses doigts étalés sur sa poitrine dans un geste de connivence.

— Rappelle-toi que je n'ai rien entendu, que je n'ai pas idée de ce que tu maniganceras. Il m'arrive d'avoir l'oreille dure, termina-t-elle, un éclair amusé faisant briller ses prunelles.

Antoine-Léon hocha la tête dans un signe de compréhension. Sa journée de travail terminée, il ne rentrerait pas directement à la maison, il se dirigerait plutôt du côté de la nationale, ferait un détour par son immeuble et irait frapper au logement numéro 8, au dernier étage, celui de Rosaire Ligori.

— N'oublie pas de remplir ton formulaire, lança Pauline tandis qu'il franchissait le seuil.

***

Le locataire l'accueillit à la porte. Revêtu de son habituelle camisole sur son jean délavé, malgré la fraîcheur de cet après-midi d'automne, la barbe longue, un éternel mégot pendant à ses lèvres, il gonfla les pectoraux.

— Si c'est pas le proprio qui s'amène. Seriez-vous venu vous-même nous dire que la musique dérange ? On a de la visite. Comme ça, les *chiâleux* se sont fait aller la trappe ? Qu'ils se la ferment, on est en plein jour et on réveille *parsonne*.

Antoine-Léon sursauta. Absorbé par sa colère et le pourquoi de son intervention, il n'avait pas perçu les bruits qui ébranlaient le petit logement. Il lui donna rapidement la réplique.

— Maintenant que tu me le fais remarquer, je vais ajouter ce détail à ce que j'ai à te dire.

Un sourcil levé, interrogateur, Ligori redressa le menton. Une lueur d'arrogance allumait ses prunelles.

— Je peux faire aut' chose pour vot' service, Monsieur Savoie ?

— C'est pas un service que je viens te demander, mon homme, répliqua durement Antoine-Léon. Je viens te servir un avertissement, encore une fois ça concerne tes ordures. Je viens te dire qu'à l'avenir tu vas te conformer à la règle. Tu vas descendre les escaliers comme tout le monde et tu vas aller déposer tes déchets dans le bac qui est là à cette fin, dehors, à droite de la bâtisse, à côté du stationnement.

Il fit une pause avant d'articuler, la voix subitement raffermie, puissante :

— Je suis venu te dire que c'est mon dernier avertissement.

L'autre arqua vivement la nuque. Sûr de lui, sa riposte fusa, immédiate, et couvrit la musique qui hurlait derrière lui.

– Ben moé, je vas vous dire que c'est vous qui êtes pas en loi. Une bâtisse de quatre étages doit être munie d'une chute à déchets. Vous savez que j'pourrais vous obliger à en installer une, pis, comme votre bâtisse a plus que trois étages, j'pourrais aussi exiger un ascenseur !

Antoine-Léon recula. Son locataire semblait au fait des lois et, plus encore, il s'en servait allègrement.

– Pour le maigre loyer que tu me paies, mon homme, répliqua-t-il, je te mettrai à la porte avant de te donner le service cinq étoiles.

– Essayez donc, le défia Ligori, sur un ton durci. Ça en prend un peu plus pour mettre un locataire dehors.

– Si je fais ces dépenses, tu sais que le coût de ton loyer va iné-vitablement augmenter.

– Pis moé, je le ferai rajuster par la Régie, décocha Ligori du tac au tac. J'ai rien à pardre, je peux faire toutes les plaintes que je veux, aussi souvent que je veux, ça coûte pas une cenne.

Antoine-Léon bondit. Ligori avait raison. Il pouvait empoisonner l'existence de tout l'édifice, transgresser tous les avertissements, faire mille plaintes devant la Régie du logement et obtenir son support sans qu'il lui en coûte un sou. Il pouvait salir, polluer et exiger de son locateur qu'il nettoie les lieux qu'il avait lui-même souillés. La loi était ainsi faite, mal faite, de façon à favoriser les abus, déplorait-il.

Il devait réagir. Il alerterait la Ligue des propriétaires et il l'obli-gerait à s'en mêler. Jusqu'à aujourd'hui, l'association créée pour leur défense n'avait été là que de nom. Eh, bien ! la situation allait bientôt changer. Il assisterait aux assemblées, il briguerait la présidence et il la ferait sortir de l'ombre. Il s'investirait, il réveillerait tout ce beau monde et, ensemble, ils secoueraient cet organisme trop complaisant envers les locataires qu'était la Régie du logement. Sa première intervention consisterait à présenter une motion exigeant que les locataires paient une somme forfaitaire lors de la formulation d'une plainte. Cet impératif freinerait les abuseurs du système, se dit-il. Si la plainte était fondée, cette somme leur serait remise, convenait-il, subitement débonnaire.

Mais pour sa part, il n'attendrait pas jusque-là. Il avait décidé de régler à sa manière le cas de Rosaire Ligori.

– *Astheure*, mon homme, je vais te dire ce que tu vas faire si tu veux rester locataire de cette bâtisse. Si tu salis, je nettoie, parce qu'on est pas des cochons, mais je te refile la facture et ça, j'en ai le droit. Ça fait que, tiens-toi le pour dit. C'est ça que je suis venu te dire.

— Autant que vous voulez, Monsieur Savoie, votre boute de papier ira rejoindre les *cups* à patates frites dans la poubelle.

— Fais pas trop ton faraud, Ligori, gronda Antoine-Léon, parce que tu sais pas jusqu'à quel point je peux me servir de la loi.

— Je sais tout ça. C'est toujours la même rengaine, vous allez me traîner aux petites créances, je vas refuser de payer et vous allez me saisir.

Une grimace déforma sa bouche.

— Que c'est que vous voulez me saisir quand j'ai pas une cenne. J'ai que mon chèque du BS et il est pas saisissable.

Il éclata de rire.

— Vous savez que je peux exiger une baisse de loyer pour cause de manque de services ?

Antoine-Léon fit un bond violent. Il était presque au bord de la crise d'apoplexie, il étouffait.

— Tu veux courir après le trouble, Ligori, explosa-t-il, ben tu vas l'avoir.

— Bon ben, assez parlé pour rien dire, fit l'autre, brusquement avec importance comme s'il avait tout à coup autre chose à faire. Faut que je vous laisse, ma soupe est servie et je veux manger chaud.

Antoine-Léon pirouetta sur lui-même et s'engagea dans l'escalier. Il écumait. Incisif, il pensa à sa mère. Avec plus de vulgarité qu'elle, il déclina ce proverbe qu'il l'avait si souvent entendue dire lorsqu'elle dépeignait certains locataires particulièrement répugnants : « On peut sortir le cochon de sa porcherie, mais on ne peut pas sortir la porcherie du cochon ! » Et cette fois, il était devant un cas évident.

Il dévala les marches. Son altercation l'avait épuisé. Il se demandait si, locataire au quatrième étage de son immeuble, rentré du travail et fatigué, il apprécierait de dévaler trois escaliers, un lourd sac d'ordures à la main, se retrouver dehors, se diriger vers le bac à déchets près du stationnement des voitures et refaire le même trajet dans l'autre sens. L'exercice serait astreignant.

Rosaire, tout mauvais bougre qu'il était, n'avait pas tort. Avec la différence qu'il était sans emploi et que cette descente n'aurait été pour lui qu'un exercice salutaire.

Il pensa aux autres occupants. Au printemps, décida-t-il, ne serait-ce que pour améliorer leur sort, il s'imposerait cette dépense et ferait installer une chute à déchets. Encore faudrait-il que ce sale Ligori n'y déverse pas, sans les emballer, ses pelures de légumes et, tant qu'à faire, la litière de son chat? se hérissa-t-il, il en était bien capable.

Il était arrivé au rez-de-chaussée. Il allait franchir la sortie. Derrière lui une porte avait grincé.

La veuve Martel allongeait le cou dans l'ouverture. Une veste de laine entourant frileusement ses épaules, son visage disant sa curiosité, elle avait tendu le corps vers l'extérieur.

— Et pis, qu'est-ce qu'il a dit?

Antoine-Léon revint sur ses pas.

— Vous le connaissez, vous devinez bien qu'il ne s'est pas confondu en excuses. Mais il s'en sauvera pas aussi facilement, proféra-t-il sur un ton d'exaspération.

La cage de l'escalier était un immense cube et reproduisait les sons comme une casserole vide, la femme le savait. Elle y jeta un rapide coup d'œil.

— Entrez, chuchota-t-elle, nous parlerons plus librement.

Il la suivit à l'intérieur.

— Vous prendrez bien une tasse de thé, offrit-elle en tirant une chaise. Je viens juste d'en faire. Vous le siroterez tout en me racontant. Vous me parlerez aussi de votre voyage dans les Vieux Pays.

— Il y a beaucoup à voir, répondit-il. Je parlerais pendant des heures que je ne pourrais pas tout vous raconter.

— Paraît qu'ils ont des tas de vieilleries qu'ils conservent comme des trésors, observa-t-elle sentencieusement. Ici, on garde du neuf. Les vieilles affaires, on met ça à la poubelle.

— Je ne suis pas de votre avis, Madame Martel. Il y a de l'histoire dans les vieilleries, comme vous dites, j'ai trouvé des choses très intéressantes.

— Appelez-moi donc Roxanne, fit-elle, doucereuse, et tutoyez-moi. Depuis le temps qu'on se connaît. Si vous le permettez, je ferai de même.

Antoine-Léon hésita un peu, à peine et enfin accepta. « Pourquoi pas », se disait-il. Il était loin de ses affaires. Dans son immeuble résidentiel, il était comme chez lui et le décorum n'avait pas sa raison d'être.

— Je suis si contente, j'ai presque envie de vous sauter au cou, s'emballa la veuve.

Transportée, elle posa sa main sur son genou.

— Que diriez-vous…

Elle éclata d'un rire nerveux. Immédiatement, elle se corrigea.

— Que dirais-tu si on fêtait ça, si je nous préparais un bon martini ? Je sais que c'est votre… que c'est ton apéritif préféré.

— Il ne faudrait pas que je m'attarde trop, accepta Antoine-Léon. Ma femme doit m'attendre.

— À quoi rime ce scrupule ? s'insurgea la veuve. Même un mari a le droit de larguer les amarres de temps en temps. C'est pas une vie que de sans cesse se sentir poussé par les obligations familiales. Détends-toi, oublie ta femme une minute. T'auras qu'à dire que t'as été retenu au bureau. Un petit mensonge, ça fait pas de mal.

— Quant à ça, je ne suis pas à confesse.

Il trempa ses lèvres dans le liquide. Le cocktail était agréable et il en ressentait une douce chaleur.

La femme avait pris place dans un fauteuil lui faisant face. Silencieux, il fixait un point vague, il se sentait subitement tranquille. L'ambiance était chaleureuse et lui apportait cette libération de l'esprit qui lui manquait.

La veuve Martel, la première, rompit le silence.

— Parfois, je me demande si tu regrettes pas l'achat de mon immeuble, hasarda-t-elle sur un ton évasif, préoccupé.

— D'où te vient cette idée ?

— Quand tu as des ennuis avec les locataires, ça me dérange, je me sens comme si c'était de ma faute.

— Ça ne devrait pas, c'est une décision que j'ai prise tout seul, personne ne m'y a forcé.

— Tu me rassures. Il est bon, mon drink ?

– Il est délicieux. Je ne t'avais pas remerciée ? J'avoue que je suis un peu distrait dans ce temps-ci. Je n'ai pas que des problèmes avec mon immeuble, j'ai une décision à prendre dans ma vie professionnelle et ce n'est pas facile.

– Tu peux m'en parler si tu veux, peut-être que je pourrais t'aider.

Ses lèvres ébauchèrent un sourire, il hocha négativement la tête.

– J'en doute. Tu connais quelque chose à l'ingénierie ?

– Rien *pantoute*, s'esclaffa-t-elle, mais, si pour savoir quoi faire, ça prend du jugement, de ça, j'en manque pas !

Il avala une gorgée du liquide. Une sorte d'engourdissement était montée en lui, le retenait de terminer son verre, se lever et partir. Il se sentait détendu. Il lui semblait que ses problèmes s'étaient aplanis d'un seul coup, sous l'écoute compréhensive de la femme qui gobait ses paroles, maternelle, comme un tendre déversoir, à mesure qu'il s'exprimait.

Enhardie par la confiance qu'il lui témoignait, elle avança avec assurance :

– Depuis tantôt que je t'observe et que j'essaie de deviner le fond de ta pensée, il me semble que tu n'as pas confiance en toi. Il y a des années que tu habites cette ville, tu laisses ta trace partout, ton nom apparaît régulièrement dans *l'Aquilon*, le journal local. Tu as une forte personnalité. Tout le monde t'envie. Je serais pas surprise qu'il y ait des jaloux parmi tes confrères et qu'ils essaient de te tasser. Ç'en prend pas plus pour miner l'assurance d'un homme, même solide.

Impliqué, Antoine-Léon approuva de la tête à petits mouvements vifs. La femme avait vu juste.

Aiguillonnée, elle poursuivait.

– C'est bien ce que je pensais, tu es entouré de jaloux qui font tout pour t'abattre, et toi, tu es ébranlé au point de perdre foi en toi. Tu es un ingénieur et un excellent à part ça, qu'est-ce qui te retient de leur foncer dedans ?

– Nous avons nos compétences et pas nécessairement les mêmes.

– Si tu risques pas, tu sauras jamais si quelqu'un brime pas les tiennes, tes compétences.

– Quant à ça.

Il discutait avec elle comme si elle avait été de son rang, formée à ses connaissances et aguerrie, comme si elle saisissait chacun de ses mots.

Elle émit avec assurance :

– Tu te lances. Si ça va pas, tu donnes ta démission et tu fais application ailleurs. Tu es un ingénieur d'une intelligence supérieure. Je suis pas inquiète, on se bousculerait au portail pour t'engager.

Il se retint de sourire. Sa poitrine s'était gonflée de suffisance. Cette femme lui apportait la compréhension et le ressort qu'il ne trouvait pas à la maison. Il ne pouvait s'empêcher de faire un parallèle avec Élisabeth, accaparée par ses mondanités, qui le laissait à ses problèmes alors qu'ils auraient dû partager. Son amour pour elle faisait qu'il fermait les yeux. Était-ce ainsi que devait agir un couple aimant ? Pensif, il fixa son verre vide.

Soudain, comme s'il s'éveillait d'un songe, il consulta sa montre-bracelet, elle indiquait vingt heures.

– Mon Dieu, je ne pensais pas qu'il était si tard.

Nerveux, il se mit rapidement debout. Brusquement dégrisé, il prenait conscience des longues heures passées en la compagnie de cette femme, de l'intimité qui s'était installée entre eux, de cette familiarité qui risquait de rendre leurs rapports futurs plutôt embarrassants.

Ses préoccupations avaient repris leur place dans son esprit et recommençaient à l'assaillir. La belle assurance que la trop empathique veuve lui avait insufflée l'avait quitté. Il se pressa vers la sortie.

– Je n'aurais pas dû m'attarder autant. Merci pour l'apéro. Après pareil retard sans avoir averti ma femme, je vais être reçu avec une brique et un fanal. Je suis sûr que je vais devoir préparer moi-même mon souper.

La femme se leva à son tour et le suivit jusqu'à la porte.

– Pourquoi ne pas rester, je vais t'en préparer, moi, un souper, un souper dont tu te souviendras, glissa-t-elle avec une douceur toute nouvelle.

– Je ne peux pas.

Elle le gratifia d'un long regard. Sans un mot, elle prit ses mains dans les siennes et les pressa comme si elle voulait lui infuser sa chaleur. Lentement, elle monta vers ses avant-bras et enserra sa taille. Son corps contre le sien, les yeux levés, elle offrit son visage.

Antoine-Léon inspira profondément. Le souffle dru, elle se rapprocha encore. Ses lèvres chaudes frôlaient sa joue. Sa poitrine palpitait.

Délicatement, ses lèvres se déplacèrent. Avant qu'il ait pu résister, elle entoura son cou et l'embrassa à pleine bouche.

Il ne se défendit pas. Embarrassé, tendu comme un arc, ses bras abandonnés ballant contre ses hanches, il la laissait faire.

Enfin, après un moment qui lui parut interminable, elle se dégagea.

Sans abandonner sa taille, comme s'ils allaient effectuer une figure de danse, elle le fit reculer et le considéra de haut en bas.

Elle se rapprocha encore de lui.

Sa bouche près de son oreille, elle susurra à voix basse :

— Si ça t'a plu, tu reviendras et nous irons plus loin. Pour toi, ma porte sera toujours ouverte, quels que soient le jour, l'heure, la nuit, elle sera toujours ouverte, accentua-t-elle.

Puis elle le libéra.

Fortement ébranlé, ne sachant que penser, Antoine-Léon fonça dans la nuit et s'orienta vers sa résidence.

16

Dans les jours qui suivirent, autant qu'il le put, Antoine-Léon évita de croiser la veuve Martel quand il eut à se rendre à son immeuble.

Le comportement de la femme l'avait mis mal à l'aise. Incapable de repousser ses avances trop directes, lui qui n'éprouvait pour elle qu'une considération aimable, il en ressentait comme une honte. Il se demandait quelle mouche l'avait piqué d'écouter ses dires et d'en être suffisamment flatté pour perdre ses moyens.

Élisabeth n'avait fait aucune remarque, ce soir-là, quand il était entré avec deux heures de retard et il en avait été soulagé. À sa grande surprise, elle avait placé gentiment sur la table son repas gardé au chaud et était retournée s'installer devant le téléviseur de la salle familiale.

Il avait mangé en silence. Il reconnaissait son imprudence. Non seulement il avait joué sa tranquillité et sa vie de famille, mais il avait aussi mis sa réputation en péril. Les patrons anglais étaient formalistes, bégueules même, les qualifiait-il avec un peu de dérision. Leurs ingénieurs pouvaient se comporter aussi mal qu'ils le voulaient dans les autres régions, mais à Baie-Comeau, leur conduite devait être irréprochable.

L'automne avait passé, puis l'hiver. Avec l'arrivée du printemps, il s'était présenté à la présidence de la Ligue des propriétaires et il avait été élu.

Encouragé par cette première victoire, devenu combatif, en plus de participer religieusement aux réunions mensuelles du mouvement, il assistait chaque lundi soir aux assemblées municipales.

Attentif aux délibérations, il ne se retenait pas pour fustiger les élus aussi souvent que nécessaire.

– Toi, Savoie, quand je te vois aux premières loges dans la salle du Conseil, lui dit un soir, le maire, après une séance plutôt houleuse, je te redoute. Tu peux te vanter de nous faire trembler bien des fois.

Poursuivant sa croisade, il s'était tourné vers la Régie du logement et avait déposé un mémoire qu'il avait lui-même rédigé par lequel il enjoignait l'organisme d'exiger des frais d'ouverture de dossier pour chaque plainte formulée par un locataire, cela, afin d'éviter les abus.

« Rosaire Ligori y pensera deux fois avant de courir à la Régie pour des peccadilles », avait-il marmonné, la lèvre méchante.

Il se demandait combien de temps l'organisme mettrait à étudier sa proposition. Il imaginait les responsables prenant un an pour seulement commander l'étude. Il les voyait consacrer une autre année pour former un comité et monter un dossier, une autre encore pour discuter la question à l'interne, pour, trois ans plus tard, après cinq cents pages de verbiage, annoncer qu'ils n'avaient pas obtenu le consensus.

Mais il était tenace. Il reviendrait à la charge.

On était en juin, il y avait plus de trois mois qu'il avait libellé sa requête à l'organisme et il n'avait pas encore reçu d'accusé de réception.

Pour l'instant, il avait un autre souci. Il venait de quitter le bureau et, avant de rentrer à la maison, il se rendait à son immeuble. La semaine précédente, il avait fait installer la chute à déchets projetée l'automne précédent et il voulait s'assurer de son bon fonctionnement et de son usage. L'investissement avait été coûteux, mais il représentait une modernisation dans une bâtisse de cette importance. Bien entendu, ces dépenses seraient amorties sur plusieurs années et couvertes par une légère augmentation du coût de ses loyers.

Et encore, il avait investi son concierge de plus d'autorité.

Il avait hésité avant d'opter pour ces deux solutions. Ses locataires étaient des salariés moyens qui peinaient à gagner leur vie. Le mauvais comportement d'un des leurs allait les pénaliser tous, mais il ne voyait pas d'autre façon de procéder.

À titre de président de la Ligue des propriétaires, il se devrait d'être rigoureux et ne pas prêter flanc à la critique. Il n'allait pas prendre le risque d'avoir tout le service d'hygiène à ses trousses.

Il approchait de sa bâtisse. Là-bas, un mouvement semblait animer la cour. Il fronça les sourcils. Quelques locataires étaient dehors, attroupés devant l'entrée et entouraient le concierge.

Sa poitrine se contracta de déplaisir. Quelle autre tuile est en train de lui tomber sur la tête !

— Qu'est-ce qui se passe ? s'enquit-il sitôt descendu de sa voiture.

— Il se passe que Ligori vient encore une fois de jeter ses poubelles de son balcon, expliqua le concierge. Il s'était tenu tranquille après votre avertissement de l'automne dernier, mais il a recommencé. Le sac est allé atterrir sur le trottoir et s'est *effoiré*. Il y avait des ordures partout, des pelures de légumes, des bouteilles de bière, des boîtes de conserve, des cartons de pizzas, on peut savoir tout ce qu'il a avalé dans la journée.

— Qu'est-ce qu'il a à se plaindre ? s'exaspéra Antoine-Léon. Il voulait une chute à déchets, il l'a, qu'est-ce qu'il veut de plus ?

— Je suis monté lui dire son fait, expliqua le concierge. Il a donné pour excuse que vous aviez fait installer la chute du côté du logement 7, qu'il aurait fallu la placer de l'autre côté, près du sien, qu'avec son mal de jambes, il avait pas la capacité de sortir dans le corridor et se rendre jusque-là avec un sac, que c'était trop lourd et trop loin de sa porte. Il s'est plaint aussi de l'ouverture, il la trouve trop basse, il dit qu'avec son mal de dos, il se fait un tour de rein chaque fois qu'il se penche. Il m'a dit que si vous rapprochiez pas la chute, il déposerait son sac sur le palier et m'obligerait à venir le prendre pour le jeter moi-même.

— Il se croit dans un hôtel ? rugit Antoine-Léon. J'espère que tu lui as pas dit que tu irais jusqu'à le servir.

— Jamais de la vie, je lui ai dit d'aller se faire cuire un œuf. J'ai même ajouté que s'il osait laisser ses poubelles sur le palier à la vue des voisins, comme je possède un passe-partout, je lancerais son sac ben raide dans son logement.

Antoine-Léon opina durement de la tête et leva les yeux vers l'étage. Cette fois, la coupe débordait.

Il évoqua la période de Noël et la réception organisée par le bureau. Comme il l'avait présumé, Pauline Côté avait rapporté leur entretien à son Jean-Marie. Celui-ci avait profité de l'occasion pour en faire des gorges chaudes.

— Saviez-vous que Savoie a bien failli engueuler ma femme, avait-il lancé, prenant ses confrères à témoin. Il est rentré dans l'édifice de la Régie du logement comme une tornade et s'est rué sur la réceptionniste. Il s'est avéré que c'était ma légitime. Il était si noir de colère qu'il l'avait même pas reconnue.

— Je pensais ta femme tenue au secret professionnel, avait-il protesté.

— Pauline ne fait pas les entrevues, avait répondu Jean-Marie, elle est réceptionniste, elle allège le travail des inspecteurs en donnant quelques conseils et en remettant des brochures. Elle ne t'avait rien demandé, c'est toi qui as décidé de lui confier tes misères.

— Comme ça, un de tes locataires te tient tête, avait remarqué Jean-Marc Rondeau, hilare.

— Je vois pas ce qui te fait rire. J'ai servi un avertissement au moineau et j'ai rempli un formulaire de plainte à la Régie. Ma cour aura le temps de déborder d'immondices avant que cette institution réagisse et le pire, c'est qu'on va me tenir responsable de la malpropreté des lieux.

— C'est long quand t'as affaire à des fonctionnaires, avait reconnu Jean-Marie, c'est à se demander si, parfois, ils le font pas exprès. Que c'est que t'attends pour le mettre au pas, ton crotté?

— Je voudrais bien te voir à ma place.

— Ben, justement, si j'étais à ta place, il y a belle lurette qu'il aurait pris son trou.

— Tu peux me dire comment tu ferais?

Jean-Marie avait soulevé les épaules.

— J'en sais rien, j'ai pas vu le bonhomme, mais t'es capable de trouver un moyen. T'as pas coutume d'avoir les deux pieds dans la même bottine. Sers-toi de ton imagination. Le meilleur conseil que je puis te donner, c'est que t'es pas obligé de te conduire en monsieur, rends-lui la pareille, utilise ses méthodes et fonce.

Antoine-Léon revint à son immeuble et à son problème. Il est facile de répondre pour les autres quand on n'est pas impliqué, songea-t-il, se référant à Jean-Marie. Comment donner à ce locataire la leçon de sa vie, il n'avait aucune idée de ce qu'il pourrait faire.

– Je suppose qu'il va lancer ses ordures à n'importe quelle heure du jour ou de la nuit, fulmina-t-il, désespérant de le prendre sur le fait.

– Si c'est comme les fois précédentes, précisa le concierge, les locataires m'ont rapporté que ça se passait surtout autour de quatre heures, comme cet après-midi, après sa sieste, avant de déboucher sa bouteille de bière. Peut-être que sa femme lui fait *clairer* la place pour préparer le souper.

Antoine-Léon frictionna son front. Il commençait à trouver que la vie de propriétaire d'immeuble n'était pas de tout repos.

– Faut trouver un moyen d'arrêter son cirque. Et il est pas question de déplacer ma chute à déchets, encore moins de t'obliger à lui servir de valet.

– Si vous voulez mon avis, il veut faire son coq, dit encore le concierge. La mère de sa femme est en visite pour la semaine.

Antoine-Léon sursauta.

– Sa belle-mère est en visite ? Elle est là depuis longtemps ?

– Elle est arrivée hier matin. Je le sais parce qu'elle m'a demandé de lui trouver un stationnement pour son char. Je l'ai placé au fond de la cour, près du mur de pierre, là où je case mes outils. Je lui ai dit que j'acceptais de lui rendre ce service, mais que ça pourrait déranger, aussi, elle m'a laissé les clefs pour que je le déplace au besoin.

Antoine-Léon hocha lentement la tête. Son regard s'appesantit sur l'ensemble de son immeuble. Dominant la bâtisse et l'ombrant de sa puissance, la masse rocheuse empiétait largement sur le maigre enclos alloué aux locataires. Tout au bout, dans l'enfoncement, gisait un vieux véhicule, comme recroquevillé dans son coin perdu. Plus près s'étirait l'aire de stationnement, restreinte, comportant à peine cinq places. Il songea aux familles qui, de plus en plus, faisaient l'acquisition d'une voiture. Bientôt, il faudrait éloigner la matière, forer et accroître la surface. Une autre dépense à ajouter, plus importante que de déplacer une chute à déchets pour le bon plaisir d'un dénommé Rosaire Ligori. Et pourtant... « T'es pas obligé de te conduire en monsieur », avait dit Jean-Marie Côté.

Une idée germait dans sa tête. Il bourra lentement sa pipe.

– C'est la voiture de la belle-mère que je vois là-bas ?

– Ouais, c'est pas ce qu'il y a de plus neuf, répondit le concierge.

– Rejoins-moi ici, demain, vers seize heures, dit-il, je reviendrai et je serai là à l'heure, même que j'arriverai avant l'heure.

***

Antoine-Léon avait quitté le bureau vers quinze heures. Les mains crispées sur le volant, son pied enfonçant l'accélérateur, il se dirigeait vers son immeuble.

La distance était courte à partir de l'édifice de la compagnie.

Déjà, au loin, il distinguait le toit de la bâtisse, tranquille, gavé de soleil, amorçant l'enfilade de propriétés à revenus qui poussaient comme une infinité de champignons semblables.

Il ralentit sa vitesse et, prudemment, se gara sur le bord de la chaussée. Se déplaçant à pied, il pénétra dans l'enceinte.

Le concierge était là. Occupé à quelque bricole, il farfouillait dans son coffre à outils.

– Accompagne-moi jusqu'au mur de pierre, lui ordonna-t-il en allant s'arrêter près de lui, je voudrais étudier le problème du stationnement, je voudrais l'agrandir sans qu'il m'en coûte trop cher. J'en profiterais en même temps pour m'occuper du cas de Ligori. Mon idée va peut-être te paraître cocasse, mais quand on a affaire à cette race de monde, faut prendre des moyens aussi cocasses, vu qu'ils comprennent rien d'autre.

– Ligori est un paresseux, renchérit le concierge. Encore s'il cherchait à gagner sa pitance. Mais non, il préfère vivre sur l'BS, sur notre bras.

– Tu as les clefs de voiture de sa belle-mère, que tu m'as dit ? Va les chercher, tu vas devoir la déplacer. J'ai besoin de mesurer l'espace.

Il alla s'arrêter à quelques pas du perron de l'édifice et frappa durement le sol de son talon.

– Tu vas la mettre, icitte, décida-t-il à la façon de son père en prenant l'accent gras des ouvriers. Juste icitte. Cela fait, tu viendras me retrouver au pied de la falaise.

– Je vais faire ça avec plaisir.

L'œil morne, Antoine-Léon suivit le ballottement de la voiture manœuvrée par le concierge et qui roulait avec lenteur. C'était une vieille guimbarde au profil allongé, aux couleurs délavées, aux ailes creusées de rouille.

Sans se départir de sa mine pensive, il bourra le fourneau de sa pipe, l'alluma et pompa. Enveloppé d'un petit nuage gris, la démarche lente, il se dirigea vers l'arrière-cour. Dressé près de son concierge, une main dans sa poche, il exposa ses intentions.

– T'as dû voir comme moi que le stationnement est pas mal exigu. C'est le problème avec cet immeuble, il n'y a pas assez de place. Du train où vont les choses, bientôt les locataires vont tous posséder une auto et ils vont devoir se garer dans la rue. Un bon espace de stationnement, ça donne de la valeur à une propriété. S'il est insuffisant, les logements seront plus difficiles à louer, les gens vont privilégier les immeubles ayant toutes les commodités.

– Dans notre cas, on est devant un obstacle insurmontable, remarqua le concierge. On est collés sur la montagne, on peut pas la tasser.

La main en arc de cercle, Antoine-Léon simula la paroi rocheuse en contrefort, haute, fière, rappelant les ailes déployées d'un aigle noir.

– Si j'ai été capable de grossir une falaise pour y construire ma résidence, je serai capable de ronger dans celle-là.

– Vous avez pas idée de dynamiter, si c'est le cas, va falloir éva-cuer l'immeuble.

– Je ferais faire ça par des gars du métier. On ne demande pas à n'importe qui de dynamiter un barrage. Dynamiter une montagne au milieu d'une ville, c'est la même chose.

Le visage du concierge s'éclaira.

– J'en connais quelques-uns qui pourraient faire l'ouvrage. Je pense à mon beau-frère. Aujourd'hui, il bosse pour la Reynolds, mais il a travaillé pendant des années à la construction des routes. Il en a foré des trous, lui, pour les remplir de bâtons de dynamite…

Il se tut brusquement. Derrière eux, un bruit de tintamarre semblable à un cliquetis discordant de clochettes venait de secouer les airs. Suivirent les bonds rapides d'une cascade d'objets claironnants, durs qui s'éparpillaient et roulaient sur le sol.

Ils se retournèrent d'un seul mouvement.

Là-bas, la voiture soigneusement déplacée par le concierge reposait, comme laissée en plan, à demi sur le sol bitumé, à demi sur la plaque de béton qui couvrait l'entrée de l'édifice. Sur son toit, coiffant son centre, trônait un sac vert plastifié, largement éventré, semblable à un grand chapeau bigarré. Des ordures de toutes sortes émaillaient sa carrosserie. Partout sur le capot et les ailes, un liquide sans couleur maculait la tôle, coulait en mille rigoles poisseuses et allait zébrer les pneus du véhicule en même temps qu'il élargissait une mare douteuse sur le revêtement de la cour. Des bosselures se devinaient à l'endroit de l'impact.

Antoine-Léon bomba le torse.

— Astheure, mon Jean-Pierre, tu vas aller voir la belle-mère à Ligori. Tu vas lui dire de descendre constater un petit incident qui vient d'arriver à son char. Tu lui demanderas aussi si elle peut identifier les pelures de patates, les boîtes de soupe et les bouteilles de bière, qu'elle te dise si ça peut ressembler de quelque manière à leur menu du dîner ou du souper qui s'en vient.

— Je vais me faire un plaisir de porter votre message, Monsieur Savoie, lança le concierge qui maîtrisait à grand-peine son hilarité.

Il revint presque tout de suite suivi de Rosaire Ligori et de sa belle-mère.

— Que c'est qui vous prend, vous là, de nous déranger pendant que ma femme prépare le souper ? cria l'homme, indigné.

— Y a qu'il vient de tomber une drôle de bouillasse sur la cour, une sorte d'ondée et que ça te concerne, mon Rosaire, répondit Antoine-Léon en prenant encore une fois les intonations de son père. Peut-être que t'aurais préféré qu'on en parle pas et que ces détritus sèchent sur le char de ta visite ?

La belle-mère tournait en rond autour de sa voiture comme un chat cherchant sa place et roulait de gros yeux. Elle paraissait furieuse. Sans s'arrêter, elle la considérait, en même temps qu'elle portait un regard incendiaire sur le petit attroupement qui s'était formé comme si elle voulait pointer un coupable sur qui déverser sa hargne.

— Qui c'est qui a placé mon char, icitte? explosa-t-elle.

— Le concierge l'a déplacé comme il vous l'avait laissé entendre parce qu'on avait besoin de l'espace, répondit Antoine-Léon. Il vous avait avertie quand il vous a logée là que c'était seulement pour vous accommoder.

Il se gratta la tête.

— Par le diable, je m'demande qui a ben pu envoyer cette merde. Ça tombe quand même pas du ciel.

Outré, Ligori s'interposa.

— Jouez pas l'innocent, Monsieur Savoie, vous l'avez fait exprès, je le sais, moé, vous avez déplacé le char de la *belle-mère* pour…

La femme bondit. Ses yeux jetaient des flammes. Elle dévisagea son gendre, puis considéra les ordures. Lentement, sa colère se déplaçait. Les poings fermés, elle marcha vers lui.

— Ça veut-tu dire que c'est toé, Rosaire Ligori, qui as lancé ça de la galerie, que c'est ça que t'allais faire quand t'es sorti par la porte du balcon…

Sa voix s'amplifia, vibrante de fureur.

— Pis t'as osé viser mon char en plusse? Ça serait-ti une façon de me montrer la porte?

Elle se tourna vers Antoine-Léon.

— Vous embarrassez pas pour le nettoyage, Monsieur Savoie, mon gendre va s'en occuper. Pis comptez sur moé que tout va être nettoyé, pis ben nettoyé. Et je vous passe un papier que ça se reproduira pus.

Les lèvres d'Antoine-Léon se déformèrent dans un léger rictus.

— Hé! Rosaire, l'interpella-t-il. Oublie pas de nettoyer aussi l'asphalte.

— Comptez sur moi que je vas y voir, assura la belle-mère. L'asphalte aussi va être ben nettoyé.

Antoine-Léon s'éloigna. Il avait autre chose à faire. Derrière lui, la belle-mère poussait son gendre à l'intérieur et allongeait sa diatribe.

Pendant un long moment encore, ils entendirent sa voix qui éclatait, déchaînée, entrecoupée des protestations de l'autre.

Le devançant, elle s'engagea dans l'escalier vers le quatrième étage. Leurs hurlements peu à peu s'étouffaient, ils entendirent encore quelques exclamations lointaines, puis ce fut le silence.

Antoine-Léon savait que la discussion n'était pas terminée, qu'en haut derrière les murs, elle se prolongeait. Mais il n'en avait cure.

Il entraîna son concierge vers la falaise. Il allait reprendre son exposé. Soudain, il se ravisa.

— Je me demande si c'est si urgent d'agrandir le stationnement. Ça va bien prendre un an ou deux avant que ça devienne nécessaire.

— À moins que Ligori s'achète un *char*, fit le concierge en pouffant de rire.

Le soleil baissait à l'horizon. Antoine-Léon consulta sa montre. Il était temps pour lui d'aller retrouver sa famille.

Au moment de s'en aller, il aperçut Ligori s'activant près du véhicule. Un seau rempli d'eau d'une main, une brosse de l'autre, il réparait ses dégâts.

Il passa près de lui sans rien dire. Un mauvais sourire arrondissait ses joues.

L'autre lui coula un regard noir et, de mauvaise grâce, s'appliqua à son savonnage.

***

Le lendemain, sitôt après la fermeture du bureau, Antoine-Léon monta dans sa voiture et se dirigea vers sa résidence. Il se remémorait les événements de la veille et il riait sous cape. Il n'avait jamais pensé que la partie serait aussi facile.

Le souvenir de Ligori, l'œil apeuré, obéissant à sa belle-mère et nettoyant son méfait valait mille semonces.

Il manœuvra le volant et s'engagea dans la côte. Brusquement, une inquiétude tortura ses entrailles. Et si ce bougre, dans un geste de provocation, avait décidé de se venger et recommencer ? Si, en lâche qu'il était, pris au dépourvu, il avait cédé pour, après réflexion, décider de le défier effrontément ?

Vivement, il fit demi-tour et s'orienta vers la rue La Salle. Il devait s'assurer que tout était en ordre.

Il arriva devant la bâtisse. L'enceinte paraissait calme. Les quelques stationnements réservés étaient vides. Il dépassait à peine seize heures trente et les travailleurs n'avaient pas encore réintégré leurs logis.

Au fond, accolée à la falaise, propre et luisante, la voiture de la belle-mère avait réintégré son espace, garée sagement, comme si aucun avatar ne l'avait affectée.

Il s'introduisit dans la bâtisse et, rapidement, se dirigea vers l'appartement du concierge.

Une odeur de friture effleura son visage, accompagnée d'un grincement de charnières. La porte voisine s'était entrouverte sur la veuve Martel. La tête passée dans l'embrasure, elle souriait.

— Je suis pas sortie, hier, parce que je considérais que c'était pas mon affaire, chuchota-t-elle, ça m'a pas empêchée de tout voir par la fenêtre et tout entendre. J'étais drôlement contente que tu aies mis ce gros tas de merde à sa place.

— À la condition qu'il ne récidive pas, répondit Antoine-Léon. On ne sait jamais à quoi s'en tenir avec des crottés de ce genre.

— Je suis pas inquiète. T'es solide, t'es capable de tenir tête au pire des cabochards.

Antoine-Léon pointa le menton. Il réprima un élan de fierté.

— Mets-en pas trop, j'ai mes faiblesses.

Un craquement lui fit lever les yeux. Une ombre s'était profilée sur le palier de l'étage et s'était avancée dans la cage de l'escalier.

Il freina un violent sursaut.

Penchée sur la rampe, se tenait Élisabeth. Les lèvres pincées, ses doigts enserrant la main courante, elle le fixait, l'œil pétrifié, comme une statue de sel.

Sa poitrine se crispa douloureusement.

— Que fais-tu ici ?

Elle ne répondit pas. Le pas sonore, elle descendit les degrés. Sans un regard, la nuque altière, elle passa près de lui et franchit le seuil.

Nerveux, il la suivit dans la cour. Son cœur battait à se rompre.

— Que fais-tu ici ? répéta-t-il. Tu pourrais au moins m'expliquer.

– Permets-moi de m'étonner de ton insistance, proféra-t-elle en se retournant d'un élan vif. J'ai le droit de circuler dans la ville sans avoir à te demander la permission que je sache !

– Et dans mon immeuble, je peux savoir ce que tu venais y faire ?

Sans perdre contenance, elle fit un demi-tour vers lui.

– Tu as huit locataires, tu n'as pas pensé que je pourrais en connaître un ? À ce propos, ton Ligori détonne dans ton paysage. Tu devrais avoir assez de flair pour refuser de louer à des malappris pareils. Tu déprécies la valeur de ton immeuble de même que tu fais affront à ceux qui l'occupent.

Elle articula avec plus de sécheresse encore :

– Tu n'as pas songé, en prolétaire que tu es, tu n'as pas pensé, si tu veux faire de l'argent, que tu dois guigner les riches ? Il en est de même avec cette veuve qui miaule. Cette femme n'est pas de ta classe !

– Madame Martel est une relation d'affaires, elle me rend des services. Il n'y a rien de plus.

Élisabeth se cabra. Ses prunelles lançaient des éclairs.

– Ah, oui ! Elle te rend des services ! Depuis quand, une inconnue, une relation d'affaires est-elle assez intime pour se permettre de tutoyer quelqu'un à qui elle rend des services ?

Antoine-Léon baissa la tête.

– J'ai commis une erreur, admit-il, faisant amende honorable. C'est une familiarité que je n'aurais pas dû permettre. À l'avenir, je vais la vouvoyer et je vais l'obliger à me vouvoyer.

Élisabeth laissa fuser un rire sardonique.

Tu penses que pareille habitude se défait aussi facilement qu'elle se fait. Quand le pli est pris… ha, ha !

– Serais-tu jalouse ? s'enquit-il. J'espère que tu ne serais pas jalouse d'une femme de basse extraction.

Rouge jusqu'à la racine des cheveux, Élisabeth se rapprocha de lui jusqu'à toucher son visage. Elle frémissait de colère.

– Jalouse, moi ? Tu déraisonnes. Je suis au-dessus de ça. Par contre, je n'aime pas dormir auprès d'un homme qui se dégrade, qui fraie avec le petit peuple jusqu'à manger dans la même auge !

– Tu es dure, Élisab…

Coupant court à sa remarque, pivotant sur elle-même, elle lui tourna le dos et monta dans sa voiture.

— Débarrasse-toi au plus tôt de cette bâtisse, l'entendit-il proférer en même temps qu'elle refermait la portière. Tu n'as pas assez de cran pour gérer ce genre d'affaires.

Le moteur gronda. Un tourbillon de fumée enveloppa le véhicule, elle disparut vers leur résidence.

17

Élisabeth entra à la maison en coup de vent.

– Madame Bergeron, vous pouvez rester et garder les enfants pendant quelques jours, je dois partir d'urgence pour Québec.

– Mon Dieu! s'inquiéta la dame en pressant sa poitrine de ses deux mains. Quelqu'un serait-il tombé subitement malade? Pas les jumelles de madame Marie-Laure, j'espère.

Interloquée, Élisabeth la fixa. Elle prenait soudain conscience de sa trop apparente agitation. Elle bouillait d'une telle colère. Elle avait prononcé Québec, spontanément, sans raison.

Elle n'aurait mentionné Saint-Germain pour rien au monde. Moins que quiconque, elle irait se réfugier chez son père. Il serait trop malheureux des déboires de sa fille. Elle n'aurait pas davantage cité quelque famille amie sur la Côte-Nord. Toutes dévolus à Antoine-Léon, considéré comme un homme si amène et courtois, personne ne l'aurait prise au sérieux. Elle n'avait vu que Marie-Laure, encore qu'elle ne lui raconterait pas tout.

Elle fit un effort pour contenir sa fébrilité, cet état d'essoufflement qui se répandait dans tout son corps et la faisait palpiter.

– Personne n'est malade, mais je dois me rendre à Québec.

Elle avait répondu avec conviction et, plus les minutes passaient, plus elle avait le sentiment que c'était la chose à faire.

En même temps qu'elle se permettrait une réflexion nécessaire, elle donnerait une leçon à son mari. Elle lui mettrait un peu de plomb dans la cervelle, en commençant par lui céder la responsabilité des enfants, lui faire connaître les exigences d'une maisonnée!

– Je suppose que vous allez vous déplacer par bus ou que vous allez prendre l'avion, recommanda madame Bergeron. Vous n'avez pas l'intention, j'espère, de voyager dans votre petite Chevrolet.

– Si ! Je prends ma petite Chevrolet, s'entêta-t-elle.

– Votre décision n'est pas un peu précipitée, risqua la dame. Vous ne m'avez rien dit de tout cela, tantôt, quand vous m'avez demandé de venir accueillir vos enfants après l'école et les garder jusqu'à votre retour.

– Il est arrivé un imprévu, répondit-elle en détournant les yeux.

Elle refusait de confier ses préoccupations à cette étrangère, même si elle la savait bien intentionnée. Ce qui ne l'empêchait pas de réprouver fermement l'attitude de son mari, lui qui avait eu l'audace d'user de familiarités envers une locataire, une cocotte en plus.

Elle ne savait pas encore ce qu'elle ferait. Elle n'avait pas l'intention de quitter son époux pour un acte aussi anodin qu'un tutoiement, mais à cet instant, elle avait besoin de s'imprégner de ce qu'elle considérait comme une familiarité indigne de son statut et pour le lui faire comprendre elle ne voyait que l'éloignement.

Rapidement, elle remplit une mallette de quelques vêtements de rechange et se dirigea vers la sortie. Elle voulait quitter la maison avant qu'il ne revienne.

– Si mon époux demande où je suis, dites-lui la vérité, que vous n'en savez rien, lança-t-elle en embrassant les enfants.

Elle ajouta, la voix éteinte :

– Je reconnais que j'ai de la chance de vous avoir pour garder la maison.

Sous le regard déconcerté de la femme, elle franchit le seuil et monta dans sa voiture.

Son pied enfonçant l'accélérateur, elle descendit la côte, emprunta la rue La Salle et s'engagea sur la nationale vers l'ouest.

Le soleil était encore visible dans le ciel, mais il avait amorcé sa courbe vers l'horizon. Elle consulta le cadran du tableau de bord. Il indiquait dix-sept heures. Dans trois heures à peine la brunante la surprendrait alors qu'elle n'aurait pas franchi la moitié de la distance la séparant de la ville de Québec. La bienséance lui dictait de s'arrêter, dormir dans un motel et reprendre sa route le lendemain.

Elle se voyait mal allant sonner à la porte de Marie-Laure à l'heure où elle et son mari seraient sur le point de se mettre au lit. Il aurait été plus approprié d'entreprendre son voyage dans la matinée et aller surprendre sa belle-sœur en fin d'après-midi. Mais les événements s'étaient précipités et avaient poussé sa décision.

D'autre part, elle ne devait pas prendre de risques. La route menant à Tadoussac n'était qu'une trouée à travers une longue enfilade de résineux, déserte et non éclairée le soir, sa ligne à peine brisée par quelques groupuscules de maisons et à certains endroits, elle était dangereuse. Elle aurait des kilomètres et des kilomètres de forêt à traverser et sa voiture était peu sécuritaire. Elle avait deux enfants et elle voulait les voir grandir.

Elle résolut de s'arrêter à Forestville et passer la nuit au motel *Blue Bird*, ce relais qui offrait le gîte et le couvert. Elle connaissait l'endroit pour y avoir séjourné avec Antoine-Léon à l'occasion d'un congrès. Les chambres étaient confortables et la cuisine savoureuse. Elle commencerait par se détendre en prenant un bain chaud, puis elle se rendrait à la salle à manger, commanderait un apéritif et se régalerait d'un bon repas.

Elle devait considérer cet éloignement comme une bouffée d'air frais, des vacances qu'elle prenait seule dans un besoin d'assurer son bien-être psychologique. Elle était suffisamment humiliée et malheureuse. S'il lui fallait en plus, s'interdire le confort auquel elle était habituée…

Un doute traversa son esprit. Et si Antoine-Léon ne manifestait aucun remords, n'intervenait pas pour la prier de rentrer à la maison. Une vive colère comme une humiliation monta en elle. Alors elle irait plus loin, elle demanderait la séparation, peut-être même, le divorce.

Allons donc, qu'était-elle en train d'imaginer ! Est-ce qu'on demande le divorce pour un simple tutoiement ? Mais si cette liberté qu'il se permettait cachait autre chose ? Ce tutoiement pouvait signifier une plus grande intimité ?

La radio sur son tableau de bord diffusait une musique entraînante. Elle s'y attarda un moment, puis, agacée, baissa le volume.

Les mains agrippées au volant, elle fixa la route.

Il se passa de longues minutes avant qu'elle ne distingue au loin une suite de lumières rappelant une municipalité. Une vie soudaine anima le noir de la route.

Toutes les habitations semblaient regroupées le long de la nationale comme défilant sur une avenue unique. Ici et là, un enfoncement s'ouvrait sur une humble demeure comme une excroissance qui allait se perdre dans les fourrés. Elle était arrivée à Forestville.

Elle identifia l'établissement hôtelier, vaste construction se distinguant des autres, avec son restaurant qui faisait face à la nationale. Sur le côté, une combinaison de chambres réparties sur deux étages courait vers le nord, le tout relié par un escalier de bois, à demi dérobé dans l'ombre d'un mur.

Elle s'engagea dans la cour, avisa le premier stationnement et coupa le contact.

La forte tension qui l'avait habitée pendant les deux interminables heures qu'avait duré le trajet l'avait épuisée. Tous ses muscles lui faisaient mal. Elle exhala lentement son souffle.

Un peu calmée, elle descendit de sa voiture, se dirigea vers la réception et remplit une fiche d'enregistrement.

Tout de suite, elle monta à sa chambre. Il lui tardait de se détendre, de se décontracter en prenant un bain.

Fraîche, agréablement parfumée, elle se retrouva dans la salle à manger. La grande pièce était vivement éclairée. Près de l'entrée, les rangées de banquettes étaient toutes occupées par ce qui lui semblait être des résidants de la place. Bruyants, bavards, ils étaient engagés dans des conversations animées. Plus loin, des touristes étaient assis autour de petites tables carrées et discouraient à voix basse.

Elle jeta un regard hésitant autour d'elle avant de décider où s'asseoir. Les gens de la région se connaissaient tous. Qui sait si l'un d'eux n'allait pas la reconnaître et rapporter ce fait à son époux.

Longeant le mur, quelques coins d'ombre entourés de verdure offraient une certaine intimité. Elle choisit de s'y diriger.

Cet isolement répondait à ses besoins. À la suite de son altercation avec Antoine-Léon, plus que jamais, elle avait soif de solitude. Dans les moments difficiles, les périodes de retranchement auxquelles l'avait habituée son enfance de fille unique lui étaient essentielles. C'était sa façon de se ressaisir.

Elle se sentait recrue de fatigue. Sitôt installée devant sa table, elle commanda un Saint-Raphaël rouge.

La serveuse revint presque immédiatement, tenant un verre à la main, un simple verre à jus rempli à ras bord de la boisson apéritive.

Élisabeth sourit. Elle savait que c'était la ration courante en région. Faisant fi de l'étiquette, les restaurateurs servaient généreusement. Elle se retint d'en passer la remarque. Elle se demandait seulement si elle parviendrait à ingurgiter pareille quantité d'alcool, et ensuite, regagner sa chambre en marchant droit.

Elle y trempa les lèvres. Le liquide sirupeux enroba sa gorge et inonda sa poitrine. Une douce chaleur courut dans ses veines. Elle en éprouva une sensation voluptueuse, exquise. Elle se sentait encore lasse, mais d'une lassitude qui n'était plus la même. Son nectar à peine entamé, étrangement, sa fatigue se transformait en une sorte d'alanguissement. Elle en ressentait un effet délectable, comme une impression d'aplanissement, de tranquillité, de bonheur. Tout, sans crier gare, semblait avoir changé autour d'elle. Les bruits, percutants à son arrivée, s'étaient assourdis, l'éclairage trop éblouissant s'était tamisé et même Antoine-Léon n'était plus un si mauvais époux. Subitement, il lui manquait. Elle se demandait quel démon l'avait poussée d'être aussi prompte et sévère. Elle ferma les yeux, elle aurait souhaité le voir là, assis devant elle, tous deux devisant gentiment et savourant leur quiétude.

Elle avala une autre gorgée. L'impression était délicieuse. Une tendre mélancolie l'avait envahie. Au fond, la vie n'était pas si désagréable dans cette région éloignée. Elle était entourée, comblée même, et sa présence était partout recherchée. Elle formait l'élite de la place.

Et puis, Antoine-Léon, son époux, quoique parfois un peu trop candide et confiant à ses yeux, possédait d'immenses qualités et satisfaisait tous ses désirs. Il l'adorait et il ne cessait de le lui répéter.

Il avait choisi pour elle la plus belle rue de la ville et y avait fait construire la plus jolie maison.

Elle but encore une gorgée. Une sensation de regret monta en elle. Pourquoi, tantôt, avait-elle manifesté une telle intransigeance ? Sans cesse, elle lui ressassait ses impératifs jusqu'à être dure avec lui.

Antoine-Léon n'avait commis qu'un péché contre la bienséance, un acte que, dans sa rigueur, elle considérait comme répréhensible et c'était vrai. Pareille familiarité était inacceptable dans leur monde. Un ingénieur bossant pour l'importante papetière qu'était la *QNS* devait tenir son rang. Mais n'avait-elle pas exagéré un peu ?

Il était désolé, il s'était excusé. C'était une erreur. Il ne permettrait plus pareille liberté, lui avait-il assuré.

Ses yeux s'embuèrent. Elle prit une autre gorgée. Elle se demandait comment il se sentait à cet instant. Elle l'imaginait devant la table de la salle à manger, seul, comme une âme en peine, avec devant lui une assiettée de hachis sans couleur que lui aurait préparé madame Bergeron… car, toute dévouée qu'elle fût aux enfants, leur gardienne n'était pas une excellente cuisinière.

Il devait être malheureux et son chagrin qu'elle devinait la rendait triste. Pourtant, elle se persuadait qu'il fallait lui servir cette leçon, sinon, il recommencerait.

Son verre était presque vide. Elle avala la dernière gorgée.

— Si ce n'est pas la jolie Élisabeth Savoie que j'aperçois là, pour une rare fois, non entourée de ses soupirants. Pourrais-je demander sans être repoussé, à cette occasion où elle est seule, si elle m'accordera un peu de son attention ?

Perdue dans ses rêves, Élisabeth tressaillit. Lentement, elle retira sa main de sous son menton.

Devant elle, telle une apparition, se tenait Luc Gilbert, le bel ingénieur de Baie-Comeau, énigmatique, inaccessible, considéré par tous comme un demi-dieu qui faisait se pâmer toutes les femmes.

Sa bouche s'ouvrit de surprise. Elle prononça dans un souffle :

— Que faites-vous ici ?

— Permettez-moi de vous poser la même question, ma chère.

Elle ne répondit pas. Les sourcils levés, elle était incapable de détacher son attention. Le bel ingénieur lui apparaissait différent de celui qu'elle connaissait. Il n'avait plus rien de cet air guindé et froid qu'il affichait d'ordinaire dans leurs soirées mondaines ou lors de pratiques de sport comme si ces frivolités l'ennuyaient, qu'il ne les gratifiait de sa présence que par obligation. Elle avait l'impression que, éloigné de son milieu, il retrouvait sa spontanéité, se dépouillait de son air fabriqué, cérémonieux, qu'il redevenait lui-même.

Il éclata d'un grand rire qui découvrait largement ses dents.

– Vous ne m'invitez pas à m'asseoir ?

– Mais si, répondit-elle en lui indiquant la chaise qui lui faisait face, mettez-vous à votre aise.

Elle jeta un regard autour d'elle.

– Vous… vous êtes seul ? Votre épouse ne vous a pas accompagné ? Un sourire retroussa les coins de sa bouche. Il hocha la tête.

– Encore une fois, je pourrais vous faire la même remarque.

Troublée, elle baissa les yeux sur son verre. La main tendue, elle fit le geste de le porter à ses lèvres, mais il était vide. Bien qu'elle ait déjà ingéré plus que son lot, elle en éprouva une certaine déception.

Elle se disait qu'elle aurait eu bien besoin d'une autre dose de ce liquide régénérant, de cette sorte d'ambroisie, autant pour garder sa contenance que pour apaiser ce malaise qui faisait trembler tout son corps.

– Votre verre est vide, dit-il galamment, permettez-moi de le renouveler et si vous me le permettez, j'en prendrai un, moi aussi.

Il fit un signe à la serveuse.

– La même chose pour madame et apportez-en un pour moi aussi.

Ils burent à petites lampées. Élisabeth se sentait grisée.

Mondaine, oubliant toute retenue, elle babillait et prenait des airs séducteurs. Penchée vers lui, elle multipliait les propos frivoles et ponctuait ses phrases d'un petit rire en cascade.

Assis devant elle, le torse courbé vers l'avant, il buvait ses paroles, comme subjugué, son œil bleu évoquant la transparence de la mer rivé sur elle et rempli d'émerveillement.

– C'est dommage que je sois chargé de projet de concert avec votre mari, avança-t-il à voix contenue, frémissante. Je suis sensible à vos charmes et vous le savez. Je le suis depuis la première fois où je vous ai vue, mais je mène une vie rangée. Je ne suis pas un libertin et si je le faisais, je ne voudrais rien détruire. Je suis marié et je veux rester fidèle à mon épouse, ce qui ne m'empêche pas d'avoir une fibre romantique et d'être capable d'admirer les jolies femmes.

Il bougea sur sa chaise. L'odeur de tabac que dégageaient ses vêtements, mêlée à son parfum de lavande, courut jusqu'aux narines d'Élisabeth.

Elle refréna un frisson.

L'homme avait un visage sculptural, viril, d'une beauté qui la fascinait.

Il se rapprocha encore. Ses lèvres effleuraient sa joue.

– Vous savez que vous êtes une femme extrêmement désirable, Élisabeth, murmura-t-il de sa belle voix de basse.

Élisabeth avait molli. Son cœur se bousculait dans sa poitrine. Chavirée, incapable de freiner son élan, elle offrit son visage. Tout doucement, elle avança sa main sur la table. Il la couvrit de sa paume. Elle la sentait chaude, ferme.

Elle lui jeta un regard langoureux, elle s'abandonnait.

– Je suppose que vous avez retenu une chambre, glissa-t-il.

La gorge nouée, elle hocha affirmativement la tête.

– Si nous nous y rendions immédiatement... nous pourrions causer en paix, nous reviendrions manger ensuite.

Elle acquiesça. Si Antoine-Léon pouvait se permettre des aventures, pourquoi ne s'en offrirait-elle pas une ? se disait-elle.

Machinalement, elle plongea la main dans son sac à la recherche de sa clef et tâta les compartiments. Agiles, rapides, ses doigts s'employèrent à localiser le petit objet dur et froid. Elle ne l'y trouvait pas. Nerveuse, elle chercha encore, redoubla d'efforts, explora, fouilla. Cet inconvénient arrivait mal à propos, il brisait tout ce qu'elle avait minutieusement élaboré. Elle en était presque prise de panique.

– Je n'y comprends rien, il me semblait pourtant l'avoir fourrée dans mon sac, c'est ce que je fais d'habitude.

Enfin, un bruit métallique se produisit dans une pochette.

– La voilà, fit-elle en la saisissant et en l'agitant devant ses yeux comme une clochette. Elle avait glissé dans mon bric-à-brac. Pendant un moment, j'ai cru que je l'avais oubliée sur le comptoir au moment de ma réservation.

Elle éclata d'un rire joyeux.

– Si ç'avait été le cas, nous aurions dû aller bavarder dans votre chambre. Je suppose que vous en avez retenu une vous aussi pour la nuit ?

– C'est exact, mais je n'aurais pas aimé qu'on aille dans ma chambre, répondit-il avec franchise. Je suis un personnage connu.

S'il avait fallu que les clients logeant autour de moi soient de ma ville et me repèrent, j'aurais risqué gros. J'ai une réputation à soutenir, j'ai ma carrière, une famille, des enfants et je ne veux rien briser. Les murs de ces motels sont mal insonorisés. Si on entend une voix de femme dans ma chambre, je serai tout de suite catalogué comme un coureur, tandis que dans la vôtre, on ne pourra pas m'identifier. Nous avons, ce soir, la chance inouïe de nous rencontrer, que vous soyez seule et que je le sois aussi. C'est une l'occasion qui ne se reproduira probablement plus. Ç'aura été une belle aventure, mais sans lendemains. C'est pourquoi nous devons être discrets. Vous comprenez qu'il ne devra pas y avoir de suite… Pour toutes ces raisons, il est préférable que nous allions dans votre chambre.

Élisabeth fit un bond violent. Dégrisée comme si elle émanait d'un désenchantement profond, elle serra les dents. Ces propos étaient choquants, déplacés.

Sans s'en rendre compte, par ces paroles, cette tirade d'excuses, il avait rompu le charme. Cette virilité qu'elle admirait en lui, cette force qu'elle lui attribuait, elle ne les lui reconnaissait plus. Elle n'avait jamais aimé les trouillards, les mollassons. Elle attendait d'un homme qu'il soit fort, sans peur et qu'il assume ses actes.

Elle articula avec froideur :

– Vous n'aviez pas à me faire ce long discours pour me faire comprendre par deux fois que vous aviez une femme, des enfants et une carrière. Il y a longtemps que je sais tout cela. Notre ville est minuscule et je connais votre vie. Pourtant, je vous rappellerai que moi aussi j'ai un époux, des enfants et que, moi non plus, je ne veux rien briser. C'est pourquoi je viens de décider que cela s'arrête là. Je me demande ce que j'ai bien pu vous trouver, reprit-elle sur un ton chargé de mépris. Vous ne m'intéressez pas, Monsieur. Aussi, je voudrais oublier notre rencontre et que vous l'oubliiez vous aussi, je voudrais que vous effaciez même de votre mémoire que vous m'avez seulement aperçue ici, ce soir.

Son ton s'était durci :

– Et croyez-moi, je ferai de même.

Elle était estomaquée. L'individu ne voulait pas se compromettre, mais il n'avait aucun scrupule à porter atteinte à sa réputation. Que les voisins de chambre entendent des chuchotements derrière la cloison de sa compagne d'un soir n'aurait pour lui aucune incidence fâcheuse puisqu'il veillerait à quitter l'endroit le chapeau rabaissé sur les yeux. Il pouvait ainsi courir le guilledou partout où il le voulait pour ensuite se présenter dans sa ville, la tête haute, comme un saint homme, son nom sauvegardé, de même que sa carrière.

Elle le dévisagea sans retenue. Elle ne lui trouvait plus aucun charme. Dans son visage d'apollon qui l'avait tant séduite ressortaient la faiblesse de son caractère et la flétrissure de sa peau. Dans la rubéfaction laissée par son rasoir sur ses joues et sur son menton transparaissaient les signes de sa mollesse et de sa veulerie. Autant elle l'avait admiré, autant, à cet instant, il lui répugnait.

Elle songea combien souvent l'image qu'on se fait des gens diffère de ce qu'ils sont réellement.

— Avez-vous mesuré votre imprudence en venant vous asseoir à ma table, fit-elle sarcastique, dans un endroit public et dans une salle bondée en plus. Si quelqu'un vous a repéré, ce sera très grave pour votre carrière.

— Il n'y a pas de mal à venir saluer une connaissance. Après tout, vous êtes l'épouse d'un de mes confrères.

— Je vois.

Elle recula sur sa chaise. Un picotement comme un chapelet d'aiguilles parcourait la peau de ses bras. Elle souhaitait qu'il disparaisse de sa vue.

D'un mouvement ferme, elle déplia le carton de son menu.

— Maintenant si vous n'y voyez pas d'inconvénient, j'aimerais commander mon repas et j'aimerais le faire seule. Je voudrais ensuite aller dormir. Je dois repartir tôt demain matin. Je rentre chez moi !

Il laissa poindre un léger tressaillement. Ses sourcils s'étaient soulevés en accent circonflexe.

— J'ai le sentiment de vous avoir froissée. Pourtant, je ne vois pas en quoi j'ai pu vous être désobligeant. Je ne vous ai rien caché, je vous ai parlé avec franchise et, la franchise, c'est, je pense, la plus belle qualité qu'on peut posséder.

Élisabeth se retint de pouffer. Comment ne comprenait-il pas !

Le visage d'Antoine-Léon surgit devant ses yeux. Sa familiarité envers la veuve n'avait rien de comparable avec l'erreur qu'elle avait failli commettre, la honte qui l'aurait accompagnée pendant le reste de sa vie.

Comment avait-elle pu abandonner ainsi la maison, sa famille, sur un coup de tête? Était-elle à ce point étourdie? Elle ne dormirait pas dans ce motel. Elle terminerait son repas, monterait dans sa voiture et s'en retournerait chez elle.

Elle regrettait son geste impulsif. Elle était pressée maintenant d'aller retrouver son homme, se blottir dans ses bras, sentir son souffle chaud sur son cou, se délecter de sa vigueur, de ses caresses presque brutales.

— Fasse le ciel qu'il ait assez de grandeur d'âme pour me pardonner, murmura-t-elle.

18

Les ingénieurs Roger Bellemare, Laurier Harnois et Antoine-Léon Savoie s'étaient tassés dans la voiture de la compagnie. Le visage accroché à la porte de l'édifice à bureaux, ils faisaient pianoter leurs doigts sur leur mallette.

— Qu'est-ce qu'il fait, Lesage, qu'il n'arrive pas ? s'impatienta monsieur Harnois, nous n'avons pas toute la journée.

Le mois de mai était commencé. Les montagnes de neige de même que l'eau du dégel avaient disparu et le sol s'était asséché. Le temps était venu pour les maîtres d'œuvre de la future scierie de se rendre sur le site et faire une visite de reconnaissance préparatoire aux travaux de construction.

— Avez-vous déjà vu Lesage arriver à l'heure, critiqua Antoine-Léon. Je me demande quel prétexte il va trouver, cette fois.

— Lesage a un agenda chargé, l'excusa Bellemare. Il faut reconnaître que depuis quelques mois on a pas mal accru ses responsabilités.

Un rictus déforma la bouche d'Antoine-Léon.

Hubert Lesage avait été choisi pour le seconder. Il remplaçait Luc Gilbert, l'autre ingénieur mécanique qui, après avoir accepté le poste d'adjoint au chargé de projet, s'était brusquement désisté.

Sans en préciser la raison, Gilbert s'était introduit un matin dans le bureau de Roger Bellemare et lui avait annoncé qu'il refusait cette affectation. Antoine-Léon en avait été profondément déçu. Il n'avait pas compris ce désistement subit et il ne le comprenait pas encore. Que s'était-il donc passé ? Gilbert avait pourtant paru rempli d'enthousiasme lors de leur première rencontre. Plus que lui, il avait été réjoui de participer à la construction de la scierie et avait accepté sans la moindre hésitation.

Âgé de quarante-cinq ans, Luc Gilbert était un ingénieur mécanique de grande compétence. Peu communicatif, il s'acquittait de ses fonctions en silence et avec rigueur. Il était de ces virtuoses capables d'accomplir une tâche de titan sans rien bousculer et dans un temps record. Jamais, lorsqu'il était plongé dans un travail, une blague ne sortait de sa bouche, jamais une plaisanterie gauloise. Tous le voyaient comme un perfectionniste.

Bellemare avait dû procéder rapidement à son remplacement et avait désigné Hubert Lesage.

Antoine-Léon en avait été abasourdi. Au travailleur efficace qu'était Luc Gilbert s'était substitué ce vire-vent, bavard, fougueux, explosif qu'était Hubert Lesage. Il n'avait pas caché sa contrariété. Il s'était longuement demandé comment il réussirait à faire rédiger à ce *jacteur* des rapports qui auraient un certain poids. Hubert Lesage ne correspondait pas à son choix et il ne comprenait pas la décision de ses supérieurs.

— Vous ne serez pas seuls à mener la barque, que diable, l'avait apaisé Bellemare, toute la *QNS* sera derrière vous, même Rexfor à Québec.

Cette réplique qu'il avait voulu un encouragement avait plutôt avivé les craintes d'Antoine-Léon. Avec plus de justification encore, il appréhendait d'être tenu sous contrôle, sans jamais avoir l'autorité de prendre ses propres décisions.

Il était allé rencontrer Gilbert dans son bureau. Il voulait connaître ses motifs. Celui-ci lui avait vaguement parlé de raisons personnelles. Il l'avait assuré que son désengagement ne concernait en rien la qualité du projet, qu'il le voyait toujours comme prestigieux. Il l'avait exhorté fortement à rester et il était désolé de devoir y renoncer.

Au vif déplaisir d'Antoine-Léon, on lui avait imposé Hubert Lesage sans même lui demander son avis !

Il était retourné à son bureau, mais il avait perdu son enthousiasme, comme si on avait amputé une partie de lui-même pour y substituer un élément instable. Jusqu'à l'ambiance de son milieu de travail qui lui apparaissait différente. Dans les regards posés sur lui, il sentait une sorte de distanciation qu'il ne percevait pas auparavant, comme si les buts qu'il poursuivait étaient étrangers aux préoccupations des autres. Il en avait éprouvé un malaise.

— C'est une montée en grade, lui assuraient ses confrères comme s'ils s'en détachaient. Construire la scierie est une promotion, sans compter que tu as de grosses chances d'être nommé à un poste plus élevé quand la machine sera en branle. Après cela, tous les espoirs te seront permis, cadre supérieur, et pourquoi pas, sous-ministre ?

Il ne partageait pas leur engouement.

— J'ai rarement vu des responsables de projets garder longtemps leur poste. L'ouvrage fini, on les remplace par des freluquets qui croient tout savoir et qui bousculent tout pour s'approprier le mérite de ceux qui lui ont tracé la voie.

C'était sa hantise. Que ferait-il s'il ne parvenait pas à satisfaire les attentes ?

Dans un élan d'exaltation, il imaginait les hauts dirigeants lui assignant, les bras ouverts, un poste élevé de gestion.

La phase d'euphorie passée, l'évidence le rattrapait. Il savait bien que la compagnie ne serait pas aussi magnanime. Pour atteindre les sommets, il fallait accumuler réussite par-dessus réussite et encore.

La porte d'entrée de l'édifice venait de se refermer dans un tourbillon essoufflé.

Hubert dévalait les marches et s'amenait en courant, son veston sur son bras, sa main refermée sur une épaisse mallette de cuir.

— Excusez mon retard. J'ai reçu un appel urgent juste à la seconde où j'allais partir. C'était le secrétaire de monsieur O'Neil.

Antoine-Léon lui jeta un coup d'œil et refoula une moue méchante.

Comme d'habitude, Lesage cherchait à se donner du crédit en se hâtant de préciser qu'il venait de tenir une conversation avec le secrétaire du vice-président de la compagnie à Montréal.

Qu'avait tant à dire ce secrétaire que leur comité ne savait pas ?

— Tu peux démarrer, Louis-Paul, commanda monsieur Harnois au chauffeur.

La voiture s'éloigna de l'édifice et s'engagea sur la nationale en direction ouest.

Antoine-Léon prit appui sur le dos de son siège et croisa les doigts sur son ventre. Il connaissait l'itinéraire par cœur de même que le lieu choisi. Plusieurs années auparavant, il y avait effectué des travaux de vérification et récemment, il avait maintes fois visité l'emplacement dans le cadre de l'élaboration des plans de construction.

Ils croisèrent la ville de Hauterive. Plus loin se dessinait la campagne émaillée de grands champs incultes et d'humbles maisons de bois. Ils roulèrent encore un moment, puis distinguèrent les petits bosquets entourant la rivière près de laquelle se situerait la scierie.

Un chemin se dessinait à leur droite comme une trouée à travers le rideau des résineux. Le chauffeur ralentit. Maniant le volant, il quitta la nationale asphaltée et s'engagea sur le sol mou dans une allée informe, sorte de corridor chargé d'ombres, bordé de chaque côté d'arbustes en friche et de résineux chétifs, plus semblable à une piste en forêt qu'à une route de terre au milieu de la civilisation.

La chaussée était creusée d'ornières formées par le passage des lourds camions. Bringuebalés, fortement secoués, ils se retinrent à deux mains pour ne pas aller se compresser sur les portières.

Antoine-Léon décida que sa première intervention, lorsque débuteraient les travaux, serait de rendre carrossable ce chemin d'accès qui serait soumis à une intense circulation.

Le véhicule atteignit la clairière et s'immobilisa. Ils en descendirent et les mains dans les poches examinèrent les lieux.

La lumière était vive dans l'espace désencombré et le soleil éclaboussait la maigre verdure.

Deux voitures étaient déjà là, stationnées côte à côte sur le carré de terre battue. Quatre hommes en étaient sortis et les regardaient s'approcher en grillant une cigarette.

Le terrain était considérable. D'une superficie d'environ un kilomètre sur un kilomètre et demi, il longeait, d'un côté la rivière, et de l'autre grugeait la forêt.

Propriété de Rexfor, il était exploité par la *QNS* qui y stockait depuis plusieurs années les billots de quatre pieds dravés dans le cours d'eau.

Les besoins de la compagnie de papier se limitant à l'entreposage du bois, la surface utilisée ne couvrait qu'une infime partie de l'étendue. Le reste, non débroussaillé, apparaissait comme une jeune forêt au boisement mal planifié, piquée de buissons chétifs et de quelques arbres adultes.

Antoine-Léon se déplaça avec lenteur.

C'était une belle journée et les oiseaux pépiaient. Un joyeux bruit de cascade remplissait l'air.

Un tas d'idées fourmillaient dans sa tête. Il retrouvait son allant.

Il faudrait bûcher et essarter, un travail qui exigerait une longue patience. Les bulldozers viendraient et égaliseraient le tout.

À sa gauche, entre les taillis, il distinguait la ligne bleue de la rivière. Face à lui, des monceaux de billes empilées, prêtes à être ramassées s'étiraient en masses compactes, semblables à des pyramides, sur une grande distance. Ici et là, des touffes d'arbustes sauvages poussaient dru et s'emmêlaient.

Une animation inaccoutumée courait dans l'air et leur parvenait en écho. Du côté des petits villages voisins, avant même d'être commencée, la future usine appelait la prospérité. Déjà, des habitations s'élevaient, des rues se traçaient et des commerces s'installaient. Les acquéreurs profitaient de ce qui était encore une aubaine. Les terrains se vendaient à faible coût et les municipalités offraient de multiples avantages afin d'attirer des résidants.

— Nous voulions un endroit proche de la civilisation, expliqua monsieur Harnois comme entrée en matière, suffisamment vaste pour procéder à toutes les étapes de transformations du bois, de la coupe en forêt jusqu'au produit final.

Entraînant les autres, il alla s'immobiliser devant l'emplacement choisi pour y édifier l'imposante structure.

— La scierie à elle seule sera longue de quatre bâtisses, chacune s'étendant sur une vingtaine de mètres, expliqua-t-il. S'y ajouteront un garage, des hangars et un édifice à bureaux. Dans le concept du bois d'œuvre, les troncs ne doivent pas être mouillés. Aussi, ils ne seront pas dravés. Aussitôt abattus, les arbres seront transportés ici sur des semi-remorques pour être transformés en bois d'œuvre. La cour servira au stockage des provisions de bois brut, au séchage des planches et à l'entreposage du produit fini prêt pour l'exportation. Lorsque toute la surface sera déboisée et nettoyée, vous allez penser qu'il y a trop de place, mais quand la construction sera achevée, vous verrez que ce terrain rejoint tout juste nos besoins et encore.

Son œil pâle enveloppa le grand champ gorgé de soleil. Il lança avec emphase :

— La scierie des Outardes sera la plus grosse industrie du bois jusqu'aux Rocheuses, vous m'avez entendu cent fois le répéter. Il faudra soutenir ce titre en commençant par faire une construction supérieure.

Il jeta un long regard sur ce que serait l'ensemble et se tint silencieux, dans une sorte de méditation. Sa fierté paraissait infinie, comme s'il se reconnaissait le précurseur d'une époque qui marquerait le monde de la foresterie.

Là-bas, deux techniciens avaient étiré des rubans à mesurer et plantaient des repères.

Hubert était allé les rejoindre. Le plan de construction largement déroulé entre ses mains, il semblait orienter la procédure.

Antoine-Léon marqua son agacement.

— Comme on t'a expliqué lors de notre premier meeting avec Gilbert, développait près de lui Roger Bellemare, vous serez pas trop de deux pour la mise en place du chantier. T'auras pas à faire approuver chacune de tes dépenses, Savoie. Nous comptons sur ton sérieux pour faire exécuter les travaux au meilleur prix tout en exigeant la meilleure qualité. Quant à Hubert...

Antoine-Léon ne l'écoutait plus.

Ses yeux étaient rivés sur son futur collaborateur. Dressé sur ses jambes, il avait monopolisé l'attention des deux hommes et s'était lancé dans une savante explication.

Prudent, il décida, avant même d'entreprendre la construction, de rédiger un formulaire de répartition de tâches. Hubert aurait ses attributions et lui les siennes. Il ne serait pas question que l'un s'insinue dans les affaires de l'autre. « Dans un système bien organisé, il ne doit pas y avoir plus de chefs que d'Indiens », se disait-il.

— Hé, Savoie ! Je te parle.

Il sursauta. Roger Bellemare avait presque crié son nom.

— T'es perdu dans tes rêves, coudon.

Bellemare se montrait faraud tout à coup, sûr de lui. Il est vrai que le veuf qu'il avait été avait maintenant une femme dans sa vie.

Antoine-Léon baissa les paupières pour dérober à sa vue la lueur émoustillée qui allumait ses prunelles. L'affaire courait dans la ville, était devenue un secret de polichinelle. Roger Bellemare, tout cadre supérieur qu'il fut n'avait pas fouillé bien loin avant de se dégoter une compagne. Il s'était contenté de jeter son dévolu sur sa secrétaire particulière, une jeune fille de trente ans sa cadette, à la risée de ses confrères qui ne s'embarrassaient pas de se moquer de lui au grand jour.

Antoine-Léon enfonça bien au fond de son être la répartie qui allait fuser de ses lèvres et demeura imperturbable. Roger Bellemare était son patron, il ne devait pas l'oublier.

— Je n'étais pas perdu dans mes rêves, répliqua-t-il. Je ne faisais qu'analyser le futur, les obstacles que je ne manquerai pas de rencontrer. J'abandonne une vie pépère pour me lancer dans une aventure et c'est pas si simple.

— Rappelle-toi qu'on t'a soumis les conditions, Savoie, et que tu les as acceptées, lui fit remarquer Roger, subitement inquiet.

— Justement, ce n'est plus aussi clair. Lorsque j'ai accepté le poste, il était entendu que je travaillerais avec Gilbert, mais Gilbert s'est désisté. Le remplacer par Lesage, ce n'est plus travailler dans les mêmes conditions.

— Qu'est-ce que t'as à reprocher à Lesage ? Est-ce que tu songerais à retourner ton capot de bord comme a fait Gilbert ? Si tu le sais pas, son temps au sein de la compagnie est compté, à celui-là.

Antoine-Léon redressa la tête. Il avait le sentiment de participer à un challenge où, sans chercher à gagner la partie, chacun larguait ses flèches, à coup d'insinuations et de contre-attaques, tous ces mots débités sans agressivité, en gentlemen.

Et si, la construction terminée, on le tassait pour le remplacer par un de ces dandys qui ne savent que faire du social, jouer les paons devant les *gros bonnets* et récolter les fruits de l'effort des pionniers ? Il devait discuter ce point et jouer d'habileté.

La brise tiède caressait son visage et ébouriffait ses cheveux. Son regard rivé sur le lointain, il réservait sa réponse.

— Quand est-ce que t'as l'intention de faire débuter les travaux ? interrogea Bellemare. Faudra pas trop attendre. Il y a une échéance. Nous sommes en 75 et tout doit être complété pour le printemps 78.

Son ton était devenu insistant. Bellemare était nerveux et il ne pouvait s'empêcher de le laisser paraître.

Antoine-Léon ne répondit pas tout de suite. Après un silence qui parut interminable à Roger, il ouvrit la bouche.

– Les travaux seront terminés pour 78. Je m'y engage personnellement.

– Ouf! souffla l'autre. Pendant un instant, tu m'as fait peur.

– Sauf…

Roger se pencha vers l'avant.

– Sauf?

– Sauf un point qui n'a pas été suffisamment discuté, un point que je voudrais voir écrit sur papier.

– Tu t'en viens méfiant, Savoie, fit Roger, agacé. Il me semble que toutes tes demandes ont été étudiées et passées au crible que tout est clair. Tu veux préciser quoi, au juste?

– On n'a pas parlé des garanties d'avenir.

– Des garanties, des garanties, s'impatienta Roger, que veux-tu de plus? Tu vas avoir une généreuse augmentation de salaire, un fonds de pension, je ne vois pas quelles autres garanties tu pourrais exiger. Et puis, il est pas un peu tard pour rouvrir les négociations?

– Pouvons-nous nous rencontrer à votre bureau, disons, demain matin?

– Je ne refuse pas la discussion, fit-il sans ardeur. Toutefois…

Il reprit, sur un ton avivé:

– Je t'avertis, tu ne devras pas être trop vorace! Il y a une limite aux exigences…

– Je sais, opina Antoine-Léon, tout le monde est remplaçable, je sais.

– Viens demain, à la première heure. On va essayer de régler cette affaire à la satisfaction de tous.

***

Le lendemain matin, sitôt entré dans l'édifice, Antoine-Léon se dirigea vers le bureau de Roger Bellemare. Il avançait d'un pas décidé, bien résolu à n'en repartir qu'après avoir obtenu les garanties d'avenir qu'il souhaitait. Jusqu'à ce jour, les décideurs n'avaient tenu à cet égard que des propos flous, des promesses sans consistance. Il mettrait cartes sur table et exigerait qu'une entente soit rédigée sur papier et dans les règles.

Un arôme sucré de tabac à pipe l'accueillit à la porte. Il fronça les sourcils. Il ne serait pas seul à cette rencontre. Assis dans un des fauteuils, se tenait monsieur Harnois. Taciturne et tranquille, sa main droite soutenant sa pipe fumante entre ses dents, il avait appuyé sa gauche sur son ventre. Antoine-Léon savait que c'était sa façon de marquer la force de sa présence et de son autorité.

– Comme je redoutais ton appétit, expliqua Roger, j'ai prié mon confrère Harnois de participer à l'entretien. Je suppose que tu n'y verras pas d'inconvénient, surtout que tu tiens à ce que tout soit officiel, écrit noir sur blanc et signé…

Antoine-Léon décelait un certain sarcasme dans son timbre, mais il ne s'en formalisa pas. «Les affaires sont les affaires et chacun doit penser à son profit», se disait-il. De là l'importance pour lui de bien exposer ses visées et les défendre.

Sans plus paraître impressionné, il alla occuper le fauteuil libre.

La pièce était entourée de silence. Il ouvrit la bouche pour aborder la question, impatient qu'il était d'entrer dans le vif du sujet, le clore et retourner à ses affaires, mais il referma les lèvres.

La prudence lui dictait de laisser plutôt à ses supérieurs le soin d'engager la discussion. En plus de ne pas avoir à triturer sa matière grise et trouver une façon originale d'amorcer le débat, il garderait une distance tactique et se réserverait une seconde de réflexion avant de répondre aux interventions. C'était ce qu'il appelait l'avantage psychologique.

Patiemment, il attendit. Les autres se tenaient dans l'expectative. Penché sur son meuble, un dossier déplié devant lui, Roger faisait quelques annotations dans les marges. Monsieur Harnois, avait secoué sa pipe dans le cendrier et la bourrait de tabac frais.

Enfin, Roger se redressa. Le geste volontaire, il referma bruyamment son document, le poussa devant lui et s'adossa sur son fauteuil. Son stylo jouant entre ses doigts, il se racla la gorge.

– On t'écoute, Savoie. Si j'ai bien saisi, tu es ici pour t'expliquer. Les conditions qu'on t'a offertes ne te satisfont pas et tu en veux plus. D'autres que toi les auraient pourtant trouvées avantageuses.

– Il y a effectivement quelque chose d'emballant dans l'offre de la compagnie, d'emballant, mais de risqué aussi.

– Moi qui pensais te faire un cadeau en te proposant ce poste ! Je te donnais une responsabilité nouvelle, un pouvoir de décisions, plus de champ de compétence aussi. Toi qui ne cesses de répéter que tu aimes les défis, je croyais que tu serais enchanté, que tu accepterais d'emblée, sans te poser de questions.

– Je ne connais personne qui se lancerait dans un défi, à corps perdu, sans s'interroger, sans demander des garanties.

Ils s'exprimaient sur un ton neutre, sans passion, comme s'ils discouraient d'affaires courantes.

– Évidemment, acquiesça Roger. Mais venons-en au fait. On peut connaître tes exigences ?

– La construction durera deux ans, indiqua Antoine-Léon. Vous m'avez engagé pour la réaliser. Par la suite, il faudrait savoir quel sera le programme. Sur ce, vous avez été plutôt évasifs. Moi, j'ai besoin de précisions. Je reprends mon poste ici ou je reste là-bas ? Il faudrait que ces questions soient claires avant que je fasse mes boîtes.

– Je ne vois pas ce qui t'inquiète si on te garantit un travail. Que tu restes là-bas, que tu reviennes ici, c'est du pareil au même.

– Oh, non ! Toutes sortes d'impondérables peuvent survenir concernant l'approvisionnement, le déroulement des travaux, il y a aussi le danger d'une grève. Les conventions collectives des travailleurs de la construction arriveront bientôt à échéance et le bruit court que les syndicats souhaitent les renouveler à la hausse en plus d'exiger des conditions de travail qui seraient difficiles à accepter pour la compagnie. Je suis ingénieur, je ne suis pas formé pour la négociation. Si, à cause de circonstances impossibles à prévoir, la construction dépassait les coûts ou l'échéance, qui se ferait taper sur les doigts ? Qu'adviendrait-il de moi, une fois le chantier complété ? Est-ce que vous m'accepteriez encore ou bien si vous me montreriez la porte parce que je n'aurais pas rejoint mes engagements ? Lorsqu'il y a échec, quelqu'un paie toujours la note et c'est le chargé de projet. Si d'autre part, nous ne réussissons pas à nous entendre sur un point et que je refuse de céder, dit-il encore, comment m'assurer que j'aurais la même sécurité d'emploi dans la maison ?

– J'ai peine à croire que tu rumines pareilles inquiétudes. Nous avons confiance en toi et les patrons te laissent toute latitude pour agir, à la condition que tu le fasses dans les règles de l'art.

– C'est ce dont je veux avoir l'assurance, laissa tomber Antoine-Léon.

Roger fronça les sourcils. Ses paumes sèches effleuraient le bois dur de son pupitre comme s'il en chassait des poussières invisibles. Inconsciemment, Antoine-Léon avait senti une incertitude dans son ton.

– Tu sais bien que c'est évident, s'écria Roger. Face aux situations, il n'y a pas de formule modèle, il faut agir selon l'inspiration du moment et c'est ce que nous allons faire...

Antoine-Léon hocha négativement la tête.

– Vous parlez de créativité, de pouvoir de décisions et de prestige, tout ça est bien beau pourvu que nous partagions les mêmes idées, les mêmes valeurs, sinon, c'est moi qui aurai le mauvais rôle et qui devrai me retirer. Comme de raison, je pourrai postuler pour une autre compagnie, mais est-ce qu'on engagera sans se poser de questions un ingénieur qui aura connu un échec ailleurs ? Ce serait différent si nous ne parvenions pas à nous entendre ce matin et que je doive démissionner. J'apporterais dans ma poche un C.V. vierge, tandis que si je quittais en plein conflit...

– Tu nous taxes de mauvaise foi, s'indigna Roger, si nous t'avons choisi, c'est parce que tu as notre confiance. Si tu tiens absolument à cette clause, nous allons te la garantir. Si pour une raison quelconque, en cours d'exécution, on devait t'écarter du projet, tu conserverais ton plein salaire pendant deux ans ou jusqu'à la fin de la construction, est-ce que ça te satisfait ?

Une fois encore, Antoine-Léon hocha négativement la tête.

– Deux ans de salaire, ce n'est pas suffisant. Je veux une garantie d'emploi au sein de la compagnie pendant dix ans à partir de la fin des travaux, soit jusqu'en 89 et je ne veux pas être payé en tant que tabletté. Je veux travailler. En 89, j'aurai cinquante-cinq ans. Si, à ce moment-là, je devais regarder ailleurs, mon fonds de pension constituerait un coussin suffisamment solide pour me permettre une certaine indépendance.

– Ma foi, Savoie, t'es plus retors qu'un négociateur syndical.

Monsieur Harnois bougea sur sa chaise. À son tour, il déniait de la tête.

— Si je comprends bien, vous voulez nous dire que vous ne connaissez pas l'avenir et que vous le redoutez, mais nous non plus, nous ne connaissons pas l'avenir. La scierie sera-t-elle toujours en activité dans dix ans ? Je vous propose une autre solution. La construction terminée, nous vous offrirons un poste de direction. Si nous devons nous départir de vous, nous vous garantirons deux ans de salaire, sauf si vous partez de votre plein gré, car cela aussi pourrait arriver, nous vous accorderions alors un an de salaire.

— Ce ne serait pas comparable avec l'emploi stable que j'occupe ici, refusa sans hésiter Antoine-Léon, de même que celui que j'obtiendrais ailleurs, si je quittais aujourd'hui.

Il fit une pause avant de glisser sur un ton insinuant :

— Les ingénieurs d'expérience sont recherchés...

— Je remonte notre offre à deux ans de salaire même si vous quittez la compagnie de votre plein gré, céda monsieur Harnois.

L'expression indéchiffrable, Antoine-Léon serra les lèvres.

— Plus cinquante mille dollars de compensation monétaire, renchérit monsieur Harnois, pourvu que la scierie soit toujours en activité. C'est notre dernière offre.

Antoine-Léon se leva. Il comprit qu'il ne pourrait exiger plus. C'était accepter cette proposition ou démissionner et se chercher un emploi ailleurs. Ce qui voulait dire aussi, vendre sa maison, se déraciner d'un endroit dans lequel il avait fait son nid, se refaire une vie dans un milieu nouveau et y entraîner sa famille. Était-ce cela qu'on appelait être pris à la gorge ? Sa décision ne fut pas difficile à prendre.

19

Les tâches avaient été dûment réparties.

Antoine-Léon procéderait au choix des entrepreneurs et Hubert veillerait à l'organisation matérielle du chantier.

Son premier mandat consisterait à dénicher une habitation temporaire, aménager un coin de travail, sans trop engager de frais, mais avec un minimum de confort.

Cet arrangement à peine discuté, Hubert avait cligné de l'œil et était monté dans sa voiture.

Perplexe, Antoine-Léon l'avait suivi des yeux tandis qu'il disparaissait au bout du sentier. Il se demandait comment Hubert réussirait à se débrouiller et il était sceptique. Il espérait seulement qu'il ne revienne pas les mains vides.

Sans plus se préoccuper, il s'était plongé dans ses affaires. Il le laisserait démontrer de quoi il était capable.

Hubert réapparut le lendemain matin. Arrivé avec un peu de retard, il gara son véhicule sous le couvert d'une touffe d'arbustes dans un coin opposé à la rivière et revint à pied vers le milieu de la cour.

Intrigué, occupé à surveiller le travail des bûcherons, Antoine-Léon s'était retourné.

— Qu'est-ce que tu fais ?

— Attends, tu vas voir.

Sans rien ajouter, Hubert se mit à arpenter de long en large le vaste champ à demi dégagé. De temps à autre, il s'immobilisait, écoutait les bruits et reprenait sa marche. Il paraissait surexcité.

Il passa de longues minutes à effectuer ce va-et-vient exaspérant.

Enfin, il vint s'immobiliser au centre de la cour. Aussi rapidement, il effectua un quart de tour et marcha vers le chemin d'accès. Du côté de la route, un lointain vrombissement se faisait entendre et se rapprochait. Suivit un puissant fracas, comme un grondement de tonnerre.

Une ombre géante venait de se profiler et remplissait le sentier. Avec une lenteur pesante, ses pneus écrasant le sol rocailleux, un camion pointait son large museau. Antoine-Léon arrondit les yeux. C'était un mastodonte. Au-dessus de son pare-chocs avant et sur les côtés, il identifiait le logo de *Tessier Transport*. Derrière, retenue par un crochet, une longue boîte en tôle laminée, d'un blanc douteux, suivait, sur un essieu à huit roues. Munie d'une porte et d'une moustiquaire, elle était percée de deux carreaux servant de fenêtres. Les côtés et l'arrière étaient tapissés de clin de métal rappelant l'impénétrabilité des murs d'un bunker. C'était leur local temporaire.

Hubert avait déniché la chose chez un ferrailleur et l'avait louée à vil prix. Il ne cachait pas sa fierté.

— Tu m'as demandé de pas mettre trop d'argent, j'y suis allé dans le très raisonnable.

Il éclata de rire en même temps qu'il haussait les épaules.

— Quoi qu'il en soit, j'ai pas trouvé autre chose dans tout le canton.

D'un coup de poing musclé, il frappa les parois branlantes. Un son de tintamarre se produisit et revint en écho.

La baraque était rudimentaire et elle serait peu confortable, estima Antoine-Léon. Étouffante l'été, pendant la canicule, avec son recouvrement de feuillards qui surchaufferaient sous les rayons ardents du soleil, elle serait glaciale l'hiver avec sa mince isolation quand le froid sévirait jusqu'à figer les nuages. Mais il ne s'en plaignit pas. Les roulottes de construction étaient ainsi faites. Conçues pour un usage provisoire, elles étaient suffisamment vastes pour s'y mouvoir sans raser les murs, mais leur confort ne dépassait pas celui d'une cahute.

Pour l'instant, elle était vide. Ils n'avaient ni table ni sièges sur lesquels s'asseoir.

— Rapport aux meubles, prononça Hubert comme s'il devinait ses pensées, on n'aura pas le choix, faudra acheter du neuf.

Antoine-Léon dodelina de la tête. Il était pensif. Il entendait, brisant le silence, le gémissement des scies et le heurt des haches. Les bûcherons s'affairaient. Le défrichement était commencé.

– Pour tout de suite, on va se faire une organisation de fortune.

Il jeta un regard circulaire sur la cour, à la recherche de carcasses de bois pouvant servir de sièges en attendant de trouver mieux.

Son attention se porta sur un ramassis de branchages entassés dans un coin. Plus haut, le long de la rivière, des rebuts s'amoncelaient dans une coulée, lancés pêle-mêle au fil des ans, par les transporteurs de billots. Il s'y dirigea.

Il y avait là, des branches mortes, des planches coupées, des écorces. Tout en dessous, il distinguait deux boîtes à beurre en lattes d'épinette arborant la blondeur du bois neuf.

Sans égard pour son costume soigné, il écarta les débris, les dégagea et les secoua un peu. Elles lui apparaissaient solides et il s'en montra satisfait. Pour l'instant, une fois renversées, elles constitueraient des sièges convenables. En tout cas, ce serait préférable que de rester debout, se dit-il. Il décida de les apporter dans la roulotte.

– On va commencer avec ça, montra-t-il à Lesage. Essaie de m'en dénicher deux autres.

Hubert le regarda, le souffle coupé. Il était sidéré. Soudain, il éclata :

– Joual vert, Savoie, arrête de faire des économies de bout de chandelle, je peux pas croire que la compagnie est pas capable de nous payer quatre chaises et une table.

– On a un budget à respecter et on ne sait pas encore combien ça va nous coûter. Avant d'être sûr que les entrepreneurs ne nous chargeront pas la peau des fesses, on se lancera pas dans les grosses dépenses.

Il tira son mouchoir de sa poche et, à grands coups, en frappa les sièges improvisés pour enlever toute trace de boue séchée et de poussière.

Son astiquage terminé, il considéra le travail.

– C'est vrai que notre organisation fait dur, que c'est tout un bric-à-brac.

Il recula.

— Mais ça va rester de même un temps. Pour tout de suite on a d'autres chats à fouetter.

— Exact, fit Hubert, par exemple, m'allouer un montant pour mes frais. Quand je discute l'obtention d'un service et que je doive me servir de ma voiture ou encore que j'offre un verre, j'ai pas à prendre ça sur mon salaire, c'est une dépense que je fais pour la compagnie.

Antoine-Léon ne fut s'empêcher d'esquisser un sourire. Hubert lui rappelait son oncle Charles-Arthur, mais ils faisaient des affaires et il n'avait pas tort.

— C'est normal, acquiesça-t-il.

Assis sur une des boîtes, il dégagea un calepin de sa poche et y inscrivit une note.

— Je vais te faire allouer une allocation de dépenses. Pour l'ameublement, on va se contenter du strict minimum. On mettra plus d'argent sur le mobilier quand les bureaux seront construits.

Il jeta un regard autour de lui et nota la nudité des lieux.

— Les patrons ne pourront pas dire qu'on dépense leur argent à tort et à travers. Avec deux ou trois autres boîtes à beurre, on sera corrects. Ça va nous suffire pour les entrevues.

— Il doit bien y en avoir encore sur le terrain, avança Hubert sur un ton plus motivé, heureux qu'Antoine-Léon ait acquiescé aussi aisément à sa demande. Je vais aller jeter un œil du côté des fourrés. Ensuite, j'irai en ville et je nous dégoterai une machine à café. Je vais en plus acheter une provision de bouteilles d'eau. Pour nous et pour les employés. Ce sera notre luxe, mais ce sera pas de trop.

— Il nous restera à faire installer une ligne électrique et le téléphone.

— Je peux m'occuper de ça aussi, si tu veux. J'en profiterai pour aller rencontrer les gars de la cantine mobile et nous mettre sur la liste. Lorsque la construction commencera, que ça grouillera là-dedans comme une meute de corbeaux, il faudra penser au break syndical. Faudrait pas qu'on nous taxe de mauvais boss.

Les mains dans les poches, il se déplaçait dans la pièce. Il paraissait sûr de lui. De temps à autre, il s'arrêtait comme pour mieux réfléchir.

— Je vais aussi regarder pour une chaufferette. On doit régler ça tout de suite, faudra pas attendre d'avoir l'hiver sur le dos.

Antoine-Léon sursauta. Décidément, Hubert remontait dans son estime. Peut-être l'avait-il jugé un peu trop rapidement.

Remuant, spontané, d'un naturel curieux, Hubert était souvent considéré comme une girouette par les confrères. Indiscret jusqu'à l'inconvenance, il était au courant de tout ce qui bougeait et était au fait de la moindre nouvelle.

Antoine-Léon se rendait compte que ce qu'il avait considéré comme un comportement désagréable pouvait servir. Aujourd'hui, il découvrait en Hubert une ingéniosité qui faisait son affaire. Quoiqu'il ait décidé de rester sur ses gardes. Ces petits futés sont parfois imprévisibles.

Jauger un homme est un art, songea-t-il. Roger Bellemare avait eu du flair. Il avait décelé les capacités d'Hubert à travers son impertinence et son audace.

Tandis qu'il négocierait les ententes avec les firmes spécialisées d'entrepreneurs, il confierait à Hubert l'achat des matériaux de base. Mais d'abord, il fallait procéder à l'embauche d'un contremaître.

Déjà, il avait fait paraître un appel d'offres dans le journal local et placardé une affiche dans divers postes de recrutement. Quelques individus s'étaient présentés, mais aucun n'avait les compétences requises.

Les villes et les banlieues de la Côte-Nord étaient productives et le chômage rare. Les meilleurs sujets avaient tous un emploi.

Il lui faudrait trouver un moyen d'attirer des ouvriers qualifiés en leur faisant miroiter les meilleures conditions. S'il le fallait, il irait les arracher à un compétiteur. Il en discuterait avec Hubert.

Le déboisement du terrain allait bon train. Les bûcherons travaillaient avec dextérité et, déjà, une trouée considérable permettait de découvrir la superficie des lieux.

L'érection des bâtisses pourrait bientôt débuter. Il était urgent de recruter les principaux corps de métier s'il voulait terminer la construction dans les délais prévus.

Il avait passé la ville au crible sans résultat. Il décida d'étendre sa recherche vers l'extérieur et parcourir chacune des localités environnantes. Il n'hésiterait pas à se rendre à Sept-Îles, à Havre-Saint-Pierre, et s'il le fallait, plus haut vers l'ouest, jusqu'à Clermont.

Il s'apprêtait à effectuer sa longue tournée quand Hubert lui souffla une idée.

– J'ai rencontré hier un type qui pourrait peut-être te faciliter l'ouvrage. Il connaît tout ce qui regarde la construction sur la Côte-Nord et il a un tas de contacts.

Il avait croisé l'individu par hasard, dans un bar cinq à sept du boulevard La Salle, là où s'arrêtent presque tous les ouvriers de la construction avant de rentrer chez eux.

Bon vivant, l'homme allait rejoindre des travailleurs. Tout en décompressant autour d'une table, il sirotait quelques chopes de bière et s'en allait tranquillement à la maison.

– Je suis allé lui causer, hier, expliqua Hubert. Si tu veux, tu peux venir avec moi après l'ouvrage ? Ça fait partie du budget que tu m'as alloué pour mes frais de représentation. Ça te permettra de jeter un œil sur le bonhomme en plus de contrôler comment je dépense l'argent de la compagnie.

– Bah ! fit Antoine-Léon en esquissant un geste vague. Tu fais ce que tu veux. Pour moi, c'est ce que tu rapportes qui m'intéresse.

Hubert lui donna une vigoureuse bourrade dans le dos.

– Je te propose pas d'aller aux danseuses, y a pas de mal à te joindre aux ouvriers pour boire une bière avant d'aller retrouver Élisabeth. D'ailleurs, elle doit ben s'en permettre un peu, elle aussi, de temps en temps.

– Que c'est que tu veux dire par là, Hubert ? interrogea Antoine-Léon brusquement suspicieux.

– Rien *pantoute*, assura Hubert.

Antoine-Léon lui jeta un regard en coin. Il se rappela la fugue d'Élisabeth, un certain soir de l'automne précédent et son retour à la maison au milieu de la nuit. Il en avait été longtemps intrigué. Il ne l'avait pas interrogée, lui-même avait des reproches à se faire concernant la veuve Martel et il ne voulait pas attiser le feu. Se pourrait-il qu'Hubert soit au courant de quelque chose ?

Ils se déplacèrent chacun dans sa voiture et se dirigèrent vers la petite bâtisse à flanc de montagne, à demi dissimulée sous le couvert du roc et qui pointait dans une montée. Recouverte de clin de cèdre défraîchi, avec son extérieur cerné de broussailles, elle paraissait mal entretenue. Deux carreaux aveugles perçaient sa façade. Sur le côté s'ouvrait une porte basse équipée d'une énorme clenche entourée d'un écusson de métal ciselé tout aussi démesuré. L'ensemble donnait l'impression d'une de ces bâtisses clandestines, sorte de sanctuaire voué à la cabalistique.

Antoine-Léon examina autour de lui.

— J'espère que je ne viens pas ici perdre mon temps, marmonna-t-il avec réticence.

— T'as peur d'entrer ? le taquina Hubert. C'est ben certain que c'est pas le manoir, mais ici, tu vas rencontrer du monde du peuple, tu vas voir comment se divertissent les gars qui te servent.

— Va pas penser que je ne connais pas ce genre de taverne, que je lève le nez sur les ouvriers, bougonna Antoine-Léon. Tu sauras que dans ma jeunesse, j'ai fréquenté le *p'tit caribou*. Je reconnais que ce serait pas le choix de ma femme, mais c'est pas elle que j'amène, c'est toi qui me pousses.

— Tu comprends pourquoi je reste célibataire ?

La pièce dans laquelle ils s'introduisirent était sombre, bruyante et chargée d'un fort remugle. Partout les chaises étaient occupées par des manœuvres criards, vêtus de leurs salopettes encore imprégnées de la puanteur des activités du jour et de la sueur qui les avait accompagnés.

Hubert l'avait précédé. S'enfonçant vers le fond de la pièce à grandes enjambées, comme s'il partageait casquettes poussiéreuses et marteaux avec ses occupants, il saluait à la ronde en même temps qu'il cherchait deux sièges où s'asseoir.

Il venait de repérer une table haute, isolée des autres. Devant, les coudes appuyés et perdu dans ses pensées, se tenait un inconnu.

— Ça te fait rien de rester debout, hurla Hubert.

— Comme on y passera pas la nuit… répliqua Antoine-Léon du même ton hurleur.

Hubert alla s'arrêter près de l'étranger.

— Permettez qu'on s'installe à côté de vous ?

L'homme leva les yeux. Son regard se posa sur lui et ensuite sur Antoine-Léon. Pendant un moment, l'œil mouvant, il sembla s'étonner de voir ces deux gentlemen proprement vêtus qui détonnaient avec le groupe des travailleurs.

Il ouvrit la bouche pour faire une remarque et y renonça. S'écartant un peu, il prononça sur un ton bourru, en même temps qu'il encerclait son verre de ses deux mains comme s'il voulait leur céder encore plus d'espace :

— Vous êtes ben en belle, mon nom est pas écrit dessus.

— C'est la première fois que je vous vois, dit Hubert tentant une amorce de conversation, vous êtes nouveau dans le quartier ?

— Pas une miette. Vous m'avez pas vu, simplement, parce que vous regardiez ailleurs. Tous les soirs, ma journée finie, je m'arrête ici et je prends une bière. Je viens décanter avant de rentrer, sinon la famille me trouvera pas endurable.

— Vous avez pourtant pas l'air d'un mauvais bougre, dit Antoine-Léon en considérant son visage amène, ses cheveux poivre et sel coupés court à la façon d'un adolescent, je dirais que vous semblez plutôt avoir bon caractère.

L'étranger éclata de rire.

— Ça veut rien dire.

Autour d'eux, la masse des ouvriers s'agglutinait, les bruits s'intensifiaient et l'air enfumé formait des petits nuages qui allaient noircir encore les murs luisants d'humidité.

Hubert reluqua autour de lui.

— Je vais essayer de trouver Picard et lui dire de venir nous rejoindre, cria-t-il à l'oreille d'Antoine-Léon.

— Si vous voulez parler de Simon, je l'ai croisé tantôt du côté des gars de l'IronOre, il doit être encore avec eux autres.

Hubert parti, il se tourna vers Antoine-Léon.

— Je vous regarde pis je me demande ce que vous pouvez ben venir faire icitte. Avec vos beaux habits, vous m'avez l'air d'un professionnel. Vous seriez pas un ingénieur ?

Antoine-Léon souleva les épaules.

— Vous n'avez pas de mérite, il y a pratiquement que ça dans toute la Côte-Nord.

— J'essayais de vous asticoter.

— Et vous, je peux savoir ce que vous faites ?

L'homme avala une gorgée de bière. Son regard s'attarda sur le carreau poussiéreux qui lui faisait face.

– Vous avez pas idée ? À part noircir des feuilles blanches, vous savez pas ce que c'est que de diriger des ouvriers ? Ben, c'est ça mon job, je suis *foreman*, contremaître pour une équipe de construction.

Antoine-Léon le dévisagea comme s'il le voyait pour la première fois. L'homme paraissait costaud, la lèvre un peu dure, de ces êtres que rien ne peut réussir à terrasser.

– Vous me regardez sans rien dire, avança-t-il devant le silence d'Antoine-Léon, je suppose que vous trouvez absurde que je m'arrête ici après une journée passée dans la poussière et le bruit.

– Vous aimez votre ouvrage ?

– Ouais, je pense.

– Ce qui veut dire…

– Ce qui veut dire que dans ce métier-là, c'est pas jojo tous les jours. Les gars que je mène sont pas des enfants de chœur, faut avoir de la poigne et savoir se faire respecter. À la fin de la journée, comme à cet instant, on a not' voyage.

– C'est pas un peu large comme réponse ?

– Faudrait alors préciser. Je vous répondrais que j'ai ma petite idée sur l'ouvrage et que j'ai mes exigences. Je fais pas toujours plaisir, pourtant…

Antoine-Léon le fixait et se retenait de l'interrompre. Attentif, il l'engageait plutôt à poursuivre.

– Ma femme arrête pas de me dire que je suis trop strict, que je dois laisser un peu de *lousse*, mais quand il faut rendre des comptes, donner du résultat, on peut pas se permettre de montrer de l'ouvrage mal exécuté. Malheureusement, c'est pas tous les gars qui comprennent ça.

– Moi si, l'encouragea Antoine-Léon, peut-être même que je suis la personne la plus apte à vous comprendre. Je peux savoir quelles sont vos réalisations ?

– J'ai pas mal roulé ma bosse, répartit l'homme. J'ai quarante-six ans et j'ai pas chômé depuis que je suis en âge. J'ai bâti le moulin des Fillion à Chibougamau, celui des Barré à Chapais et bien d'autres. Je sais que j'ai fait du bon boulot et que si je devais recommencer, je procéderais pas autrement.

Une petite fibre avait fait palpiter le cœur d'Antoine-Léon. Il se rapprocha de lui.

– Vous m'intéressez, ça vous dirait de faire des affaires ?

– Woh là ! l'arrêta l'autre. J'ai un job, faudrait pas vous illusionner.

Penché sur la table, Antoine-Léon gardait ses yeux posés sur lui comme s'il s'apprêtait à partager un grand secret. Son visage frôlait le sien.

– Seriez-vous prêt à changer de job pour un emploi stable dans une société prestigieuse, mieux rémunéré, avec sous vos ordres des employés triés sur le volet, un beau fonds de pension, moins de *chialage*, plus de créativité et d'esprit d'entreprise ?

L'inconnu eut un mouvement de recul. Sa tête s'agita de secousses négatives.

– Je viens de vous le dire, j'ai une job et un bon boss. Non, non, non, lança-t-il sur un ton bourru. Insistez pas, je veux rien changer.

– Je puis savoir votre nom ? s'enquit Antoine-Léon.

– Gauvin, Frank Gauvin, répondit-il, mais ça changera pas ma…

Mu par une impulsion subite, Antoine-Léon s'était encore rapproché. Une flamme vive allumait ses prunelles.

– Je suis en train de monter un projet d'envergure. La scierie des Outardes, vous avez dû en entendre parler ? J'en suis rendu à l'embauche et je suis à la recherche d'un bon contremaître. Je vous écoute depuis tantôt et je me dis que vous seriez l'homme de la situation. J'aurais un travail à vous proposer, un travail qui vous élèverait à un poste supérieur, impensable dans une société ordinaire, un avancement…

Il extirpa de sa poche sa carte professionnelle et la lui tendit.

– Passez me voir sur l'emplacement de la future scierie. C'est le grand champ juste vis-à-vis la route de l'aéroport, le collectage des pitounes sur le terrain de Rexfor, vous connaissez ? Vous quittez la nationale et vous prenez le chemin de terre qui longe la rivière côté est…

D'un trait, il vida son verre et chercha Hubert. Il avait terminé, il n'avait plus rien à faire dans cet endroit.

Un peu plus loin, il voyait la crinière poivre et sel d'Hubert qui s'amenait suivi d'un individu court sur pattes, à la longue chevelure noire qui débordait de sa casquette.

– Je te présente Simon Picard, fit-il, essoufflé. Il n'a pas été facile à dénicher.

– Ce ne sera pas nécessaire, répondit-il. Je pense avoir trouvé notre homme. Il s'appelle Frank Gauvin. Si je sais m'y prendre et si je suis assez persuasif, il acceptera mes conditions.

Ses prunelles noires miroitaient comme deux billes.

– Je devrais m'arrêter plus souvent dans ce petit bar avant de m'en aller à la maison, ironisa-t-il. C'est beau la famille, mais je pense que les meilleures affaires se règlent après les heures de travail, autour d'un pot de bière.

– J'aimerais entendre ce qu'en dirait Élisabeth, proféra Hubert.

Son regard plongé dans le sien, il éclata d'un rire sonore qui s'éternisait.

– Reviens-en, fit Antoine-Léon, vexé. Élisabeth est une femme compréhensive.

Le lendemain, Frank Gauvin se présenta à la roulotte. Assis chacun sur une boîte à beurre, un bloc-note sur leurs genoux, ils signèrent un contrat d'embauche, faisant de l'homme le contre-maître attitré, responsable de la construction.

C'est à lui qu'il reviendrait de commander les journaliers, les corps de métiers spécialisés et tous les autres.

Antoine-Léon ne cachait pas son allègement. Il pourrait veiller à ses affaires, procéder à la paperasse et remplir ses rapports dans les temps voulus.

20

Il y avait neuf mois que la construction avait débuté, que chaque matin le terrain servant autrefois à l'entreposage des billots portés par la rivière se remplissait d'ouvriers.

Les fondations avaient été creusées, les assises établies et le béton coulé. Les hommes avaient érigé dessus les coffrages de bois et y avaient moulé les murs du rez-de-chaussée, aussi en béton.

Un matin d'automne, le squelette d'un long bâtiment s'était découpé sur la ligne de l'horizon montagneux au grand ravissement d'Antoine-Léon qui voyait sa mission prendre enfin forme et se réaliser.

Il avait pris toutes les précautions. Connaissant sa Côte-Nord et les rigueurs de l'hiver, dès les premières neiges, les ouvriers avaient protégé le chantier, avaient enveloppé l'ossature de l'usine d'une longue bâche plastifiée et installé aux quatre coins des dispositifs de chauffage à air soufflé.

Il pensait être à l'abri des grands froids. Pourtant, il n'était pas dit que le ciel lui ferait la vie aussi facile.

Le mois de février avait débuté poussant un vent du nord qui s'était déchaîné, enrobant plaine et montagnes de son souffle glacial. Pendant d'interminables semaines, le froid avait été vif, si vif que les menuisiers, les doigts gourds, avaient été incapables de planter les ancrages pour monter la charpente. Les opérateurs de grues avaient dû cesser leur travail de manutention, les machines s'étant figées, retardant d'autant la poursuite des travaux, au grand dam d'Antoine-Léon qui voyait dans le retard que causerait cette situation la difficulté d'atteindre le délai fixé.

L'air glacial, insidieux et âpre, s'introduisait partout, s'engouffrait par toutes les issues.

Il en avait été de même dans la roulotte. Malgré sa vaillance, la minuscule chaufferette rapportée par Hubert un jour d'été n'était pas parvenue à rendre les lieux confortables. Sans cesse, la bise sifflait, soufflait sur le recouvrement de métal, glaçant l'air ambiant, la faisant comparer à un igloo dans lequel ils auraient installé leurs affaires. Désespéré, Antoine-Léon n'avait pu que regarder, sans rien faire.

La froidure avait perduré et leur avait fait perdre un temps précieux. Il n'avait pas caché sa contrariété. On lui avait imposé une échéance et toute interruption augmentait ses craintes de la dépasser.

— Ça peut pas continuer de même, avait-il dit à Frank, un matin particulièrement rigoureux, il faudrait trouver un moyen de reprendre les travaux.

— On peut rien contre la nature, avait répliqué le contremaître. Même si on chauffe davantage en dedans, ça fera pas démarrer les machines dehors. Vous en faites pas, les boss vont comprendre. On mettra les bouchées doubles une fois le temps adouci.

Antoine-Léon n'en était pas si sûr. Comment démontrer à ces privilégiés douillettement installés dans leurs bureaux de New York ce qu'étaient les hivers de la Côte-Nord ? Comment les amener à imaginer la masse de neige qui tombait sur leurs têtes dès la fin de l'automne, embastillait les vastes étendues enclavées entre les Laurentides et la mer, pour, pendant de longs mois, les isoler du reste du monde, avec l'Arctique qui exhalait ses vents aigres.

Cette année, la vague de froid avait été sans précédent et les avait tenus captifs, dans l'impossibilité de vaquer à leurs occupations extérieures. Les tempêtes s'étaient succédé sans relâche et la neige s'était accumulée jusqu'à rejoindre les toits. Les routes, bordées de hautes congères soufflées par les charrues, ressemblaient à d'interminables couloirs de prison, d'arrogants murs de cristal, blancs, oppressants, dont ils ne voyaient pas la fin.

Antoine-Léon s'était pris à envier ces New-Yorkais chez qui le gel ne durait que quelques semaines où la ville se parait à Noël d'un givre croustillant, semblable à un sucre candi, qui disparaissait avec le mois de janvier.

Pour la première fois depuis les dix-huit ans qu'il vivait dans la région, son regard nostalgique s'était tourné vers son Bas-du-Fleuve avec ses vents d'ouest qui effleuraient la bruine de la mer, la saupoudraient sur les terres pour gratifier la région d'un microclimat.

Il y avait aussi ses habitudes qui étaient bousculées. Contrairement au travail auquel il s'était habitué dans l'édifice de la rue Marquette, il se retrouvait souvent dehors. Cette situation lui avait rappelé ses années en forêt. Mais la bise glaciale qui balayait la cour plate et vaste de la future scierie, exposée à tous les tourbillons, n'avait rien de comparable avec le souffle de la forêt contre lequel les arbres centenaires leur servaient d'abri.

Enfin, le vent s'était calmé et l'air avait perdu de sa rigueur. Un matin gris, les opérateurs avaient réussi à faire démarrer les machines. Les moteurs s'étaient mus sans à-coups et le chantier avait repris vie comme si aucun contretemps ne l'avait affecté.

Les mois avaient passé et le printemps était arrivé au grand soulagement des responsables du projet. Le soleil avait réchauffé la terre et la neige s'était affaissée un peu plus chaque jour.

Le béton coulé l'automne précédent était bien sec, l'armature de métal entée dans ses assises s'élevait maintenant à pleine hauteur et la charpente du toit faite aussi de métal était prête à accueillir les couvreurs.

Ce matin-là, les spécialistes de la toiture s'étaient présentés les premiers. Leurs camions lestés d'une quantité imposante de tôles, ils avaient appuyé des échelles sur les murs comme autant de lignes droites.

Avec des gestes de funambules allant se donner en spectacle, ils avaient grimpé jusqu'en haut. L'air était chargé du sifflement des appareils à soudure et des cris des hommes. Le vent exhalait des effluves délicats de verdure tendre qui embaumaient l'air. Ils paraissaient heureux. C'était le printemps et chacun se sentait vivifié, comme si une sève nouvelle courait dans ses veines.

En bas, la grue fonctionnait à plein régime. Rappelant la bouche avide d'une girafe, elle avalait avec une régularité de métronome les matériaux dans ses serres et allait secouer son long cou auprès des couvreurs.

Frank était sorti dans la cour et fouillait autour de lui. Il paraissait nerveux. Se déplaçant d'un pas pressé, il stimulait ses troupes.

— Te rends-tu compte où t'as posé ton échelle, le jeune, cria-t-il à un soudeur qu'il voyait sur le toit en train d'étaler une large feuille de tôle galvanisée. Elle est juste devant une porte. Tu vas me déplacer ça au plus sacrant!

Antoine-Léon était sorti de la roulotte. Une pile de documents sous le bras, il avança vers lui.

— Quelque chose cloche, Gauvin?

— Il y a que certains sont inconscients, s'irrita-t-il. Ils n'ont pas idée des conséquences de leurs actes. Comme ce blanc-bec qui a placé son échelle juste devant une entrée! Si je les laisse faire, j'aurai pas sitôt tourné de bord que j'aurai la Commission de la santé et sécurité au travail sur le dos.

— Son boss est un sous-traitant, c'est à lui qu'il revient de régler ça.

— Vous pensez ben que je le sais et que je vais lui passer le message. Si Jules Savard veut que je fasse encore appel à lui, il aura affaire à discipliner ses employés.

— T'as décortiqué le plan de la salle de séchage? fit Antoine-Léon, passant à un autre sujet tandis qu'il le précédait vers l'intérieur. Tu vas devoir faire modifier l'électricité. On a fait le calcul, Hubert et moi. Avec les mètres cubes de bois qui vont passer par là et la vitesse à laquelle on veut que ça sèche, on va avoir besoin de plus de kilowattheures. Actuellement, c'est trop limite. Il y a aussi la salle de la tronçonneuse.

Il enchaîna en l'entraînant vers l'endroit.

— Il y a de la perte de temps. Vois ici, dit-il en indiquant une plateforme, il y a un arrêt. Ça va exiger une autre manœuvre de la part de l'opérateur quand il devrait y avoir continuité.

— On a pourtant respecté les mesures, fit le contremaître en étirant son ruban gradué.

Antoine-Léon acquiesça de la tête.

— Je sais. Ce sont des petites différences impossibles à évaluer sur papier. Tu vas faire la correction. Je suppose que tu peux mettre quelques gars là-dessus ?

— C'est pas l'ouvrage qui manque, mais on va s'arranger.

— C'est comme l'*estimé* de la firme d'isolation que tu m'as remis, on va devoir demander d'autres soumissions, ç'a pas de maudit bon sens, ils chargent un prix fixe, de base, temps et matériaux, ça veut dire que s'ils ont besoin d'un clou ils nous font payer dix boîtes et ils ajoutent en plus à leur total une charge de 10 % de profit plus 5 % de frais d'administration.

— C'est comme ça que ça marche, Monsieur Savoie.

— Je me suis fait construire une maison et j'aurais jamais accepté ça, répliqua Antoine-Léon. L'employeur prend déjà un pourcentage sur les matériaux qui sont calculés au prix de détail et sur le temps des ouvriers. Il est là, son profit.

— Ç'a été la façon pour vous parce que vous étiez un particulier, Monsieur Savoie. Les calculs sont différents pour les entreprises. Quand c'est commercial ou gouvernemental, ça coûte le double, parfois le triple.

— Mais c'est illogique, se récria Antoine-Léon. Ils doivent *charger* ce que ça vaut, pas plus. J'ai pas remarqué ça sur les autres soumissions.

— Ils l'ont fait, eux aussi, mais d'une manière différente. C'est une méthode américaine. Ils chargent pour un bloc de travail. Au lieu de calculer le coût des matériaux, le temps et l'ajout de leurs frais, ils mesurent la longueur et la hauteur et établissent un prix à partir d'une liste dressée d'avance. Beaucoup d'entrepreneurs font leurs soumissions en se référant à cette liste.

— Mais c'est aberrant, où est-ce qu'on s'en va ?

— Quand c'est un*e estimation* pour le gouvernement, c'est encore pire, railla Frank, mais on n'y peut rien. Le plus désolant, c'est que ça met pas une cenne de plus dans la poche des ouvriers. Me demandez pas à qui vont les profits.

— Ça peut bien nous coûter cher de taxes.

Du côté de la route, un tintamarre se faisait entendre. Sans arrêt, les gros nez des mastodontes se dessinaient au milieu du chemin d'accès élargi et asphalté.

Un poids lourd venait de surgir entre les deux haies de branchages. Avec une lenteur pesante, il avança vers la cour et alla stopper à la suite des camions déjà immobilisés.

Le chauffeur en sortit. Pendant un moment, ébloui, avec sa chevelure épaisse d'un beau châtain clair, son œil bleu qui enveloppait l'immensité du terrain, il regarda autour de lui.

– Salut, mon oncle.

Antoine-Léon se retourna d'un trait. Son visage s'était animé.

Emmanuel, le fils de son frère David venait de s'amener dans la cour. Heureux, il lança avec chaleur :

– Si c'est pas mon neveu. C'est vrai que tu me l'avais promis, mais veux-tu me dire ce que tu viens faire ici aujourd'hui ?

Emmanuel indiqua la benne de son camion débordante de feuilles de tôle.

– J'ai un contrat avec un fabricant de Montréal et j'ai une livraison pour Savard & fils, plomberie et toiture.

Allongeant le bras vers l'intérieur du camion, il attrapa son casque protecteur posé derrière son siège et l'enfonça sur sa tête.

– Ça veut dire que tes affaires fonctionnent à plein, remarqua Antoine-Léon, j'en suis heureux pour toi.

Emmanuel riait de contentement.

– Ça marche. Je possède maintenant trois camions. Je viens tout juste d'acheter celui-là. Comment vous le trouvez ?

– Impressionnant, fit Antoine-Léon, admiratif, mais comment réussis-tu à gérer tes affaires et courir les routes en même temps ?

– C'est pas facile. Je suis sur le point d'engager un troisième chauffeur et m'enfermer dans mon bureau, reconnut Emmanuel, malgré que j'haïs pas ça *pantoute*, faire de la route. J'ai hérité d'un p'tit goût de liberté.

– Tu vas me donner des nouvelles de la famille, dit Antoine-Léon. Avec le travail, j'ai pas le temps de visiter beaucoup ni même de téléphoner. Comment ça va dans le Bas-du-Fleuve ?

– Tout le monde se porte bien. Il y a que grand-mère Héléna qui vieillit et commence à parler de fatigue, mais c'est normal, elle s'en va sur ses quatre-vingt-deux ans.

– Ta grand-mère Héléna a toujours été une femme énergique, émit-il, un brin d'inquiétude dans la voix. Si elle parle de fatigue, c'est qu'elle est malade. Elle se fait suivre par le médecin, au moins ?

– Vous vous faites du mouron pour rien, mon oncle, le calma Emmanuel. Grand-mère est pleine d'entrain. Encore la semaine dernière, elle parlait d'aller visiter des cousines au Bic.

Antoine-Léon prit un temps de réflexion avant de demander :

– Qu'en pense ton père ?

Derrière eux, une belle et longue voiture noire aux chromes luisants conduite par un commissionnaire de la *QNS* venait de franchir l'entrée et s'était arrêtée devant le bureau temporaire.

Le chauffeur en était descendu et ouvrait la portière arrière.

– Je dois te laisser, Emmanuel, dit Antoine-Léon. J'attendais un patron et il vient d'arriver. Tu diras à ton père que je vais me rendre à Saint-Germain pour mes vacances, dis-lui de me réserver un temps pour discuter de tout ça.

Du côté de la roulotte des ingénieurs, une animation se faisait entendre.

Tête nue, veston cravate, Hubert était apparu devant la porte et accueillait le visiteur. Les deux hommes s'étaient dirigés vers le chantier de construction. L'étranger se déplaçait avec lenteur, coulait un regard sur les alentours tout en approuvant de la tête. L'allure aimable, il se prêtait aux propos d'un Hubert exubérant qui trottinait près de lui et gesticulait, les mains en éventail.

Antoine-Léon marcha à leur rencontre.

– Voilà monsieur Kelly, présenta Hubert. Il est là pour la visite d'inspection.

– Heureux de vous connaître, Monsieur Savoie, prononça le visiteur en secouant vigoureusement sa main.

Impressionné, son regard balaya l'espace.

– Ayant participé à la conception des plans, je savais que le bâtiment était de grande dimension. C'est monumental.

La façade de l'édifice s'élevait sur deux étages et lui paraissait interminable. De construction solide, elle présentait quatre salles, longues de vingt-cinq mètres pour les plus grandes et de vingt mètres pour les autres, sans compter le garage. L'ensemble était constitué d'un rez-de-chaussée habillé de béton, tandis que l'étage était recouvert d'acier émaillé jusqu'au toit.

– Une fois les travaux terminés, l'extérieur sera peint en rouge, expliqua Antoine-Léon, aux couleurs de la scierie des Outardes.

– Ça semble aller bon train.

– L'hiver a été dur et nous a retardés, mentionna Antoine-Léon. Mais aussitôt que nous avons pu, nous avons accéléré la cadence et nous aurons bientôt repris le temps perdu.

– Je suis ravi de l'entendre, fit monsieur Kelly.

Sur un ton amène, il expliqua qu'il faisait partie de l'équipe de Thorold en Ontario. Arrivé par avion via Québec, un peu plus tôt dans la matinée, il avait été conduit à l'emplacement de la scierie par un chauffeur de la compagnie.

Il devait rédiger un rapport sur l'avancement des travaux, mais il prendrait aussi note des difficultés et veillerait à leur faciliter la tâche. Il passerait quatre jours auprès d'eux avant de s'en retourner.

– Je suppose que vous aimeriez vérifier la qualité du travail, proposa Antoine-Léon.

La tête protégée par un casque blanc, tous trois côte à côte, ils se dirigèrent vers l'extrémité de la bâtisse et s'arrêtèrent devant une large ouverture découvrant le rez-de-chaussée.

– Cet espace au niveau du sol, sera le ramassis de la véritable usine qui se situera à l'étage du dessus, précisa Antoine-Léon.

Monsieur Kelly attarda son regard sur l'orifice vide semblable à un interminable corridor encagé entre des murs bétonnés, évoquant l'austérité d'une forteresse et faisant continuité avec la cour.

Il y avait peu à dire sur cette interminable chambre. Couvrant tout le sous-sol de l'usine, raccordée à chacune des salles du niveau supérieur où la scierie jouerait son rôle, elle servirait à la collecte des rognures, écorces et bouts de troncs impropres à la fabrication du bois d'œuvre.

– Nous allons monter sur la plateforme du quai d'embarquement des grumes, là où débuteront les opérations, expliqua Antoine-Léon en entraînant son visiteur vers un escalier en béton, mais nous n'irons pas plus loin, une équipe de sous-traitants est en train de faire la couverture et je ne voudrais pas que nous recevions un marteau sur la tête. De toute façon, les salles ne sont encore qu'à l'état d'esquisses.

Ils avaient atteint l'étage.

Sur le sol, marquant ce qui serait l'emplacement des machines, une large fosse communiquant avec le sous-sol exhalait des odeurs de froidure et de béton frais.

– Le quai d'embarquement et la salle de la tronçonneuse sur laquelle nous nous trouvons constituent le cœur des bâtisses, expliqua Antoine-Léon. Ce sera notre plus gros département. L'opérateur occupera une cabine sur le pont d'alimentation qui sera placé devant l'entrée. À cet endroit, se fera une première sélection des troncs, celle d'enlever la pourriture à la machine. Une fois nettoyés, les troncs seront triés par diamètres et par longueurs. Les plus longs auront seize pieds, ensuite quatorze, douze, huit, jusqu'à six pieds avant d'être dirigés vers les machines pour la transformation.

– Ne devez-vous pas compter en mètres ? corrigea monsieur Kelly. Nous desservons le marché européen.

– Le calcul se fera en mètres, répondit paisiblement Antoine-Léon. Je n'ai fait qu'imager le processus. L'œil magique et l'ordinateur de l'usine seront programmés en mètres, mais pour la compréhension, le temps que les gars s'y habituent, on parle en pieds. Au Canada, on n'est pas encore familier avec le système métrique.

Monsieur Kelly hocha la tête dans un signe de compréhension et jeta un regard sur l'ensemble.

Une enfilade de divisions sommaires délimitait les quatre bâtisses qui s'étendaient sur plus de quatre-vingt-dix mètres et des poutrelles d'acier étayaient la charpente jusqu'au toit.

Sur chacune des plateformes, des paquets de tôles attendaient d'être dressés.

– Ces épaisses tôles ondulées que vous voyez sur les planchers, constitueront les murs qu'on recouvrira d'isolant thermique afin d'amortir la vibration, expliqua encore Antoine-Léon.

Des outils obstruaient l'espace. Une poussière blanchâtre voilait l'air, et les marteaux claquaient sur les tôles de la toiture que les couvreurs étaient en train de souder. Au-dessus de leurs têtes, entre les solives de métal, ils distinguaient de grands coins de ciel bleu.

– Pour comprendre la suite, vous devrez vous servir de votre imagination, reprit Antoine-Léon. Avec cette ferraille qui embarrasse le sol et les hommes qui grouillent en haut, il serait imprudent d'avancer plus loin. Nous nous permettrons une visite plus approfondie lors de votre prochaine venue. La salle suivante, celle du triage ser…

Un hurlement enterra la fin de sa remarque. Sur le toit, une lourde feuille s'était détachée des pinces de la grue et s'était élevée dans les airs en émettant un claquement sonore. Deux couvreurs s'étaient précipités. En équilibre sur les linteaux, vivement, ils tendirent les mains dans un effort pour la rattraper. Soulevée, l'encombrante tôle s'était éloignée et poursuivait sa trajectoire vers la cour. Rappelant un gros oiseau volant bas, elle plana l'espace d'un instant. Soudain, tout se passa très vite. Tel un jouet porté par le vent, elle se courba, se releva, voleta, puis, d'un seul coup comme si ses ailes s'étaient brisées, elle descendit en chute libre et alla s'abattre sur le sol en émettant un bruyant roulement métallique chargé d'échos.

Un long gémissement accompagna le bruit. Des exclamations montèrent, des pas précipités qui s'entrecroisaient dans un fourmillement désordonné.

Alarmé, Antoine-Léon passa la tête vers l'extérieur.

– Frank, que c'est qui se passe ?

Le contremaître s'était détaché du groupe et allait se précipiter vers le bureau.

– Il y a un gars de blessé, je m'en vais appeler le docteur.

Les ouvriers avaient abandonné leur poste. Un outil encore dans la main, ils s'amenaient en courant. Antoine-Léon se fraya un passage. Monsieur Kelly et Hubert l'avaient suivi.

Un jeune employé était là. Recroquevillé sur le sol, sa main appuyée sur sa tempe, il larmoyait. Une coulée rouge filtrait entre ses doigts et allait se perdre dans ses cheveux. À quelques pas, un casque jaune gisait sur la terre battue, bloqué par une ornière.

Antoine-Léon s'agenouilla près de lui.

– Le docteur s'en vient. As-tu mal ?

– Ça chauffe un peu. J'ai peur, je veux pas mourir.

– Ben voyons, tu mourras pas pour une petite coupure comme ça, le rassura Antoine-Léon, lui-même nullement convaincu.

Le blessé, un journalier dans la jeune vingtaine, était préposé au déblaiement. Il devait aussi aider au déchargement des matériaux, ce qui l'avait amené à se retrouver dans l'aire des couvreurs.

Hubert se pencha à son tour.

— Faut faire une pression pour arrêter le sang.

Il prit un mouchoir dans sa poche, le roula en boule et l'appuya sur la tempe du garçon.

— J'ai suivi un cours d'ambulance Saint-Jean, je sais ce qu'il faut faire.

— Alors, fais-le, proféra Antoine-Léon, plutôt rudement, incapable de contrôler sa nervosité, et prie le ciel que le docteur se pointe au plus sacrant.

Les yeux rivés sur le chemin d'accès, il attendit anxieusement d'entendre le ronron sécurisant d'une voiture. Enfin, un véhicule noir remplit l'espace, roula en ligne droite et vint s'arrêter près de leur petit attroupement.

Le médecin, trousse à la main, arrivait. Antoine-Léon lui céda la place.

— Un accident de même, ça m'enlève toute envie de poursuivre notre visite, laissa-t-il tomber avec un bruyant soupir.

— Moi non plus, je n'en ai plus envie, répondit monsieur Kelly. D'ailleurs, j'en ai vu suffisamment. Je reviendrai demain pour la vérification des livres et je vais faire mon rapport. Je ne ferai pas mention de cet incident, ajouta-t-il avec bienveillance.

Le médecin s'était redressé.

— La peau est tailladée au-dessus de l'oreille, la tôle s'est arrêtée sur l'os, déclara-t-il en rangeant ses gazes et ses diachylons. C'est ce qui explique le saignement. Le cuir chevelu est parsemé de vaisseaux et il saigne toujours abondamment. J'ai rapproché temporairement les lèvres de la plaie et j'ai fait un bouchon de pression. Je vais l'amener à mon bureau et compléter le pansement. Je vais cautériser, faire deux ou trois points de suture et il n'y paraîtra plus. Il a eu de la chance. De la tôle, ça coupe comme un couteau. Faudrait pas que pareil accident se répète. Rien n'est sûr que ça se terminerait aussi bien.

Il attrapa sa trousse et se pencha encore sur le jeune homme.

— Je vais demander à ton boss de t'accorder trois jours de congé, le temps de te remettre de ta peur et permettre à ta plaie de se refermer. Ça te satisfait ?

— Je vais avertir le chauffeur de la compagnie, dit Antoine-Léon. Il va aller le prendre à votre clinique et le reconduire chez lui.

Emmanuel qui avait attendu tout ce temps sans rien dire, près de son poids lourd, s'était approché. Il paraissait ébranlé.

— J'étais tout près quand j'ai aperçu la tôle qui volait dans les airs. J'ai reculé aussi vite que j'ai pu. Elle a frappé la benne de mon camion et a ricoché. Si j'avais pas bougé, c'est moi qui serais étendu par terre, blessé plus gravement peut-être parce que j'aurais encaissé le premier choc. J'en frissonne rien qu'à y penser. Je suppose que mon heure était pas arrivée.

Antoine-Léon le fixa. Il avait peine à contenir son effroi.

— Fais-moi jamais ça, le somma-t-il, la voix vibrante. Après tous les malheurs arrivés à mes parents, c'est pour le coup que ta grand-mère tomberait raide morte.

— Mais je suis là, mon oncle, s'esclaffa Emmanuel, bien vivant, avec tous mes membres intacts et surtout, j'ai pas envie de mourir *pantoute*.

— Tu peux pas savoir combien ça me soulage de t'entendre parler de même, mon neveu, souffla Antoine-Léon. Tu vas continuer ta *run*, mais tu vas me promettre de garder l'œil ouvert.

Délivré d'un fardeau immense, il entra dans la roulotte avec ses deux compagnons.

Assis chacun sur une boîte à beurre, leur main refermée sur une tasse de café brûlant qu'avait servi Hubert, ils analysèrent les précautions à prendre afin que ne se répète pas pareil événement.

Le monteur de la grue devrait être mieux formé et demeurer constamment vigilant, avaient-ils conclu. De plus, ils réuniraient les employés et les exhorteraient à une plus grande prudence.

Revenus au sujet du jour, ils discutèrent de la somme des travaux encore à accomplir, des fournisseurs et des sous-traitants. Devant eux sur une planche rudimentaire, était déroulée la liasse de feuilles rattachées ensemble par une bande plastifiée qui constituait le plan de l'usine. Pas une seconde, monsieur Kelly ne manqua d'intérêt ni ne se plaignit de l'inconfort des lieux.

Ils avaient passé en revue tous les problèmes relatifs à la construction. Monsieur Kelly consulta sa montre. Il approchait midi.

– Messieurs, dit-il en se levant, l'heure est venue pour moi de vous quitter. Je m'en vais manger avec vos patrons et je ne reviendrai pas cet après-midi. Nous nous reverrons demain.

– Que diriez-vous, à la fin de la journée, de venir prendre une bière au petit bar *cinq à sept* des ouvriers ? offrit Hubert. Vous connaîtriez les habitudes de nos employés. Ils s'arrêtent presque tous là après l'ouvrage.

– Voyons Hubert ! s'éleva Antoine-Léon, gêné, c'est pas un endroit où amener monsieur Kelly. Venez plutôt chez moi, offrit-il à son tour. Même que vous pourriez rester à souper. Je n'ai qu'à avertir mon épouse, vous ne le regretteriez pas, c'est un vrai cordon-bleu.

– Si nous allons chez toi, j'apporte le vin, décida Hubert.

– Dois-je comprendre que tu t'invites ? railla Antoine-Léon. Faudra voir ce qu'en pense Élisabeth.

– Demain, vous viendrez chez moi, répliqua Hubert, et j'invite aussi Élisabeth… à la condition qu'elle m'accepte ce soir, sinon elle perdra une belle occasion de goûter à mes huîtres Rockefeller.

Monsieur Kelly éclata de rire. Il les fixait tour à tour. Enfin, il acquiesça.

– Je ne puis résister à tant de gentillesses. Mais ne me traitez pas trop en visiteur de marque. Comme il est possible que je revienne chaque mois, vous risquez de trouver cela lourd à porter.

– Ce sera une occasion de fêter, répondit Antoine-Léon. On aime se réunir par ici.

Il enchaîna avec un peu de nostalgie :

– Nous vivons loin de nos familles.

– S'il n'y a pas de changement au programme, je vous retrouverai chez vous autour de dix-huit heures, déclara monsieur Kelly, et je serai enchanté de faire la connaissance de votre épouse.

– Vous êtes descendu au manoir, supposa Antoine-Léon.

– Bien évidemment.

***

– Tu ne trouves pas qu'Hubert prend un peu beaucoup de place, fit remarquer Élisabeth à Antoine-Léon après le départ de leurs invités tandis qu'ils se mettaient au lit. Tu as entendu ce fendant ?

Pendant tout le repas, il n'a pas cessé de se mettre en évidence, J'AI fait ceci, J'AI fait cela, il ne tarissait pas de JE et quand il a rapporté comment il avait donné les premiers soins à votre blessé, ça, c'était le bouquet.

Elle pouffa.

— C'était de le voir jouer au docteur.

Antoine-Léon hocha la tête. L'attitude d'Hubert l'agaçait, lui aussi.

— Quand c'est nécessaire, je le remets à sa place.

— Ai-je bien entendu ce qu'a dit monsieur Kelly, que monsieur O'Neil, le vice-président de Montréal s'en vient lui aussi, qu'il arrivera demain après-midi ? On dirait qu'ils se donnent le mot pour venir fureter dans tes affaires, ça ne t'inquiète pas ?

— C'est la procédure. Nous aurions dû avoir leur visite depuis longtemps. Mais les boss sont frileux, l'hiver. Maintenant que le doux temps est arrivé, ils se reprennent.

Il se coula près d'elle sous les couvertures.

— Je t'ai dit que monsieur Kelly donnera une réception intime au manoir la veille de son départ ? Il réunira quelques cadres de la *QNS*, de même que nous de la future scierie. Tu es aussi invitée. Monsieur Kelly veut te remercier de l'avoir si bien reçu. C'est ce qu'il m'a dit avant de quitter la maison, tantôt. Tu vas recevoir un bristol accompagné d'une rose.

— Monsieur Kelly est charmant et son invitation est fort aimable, mais qu'est-ce que je vais aller faire là, moi, toute seule, avec une clique d'ingénieurs qui n'auront de discours que leur boulot ? Je vais m'ennuyer à mourir.

Antoine-Léon s'approcha et posa un baiser sur son cou.

— Te connaissant, j'en serais étonné.

***

Antoine-Léon et Élisabeth s'étaient avancés dans le salon bleu réservé pour la circonstance aux invités de monsieur Kelly.

Élisabeth explora la pièce à la recherche d'une femme, une connaissance, une compagne de golf. Elle n'en distingua aucune.

Elle n'y voyait que d'éminents personnages, guindés, un verre à la main et discourant à voix basse. Ils étaient peu nombreux, une dizaine peut-être, calcula-t-elle, tous revêtus du même complet sombre et assommant. Pas une seule présence féminine, amie ou épouse d'un de ces notables pour bavarder d'autre chose que d'ingénierie ! Elle se demandait ce qu'elle était venue faire dans cette galère !

Avant même de pénétrer dans la salle, elle rêvait de sa confortable bergère, les jambes étirées sur un pouf devant le téléviseur à visionner ses émissions favorites.

Mais elle avait reçu un carton d'invitation de la part de monsieur Kelly, griffonné de sa main, qu'il aurait été inconvenant de refuser.

Pour la circonstance, elle avait endossé une jolie robe sans manches, aux lignes souples, de couleur saphir qui faisait ressortir la profondeur de ses grands yeux bleus. Un bibi de paille de la même teinte, piqué d'un brillant de pacotille, couvrait en partie ses cheveux blonds.

Nullement intimidée, elle s'avança vers le groupe et tendit la main.

— Bonsoir, cher Monsieur, déclina-t-elle devant un Roger Bellemare confondu. Bonsoir, Jean-Marc, prononça-t-elle à l'adresse du directeur de l'usine de copeaux et époux de son amie Suzy. Heureuse de te revoir. Suzy ne t'a pas accompagné ?

— Suzy ne m'a pas accompagné, parce qu'elle n'a pas été invitée, répondit Jean-Marc, non plus que les autres épouses. Tu jouis d'un privilège, ma chère.

Élisabeth laissa tinter un petit rire cristallin.

— Tu crois ? J'ai plutôt l'impression d'être au milieu d'une cage comme une bête de cirque.

— Rassure-toi, on nous a ordonné de te distraire. Cette soirée va t'être si agréable que tu vas t'en rappeler jusqu'au Jugement dernier.

Se déplaçant avec aisance, elle alla saluer les autres invités pour s'arrêter devant monsieur Kelly.

— C'est très aimable à vous de m'avoir conviée à cette fête.

— C'est un honneur pour moi, Madame, répondit-il en s'inclinant. Vous êtes éblouissante, s'exclama-t-il encore sur un ton évident d'admiration. J'espère que cette soirée va vous plaire.

– Je n'en doute plus une seconde, répondit-elle, une lueur avivée dans son regard.

Deux invités s'étaient approchés, avaient happé monsieur Kelly et l'avaient entraîné avec eux.

Elle se retrouvait seule. Un serveur en livrée, serviette sur le bras, gants blancs et plateau d'argent dans les mains, circulait entre les groupes et offrait des cocktails.

Face à elle, devant la baie vitrée qui découvrait la mer, une table ronde avait été dressée. Là-bas, côté sud, la clarté du couchant couvrait les vagues de reflets irisés.

Son regard s'attarda un moment sur le paysage. Enfin, elle se retourna vers la salle. Partout, les invités étaient plongés dans leurs conversations.

Elle chercha son époux. Elle l'aperçut après un moment, dans un coin, soutenant une conversation animée avec Laurier Harnois. Près d'eux, attentif, les bras croisés sur la poitrine, se tenait Roger Bellemare. Elle fit un pas pour les rejoindre et se retint. Elle hésitait à les déranger dans cet entretien d'affaires. Elle connaissait Antoine-Léon. Vif, enflammé lorsqu'il défendait ses idées, il oubliait tout. Sa verve épuisée, tandis qu'elle serait occupée à autre chose, elle sentirait une main frôler son bras. Il serait là, il serait revenu près d'elle.

Un peu en retrait, elle distinguait Jean-Marc Rondeau. À peine avaient-ils échangé quelques phrases banales lors de son arrivée. Il était seul et semblait détaché de la conversation des autres. Ne lui avait-il pas promis de la distraire, de lui faire passer une soirée inoubliable ?

Elle effectua une virevolte et marcha vers lui.

Partout à travers la salle, les liqueurs aidant, les voix s'étaient amplifiées et les bavardages s'étaient aiguillonnés. À sa gauche, quelques invités discutaient avec chaleur. D'humeur gaillarde, l'un d'eux fit un geste brusque accompagné d'un puissant éclat de voix. Elle fit un écart pour l'éviter. Une sorte de mouvement impétueux avait animé les autres. Sans raison, ils reculèrent. Des rires bruyants accompagnaient leur agitation. Élisabeth se sentit bousculée. L'un d'eux écrasa son pied. C'était Jean-Marie Côté.

– Oh! pardon, Élisabeth, je ne t'avais pas vue. Nous allions rejoindre monsieur Kelly, tu viens avec nous?

– Il n'y a pas de quoi, j'allais…

Soudain, elle sursauta.

Près de lui, elle venait de distinguer Luc Gilbert. Pâle, le visage altéré, il s'était immobilisé tout net.

– Élisabeth! Que faites-vous ici? Je pensais que c'était un souper entre hommes.

– C'est effectivement un souper entre hommes, répondit-elle.

Les lèvres amincies, elle le fixa. Elle n'avait pas à expliquer à Luc Gilbert le pourquoi de sa présence, ce soir, en cet endroit!

– Comment allez-vous, balbutia-t-il de sa voix un peu triste. Nous ne nous sommes plus revus depuis ce fameux soir… De toute façon, il était préférable de garder nos distances. Par la suite, j'ai refusé de participer à la construction de la scierie avec votre époux. Même si je savais que cette décision porterait atteinte à ma carrière. Vous a-t-on appris que je vais bientôt quitter la compagnie, que j'ai trouvé un emploi ailleurs?

– Vous m'en voyez désolée.

– Je me serais senti incapable de travailler dans ces conditions, avoua-t-il, surtout que les occasions n'auraient pas manqué de vous rencontrer, j'aurais craint de vous troubler.

Élisabeth fit un bond vers l'avant. Outrée, elle ouvrit de grands yeux. Penchée vers lui, elle articula, la voix dure, frémissante :

– Me troubler, moi? Mais pour qui vous prenez-vous? C'est vous, Monsieur, qui vous vous troublez, moi, je m'en fous.

– Vous êtes si belle, Élisabeth, quand vous vous emportez ainsi. Je sais que vous n'êtes pas sincère, que vous cachez vos sentiments.

Indignée, blanche de colère, elle se retint de toutes ses forces de se jeter sur lui et le gifler. Elle comprenait brusquement ces réactions irraisonnées, ces situations où le sujet se libérait de sa fureur démesurée par un acte de violence.

– Comment vous faire comprendre que vous vous accrochez à un mythe et que je n'ai eu qu'un moment d'égarement. Vous êtes un poltron, Monsieur, un fieffé prétentieux, et cette sorte d'individus me fait horreur.

Il lui jeta un regard douloureux.

– Élisabeth…

La suite de sa phrase mourut dans sa gorge. Une ombre venait de se profiler à la droite de la jeune femme.

Hubert s'était approché et pressait délicatement son bras. Les yeux posés tour à tour sur elle et sur Gilbert, il marquait son étonnement. Ses lèvres étaient tirées dans un léger sourire.

Il marmonna plus qu'il n'articula :

– Antoine-Léon te cherche. Il est l'heure de passer à table.

21

La construction était terminée. Les travaux avaient duré un peu plus de deux ans et avaient été effectués dans les délais prévus à la satisfaction des administrateurs des deux compagnies.

Les entrepreneurs avaient ramassé leurs outils et déserté les lieux. Les locaux avaient été balayés et le sol de la cour, débarrassé du matériel de travail des firmes engagées, avait été soigneusement ratissé. Il ne restait qu'à attendre les lourds camions porteurs de l'équipement et de l'outillage et procéder à l'installation des moteurs.

Les auteurs du projet n'auraient pas à prendre en charge cette partie du processus. Le conseil d'administration avait fait un appel d'offres public et les appareils seraient livrés clé en main. Cette étape devrait être complétée avant la première semaine de juillet, date à laquelle il avait été prévu que la scierie entrerait en fonction.

Antoine-Léon avait jeté un regard songeur sur l'ensemble vide, tranquille. Il lui apparaissait comme l'accalmie après la tempête. Sa contribution était achevée et il avait accompli les tâches qu'on lui avait assignées. Il ignorait ce que lui réserverait l'avenir, s'il serait prié de collaborer à la phase suivante ou s'il serait rapatrié du côté de la compagnie de papier.

Accompagné d'Hubert, il s'apprêtait à pénétrer dans la salle de conférence, cette même salle où, trois ans plus tôt, il avait été convoqué pour veiller à la réalisation de cette colossale entreprise.

Il allait rencontrer le conseil d'administration pour un dernier meeting.

Les cadres qui avaient commandé les travaux étaient tous là : les hauts fonctionnaires de la société Rexfor qui s'étaient amenés de

Québec, ceux du *Chicago Tribune*, de même que leurs supérieurs immédiats occupant un bureau dans la rue Marquette. Au bout de la table se tenaient deux inconnus. Silencieux, de même que les autres, les yeux braqués sur la porte, ils les regardaient s'approcher. Une secrétaire, bloc-sténo et crayon gomme à la main, avait pris place un peu à l'écart sur une chaise et rapproché ses genoux. Elle s'apprêtait à recueillir le compte-rendu de la rencontre.

Roger Bellemare se racla la gorge. La séance débutait.

À titre de président de l'assemblée, son cahier de charges ouvert devant lui, il déclina d'abord les remerciements d'usage pour le travail accompli, puis posa les yeux sur son document.

— L'équipe de direction de la Scierie des Outardes sera formée d'un directeur général, d'un directeur d'usine et d'un directeur des opérations forestières, lut-il. Tous les cadres au service de la forêt qui œuvrent en ce moment à partir de la rue Marquette seront transférés dans ceux de la scierie. Nous avons ajouté un directeur des ressources humaines et un comptable.

Tournant la tête, il fixa les deux inconnus.

— Soucieux de nous entourer du plus haut niveau de qualifications, nous avons recruté un ingénieur possédant une longue expertise dans ce domaine et nous avons engagé un informaticien ayant obtenu les meilleures notes de son collège.

Il indiqua l'aîné des deux hommes.

— Je vous présente monsieur Damien Roberge. Diplômé de l'université Laval en génie forestier, monsieur Roberge possède une expérience de quinze ans à l'emploi de l'Abitibi Price, de Chicoutimi, en plus d'avoir œuvré pendant trois ans dans les forêts du nord de La Tuque.

Son regard obliqua vers le jeune homme qui se tenait près de lui.

— Monsieur Pascal Lapointe est informaticien. Frais émoulu de l'école de Jonquière, il sera chargé avec un électronicien de la programmation des machines et des mises à jour des logiciels. Quant à toi, Hubert, s'il te plaît de rester avec nous, tu conserverais ta fonction.

Il vint poser ses yeux sur Antoine-Léon.

— Et toi, Savoie, nous t'offrons le poste de directeur de la scierie.

Antoine-Léon tressaillit imperceptiblement. Une légère crispation, comme un soulagement, tenailla la poitrine. Il s'attendait à cette nomination.

Il prononça d'une voix qu'il voulait neutre, mais dans laquelle perçait une vague angoisse :

– J'espère seulement que je serai à la hauteur.

Jusqu'à cet instant, assis au bout de la table, monsieur Roberge était demeuré silencieux. Il bougea sur sa chaise.

– J'en suis assuré, Monsieur Savoie, articula-t-il sur un ton sincère, et ce sera une fierté que de travailler avec vous. J'ai eu vent de votre engagement dans le projet. Si le complexe de la scierie des Outardes est ce qu'il est aujourd'hui, c'est à vous qu'on le doit. Ce que vous avez accompli est colossal.

Antoine-Léon lui adressa un signe de gratitude. Monsieur Roberge était le premier à reconnaître par des mots, la valeur de son travail. Peut-être les hauts cadres y avaient-ils songé, mais dans ces situations où le professionnalisme acquis, tout effort envers les autres compte pour du beurre fondu, ils n'avaient rien fait. Monsieur Roberge avait du cran. Ils formeraient une bonne association.

***

Damien et Antoine-Léon avaient tenu leur première réunion et réparti les rôles en usine.

La scierie se composerait de deux équipes d'employés, travaillant pendant neuf heures, cinq jours par semaine, l'une de jour, l'autre de nuit. Les opérations seraient interrompues le samedi pour laisser la place au personnel d'entretien. Le lendemain serait congé dominical et personne ne travaillerait. Si la corvée de ménage s'avérait trop importante et ne pouvait se terminer le samedi, elle se poursuivrait le dimanche, car il fallait que tout soit impeccable pour la reprise des travaux le lundi matin.

Frank Gauvin qui avait aussi participé à la construction détiendrait le poste de contremaître responsable de l'usine.

Ainsi en avaient décidé les deux directeurs.

La détermination qu'affichait monsieur Roberge, le directeur général, contrastait avec l'allure pondérée qu'il avait manifestée lors du meeting de la compagnie. Antoine-Léon comprenait le choix qu'avaient fait les membres de l'exécutif dont Roger Bellemare était le porte-parole. Damien Roberge était doté d'une forte personnalité en plus d'être d'une grande compétence dans le domaine et il était un bourreau de travail.

Âgé d'à peine quarante ans, la mâchoire virile, sa touffe de cheveux noirs lissée sur sa tête, il en imposait par son ressort et par la fermeté de ses décisions. D'aucuns le taxaient d'une certaine intransigeance, peut-être le trouvaient-ils un peu tranché ? Pourtant, ils le reconnaissaient, la rigueur qu'il manifestait était essentielle au bon roulement d'une aussi importante industrie.

Monsieur Roberge avait lui-même délimité les tâches de ses subordonnés et, ce faisant, s'était attribué les siennes : administration, arbitrage et, quand cela s'imposerait, conciliation. Ce seraient ses principaux objectifs.

Antoine-Léon, qui était responsable de l'usine, n'aurait pas, lui non plus, une mince tâche. Il devrait veiller à la production et au rendement.

Mais il fallait d'abord attendre l'installation des moteurs.

L'équipe se présenta un lundi matin de juin.

Debout sur le perron de l'édifice à bureaux tout neuf, les trois cadres : Damien, Antoine-Léon et Hubert suivirent comme des spectateurs devant une parade de fête, les impressionnants véhicules qui surgissaient les uns derrière les autres au bout du chemin d'accès. Avec une fierté non dissimulée, ils regardaient défiler la longue colonne de chars aux couleurs vives de l'entreprise, dépasser leur édifice à bureaux et aller s'arrêter devant l'interminable façade de l'usine.

L'assemblage des moteurs était effectué entièrement par la firme soumissionnaire. Pour une fois, ils n'auraient que le plaisir d'observer, leur présence n'étant nécessaire que pour assurer le strict respect des plans.

La mise en place se terminerait avec la dernière semaine du mois de juin et la scierie démarrerait ses activités avec l'arrivée du mois de juillet.

Antoine-Léon avait décidé de profiter du week-end de la fête de la Confédération pour se rendre dans le Bas-du-Fleuve avec sa famille et visiter sa mère, avant que ne commence ce qu'il désignait comme sa grande aventure.

Au cours de l'hiver, Emmanuel s'était présenté à quelques reprises sur le chantier de construction et à chacune de leurs rencontres, il lui avait donné des nouvelles de sa grand-mère. Sa santé se dégradait. Par deux fois, elle avait chuté et elle avait été incapable de se relever seule. C'était sa bonne, mademoiselle Bonenfant, qui l'avait secourue et l'avait amenée dans sa chambre. Pareilles nouvelles étaient inquiétantes. De plus en plus, ils songeaient à l'installer dans un endroit doté de services et sécuritaire.

Il s'était bien rendu la voir, l'été précédent, lors de ses vacances estivales, mais à cette occasion, il ne s'était pas montré très habile. La trop forte insistance qu'il avait mise à relever ses difficultés motrices, instillant l'idée pour elle de se retirer dans une maison pour personnes âgées, l'avait vivement choquée.

— Je suis encore solide sur mes jambes, mon garçon, avait-elle lancé avec verdeur. Je ne suis pas prête à me retirer dans une petite chambre pour me faire servir et me faire manger à la cuiller ! Tu oublies que j'ai planté trois rangs de patates dans mon potager le printemps dernier.

Cette fois, il se promettait d'agir en y mettant un peu plus de tact, en commençant par s'entendre avec son frère David.

— Il est certain que maman est moins alerte que lors de ta visite de l'été dernier, lui expliqua David alors qu'il s'était arrêté à sa résidence. Elle a traîné une bronchite pendant tout l'hiver et, depuis, sa tête ne fourmille plus de projets comme autrefois. Bien qu'elle ne déclare pas forfait, elle parle plus souvent d'aller s'étendre sur son lit que de marcher dans la cour.

— Je vais aller la voir et tenter de la convaincre, dit-il. Je ne suis venu ici que pour ça.

— Fais attention de pas trop en mettre, le prévint David, tu connais la mère, elle aime pas qu'on décide pour elle.

— Si j'en parlais d'abord avec mademoiselle Bonenfant, suggéra-t-il, elle pourrait me donner l'heure juste. Ensuite, je saurais comment me comporter avec maman.

– Ce serait la meilleure façon, acquiesça David.

Il alla frapper à la porte de la grande maison, en commençant par rejoindre mademoiselle Bonenfant dans la cuisine.

– Ta mère s'en va sur ses quatre-vingt-trois ans, observa la vieille bonne, en réponse à son interrogation. C'est normal qu'elle ait moins de forces. Arrive un âge où il n'est plus possible de tout faire.

Il accueillit ses paroles comme un réconfort. Sa mère n'était pas seule, se disait-il. Mademoiselle Bonenfant était là avec son jugement solide et sa philosophie simple. Sa main tremblante appuyée sur sa canne, son corps desséché enserré dans son tablier blanc, elle gérait la maison à la façon d'un aigle, ses prunelles noires jetant autour d'elle des étincelles comme si elle était prête à foncer. Ses cheveux courts, frisés, avaient la blancheur de la neige. La peau de son visage était parcheminée et ses mains étaient percluses d'arthrite.

Une forme d'inquiétude monta sourdement en lui. La vieille bonne de la famille qui lui avait toujours paru immortelle prenait de l'âge, elle aussi, constatait-il. Elle vieillissait au même rythme que sa mère.

Cette force, cette vitalité qu'il lui avait spontanément accordées lui paraissaient soudain bien au-delà de la réalité. Il se pencha vers elle.

– Et vous, Mademoiselle Bonenfant, comment vous portez-vous ?

– Oh! moi, je me porte comme un charme, répondit-elle. Si ce n'étaient de mes rhumatismes. J'ai un peu de difficulté à marcher, mes mains ne sont plus aussi souples, je ne puis m'adonner au nettoyage comme autrefois, mais je me débrouille. Il n'y a que ma vue qui baisse et ça, c'est plutôt incommodant.

Mademoiselle Bonenfant se déplaçait en s'appuyant sur sa canne. Il se demanda si elle pourrait veiller encore longtemps sur sa maîtresse comme elle l'avait fait pendant plus de quarante ans.

La mine pensive, il recula vers la sortie, il avait subitement changé ses plans.

– Ne dérangez pas maman. Je reviendrai ce soir.

Il se présenta après le souper. David l'accompagnait.

Les deux frères avaient passé leur après-midi à prendre information auprès d'organismes d'aide aux personnes âgées. Elles ne foisonnaient pas dans la région. À l'exception du foyer Saint-Germain qui avait proposé de l'inscrire sur leur liste d'attente, du curé et du docteur Gaumont qui les avaient gratifiés de quelques conseils, ils n'avaient trouvé aucune autre source appréciable de renseignements. Le moment venu, ils devraient se débrouiller.

D'un commun accord, ils avaient décidé de réserver deux places au foyer, l'une pour leur mère, l'autre pour sa bonne qu'ils considéraient comme faisant partie de la famille. Lorsqu'elle serait devenue impotente, sa mère vivrait ses derniers jours, paisiblement, dans son village, à l'ombre de l'église auprès de celle qui avait accompagné sa vie.

Ils s'étaient ensuite rendus dans une agence immobilière où ils avaient discuté de la vente éventuelle de la maison, des acheteurs possibles et du prix qu'ils pourraient en demander.

Une tâche plus difficile les attendait, celle de faire comprendre à leur mère qu'il lui faudrait bientôt penser à se départir sa belle demeure du chemin de Relais pour s'installer dans un endroit convenant à son âge et à son état de santé.

Antoine-Léon exposa ses vues avec délicatesse et patience, insista sur l'amour dont l'entouraient ses enfants et ses petits-enfants, sur la fréquence de leurs visites. Il la rassura autant qu'il put.

Tranquillisé, il s'embarqua sur le traversier et alla reprendre ses occupations.

***

La première semaine de juillet débutait et les deux cents employés composant l'équipe de jour s'étaient présentés au travail.

Ce matin-là, Antoine-Léon n'avait fait que passer devant son bureau. Tout juste avait-il jeté un coup d'œil sur son courrier qu'il s'était pressé vers l'extérieur et s'était rendu tout au bout de l'usine, là où le premier quai amorçait le long processus.

La brigade des travailleurs était imposante. Depuis la fin de l'hiver, une flopée de candidats aux postes avait défilé devant lui et trois cents d'entre eux avaient été retenus pour former la grande famille de la scierie : deux cents travaillant le jour et les cent autres la nuit.

Bien des journaliers avaient quitté les agglomérations urbaines pour venir tenter leur chance dans cette ville lointaine d'à peine quarante ans d'âge, où le chômage n'existait pas et où les salaires étaient supérieurs à ceux d'ailleurs.

Les employés étaient arrivés un peu avant l'heure et bavardaient en attendant de se mettre à la tâche. Un premier chargement de bois avait été vidé et ils étaient un peu fébriles. Tous avaient reçu une formation et étaient impatients de montrer ce qu'ils savaient faire.

À la vue d'Antoine-Léon, les préposés aux différents secteurs regagnèrent l'espace de travail qu'on leur avait assigné.

Antoine-Léon suivit leurs gestes tandis qu'ils procédaient à la mise en marche des machines. Impressionné, il écoutait le silence, puis le bruit des moteurs qui, à tour de rôle, se mettaient en branle pour fonctionner avec un ensemble parfait, à fond de train.

Il attendit qu'un ronron continu se fasse entendre, puis se dirigea vers les salles comme s'il les passait en revue : il fallait vérifier si toutes les machines étaient au point.

Arrivé devant chacune d'elles, il s'arrêtait, humait l'odeur de peinture fraîche et de métal neuf que dégageaient les assemblages luisants de n'avoir jamais servi et un frisson de plaisir parcourait son être. On était le premier lundi du mois de juillet et, avec ce jour, la scierie ouvrait officiellement ses portes.

Fendant l'air, le ronflement des moteurs, écorché par les bruits sourds des billes de bois qui s'entrechoquaient, se mêlait au grincement des scies. Partout, les ouvriers étaient à l'œuvre. Le beau soleil d'été inondait la cour et dorait les herbes chétives émergeant des mottes de terre sèches. Une activité fébrile se déployait. L'atmosphère était chargée des cris des hommes et des sons durs s'échappaient de l'interminable construction, tonitruante, comme remplie de bêtes hurlantes.

Il avait traversé toutes les pièces de travail et était arrivé à celle du triage et de l'empilage.

À cet endroit, l'activité était intense, mais libérée des bruits. Le calme faisait place aux bourdonnements, aux vrombissements, aux crissements et au vacarme étourdissant.

Sans s'arrêter, poussant des chariots chargés de piles de planches, les employés se déplaçaient de la cour vers la salle et de la salle vers la cour.

Antoine-Léon jeta un regard vers l'extérieur. À sa gauche et du côté du chemin d'accès, longeant les fondations de l'édifice une suite de semi-remorques chargées de billots en longueur, grand bout d'un côté pour les uns et petit bout de l'autre, s'amenaient de la forêt par les routes de chantiers et roulaient vers le quai de débarquement.

Les matières premières leur parvenaient *butt and top*, ainsi qu'ils désignaient cette disposition des troncs, afin de minimiser l'espace dans la benne et étaient transportés par voie de terre. Les arbres destinés à être transformés en bois d'œuvre ne devaient pas être mouillés. C'était la condition pour obtenir des planches de première qualité. Sitôt abattus, ils étaient empilés dans les camions et dirigés vers la scierie.

Il tourna la tête. Des grondements de véhicules, encore une fois, s'intensifiaient du côté du chemin d'accès. Deux autres énormes camions venaient de pénétrer dans l'enceinte. Machinalement, il les regarda s'avancer et continuer leur train vers le quai d'embarquement. Là-bas, un fardier stoppé bloquait l'accès. Guidés par un répartiteur, ils dévièrent de leur trajectoire et allèrent déverser leur cargaison dans la cour.

Ils procédaient avec célérité, impatients de s'en retourner vers la forêt, car ils étaient payés à la pièce et le trajet était long jusqu'au dépôt où ils allaient s'alourdir d'une autre cargaison.

Ils s'étaient amenés en nombre imposant en cette journée d'ouverture et monopolisaient le chemin d'accès depuis les premières heures de la matinée. Le terrain proprement nettoyé et désencombré après la dernière étape de la construction disparaissait sous des montagnes de troncs verts rappelant des géants vaincus, couchés. C'était le labeur des hommes.

Antoine-Léon revint vers le quai. Devant l'ouverture, la chargeuse à grappins était actionnée. Guidée par un opérateur, son long cou de girafe courbé vers la remorque, avec un fort bruit de roulement, elle happait une masse de grumes. Se tournant à demi, elle alla déposer sa charge sur la plateforme, se redressa et secoua sa tête raide. Immédiatement, elle écarta ses puissantes mâchoires et recommença son manège. Inlassablement, elle étirait sa longue encolure et mordait dans la benne.

Fasciné, Antoine-Léon suivait ses manœuvres et n'avait de cesse d'admirer l'habileté de l'opérateur. L'appareil ne s'arrêta que lorsque le poids lourd fut vide. Un claquement de portière qui se referme, un vrombissement de moteur et l'espace se libéra.

Dans l'attente sur le quai, l'imposante mécanique gronda sans rien faire pendant quelques secondes, le temps qu'un autre fardier occupe la place. Encore une fois en émettant un léger couinement, elle recommença son patient exercice.

Antoine-Léon profita d'une pause pour grimper sur la plate-forme. Se déplaçant sur le tablier réservé aux piétons, il pénétra à l'intérieur.

Là-bas, un second opérateur, lui aussi installé dans une cabine se tenait devant le pont d'alimentation. Maniant une tronçonneuse, il sélectionnait les grumes, retranchait toute trace de pourriture qui disparaissait aussitôt dans les trappes. Les techniciens s'activaient avec dextérité et compétence.

Ses yeux s'attardèrent sur les beaux troncs sains, coupés en pièces de deux, trois, quatre ou cinq mètres.

Plus loin, l'écorceuse faisait son office et abandonnait les pièces de bois vers l'équarrisseuse déchiqueteuse. Encore une fois, les trappes recueillaient les résidus.

Pour l'instant, ces rebuts constituaient une perte, car ils n'avaient aucun moyen de les récupérer. Un immense brûleur, « l'enfer » comme l'avaient désigné les ouvriers, « le diable », comme l'avaient surnommé d'autres, avait été construit au fond de la cour où ils étaient consumés. Plus tard, lorsque les problèmes inhérents à l'usine seraient réglés, ils étudieraient une façon d'en disposer. « Toute matière pouvait servir », se disait Antoine-Léon et il n'aimait pas le gaspillage.

Il progressa à travers les salles jusqu'à la grande ligne de sciage, la *quads*, machine qui égalisait les quatre côtés des billes à la fois et les débitait en madriers et en planches.

La mine rêveuse, il suivit le cheminement des belles pièces de bois blond, à la forte odeur de résine, qui glissaient vers la salle de triage. Il posa sa main sur une poutre. Elle lui apparaissait veloutée comme une caresse. Il en ressentit une impression presque sensuelle.

Cet amour du bois qui l'habitait, il savait qui le lui avait transmis et il savait que c'était toute sa vie. Combien, à cet instant, il aurait souhaité voir son père près de lui, plein de force et de vitalité, comme dans les meilleurs temps. L'homme de la rivière aurait été fier de son héritier, de ce qu'il était en train de faire. Hélas, il appartenait au passé et le passé était accompli. Son cœur se serra à cette pensée. D'un geste furtif, il essuya ses yeux.

Il tressaillit. Une main avait touché son bras. Damien s'était approché sans qu'il l'entende et l'observait.

— L'odeur du bois frais coupé te remue, hein ? chuchota-t-il. Je te comprends. Tu es le fils de Léon-Marie Savoie de Saint-Germain-du-Bas-du-Fleuve. Je sais qui était ton père et je partage ton émotion. Moi aussi, je suis né dans une scierie.

Antoine-Léon sentit un sentiment d'appartenance monter dans sa poitrine. Un frémissement noua sa gorge. Autour de lui, les machines émettaient des sons stridents.

— C'est le premier jour et c'est la première chaîne, mais je vais m'y faire. Je ne suis pas une *feluette*, comme disait mon père.

Damien lui donna une vigoureuse bourrade dans le dos et pouffa de rire.

— J'en doute pas une seconde. Viens dans mon bureau, c'est pour ça que je suis venu jusqu'ici, j'ai un détail à régler avec toi.

Ils se mirent en marche. Tout en bavardant, ils se déplaçaient vers la sortie. Soudain, d'un même élan, ils s'immobilisèrent. Les sourcils froncés, ils s'interrogèrent.

Autour d'eux, les bruits leur apparaissaient discordants, ne soutenaient plus la même musique.

Une forte odeur de métal chauffé irritait leurs narines. Intrigués, ils revinrent sur leurs pas et s'enfoncèrent dans la salle de l'équarris-seuse déchiqueteuse là où l'odeur leur apparaissait le plus prenante.

Les bruits s'étaient éteints.

Hubert qui était occupé dans une autre bâtisse était accouru, lui aussi.

— Qu'est-ce qu'il se passe que la machine se soit arrêtée ?

– Ç'a stoppé ben raide, expliqua le contremaître. La machine m'a l'air *jammée*, et je me demande ben pourquoi, c'est tout neuf. On l'a démarrée, il y a pas une heure, tout allait rondement, pis, sans raison, elle a bloqué.

Tout en s'exprimant, il levait les manettes, les abaissait, secouait l'appareil, tentait de remettre les engrenages en marche.

– Ç'a m'a l'air figé ben dur, dit-il en ébranlant le bâti du talon de sa botte.

Ils se rendirent à l'évidence.

– Force pas pour rien, dit Antoine-Léon, appelle plutôt le mécanicien, la machine est garantie.

Il marqua sa contrariété.

– L'ennui c'est que, même si la firme effectue la réparation sans frais, l'usine va devoir fermer. La question c'est : pendant combien de temps ?

Sa tranquille assurance s'était envolée. Ce matin-là, lorsqu'il était entré dans les ateliers, tout lui avait paru facile, trop facile et c'était souvent ainsi dans la vie. Il est impossible de vivre un bonheur sans nuages, les événements nous rattrapent toujours, à moins d'être inconscient, se désola-t-il en son for intérieur.

Des pas précipités secouaient la passerelle derrière leur groupe. Le mécanicien s'amenait, son bras gauche rasant presque le sol sous le poids de son lourd coffre à outils. Petit, rondouillard, ses yeux pâles balayant la masse des travailleurs qui grossissait dans la pièce, il les écarta avec importance.

Le problème fut rapidement détecté. On avait omis de mettre l'huile nécessaire au fonctionnement du moteur hydraulique.

Son casque jaune enfoncé sur sa tête, il interrogea autour de lui.

– Avez-vous déjà tenté de faire rouler un char qui a pas d'huile ? Ça prendra pas cinq minutes qu'il va s'arrêter, celui-là a tenu une heure.

Il fit une pause avant d'expliquer :

– S'il y a pas d'huile dans un moteur, qu'est-ce que vous pensez qu'il va arriver ? Les pièces mobiles vont s'user et il va brûler. C'est ce qui vient d'arriver à l'équarrisseuse déchiqueteuse.

– Es-tu en train de nous dire que ce moteur-là qui est tout neuf a brûlé en moins d'une heure ? proféra Antoine-Léon, abasourdi.

– Ce moteur-là qui est tout neuf, comme vous dites, est brûlé, fini. Il y a pas deux solutions, faut le remplacer, trancha le mécanicien.

Damien fit un pas vers Antoine-Léon. Il était blanc de colère.

– Les moteurs devaient être installés clé en main, pour un fonctionnement durable. Tu vas leur dire de venir en installer un autre et que ça urge. Tu ajouteras que cette fois on tolérera pas d'erreurs, qu'ils vont avoir à se grouiller et faire leur ouvrage comme du monde, sinon…!

Il hurlait presque. Sa phrase se perdit dans un grognement.

Antoine-Léon opina de la tête. Il écouta le silence et serra durement les lèvres. Partout à travers l'usine, les bruits s'étaient éteints, comme ils feraient le dimanche. Il passa la tête par l'ouverture donnant sur la cour.

En bas, un petit rassemblement s'était formé. Les travailleurs des différentes divisions avaient quitté leurs postes et rejoint l'équipe extérieure. Les bras ballants, ils déambulaient sans trop savoir quoi faire. Du côté du chemin d'accès, une autre semi-remorque venait de pointer son large museau. Incapable de disposer de son chargement, le répartiteur le fit déverser sur le terrain, ce qui exigerait d'autres manipulations, déduisit-il. Il pensa à l'enchaînement de pertes de temps qu'occasionnerait cette avarie. Même si le fournisseur remplaçait le moteur à ses frais, cet arrêt forcé causerait un retard qui leur coûterait cher. Pareil incident ne devait plus se reproduire, avait scandé Damien, et il avait raison. Les moteurs étaient garantis et les réparations devaient être effectuées dans les plus courts délais.

Il se pressa vers son bureau afin d'appeler l'entreprise, puis revint vers les installations. Il lui fallait donner ses directives aux employés, leur trouver quelque occupation du moins jusqu'à la fin de la journée.

Il buta presque sur Damien qui s'amenait vers lui à pesantes enjambées.

– Est-ce que t'as appelé le fournisseur?

– C'est la première chose que j'ai faite.

– Va falloir que tu le rappelles pour lui dire qu'il y a au moins deux autres moteurs dans lesquels ils ont pas mis d'huile. Hubert qui est auprès du mécanicien vient de téléphoner la nouvelle. Et encore, il dit qu'ils pourraient découvrir d'autres surprises, qu'ils n'ont pas fini leur inspection. Dis au fournisseur de s'amener d'urgence avec sa meilleure équipe. Je veux qu'ils vérifient toutes les machines, les unes après les autres. De notre côté, à partir d'aujourd'hui, on ferme l'usine. Jusqu'à ce que ce soit réglé, on renvoie nos ouvriers à la formation ! Tu vas rédiger un rapport qu'on va remettre au conseil d'administration. On peut pas supporter une perte pareille, à nos tout débuts, et risquer de présenter un premier bilan négatif. Il y va de notre réputation de gestionnaires !

– C'est ce qui arrive quand on essaie de faire des économies, critiqua Antoine-Léon. Le CA a choisi le plus bas soumissionnaire et j'étais pas d'accord, mais il paraît que j'avais pas mon mot à dire.

– Des économies de bouts de chandelles, explosa Damien. Moi non plus, si j'avais été là, j'aurais pas été d'accord. Pour un projet de cette envergure, de qualité supérieure autant dans sa construction que dans sa vocation, il fallait choisir le fournisseur le plus qualifié, sans égard au coût, même si ça défonçait l'enveloppe prévue. L'investissement est récupéré au rendement, termina-t-il avec puissance.

Encore outré, il pirouetta sur lui-même et alla s'enfermer dans son bureau. Antoine-Léon se dirigea du côté de l'usine et alla donner ses instructions. Il en ressortit quelques minutes plus tard. La porte de Damien était ouverte. Assis derrière son meuble, une pile de documents devant lui, il étira le cou vers le corridor.

– Est-ce que le moteur s'en vient ?

– Donne-leur le temps, il y a pas une heure que je les ai avertis.

– Ils auraient pu au moins donner signe de vie, maugréa Damien, confirmer qu'ils s'occupaient de l'affaire. Ils se foutent de nous autres, on dirait ?

Antoine-Léon opina de la tête. Lui aussi bouillait d'impatience et aurait souhaité voir s'amener sur-le-champ la brigade des réparateurs. Combien il aurait voulu identifier du côté de la nationale, le brimbalement continu de leur équipage, mais il n'en dit rien. Le courroux de Damien était suffisant, il n'y ajouterait pas le sien.

Le lendemain matin, à la première heure, un boucan semblable à un bruit de casseroles secoua la cour. C'était le fournisseur. Au centre de la troupe se tenait le chef. Affairé, sans douceur, avec de forts accents d'exaspération, il stimulait sa brigade. Antoine-Léon qui l'observait se demandait si, inquiet des mesures possibles que pouvait prendre le consortium de la société d'État et de la papetière, il ne forçait pas un peu la note.

Hubert s'était joint à lui. Ils suivirent les techniciens à travers les bâtisses et exigèrent que tous les moteurs hydrauliques soient remplacés par des appareils neufs. Le tout fut testé, secoué, malmené devant leurs yeux, jusqu'à obtenir l'assurance que l'ensemble serait solide et durable.

Le groupe de travailleurs y consacra deux jours entiers. Enfin tout l'équipage se tassa dans les véhicules. Dans un tourbillon de poussière, ils disparurent vers la route.

Antoine-Léon se hâta vers son bureau. Au passage, il s'arrêta devant la porte de Damien.

– La scierie est prête à rouvrir. Les gars vont se remettre à l'ouvrage demain matin. Tout devrait être rentré dans l'ordre.

Damien leva la tête. Un bruyant soupir fusa de ses lèvres. Soulagé, il se pencha sur ses écritures. Antoine-Léon poursuivit son chemin et fit de même.

22

Le grand salon du manoir brillait d'un vif éclat. Les beaux lustres de cristal avaient tous été allumés. Les luxueux plafonniers n'étaient pas souvent utilisés, ils étaient destinés aux invités de marque de la *QNS* qui était propriétaire du célèbre hôtel et ne servaient que dans le but de faire valoir les affaires. Pour les autres clients, on allumait les candélabres sur les murs. L'effet était tout aussi ravissant, mais plus tamisé, n'avait pas le faste, la somptuosité dont ils voulaient entourer leurs fêtes d'exception, cette richesse, ce scintillement comme un diamant très pur qu'ils voulaient voir brasiller sur l'assistance.

Aujourd'hui était une de ces circonstances extraordinaires. On inaugurait la scierie.

En plus des participants habituels qu'étaient les ingénieurs résidant dans la ville, l'événement regroupait tous les autres intervenants à la construction. Étaient là, les patrons du *Chicago tribune*, les administrateurs qui s'étaient amenés de Thorold en Ontario, ceux de Toronto et de Montréal, de même que les cadres gouvernementaux, chacun accompagné de son épouse, sans compter la meute des journalistes qui s'était rués pour assister à la fête, curieux et attentifs à la moindre singularité.

Un verre à la main, les invités formaient des cercles, d'autres se déplaçaient entre les groupes, s'arrêtaient pour échanger une phrase banale et s'éloignaient. Les rires étaient polis, sans excès et les bruits étaient étouffés. Décontractés, ils se montraient réjouis sans être bavards. Impressionnés, ils se retenaient de paraître trop exubérants.

Antoine-Léon et Élisabeth étaient arrivés parmi les derniers. Comme d'habitude, avec un peu de retard. Les traits crispés d'Antoine-Léon portaient encore l'empreinte de son impatience tandis qu'assise devant son miroir et prenant son temps, Élisabeth s'était appliquée à sa toilette.

Gracieuse, son minuscule sac émaillé de paillettes sur sa main, elle s'était avancée vers le centre de la pièce. Éblouissante dans sa longue robe noire aux lignes très pures, avec ses escarpins de soie qui pointaient sous l'ourlet de sa jupe, elle avait jeté une œillade amusée vers un attroupement d'ingénieurs qui avaient modulé un sifflement admiratif sur son passage et avait poursuivi son chemin.

Nullement embarrassée, fendant la foule, elle avait repéré quelques connaissances et s'était orientée vers elles.

Antoine-Léon l'escorta galamment puis l'abandonna. Il venait d'apercevoir, un peu en retrait des autres, le couple que formaient Damien Roberge et son épouse. Installés depuis peu dans la ville et ne connaissant personne, ils sirotaient tranquillement leur cocktail. Attentifs l'un à autre, ils levaient de temps en temps les yeux vers l'assistance, pour reprendre leur aparté. Ils n'avaient fait aucun effort pour se joindre à la confrérie des ingénieurs, de même que ceux-ci ne s'étaient pas préoccupés de leur isolement.

— Venez que je vous présente ma femme, les invita-t-il en allant s'arrêter près d'eux. Vous n'avez pas encore eu l'occasion de la rencontrer.

Il les entraîna vers le petit rassemblement que formaient Élisabeth et ses amies.

— Mon épouse ne la connaît pas, répondit Damien tandis qu'ils se frayaient difficilement un passage, mais moi, si. Tu m'en parles tellement souvent que j'ai l'impression de la voir dans ma soupe.

Antoine-Léon s'était immobilisé. L'œil pétillant, le sourcil levé, Élisabeth avait suspendu sa conversation. Un sourire arrondissait ses lèvres, elle attendait.

— Je veux te présenter…, débita Antoine-Léon.

— L'homme qui me voit dans sa soupe ? termina Élisabeth.

Le visage de Damien s'empourpra. Intimidé, il recula, bégaya comme une excuse :

— Mes mots ne reflètent pas ma pensée… entre hommes, on aime bien se taquiner, Savoie, je veux dire… votre mari… mais c'est sans méchanceté.

Antoine-Léon se retenait de pouffer, en même temps qu'il était bien aise. Pour une rare fois, Damien, si maître de lui, si affirmatif et rempli d'assurance devant trois cents lascars, des durs à cuire, se débattait comme un souriceau pris dans une trappe devant une jeune femme frêle et délicate.

Il lui jeta un regard furibond.

— Je te revaudrai ça, Savoie.

Dans un élan imprévu, la main tendue, sa compagne s'était avancée vers Élisabeth.

— Bon, puisque personne ne me présente, je le ferai moi-même : Louise Roberge, l'épouse de Damien.

— Heureuse de vous connaître, prononça Élisabeth en lui tendant la main à son tour.

Tout de suite, les deux femmes se mirent à converser avec aisance. Aimablement, Élisabeth s'enquit des goûts de son interlocutrice, des tribulations de son arrivée dans la région, de sa capacité à s'y acclimater.

— Vous jouez au golf ? s'enquit-elle. C'est un jeu très à la mode dans notre collectivité. Nous ne possédons qu'un neuf trous, mais le parcours est agréable. Je soupçonne la compagnie de l'avoir aménagé dans le but de retenir les épouses. Il y a peu à faire pour nous ici, à part tenir maison. Alors, les femmes s'adonnent au golf l'été et au ski alpin l'hiver.

— Je serais étonnée de compter parmi les vôtres, répliqua Louise Roberge de son ton déterminé. J'ai quatre enfants à m'occuper et je n'ai pas d'aide domestique. Les travaux de maison accomplis, je ne rêve que de m'allonger dans ma chaise longue et me plonger dans une bonne lecture.

— Vous n'avez pas pensé vous dénicher une gardienne, je pourrais vous suggérer quelques noms. Moyennant un léger coût supplémentaire, certaines acceptent même de faire des tâches ménagères.

Suzy Rondeau et Pauline Côté s'étaient approchées à leur tour. Élisabeth fit les présentations.

— Vous aimeriez vous joindre à nous ?

— Une autre fois, déclina madame Roberge. Pour cette première mondanité, je préfère rester auprès de mon mari.

Louise Roberge était une personne à la forte personnalité. Peu mondaine, elle semblait consciente de ses devoirs.

Élisabeth n'insista pas.

– Nous nous verrons plus tard, alors ?

Sans plus, les trois femmes s'éloignèrent et se perdirent dans la foule.

Un craquement s'était fait entendre à l'extrémité de la pièce. Les lourdes portes françaises s'ouvraient sur la salle à manger. Il était l'heure de prendre le repas. Redevenus silencieux, les invités se mirent en ligne et, comme un cortège docile, pénétrèrent dans la pièce vivement éclairée.

Les tables rondes se succédaient dans un ordre précis comme de longues enfilades. Un délicieux fumet de viande mijotée flottait dans l'air.

Au centre de la salle, appuyée contre le mur, une longue table avait été dressée.

C'était la table d'honneur.

Le menton levé et gesticulant, Roger Bellemare qui faisait office d'organisateur y conduisait les dignitaires. Prirent place le vice-président du *Chicago Tribune*, des délégués de la société Rexfor et des officiels de la *QNS*. S'ajoutèrent le ministre des Terres et Forêts et celui des Affaires extérieures, tous ces invités triés sur le volet.

Un peu plus tôt dans la journée, ces hauts personnages s'étaient réunis pour une autre cérémonie, cette fois donnée à l'intention des travailleurs de l'usine. Rassemblés en un immense cercle dans l'enceinte de la scierie, casques blancs et casques jaunes les avaient longuement ovationnés. Après les discours et palabres d'usage, le ministre des Terres et Forêts avait coupé le ruban. Tous s'étaient ensuite mêlés dans la cour. Comme s'ils se connaissaient depuis toujours, ils avaient bavardé en sirotant un cocktail et en avalant des amuse-gueule.

Pendant tout l'après-midi, les véhicules s'étaient succédé dans le chemin d'accès. Cette journée en était aussi une de portes ouvertes et les citadins avaient été nombreux à venir visiter les lieux.

Les représentants du *Chicago Tribune* n'avaient pas cessé de serrer des mains et avaient tenu des conversations animées avec notables et citoyens ordinaires, chaque fois prêtant un vif intérêt à leurs remarques et suggestions.

Le soleil glissait vers l'horizon quand les derniers visiteurs avaient quitté l'endroit.

Les dignitaires avaient réintégré leur hôtel et s'étaient préparés pour la soirée de gala, le clou des festivités, devant se tenir au manoir.

Ils étaient nombreux à avoir accepté l'invitation. La fête était d'importance et ce n'était pas tous les jours qu'ils accueillaient dans leur ville d'aussi prestigieux personnages.

Un brouhaha de voix remplissait la salle à manger. Chacun occupait le siège qui lui était assigné.

Un peu guillerets après les cocktails qu'ils avaient ingérés depuis l'après-midi, les hommes montraient un visage joyeux, bon enfant.

Le repas était succulent et gastronomique. Les plats s'enchaînaient avec cérémonial ; des entrées froides en gelées aux entrées chaudes aux fruits de mer. Suivaient le potage crémeux, les poissons, les viandes et, pour mieux poursuivre, le trou normand.

Saturés, ils dégustèrent encore l'entremets, les fromages, la salade et pour compléter le tout, le dessert. Ils se permirent même quelques mignardises. Les conversations étaient légères et le vin coulait à flots. Ce repas exquis, tout en raffinement, les comblait. Il resterait longtemps dans leur mémoire.

Les discours commencèrent avec le digestif.

Monsieur Rochon de la société d'État se leva le premier. Avec des intonations éloquentes, il porta un toast en l'honneur de messieurs Simons et Frazer, les représentants du *Chicago Tribune* qui avaient daigné se déplacer de leur importante ville américaine pour assister à la fête.

S'inclinant à demi, il céda la parole à monsieur Simons.

– Je parle un très mauvais français, amorça l'homme, et je vous prie d'être indulgents si ma prononciation me fait confondre des paronymes et me rend ridicule. Paronyme est le seul mot que je sais dire correctement et il n'est pas de mon cru, il m'a été soufflé par ma secrétaire française.

De petits rires polis coururent dans la salle.

Il tira de sa poche un mince feuillet et y posa ses yeux.

– Je considérais important d'amorcer mon discours dans la langue de Molière, formula-t-il laborieusement. Je tenais à rendre hommage à toutes les épouses présentes qui enjolivent comme autant de roses une soirée qui serait bien fade si elle n'était composée que de messieurs en costume-cravate. Derrière chaque homme qui réussit, il y a une femme. Merci, Mesdames, de soutenir vos époux, de les encourager à donner à la compagnie, le meilleur d'eux-mêmes, leur talent et leurs efforts.

Il fit une pause, puis continua dans la langue de Shakespeare sur un ton redevenu fluide, professionnel :

– Le rapport préliminaire indique que l'aventure est prometteuse. Côté finances, lorsque la scierie aura atteint sa vitesse de croisière, elle dégagera trois millions de dollars par mois. Déjà, elle donne de l'emploi à huit cents travailleurs : cinq cents en forêt et trois cents en usine. Nous sommes les seuls en Amérique du Nord à utiliser le système métrique ce qui nous permet d'alimenter le marché européen. Quatre-vingt-dix-neuf pour cent de notre production sera exportée en Europe et nous voulons atteindre cinq, jusqu'à huit millions de PMP[3]. Le bois embarqué au port de Baie-Comeau approvisionnera l'Angleterre jusqu'à l'Égypte et nos représentants commerciaux veilleront à tenir constamment rempli notre carnet de commandes.

Il coula un regard circulaire sur la foule

– Il y aura toujours un inventaire de bois scié dans la cour, prêt à être livré sur demande à des gens de chez vous.

Approfondissant son raisonnement, il continua son exposé en mentionnant les travaux accomplis en forêt, le souci qu'attachait la compagnie à la protection de l'environnement et le soin qu'elle apportait à reboiser les surfaces défrichées. Il insista sur les emplois créés et les salaires au-dessus de la moyenne qu'ils offraient à leurs employés grâce aux excellents rendements présumés de l'entreprise.

– Douze dollars l'heure pour un ouvrier, en 1978, articula-t-il avec puissance, c'est un salaire de plus de vingt-cinq mille dollars par année. Peu de travailleurs manuels peuvent compter sur une rémunération aussi élevée.

---

3. Pied mesure de planche : Unité de mesure utilisée longtemps en Amérique pour calculer les quantités de bois de sciage. Le pied mesure de planche représente l'équivalent d'un carré de bois de douze pouces de côté et d'un pouce d'épaisseur.

Les convives applaudirent. Il avait terminé son discours.

Roger Bellemare repoussa sa chaise et déclina les remerciements d'usage. Le temps était venu de réintégrer le grand salon.

Un peu engourdis après le copieux repas dont ils s'étaient délectés, ils attendaient que les musiciens se mettent en place et que commence la danse.

Louise Roberge se tenait au centre de la pièce. L'air préoccupé, elle regardait autour d'elle.

– C'est votre époux que vous cherchez? lui demanda Élisabeth qui sortait de la salle à manger au bras d'Antoine-Léon.

– C'est plutôt le vôtre que je cherchais. J'étais allée refaire mon maquillage quand le mien s'est éclipsé. Il est là-bas en train de parlementer avec un journaliste. Mon mari a un franc-parler et je sais qu'il ne s'en laissera pas imposer.

Son visage se fit implorant.

– Je m'adresse à vous, Monsieur Savoie, je vous demanderais de faire cesser cette discussion.

Antoine-Léon se tourna vers le corridor au milieu duquel il distinguait Damien.

Plongé dans une bouillante conversation avec un chroniqueur, le feu au visage, il gesticulait et débitait ses mots d'une seule haleine, comme dans ses harangues les plus enflammées. Autour d'eux, un petit groupe s'était formé.

Les yeux d'Antoine-Léon pétillèrent. Il entraîna les deux femmes.

– Ça peut, au contraire, être très enrichissant. Allons les rejoindre.

– La forêt se régénère, argumentait Damien. C'est dans l'ordre de la nature, même qu'elle se réactive plus rapidement après une coupe parce que le soleil peut plomber jusqu'à la terre. Dans les conditions de vent, de lumière et d'espacement, les arbres poussent plus vite et plus denses, sans compter qu'on reboise maintenant, un travail effectué de main d'hommes, qui donne de belles futaies bien rectilignes, peuplées d'essences choisies, avec des espacements strictement calculés, donc mieux répartis, qui permettent à la plantation de grossir égal.

– Les compagnies américaines ravagent nos belles forêts québécoises, répliqua le journaliste. Vous avez vu une forêt après le passage des abatteuses, ça ressemble à l'apocalypse. C'est du vrai gaspillage.

Un éclair passa dans les prunelles de Damien. Son timbre s'intensifia tandis qu'il ripostait :

— C'est préférable aux espèces sans valeur qui croissent dans les forêts non aménagées et qui étouffent les jeunes pousses, aux fardoches rabougries qui usurpent toute la place, dans le désordre le plus total. En tant que spécialiste de la forêt, je dis que c'est plutôt ça, le vrai gaspillage, du gaspillage d'espace !

— Encore si les coupes se faisaient à main d'homme avec des scies mécaniques, s'impatienta le journaliste, mais aujourd'hui, avec les machines qui se déplacent comme des monstres et écrasent tout sur leur passage, qui labourent le sol et creusent des ornières profondes, on cause un vrai déséquilibre. La terre devient imperméable, l'eau se ramasse par flaques, le sol durcit et les jeunes plants brûlent au soleil. On détruit l'écosystème. On ne touche pas à l'ordre naturel sans causer un bouleversement. Vous devez bien regarder la télévision, vous aussi, vous avez bien dû voir des documentaires à cet effet ?

— Ce que vous rapportez là, ce sont des faussetés diffusées par des manipulateurs ! éclata Damien, la poitrine gonflée de colère. Ils prennent l'argent des contribuables pour faire des documentaires qui ne montrent qu'une partie de l'image, ils ne photographient que la section où il y a eu des coupes récentes. Évidemment que ç'a l'air dépoilé. Ils se gardent bien de braquer leurs caméras, juste à côté, sur les coupes plus anciennes où la plantation a été faite et où il y a repousse.

— On coupe trop et on vivra pas assez vieux pour voir les repousses devenir adultes, proféra le journaliste. Les compagnies sont de plus en plus voraces et rien ne les retient. Dans leur avancée vers le nord, elles sont rendues dans la forêt boréale. Vous ne pouvez nier ça. Étant donné que c'est plus froid, la croissance des arbres est plus lente. Au lieu de pousser en cent ans, ça en prend cent vingt-cinq !

L'attroupement avait encore grossi autour d'eux. Captivé, chacun suivait les réparties des deux belligérants, incapable de trouver la juste objectivité, se retenant de prendre position.

Damien fixa un point obscur avant de reprendre comme s'il se parlait à lui-même :

– Les compagnies ne sont pas insensibles aux critiques des écologistes. Vous avez entendu comme moi, tantôt, l'allocution de monsieur Simons. À quelques occasions, j'ai moi-même été mandaté pour me rendre en forêt, voir ce qu'il en était et en faire rapport. Je devais être objectif, ne pas édulcorer, ni empirer la réalité. J'ai été renversé par ce que j'ai découvert. C'était une beauté de voir ces belles forêts bien alignées qui poussaient droit comme des sentinelles. La seule chose que tu fais quand tu vois ça, c'est de prier le ciel que le feu ne prenne pas dedans. Bien entendu, vous autres, les reporteurs, vous vous gardez bien d'étaler ça, vous n'auriez plus rien à écrire.

– Je ne veux pas mettre en doute vos arguments, fit le journaliste, ses paupières baissées dans une attitude polie, mais ferme. Je pense que nous n'avons pas visité les mêmes forêts. J'ai vu de mes yeux des acres et des acres de belles étendues pelées à l'os. De la coupe à blanc sauvage ! C'est tout ce que je puis en dire.

– Vous êtes sûr que ce que vous avez vu était pas plutôt le résultat d'un incendie de forêt ? Je ne suis pas sûr que, dans votre métier, vous sachiez faire la différence. Le feu, ça, monsieur, ça en fait du ravage ! Et la repousse, vous savez comment elle se fait, la repousse ? Les graines de sapin qui éclatent toutes ensemble, tombent pêle-mêle et s'éparpillent sans ordre sur le sol. Vous savez ce que ça donne… ?

Il redressa durement la tête.

– Ça donne des saint-michels, vous savez ce que c'est des saint-michels ? Ces petits sapins rabougris, tassés comme des sardines qui poussent à la suite d'un feu de forêt, qui n'ont que deux à trois pouces de diamètre. Ils sont tellement comprimés les uns sur les autres qu'ils ne parviennent pas à grossir. Vous allez me dire que c'est la bonne façon pour la nature de se rééquilibrer ? Bien entendu, de tout ça, vous vous retenez bien d'en parler. Moi, je pense que l'humain donne de meilleurs soins à la forêt que cette flambée du ciel qui ravage sans coordination des acres et des acres de beau bois sain, la laisse partir en fumée pour ensuite la faire se régénérer en saint-michels, même si vous me dites que c'est dans l'ordre de la nature !

– Je conviens avec vous que les incendies de forêt sont un désastre, débita le journaliste, mais je précise que ce que j'ai vu n'était pas la conséquence d'un feu. J'ai beau être né en ville, je ne suis pas à ce point ignare que je ne sache pas faire la différence.

– Et les maladies, dit encore Damien, la tordeuse d'épinettes, vous avez pensé aux dommages que ça cause ? La forêt prend encore plus de temps à se régénérer parce qu'il n'y a pas de semences.

– Je ne nie pas qu'il peut survenir des fléaux. Mais doit-on ajouter à cela une exploitation abusive de nos forêts ? Je persiste à dire que nos gouvernements sont trop complaisants envers ces étrangers. Les forêts leur appartiennent et ils laissent les compagnies américaines y puiser pour des redevances dérisoires.

– Vous refusez qu'on exploite la forêt. Vous refusez leur gagne-pain aux ouvriers forestiers ! Que feraient nos milliers de bûcherons s'ils n'avaient pas ces emplois ? Seulement aux fins de la scierie, on en fait vivre huit cents, sans compter tous les autres corps de métier qui profitent de nos retombées.

– Vous extrapolez. Entre fermer les forêts à toute exploitation et en faire un usage raisonnable, il y a un équilibre. Vous auriez dû comprendre que je voulais parler d'une récolte contrôlée.

– La population augmente, les villes grossissent et les besoins sont là, gronda Damien. Le bois est un des principaux éléments exploités. Comment vivrions-nous si on coupait moins d'arbres ? De quoi sont faits votre maison, vos meubles, les livres que vous lisez, les journaux, les mouchoirs de papier, les essuie-tout ? Et les manuels d'école pour que vos enfants apprennent. De quoi, pensez-vous qu'est fait le papier que vous tenez dans votre main ?

Ce disant, il secouait sans égard la tablette que tenait le journaliste.

– Tout ça est fait à partir de bois, poursuivit-il. Suggérez-vous qu'on vive comme des sauvages, qu'on écrive sur des écorces de bouleaux ? Et encore, vous nous reprocheriez de peler les troncs d'arbres et les faire mourir.

– Je me rends compte que notre conversation ne mène à rien, jeta le journaliste sur un ton de colère contenue. Vous êtes buté. Impossible de discuter avec des gens de votre espèce.

– Vous autres, les journalistes, vous cherchez que les interventions qui *chirent*, répliqua Damien du tac au tac. Pour vous faire du capital, pour avoir de quoi à écrire dans vos journaux vous cherchez tout ce qui peut être matière à scandale, les histoires qui dérapent, tout ce qui peut faire vendre votre journal.

Le reporteur recula. Il marmonna avec une lenteur étudiée, sur un ton ironique, en même temps qu'il s'éloignait de lui :

– Des belles forêts à perte de vue. Je voudrais bien qu'on m'en montre une.

– Accompagnez-moi un de ces jours, je vous en montrerai, moi, des belles forêts, lança Damien avec force.

Tournant brutalement le dos, à pesantes enjambées, il fendit la foule des curieux.

Il regarda autour de lui. Il venait d'apercevoir Antoine-Léon, souriant, les mains dans les poches, et qui le fixait, l'air moqueur. Il alla le rejoindre.

– T'as vu nos femmes ?

– La mienne est pas loin et je vois la tienne, là-bas, mais je t'avertis tout de suite, elle est pas de bonne humeur.

– Je sais. Louise n'aime pas quand je discute ainsi en public. Le temps qu'elle se calme, que dirais-tu de me prêter ta régulière pour une première danse tandis que tu tenterais d'amadouer la mienne ?

Ils se déplacèrent entre les groupes. À l'entrée de la salle se tenait Hubert Lesage. Il était accompagné de Tom Bordelais. Tous deux un verre de scotch à la main, ils discouraient devant monsieur O'Neil, le vice-président du bureau de Montréal.

– La construction de la scierie a été un jeu d'enfant, se vantait Hubert. J'ai déniché un bon contremaître, Gauvin, qu'il s'appelle, et je pense avoir fait une bonne affaire. Le plus difficile a été de procéder aux achats. Il fallait du flair, mais j'avais mes contacts. On vous a dit que pendant la pose du toit, il a failli y avoir mort d'homme ?

Monsieur O'Neil avait sursauté.

– Je vois qu'on vous a pas rapporté l'accident, précisa Hubert. Un journalier de la cour a reçu une feuille de tôle sur la tempe. On a couru un gros risque d'être actionnés, c'était un jeune homme, je pense même que c'était un mineur. Si j'avais pas été là pour apaiser la famille… En fin de compte, je suis allé rencontrer son père et j'ai réglé l'affaire.

Élisabeth qui cherchait, elle aussi, son époux était venue s'arrêter près de lui. Elle avait tout entendu. Ses yeux flamboyaient de colère.

– Antoine-Léon Savoie! Comment peux-tu laisser faire cet énergumène, chuchota-t-elle à son oreille.

– Que veux-tu que je dise? Aller me mêler de ça et rectifier les faits? Je ne ferais qu'empirer les choses. Monsieur O'Neil n'est pas un idiot. Il sait fort bien, si Lesage avait été un tel surhomme, qu'il aurait déjà été promu à un poste dans les cadres supérieurs. Un jour il se prendra à son propre piège.

Élisabeth serra les lèvres.

Les lumières s'étaient estompées, les voix s'étaient feutrées et l'orchestre avait entamé les premières notes d'une mélodie entraînante. Elle le précéda vers la piste de danse.

Il la stoppa.

– Damien te demande cette première valse tandis que je danserais avec sa femme. Après son algarade avec le journaliste, il a peur de se faire frotter les oreilles.

Élisabeth éclata de rire.

– Peur de sa femme? Elle est grosse comme un pou. Je sais qu'elle n'a pas aimé qu'il s'exhibe de cette façon avec le journaliste, pourtant il n'avait pas tort. C'est le plus beau discours que j'ai jamais entendu. Pour ce, je vais me sacrifier. J'espère au moins qu'il est bon danseur.

Damien s'était approché par-derrière. Il inclina profondément la taille.

– Mes hommages à la noble dame qui va se sacrifier.

Élisabeth se retourna d'un seul trait. Son front s'était empourpré.

– Échec et mat.

Louise se tenait près d'Antoine-Léon, elle était hilare.

– Allez-y, Élisabeth, vous ne serez pas déçue, mon Damien est un excellent danseur, un vrai Fred Astaire.

– Je te prête ma femme à la condition que tu me prêtes la tienne, consentit Antoine-Léon, à la condition aussi que tu ne lui marcheras pas sur les pieds, elle a des chaussures neuves.

– Fais-moi confiance.

Damien s'était avancé sur la piste au bras d'Élisabeth. Il enserra sa taille et la fit tourner doucement. Antoine-Léon l'observait. Il voyait son confrère sous un angle nouveau. Le directeur général, sévère, catégorique qu'il connaissait s'était transformé. C'était le contraste entre les rapports sociaux et les affaires.

Entraînant Louise, à son tour, il se mêla aux danseurs.

Élisabeth suivait les pas de son compagnon. Damien Roberge était un excellent danseur, son épouse n'avait pas exagéré. Elle se refusait à toute comparaison avec son Antoine-Léon, mais elle ne pouvait s'empêcher de trouver cette valse fort agréable au point de souhaiter qu'elle ne se termine pas.

Les yeux fermés, elle se laissa porter par la musique. Il y eut une pause. Damien avait dégagé son bras, la danse était terminée.

Elle souleva les paupières. Ils étaient dans une pénombre douce, qui accompagne les salles de bal. Elle regarda autour d'elle.

– Déjà?

– Déjà, répéta Damien. Vous voulez qu'on recommence? S'il n'était de votre Antoine-Léon de mari, parce que, je le précise, mon épouse n'est pas jalouse, mais lui… je vous inviterais à la suivante, un tango à ce que je crois.

– J'adore le tango, chuchota Élisabeth.

Les musiciens avaient égrené les premières notes. Damien enserra fermement sa taille et avec un mouvement des hanches, saccadé, à deux temps, rythma son pas. Il la guidait avec aisance, commandait les figures tandis que, sans s'en rendre compte, elle obéissait, comme disciplinée. Élisabeth était conquise. Il y avait longtemps qu'elle n'avait rencontré un aussi merveilleux partenaire.

De nouveau, la musique se tut et, de nouveau, elle fut déçue. Cette fois, Damien ne fléchit pas.

– J'ai adoré danser avec vous, mais je dois retourner à mon épouse. C'est sa première confrontation avec la gent de Baie-Comeau. Nous aurons d'autres occasions. Je veux que vous m'inscriviez sur votre carnet de bal pour la prochaine mondanité.

Élisabeth sourit.

– Je suis heureuse de vous avoir mieux connu, Monsieur Roberge. Je m'étais fait une idée de vous, mais ce n'était pas la bonne. Autre propos, vous avez une de ces façons de discuter avec les journalistes. Vous m'avez fascinée. Je vous en félicite.

— Croyez bien que je n'aurais pas cédé d'un pouce devant les arguments de ce bobardier, articula-t-il, subitement vindicatif.

— Il n'y a que cette allusion aux journalistes qui *chirent*, qui m'a fait tiquer. Vous savez que j'ai une formation de journaliste ?

— Je ne savais pas. Ah, non, pas encore ! Je ne cesserai jamais de me mettre les pieds dans les plats. Mais ce n'était pas à la profession que je m'en prenais, reprit-il, c'était aux actes de certains. Quant à vous, je vous regarde et je suis assuré que vous devez exceller.

— À la condition de travailler. Pour l'instant, je ne suis qu'une simple mère de famille.

Coquette, elle souleva le menton.

— C'est avec plaisir que j'inscris votre nom dans mon carnet de bal. Alors, au prochain party des ingénieurs ?

— Que se passe-t-il ? s'enquit Antoine-Léon qui s'était approché d'eux.

— J'étais en train de dire à monsieur Roberge que nous nous reverrons au prochain party. Et il ne m'a pas marché sur les pieds, lui, comme certain, accentua-t-elle.

La soirée s'étirait, l'heure était venue de rentrer. Antoine-Léon prit son bras et traversa la salle. À leur gauche, figé comme une statue, se tenait Luc Gilbert. À leur droite, c'était au tour d'Hubert Lesage d'esquisser un mauvais sourire. D'arrogance, Antoine-Léon gonfla la poitrine.

Décidément, son Élisabeth ne laissait personne indifférent.

23

Un mois s'était écoulé depuis les cérémonies d'inauguration que toute la ville en parlait encore. Chacun ne cessait de répéter combien la *QNS* savait recevoir, autant dans la rencontre des ouvriers au cours de l'après-midi que dans celle des festivités de la soirée. Les organisateurs n'avaient ménagé aucun effort pour faire de cet événement une occasion de plaisir dont tous se souviendraient longtemps. Le décorum avait été impeccable.

Il y avait bien eu quelques rigoristes qui avaient trouvé une raison de s'offenser.

— Pourquoi ne pas avoir fait bénir l'édifice ? s'étaient-ils insurgés. Nous sommes nés chrétiens, catholiques. Ce n'aurait pas été un gros effort que d'inviter le curé. En plus de maintenir la tradition, vous auriez fait asperger la bâtisse d'eau bénite afin de vous attirer les grâces du ciel. Au lieu de ça, vous vous êtes contentés d'une parade de politiciens, vous vous êtes comportés comme des païens. Venez pas vous plaindre s'il vous arrive des déboires !

— Des *mangeux* de balustre, avait proféré Damien qui avait d'autres chats à fouetter.

Ils n'avaient pas agi ainsi sans raison. Les organisateurs de la fête avaient longuement étudié les règles du protocole avant de décider. Ils étaient catholiques, ils allaient à la messe tous les dimanches, mais c'était leur religion. Ils considéraient que leur foi était en eux et devait rester dans son dortoir. Elle ne devait pas mettre en cause l'engagement des autres. Aussi ils n'avaient pas répliqué aux attaquants. D'autant plus que la situation aurait été délicate. Lors de la fondation des villes forestières de la Côte-Nord, monsieur McCormick, malgré son appartenance à la religion protestante, avait respecté les convictions de ses travailleurs. En plus de construire des maisons pour leurs familles, il avait fait édifier au centre de chaque village une église catholique et une école française, sans toutefois, renier ses propres croyances religieuses.

Aujourd'hui, à l'inverse, c'étaient les patrons anglais d'allégeance protestante que les travailleurs catholiques de Baie-Comeau accueillaient dans leur communauté.

Ne fût-ce que par simple courtoisie, les organisateurs avaient décidé de ne souligner les croyances ni des uns ni des autres et ainsi ne froisser personne. Dans le contexte de la fin des années 1978 où une tiédeur certaine vidait les églises, ils avaient considéré préférable d'ignorer les questions religieuses. Ils seraient neutres.

Enfin, chacun avait oublié. Les rigoristes avaient trouvé d'autres motifs de critique et la vie avait repris son cours.

Ce matin-là, les cadres de la scierie avaient tenu leur réunion mensuelle et Antoine-Léon s'était retrouvé dans la cour. Son casque protecteur sur la tête, sa pile de documents sous le bras, il allait faire sa tournée.

On était en septembre et il y avait deux mois que l'usine faisait entendre son agréable ronron. Il arrivait bien encore que se produisent de légers déséquilibres entre les étapes de transformation, la synchronisation des salles n'étant pas encore parfaite, mais il usait de patience. Cette procédure prenait six longs mois avant d'être totalement rodée.

Pour l'instant, les différentes divisions produisaient selon le rendement escompté et les camions défilaient chaque jour avec constance devant le quai de débarquement.

Un éclat joyeux allumant ses prunelles, il considérait les alentours. L'automne était rempli de douceur. Ils auraient encore de belles journées pendant lesquelles le réglage des machines progresserait. Tout serait terminé avec le mois de décembre, avant que ne surviennent les grands froids, les désagréments de l'hiver, la neige qui couvrirait les réserves de bois et qu'il faudrait déblayer, les tâches devenues pénibles, ralenties à cause du gel et des doigts gourds sous les épaisses moufles.

Comme chaque matin, il jeta un regard sur la cour. Partout, des montagnes de planches de toutes les dimensions exhalant une bonne odeur de bois blond frais coupé avaient été mises en cages, étagées et séparées par des lattes, afin de créer une aération et faciliter le séchage avant de les entasser sur les bateaux en partance pour l'Europe.

Un souvenir monta dans sa mémoire. Il se revoyait jouant à cache-cache dans la cour à bois familiale de Saint-Germain avec ses compagnons d'enfance. Il songeait aux efforts qu'avait dû déployer son père pour parvenir à la réussite qui avait été la sienne. Il se secoua. Il ne devait pas évoquer le passé. On était en 1978, les temps avaient changé et c'était heureux. La technique avait remplacé les tâches manuelles qui étaient l'apport des journaliers à l'époque de son père.

Il jeta un regard autour de lui. Émergeant des salles, les commissionnaires allaient et venaient, vaillamment, les épaules affaissées sous leur poids, parcouraient à pied d'importantes distances. Il constatait combien la cour était vaste.

Il observa leurs manœuvres. Ils mettaient de longues minutes à atteindre leur but.

L'esprit constamment en éveil, dans un souci d'amélioration, il songea qu'il devrait chercher un moyen d'alléger leurs tâches pour un meilleur rendement. S'ils avaient un pick-up pour leur usage comme on en retrouvait à l'usine de papier, ce serait un progrès. C'était à lui de prendre ce genre de décisions, mais l'acceptation relevait du conseil d'administration de Québec. Il soulèverait la question lors de leur prochaine réunion de maximisation de l'entreprise.

Il veillerait à ce que le coût soit modique. Il en discuterait avec Hubert. Malgré les reproches qu'il lui faisait, il reconnaissait qu'Hubert était bien le seul dans leur groupe capable de dénicher un véhicule de seconde main que le petit CA de Québec ne pourrait leur refuser.

Il était arrivé devant la salle de triage. Dans l'immense section, affairés, penchés sur les machines, les travailleurs suivaient le rythme des longues pièces de bois convoyées par les classificateurs munis d'un œil magique, qui les répartissaient par ordre : qualité un et deux, qualité trois et quatre, les plus longues, les plus courtes.

La salle de triage était la deuxième plus grosse section du bâtiment. Là se faisaient le lattage et l'empilage des madriers qui seraient transportés vers le séchoir ou vers la cour.

Poursuivant sa marche, il se dirigea vers la bâtisse de la planification. La salle croulait sous les grincements stridents. Là encore, il suivit les gestes des ouvriers qui s'affairaient autour des pièces de bois, les acheminaient vers la raboteuse où des corrections seraient faites avec une scie. Les paquets, une fois bien cadrés et retenus par une solide courroie, ils y apposeraient le logo de la scierie constitué d'une outarde, puis ils les envelopperaient dans une pellicule de cellophane.

Transportés par camion vers le port, ils seraient déchargés sur le quai dans l'attente d'être transférés sur les bateaux.

Concentrés sur leurs tâches, casques antibruit sur les oreilles, les employés gardaient les yeux rivés sur les planches qu'ils orientaient vers la salle suivante et se tenaient prêts à intervenir.

Antoine-Léon alla s'arrêter près de l'un d'eux et cria à son oreille.

– Où est ton contremaître ?

L'ouvrier esquissa un mouvement du menton et indiqua à l'opposé de la pièce, un homme, casque blanc enfoncé sur le front et mâchouillant un copeau. Penché sur une machine, il paraissait profondément absorbé. Près de lui se tenait Hubert Lesage.

Il se pressa vers eux. Il devait lui transmettre une réponse, suite à un grief soulevé par le syndicat des employés.

– Je t'apporte les résultats de la réunion, dit-il en dépliant une feuille. Voilà ce qui a été décidé. Le chef syndical était présent. Il a été obligé de s'en tenir à nos critères et comprendre qu'il est primordial de garder la continuité. Je t'ai fait un graphique, t'auras qu'à suivre. C'est la décision la plus éclairée, celle qui se souciera du bien-être des travailleurs sans brimer les intérêts de l'employeur, parce qu'il faut penser à lui aussi, c'est lui qui vous donne vos paies à la fin de la semaine. L'alternance devra être maintenue même pendant la pause cantine… Et tu avertiras les *critiqueux*, il faudra qu'ils se plient à ça s'ils veulent garder leur job.

Il devait hurler pour se faire comprendre.

– C'est ben correct, cria le contremaître, mais j'avais pas le choix, je devais soumettre la question.

– Ça va. Je voulais aussi te dire qu'au prochain grief…

Il se tut brusquement et grimaça. Il lui semblait que les bruits s'étaient amplifiés, heurtaient désagréablement ses oreilles.

– Qu'est-ce qu'elle a, cette machine-là ? C'est-tu normal qu'elle cogne de même ?

– Elle a commencé ça pendant le *quart* de nuit, répondit le contremaître. Moi non plus, je trouve pas ça normal. C'est ça qu'on essayait d'identifier monsieur Lesage et moi.

Antoine-Léon écouta encore.

– C'est comme si elle n'était pas au niveau.

– On s'apprêtait à la pousser au maximum pour juger de sa force, avança Hubert, la fatiguer un peu.

Le contremaître fit se rejoindre de longues pièces de bois brut et les poussa dans l'interstice.

Un grésillement se fit entendre, lent, régulier. À l'autre bout, les planches se dessinaient blondes, douces.

La dernière avait quitté les mâchoires.

Antoine-Léon frictionna son front. Il était perplexe.

– Tout m'a l'air correct.

Le contremaître saisit d'autres planches et alimenta la machine-outil. À mouvements réguliers, sans s'arrêter, comme pour maintenir l'effort, il la nourrissait. L'appareil faisait entendre des pétillements vifs.

– Peut-être que si on…

Soudain, ses mots se perdirent dans une sorte de vacarme. Un claquement violent, sonore avait enterré sa voix. Comme si la mécanique s'était subitement affolée, un entrechoquement semblable à une galopade secouait les rouages et se répercutait sur la ligne de production. Stupéfiés, ils se tenaient sans rien faire. Pendant un moment, les planches s'agitèrent, comme insubordonnées. Certaines s'amoncelèrent en travers, d'autres chutèrent sur le sol. Une saccade, courte, brutale se fit entendre. D'un seul coup, les bruits avaient cessé. La machine venait de stopper.

– Jupiter, que c'est qui se passe encore ! rugit Antoine-Léon.

Il ne cachait pas sa colère. Il cria vers les autres employés.

– Arrêtez toute la chaîne de production et appelez le mécanicien, on a un autre bris.

– C'est à n'y rien comprendre, se récria le contremaître. Y a deux mois, lors de l'autre avarie, on a exigé que tous les moteurs soient vérifiés. C'était censé marcher comme sur des roulettes.

Derrière eux, un pas pesant faisait résonner la passerelle. Le mécanicien s'amenait, son épaule gauche penchée vers le sol, supportant son lourd coffre à outils.

— J'espère que ce sont pas les moteurs hydrauliques qui manquent encore d'huile, fit Hubert tandis que l'homme déboulonnait les engrenages.

— Comme c'est moé qui ai veillé à l'entretien, ça m'étonnerait, répondit l'autre sur un ton un peu piqué en procédant à son examen.

Inquiet, il tâta l'armature de métal, secoua, vérifia l'assemblage.

— Le moteur hydraulique m'a l'air ben correct, dit-il en même temps.

Poussant son examen, à petits coups de sa clé anglaise, il ébranla les autres pièces de la machine.

Il se redressa presque tout de suite. Il avait trouvé.

— Cette fois, le problème vient du moteur électrique. Il m'a l'air d'avoir mangé pas mal de misère. Un support est cassé. La question que je me pose, c'est, pourquoi que ç'a cassé de même après seulement deux mois d'utilisation ?

— Allez pas penser qu'on a magané la machine, assura le contremaître, on en a fait un usage normal, pour nos besoins.

— On le sait, répondit Antoine-Léon. Cette machine-là a été achetée pour une activité précise et elle doit avoir la résistance voulue. Trouve la raison, ordonna-t-il au mécanicien, et grouille, sinon Roberge va hurler à faire sauter la baraque.

— Donnez-moi au moins deux minutes, se hérissa le mécanicien.

Antoine-Léon exhala un soupir. Il était contrarié. Encore une fois, toute la chaîne de production s'était interrompue et les bruits s'étaient tus. Il considéra les piles de bois abandonnées, figées dans le silence. Dans l'autre salle, sur la ligne de la raboteuse, il distinguait de longues planches éparpillées en travers sur les surfaces de montage. Tout s'était arrêté. Il pensa à ce temps précieux qui était encore perdu, au rendement de l'industrie, aux profits qui seraient rognés à cause de cet autre retard.

— Prends-les, tes deux minutes, mais traîne pas, la moindre seconde nous coûte un bras.

La mine assombrie, il se tint près du mécanicien et attendit qu'il approfondisse son analyse. Au loin, une voix impérieuse se faisait entendre. Damien était sorti de son bureau. Antoine-Léon entendait son timbre grondant qui couvrait les autres.

Il venait d'apparaître dans le passage piétonnier.

– Qu'est-ce qu'il se passe encore que les machines aient stoppé ?

– On a un autre bris et cette fois c'est un support du moteur électrique qui a cassé, annonça sombrement Antoine-Léon.

– Comment ça, un support cassé ? Ça se brise pas de même ?

Agenouillé sur le sol, le mécanicien leva sa figure ronde. Partout autour de lui des pièces du moteur jonchaient le plancher.

– D'après moé, le problème est dû au *faite* que l'armature est en aluminium. L'aluminium, c'est un métal mou et je pense que c'est trop fragile pour notre usage. Quand on considère toute la vibration qu'il y a dans une scierie, avec les coups que ça donne, ça pouvait pas résister longtemps.

– Des moteurs hydrauliques qui manquent d'huile, des moteurs électriques avec des armatures en aluminium, jeta Damien. Tout ça dans une usine de sciage ! À quoi ils ont pensé ? Est-ce que toutes nos machines vont y passer ? Ce moteur-là est de trois cents forces, on en a de deux cents et de cent cinquante forces. Y vont-ti tous sauter les uns après les autres ? Faut pas être sorcier pour comprendre ça ! Ça va être un vrai désastre !

– Sans compter le processus d'introduction qui va être à recommencer, grinça Antoine-Léon. Ça prend six mois pour synchroniser les étapes. On va devoir tout reprendre à zéro, en commençant par épouser la vitesse du convoyeur vers l'équarrisseuse déchiqueteuse, les écorceurs et tout le parcours jusqu'à la finition. Faut une semaine à Hubert, à l'informaticien et à l'électronicien pour seulement étudier ça. Tout le travail fait depuis deux mois est perdu.

– Tu vas exiger du fournisseur qu'il mette à notre disposition, ici, à plein temps, et à ses frais, un employé-mécanicien qui va vérifier toutes les machines chaque jour pendant la première année de nos opérations, décréta Damien, et tu vas faire approuver notre demande par le conseil d'administration de Québec. On a perdu assez d'argent pendant la première semaine de juillet. Combien on va en perdre encore avec cette nouvelle tuile ?

– C'est ce qui arrive quand on est géré à soixante pour cent par des fonctionnaires. Si tu réussis à les faire bouger, je te tire mon chapeau, railla Antoine-Léon.

– Ce sera ça ou j'exigerai des dommages-intérêts, statua Damien. Nous avons une business à gérer, un objectif à atteindre et c'est déjà assez ardu comme ça. Faut que ça marche à vitesse continue et à plein régime, sinon c'est nous qui en paierons les frais et ça, je m'en défendrai de toutes mes forces!

Damien avait touché juste.

La scierie des Outardes était une entreprise de grande envergure semblable à un monstre qui les avalait où les problèmes ne cessaient de se succéder, de tous les côtés et de toutes les manières.

Antoine-Léon se sentait accablé. C'était lui, en tant que responsable des travaux en usine, qui subirait les blâmes et les encaisserait, comme un gouvernement nouvellement élu qu'on charge de toutes les mauvaises décisions prises par l'administration précédente. La situation était aberrante et il n'y pouvait rien. Une onde de révolte le fit se redresser. Cela, il le refusait. Il y avait trop de sève en lui, il aimait trop la vie pour plier l'échine et s'enfermer dans de telles limites. Les décisions des autres, il n'en avait que faire.

Une énorme lassitude couvrit ses épaules. Il se demandait s'il aurait la force de continuer. Une envie très forte le prenait de profiter de cette fermeture temporaire pour parcourir la province et regarder ailleurs.

24

Il y avait un mois que l'entreprise était fermée. Une fois encore, les employés avaient été envoyés en formation tandis que les directeurs occupaient leur temps à compiler des rapports.

Antoine-Léon avait insisté auprès du fournisseur afin qu'il accélère le processus de réparation, mais l'opération était longue et délicate. Le fabricant devait rebâtir les armatures, les reconstituer à partir d'un métal plus solide et il fallait y mettre le temps.

Il avait de plus exigé du fournisseur qu'il effectue ses tests de résistance en la présence d'Hubert Lesage, leur ingénieur mécanique, et que cet exercice soit approuvé par lui. Il fallait que cessent enfin ces bris qui déboulaient sur eux ainsi qu'une suite de malédictions.

Chaque matin, les cadres se dirigeaient vers leur bureau de l'usine. Comme un automatisme, ils ouvraient leur courrier, discutaient quelques questions avec les confrères des bureaux voisins et allaient s'isoler dans leur aire de travail. Dès que sonnaient seize heures, ils s'en retournaient à la maison.

Antoine-Léon avait profité de cette disponibilité nouvelle pour s'occuper de son immeuble à loyers qu'il avait plutôt négligé depuis qu'il œuvrait à la scierie.

Depuis les trois dernières années, dans l'impossibilité de procéder lui-même à l'entretien, il en avait confié la tâche à son jeune concierge. Le garçon faisait de son mieux, mais il n'avait rien d'un menuisier et il devait sans cesse recommencer son bricolage, bien entendu, aux frais du propriétaire. Les coûts élevés et les travaux exécutés en amateur avaient grugé les profits. Aussi, pendant cette période où il en avait le loisir, il avait résolu de redresser ses finances.

Il avait commencé par faire une inspection minutieuse de l'habitation, autant à l'extérieur qu'à l'intérieur. L'immeuble lui apparaissait dans un véritable état d'abandon. Le bois des fenêtres montrait des traces de pourriture et la peinture écaillée était visible de la rue. À l'intérieur, dans les aires communes, les murs étaient défraîchis et les chemins d'escalier, de même que les couloirs en linoléum étaient usés jusqu'à la corde. Il était consterné devant l'ampleur des réparations à faire. Chaque élément nouveau qu'il découvrait ajoutait à son découragement.

Il en était conscient, il n'avait plus le feu sacré.

Sa décision fut rapidement prise. Il retaperait le bâtiment afin de lui redonner son allure proprette et le mettrait en vente. Le même soir, il en fit l'annonce à Élisabeth. Elle était ravie.

— C'est la plus agréable nouvelle que j'aie entendue depuis longtemps, s'écria-t-elle. Enfin, je ne serai plus comme une veuve lorsque je pratiquerai mes sports. Tu m'accompagneras, comme font tous les maris de mes amies, nous pourrons de plus faire des pique-niques avec les enfants, des randonnées en montagne, nous irons...

Antoine-Léon freina son exaltation.

— Woh là! tu exagères. Depuis que je bosse à la scierie, c'est à peine si j'ai mis les pieds dans mon immeuble. Rien ne va changer. Au contraire, c'est l'usine qui m'accapare et elle va continuer de m'accaparer.

Il comprenait brusquement combien son épouse avait besoin de sa présence. Trop pris par ses affaires, il ne s'en était pas rendu compte.

— Vendredi, je dois me rendre à Québec pour un meeting avec le CA de Rexfor, je reviendrais le lendemain. Ça te dirait de m'accompagner?

— Que si! À quinze et treize ans, Philippe et Dominique peuvent passer une nuit sans leur mère. J'avertirais madame Gervais, notre locataire, de jeter un œil sur eux, en soirée. Et moi, pendant ta réunion, je me rendrais chez Marie-Laure. Ensemble, nous irions courir les boutiques. Je ferais quelques achats. J'ai déjà dressé une longue liste de choses que je ne trouve pas ici.

Le téléphone sonnait dans le hall. C'était David.

– Une chambre s'est libérée au foyer Saint-Germain, annonçait-il d'un seul souffle. La directrice vient de me communiquer la nouvelle. Je ne sais pas trop quoi faire, j'ai besoin de ton avis.

Il paraissait ému.

– Avant tout, tu dois t'assurer que maman est prête à sauter le pas, répondit Antoine-Léon. Elle peut aussi bien décider qu'elle reste dans sa maison.

– La location débuterait le premier novembre, précisait David, mais la chambre est déjà libre. Si ça intéressait la mère, on nous autoriserait à en prendre possession immédiatement, sans frais supplémentaires, ça nous donnerait deux semaines pour l'aménager à son goût.

– Mon Dieu! je ne pensais pas que ça irait si vite, s'énerva Antoine-Léon, laisse-moi me faire à l'idée. Je suppose que tu en as parlé à maman? Comment a-t-elle pris ça? Est-ce qu'elle sait qu'il faudra vendre sa maison, est-ce qu'elle l'accepte? Et mademoiselle Bonenfant, dans tout ça, est-ce qu'elle a aussi sa place? Faut que sa bonne ait sa place. Après tant d'années à son service, notre mère ne voudrait jamais l'abandonner de même.

Pris au dépourvu, il laissait dévider ses inquiétudes et multipliait les arguments. Trois mois plus tôt, avec son frère, il avait lui-même planifié l'installation de leur mère dans une résidence pour personnes âgées. Aujourd'hui, devant le fait, il reculait.

– Pour une belle maison comme celle de maman, il sera facile de trouver preneur, poursuivait David. C'est dommage que McGrath soit mort, parce qu'il aurait sauté sur l'occasion à pieds joints. Il a tellement souhaité l'avoir, cette maison-là. Mais qu'à cela ne tienne, si on demande pas trop cher, l'agence immobilière assure que ça se fera rapidement. À propos de mademoiselle Bonenfant, paraît qu'elle aurait sa place sous peu. Si tu pouvais trouver une minute pour voir ça avec moi. Que dirais-tu de venir le prochain week-end?

Antoine-Léon se gratta la tête. Cette nouvelle désorganisait ses plans.

– Je pourrais difficilement ce week-end, je serais tout juste de retour d'un voyage à Québec, un meeting chez Rexfor. Pour les autres semaines, je pourrais me libérer aussi longtemps que tu le voudrais. Je suis comme qui dirait en chômage. Il y a eu un bris à l'usine, il y a un mois, et la bâtisse est fermée pour une période indéfinie.

Il y eut un moment de silence au bout du fil. David éclata brusquement.

– Qu'est-ce que tu me racontes ? T'es en arrêt de travail depuis un mois ! Tu peux pas rester de même.

– Je suis pas à bout de ressources, protesta Antoine-Léon, j'ai mon plein salaire.

– Emmanuel m'a raconté qu'il arrête te voir quand il fait ses voyages sur la Côte-Nord. Paraît que tu songes à changer de job ? Il m'a dit t'avoir proposé un poste dans sa firme de camionnage. Il a besoin d'un administrateur. Ça te tenterait pas de t'associer avec lui ? Il fait de l'argent comme de l'eau.

– Faut pas me prendre trop au sérieux quand je dis que je pense changer de job. Il nous arrive à tous d'avoir des moments de déprime. Il a dû m'entendre dire ça un jour de grisaille.

Bien sûr, il lui arrivait de s'interroger, mais de là à se lancer dans l'administration d'une flotte de camions, il y avait une marge.

– Comme je suis pas au bord de la porte, je vais voir comment on va se remettre de nos ennuis à la scierie avant de faire des projections. Si l'affaire devait basculer, je verrais d'abord si je peux pas trouver un job dans ma profession, si y avait rien de ce côté-là, j'aviserais. Pour l'instant, on va s'occuper de la mère.

– J'ai idée de te faire une suggestion, hasarda David, tu me dis que tu te rends à Québec, que dirais-tu de prendre Marie-Laure avec toi et vous amener ensemble à Saint-Germain pendant le week-end ? Elle pourrait être de bon conseil pour la mère côté fanfreluches, si je prends les expressions de ton père. Je t'attends samedi, lança-t-il sur un ton décisif.

Il raccrocha. Antoine-Léon déposa le combiné à son tour et se tourna vers Élisabeth. Il avait pris un air marri.

– Nos plans ont changé. Une fois arrivé à Québec, je devrai continuer jusqu'à Saint-Germain et je dois emmener Marie-Laure.

– Où est la difficulté ? se récria Élisabeth. Je serai du voyage. Pendant que vous réglerez vos affaires de famille, j'irai embrasser mon père. Il sera heureux comme un pape, il y a des lunes que nous ne nous sommes vus.

– Et les enfants ? Ce sont peut-être des adolescents, mais ils sont trop jeunes pour rester seuls dans une maison pendant plusieurs jours.

– Je me rends compte que tu ne connais pas encore ta femme, proféra Élisabeth.

Le pas sonore, elle se dirigea vers le téléphone et composa un numéro.

– J'appelle madame Bergeron.

Une fois encore, Antoine-Léon alla frapper à la porte de la grande demeure. Marie-Laure l'accompagnait. David n'avait pu venir, il était occupé à ses affaires, s'était-il excusé. De plus, il s'était éveillé avec une forte migraine. Depuis la fin de l'été, il avait souvent de ces maux de tête qui se déclenchaient sans raison.

– Je dois avoir des problèmes avec mon foie, avait-il expliqué, prenant son mal à la légère. Il paraît que Bertha est trop bonne cuisinière et que moi, je suis trop gourmand. Mais de ça, faudra pas en parler à la mère, elle va chapitrer Bertha et c'est moi qui vais encaisser le coup.

Il ne souhaitait pas non plus voir l'œil scrutateur de sa mère rivé sur lui comme s'il avait choisi la mauvaise cravate. D'autre part, il l'avait vue la veille et, avec moult précautions, lui avait annoncé leur visite.

– Entrez, tous les deux, dit-elle à Antoine-Léon et Marie-Laure en retenant la porte. Je vous attendais.

Elle avait parlé sur le ton volontaire qu'ils lui connaissaient, de sa voix alerte, des bons jours. Elle paraissait comme à son habitude, et ils en étaient surpris.

Le pas fragile, un peu hésitant, elle les précéda vers le salon et leur indiqua un siège.

La salle était sombre, tenue dans l'ombre, comme l'avait toujours été cette belle pièce d'apparat dont ils ne faisaient usage que dans les occasions spéciales. Embarrassés, ils se demandaient pourquoi elle avait choisi de les recevoir dans ce décor imposant, au lieu de les faire asseoir autour de la table de la salle à manger comme ils faisaient quand ils étaient en famille. Leur conversation aurait été plus aisée, plus dégagée.

Son attitude leur apparaissait incisive, solennelle. Décontenancés, ils ne savaient comment aborder le sujet.

Leur mère se tenait, elle aussi, silencieuse. Derrière elle, l'horloge grand-père égrenait son tic-tac. Lentement, son regard se déplaça vers eux.

Elle prononça à voix basse, contenue :

— Ainsi, le jour que je redoutais tant est arrivé.

Elle poursuivit, avec douceur, comme pour elle-même :

— Il y a longtemps que cette idée m'obsède et cela date de bien avant ta visite à l'été 77, Antoine-Léon. À cette occasion, tu avais fait quelques allusions, bien inutiles, tellement j'étais consciente de ce qui m'attendait. Mais à cette époque, je n'étais pas prête et j'avais du mal à accepter que j'approchais de l'échéance, que bientôt, je devrais quitter cette maison qui est mienne depuis plus de quarante ans. Lorsqu'on a atteint quatre-vingts ans, il n'est pas facile d'abandonner ses affaires, son paysage, pour recommencer ailleurs. On n'arrache pas un vieillard à son milieu sans provoquer une énorme déchirure dans son cœur. D'autre part, mes forces déclinent et je sais qu'il sera bientôt prudent d'être mieux entourée, ne serait-ce que pour n'être pas une charge trop lourde pour vous.

Elle revint poser ses yeux sur eux.

— Ainsi, David m'a trouvé une chambre, prononça-t-elle avec un peu de sarcasme dans sa voix, une belle chambre où je me sentirai comme chez moi, qui recueillera mon dernier souffle. À ce propos, où est-il, David, qu'il ne vous accompagne pas ? Je pensais le voir avec vous.

— Il avait des affaires à régler, répondit Antoine-Léon.

Suspicieuse, elle insista.

— Il n'a rien dit d'autre ? Je connais mon aîné, c'est une excuse un peu vague, il a coutume d'être plus explicite.

Se soutenant de ses deux mains, elle se leva de son fauteuil et, sans plus d'explication, se dirigea vers sa chambre. Elle en ressortit après quelques minutes. Ses épaules étaient recouvertes de son plus joli manteau et un délicat chapeau de feutre était enfoncé coquettement sur sa tête.

— Alors, mes enfants, vous me la montrez cette chambre si magnifique que je vais la préférer à ma grande maison ?

Ils savaient qu'elle crânait. Ses lèvres tremblaient, elle avait peine à retenir ses larmes et ils en étaient bien tristes.

Ils se levèrent ensemble.

Assise dans la voiture sur le siège du passager, elle se laissa conduire vers le village d'en bas. En roulant lentement, ils s'engagèrent dans le chemin de Relais, longèrent ce qui avait été les petites maisons des ouvriers, l'école, l'église. Les poings serrés sur ses genoux, Héléna regardait les alentours et s'en repaissait. La vie avait changé depuis les vingt-six ans que Léon-Marie était décédé, semblait dire son regard. D'autres l'avaient suivi et avaient transmis leurs biens à leurs descendants, d'autres encore avaient vendu leur logis à des inconnus et étaient allés s'installer ailleurs.

Ils croisèrent le rang Croche ou plutôt la rue de l'église, corrigea-t-elle, ce chemin, l'appartenance de McGrath, qui se détachait de la montée vers la Cédrière face à leur lieu de culte.

«Asphalté le premier, au grand dam de Léon-Marie !, marmonna-t-elle, une foule de souvenirs surgissant en elle, lui qui ne s'était jamais habitué à désigner cette route tortueuse autrement que par le "rang croche".

Ils avaient rejoint la nationale et étaient entrés dans le village. Surplombant les humbles maisons, le clocher de l'église gorgé de soleil en ce bel après-midi éclaboussait de tous ses reflets d'argent. La bonne figure du curé Darveau se dessina dans la pensée d'Héléna. Le vieux prêtre avait suivi de près Léon-Marie dans la mort. Elle songea à tous ces valeureux hommes qui étaient partis et un flot de tristesse l'envahit.

La voiture pénétra dans la cour du Foyer. Un sursaut comme un réflexe de résistance la fit se crisper. Dans ce même lieu, un jour d'automne, après l'incendie de leur demeure, elle y avait conduit la mère de Léon-Marie. Elle avait voulu la ramener à la maison, mais la vieille dame n'avait pas attendu, ils l'avaient trouvée morte dans son lit.

— Vous allez vous sentir comme dans votre maison, c'est ce que nous a assuré David, glissa Marie-Laure qui avait deviné son émotion.

Ils s'introduisirent à l'intérieur. Héléna reconnut les mêmes longs corridors fleurant l'encaustique et la même lourde porte de la chapelle s'ouvrant sur sa droite, dont elle avait gardé le souvenir, ce jour où elle y avait amené la vieille dame Savoie.

Rien ne paraissait avoir changé, comme si la vie s'était figée dans le temps. Jusqu'aux murs qui recréaient encore ce vilain coloris grisâtre, dont elle ne savait s'il était dû à la saleté ou si, l'imagination manquant, on n'avait su choisir un effet visuel plus lumineux permettant d'endiguer la tristesse, la résignation qui habitaient le cœur de ces pauvres vieux.

Un sanglot noua sa gorge. Aujourd'hui, c'était son tour de marcher vers sa dernière escale.

Face à eux, à l'extrémité du couloir, dressée devant une porte ouverte, un lourd trousseau entre ses doigts, se tenait une femme. C'était la directrice. À leur vue, son visage s'éclaira d'un large sourire.

— Voilà votre chez-vous, chère Madame Savoie! s'exclama-t-elle, le bras écarté dans un large geste de bienvenue. Nous vous avons réservé la plus spacieuse pièce de l'institution. Vous pourrez même, par un jeu des meubles, en faire une chambre et un boudoir. N'est-ce pas qu'elle est superbe?

L'œil allumé, elle cherchait l'approbation des autres.

— C'est en effet une très jolie chambre, opina Marie-Laure.

Héléna jeta un regard sur le plâtre des murs d'un blanc fané et sur les fenêtres habillées de rideaux de dentelle défraîchie. Elle pinça les lèvres.

— Bien entendu, si c'est votre désir, vous pourrez changer les tentures et faire rafraîchir les murs, proposa aimablement la dame.

— Que diriez-vous d'un léger ton de lilas, semblable à celui de votre chambre à la maison, maman? suggéra Marie-Laure.

Héléna arqua la nuque. Comme si toute la morosité, l'accablement qui l'avaient atteinte depuis son arrivée éclataient d'un coup, elle lança d'une voix ferme:

— Non. Vous allez la peindre jaune vif, de la couleur du soleil, de ce soleil qu'il faudra faire entrer de force dans cette maison triste.

Ses mots s'étouffèrent dans sa gorge. Bouleversée, Marie-Laure prit sa main.

— Oh! maman, ce n'est pas catastrophique. Nous allons apporter votre berceuse. Vous avez une vaste penderie dans laquelle nous allons accrocher toutes vos belles robes. Vous ne serez pas dépaysée.

Vous vous habillerez lorsque vous attendrez des visiteurs. Et moi, je vous promets de venir vous voir chaque semaine. Antoine-Léon viendra lui aussi et il y aura David, de même que vos petits-enfants qui habitent dans la région, Emmanuel, Lina et Marc-Aurèle, les enfants de Cécile.

— Tout ce trouble que je vais donner, il ne faudra pas que ça s'éternise trop. Tu me connais, je n'ai jamais aimé déranger.

— Nous voulons vous voir vivre longtemps, maman, s'écria Marie-Laure. Et vous ne dérangerez personne, bien au contraire, ce sera comme à la maison.

— La maison, tu m'y fais penser, si je viens vivre ici, je devrai la vendre.

D'un seul coup, elle avait retrouvé son ressort.

— Je vais communiquer avec un agent au plus tôt.

— Nous avons discuté la question, David et moi, bredouilla Antoine-Léon, incapable de lui annoncer que des arrangements étaient déjà pris. Nous vous éviterons cette démarche. Nous avons pensé convoquer Denis Gervais, vous vous rappelez? Le fils de Jean-Baptiste.

— Bien sûr que je me rappelle. Ce n'est pas ma mémoire qui flanche, ce sont mes jambes qui me causent problème. Denis, c'est le benjamin de Jean-Baptiste, celui qui a fait la guerre et qui a travaillé à son retour comme commis de magasin pour Jean-Louis, mon gendre. Il est aussi l'oncle de ton locataire, le jeune policier. On dirait que ça reste dans la famille, railla-t-elle, comme si l'apport de ces gens lui pesait tout à coup.

— Après avoir cédé sa place à Marc-Aurèle dans le magasin de Jean-Louis, acheva Antoine-Léon, Denis est devenu agent immobilier. Il va trouver facilement un acheteur.

— Vous n'avez encore personne dans l'idée…

Ils sentaient une légère hésitation dans sa voix, comme si elle craignait une réponse affirmative.

Elle enchaîna avec vigueur:

— Si Don McGrath vivait encore, je ne me poserais pas de questions.

— Nous avons fait la même remarque, David et moi, dit Antoine-Léon avec un sourire navré, malheureusement, il est mort, lui aussi.

Héléna ne répondit pas. À pas lents, elle marcha vers la fenêtre. Les deux mains posées sur l'appui, elle fixa l'extérieur.

Fébrile tout à coup, elle avait entrouvert les lèvres.

Incapable de se détacher de la campagne qui se déroulait devant ses yeux, le souffle court, elle semblait se joindre au vol des oiseaux qu'elle voyait noircir le ciel, se mêler à leur escadrille qui planait vers le sud, se distancier de ce lieu qui serait le sien où elle attendrait la mort. Elle se tint un long moment, méditative, grave, absorbée. Enfin, elle fit un demi-tour sur elle-même et se tourna vers la pièce. Elle paraissait immensément triste.

– Je n'en peux plus, ramenez-moi à la maison.

Assise dans la voiture, elle fit le trajet inverse sans mot dire. Pendant tout le temps que dura le déplacement, son œil morne se riva sur l'enfilade de petites habitations qui bordaient la route et avivaient la nature tranquille. Elle n'ouvrit pas davantage la bouche lorsqu'elle réintégra sa maison.

Mademoiselle Bonenfant vint les rejoindre dans le salon, poussant avec précaution la desserte sur laquelle elle avait déposé un pot de café, trois tasses de leur plus beau service et une pleine assiette de biscuits fins. L'air malheureux, elle fixait sa maîtresse. Antoine-Léon et Marie-Laure sirotèrent leur boisson chaude, grignotèrent quelques biscuits et déposèrent la jolie porcelaine sur la table. Ils étaient malheureux eux aussi. Ils auraient tellement souhaité que leur mère garde sa santé, qu'elle file longtemps une vie paisible dans sa belle et grande demeure.

Ils s'attardèrent encore un moment, incapables de l'abandonner ainsi.

Enfin Antoine-Léon consulta sa montre-bracelet et fit un signe à Marie-Laure. Ils devaient partir. Héléna se leva à son tour. Son regard enveloppa longuement la pièce comme si elle s'en imprégnait pour la dernière fois en leur présence. Lentement, elle ferma les yeux.

Ils devinaient les sentiments difficiles qui se bousculaient en elle et qu'elle refoulait.

– Rien ne vous oblige à déménager immédiatement, maman, lui dit Marie-Laure. Prenez votre temps. Lorsque vous serez prête, vous n'aurez qu'à le dire et nous viendrons vous aider. Nous voulons que vous vous sentiez en sécurité, mais nous voulons aussi que vous soyez heureuse.

– Je suis de l'avis de Marie-Laure, maman, appuya Antoine-Léon, prenez votre temps.

Il se pencha vers elle et la serra dans ses bras presque avec violence.

La poitrine gonflée d'émotion, il enveloppa l'espace autour de lui.

C'était la dernière fois qu'il voyait sa mère dans le cadre de sa belle demeure. Il n'oublierait pas son image tandis que, se déplaçant sur ses jambes flageolantes, elle allait les reconduire vers la sortie.

Debout sur le perron, très droite dans sa longue robe noire, son bras gauche enserrant un poteau de la véranda, elle les suivit tandis qu'ils marchaient vers le véhicule. Elle ébaucha un signe de la main et, d'un geste furtif, essuya ses joues. Ses yeux brillaient.

Antoine-Léon devinait qu'ils étaient voilés de larmes. Le cœur chaviré, il lui prenait l'envie de revenir sur ses pas et se précipiter vers elle. De toutes ses forces, il se retenait d'escalader les marches deux par deux, se jeter dans ses bras et lui annoncer que tout était annulé. Il aurait tellement souhaité lui dire qu'elle resterait à la maison, que ses jambes reprendraient leur vigueur, que ses joues retrouveraient le velouté de sa jeunesse, que ses mains déformées par l'arthrite redeviendraient lisses et souples.

Le vent s'était levé autour du mont Pelé et faisait s'agiter les arbres. Les feuilles séchées formaient un tapis mordoré sur le sol. L'automne se poursuivait. Bientôt ce serait l'hiver, puis les saisons renaîtraient et ils vivraient un temps nouveau. Il hocha la tête. Il savait que ses rêves étaient impossibles. La vie était ainsi faite que l'âge entraînant fatigue et décadence, il fallait, le moment venu, s'arrêter. Résigné, il prit place dans sa voiture et fit tourner le moteur. Roulant lentement, avec les pneus qui crissaient sous les cailloux de l'allée, il rejoignit la route.

Sans cesser d'enserrer le poteau de la véranda, stoïque, cernée par le souffle de la mer qui gonflait ses jupes, sa mère les regardait s'éloigner.

25

Il y avait deux semaines que la scierie avait recommencé ses activités quand Antoine-Léon reçut la nouvelle. Sa mère avait fait une chute sur le sol de sa résidence et s'était luxé la cheville. Il s'en était fallu de peu qu'elle se fasse une fracture.

David avait pris la décision. Elle emménagerait au foyer.

Accaparé par son travail, jour et soir et même pendant les week-ends, Antoine-Léon n'avait pu aller l'aider comme il l'avait promis. Après une interruption pendant deux longs mois, l'usine avait rouvert ses portes et sa présence était nécessaire pour amorcer la reprise.

L'équipement avait été entièrement vérifié : les moteurs électriques dotés d'armatures en aluminium avaient été changés et les moteurs hydrauliques avaient été revus. Chacun des rouages avait été scrupuleusement inspecté et renforcé. On avait procédé à de nombreux tests et Hubert avait fait corriger d'autres possibles faiblesses. Il fallait maintenant en faire un strict suivi et s'assurer que tout était solide, durable.

Le temps avait passé et le calme était revenu. Le mois de décembre avait suivi, avec son souffle de froidure. L'hiver s'était installé au grand déplaisir d'Antoine-Léon qui aurait préféré profiter encore d'une température clémente. Hélas, il en était ainsi de leur pays nordique avec ses extrêmes, une chaleur excessive en été et six mois plus tard, des froids à tout paralyser.

Mais la scierie était en fonction et c'était ce qui importait. Partout, les vastes salles grouillaient d'activité. Le rodage des moteurs n'était pas encore complété, non plus que la synchronisation des différents organes qui n'était pas normalisée, mais ils devaient suivre le processus : régulariser les étapes successives, du premier quai, celui de l'embarquement, jusqu'au dernier, celui l'empilage, en y intégrant le système informatique. C'était un exercice de haute précision qui exigeait beaucoup de patience. Trop souvent encore la chaîne de production devait s'arrêter pour un ajustement. Ces interruptions et tout ce temps perdu contrariaient Antoine-Léon.

La fête des Rois avait passé. Les sapins avaient été dégarnis et abandonnés au bord des rues. Pendant plusieurs jours, piqués dans la neige, ils avaient orné les façades des maisons comme une suite de petites sentinelles branlantes. Un matin, ils avaient disparu du paysage. Les éboueurs avaient sillonné les rues et procédé à la cueillette.

L'hiver se poursuivait avec ses tempêtes et son froid vif. Une importante provision de grumes s'étirait dans la cour, semblable à une suite de boules de laine blanches, piquées d'épingles, attendant qu'on en fasse usage.

Une préoccupation s'était ajoutée aux soucis d'Antoine-Léon. Elle concernait les travailleurs de la forêt. L'échéance des conventions collectives approchait et les syndicats s'apprêtaient à en discuter le renouvellement. La scierie n'était pas directement impliquée, leurs ouvriers étant représentés par un syndicat distinct, mais il y avait danger que des démêlés entre travailleurs forestiers et petits entrepreneurs indépendants posent problème.

L'association à laquelle adhéraient les bûcherons et les employés des usines de pâtes et papiers était la CSN. Ce groupement était considéré comme le plus important et le plus agressif parmi tous les mouvements syndicaux. Jouissant d'une solide expérience, il était entouré d'intervenants habiles qui savaient user de méthodes stratégiques.

Déjà, des agents provocateurs s'étaient infiltrés parmi les travailleurs de la forêt, insidieusement, échauffaient les esprits et semaient le mécontentement. Prenant les syndiqués à témoin de leur charitable bienveillance, ils mettaient l'accent sur les efforts qu'ils déployaient pour améliorer leur sort. Pour tout de suite, la *QNS* suivait ces interventions tactiques. Elle avait, elle aussi, ses méthodes, disposait, tout autant de conciliateurs, et elle leur faisait confiance.

Antoine-Léon se disait que toutes ces préoccupations n'égaleraient jamais la difficile visite qu'il avait faite à sa mère après son emménagement dans l'institution pour personnes âgées. Ce tête-à-tête avait été le plus éprouvant de toute sa vie. Triste, outrée, quoique résignée, assise dans sa berceuse, elle avait plus souvent fixé le sol qu'elle n'avait entretenu une conversation avec lui.

Aujourd'hui, elle était redevenue paisible et sa belle résidence était sur le point d'être vendue. Bientôt mademoiselle Bonenfant irait la rejoindre et toutes deux mèneraient une vie sans heurt, tranquille. Tranquille ? se demandait-il, cette connotation lui semblait prématurée. Sa mère était un chef de file et il aurait été fort étonné qu'elle obéisse aux règles et se laisse conduire comme une enfant. Elle se rebellerait encore, résisterait, songerait même, dans un sursaut d'indépendance, à rassembler ses affaires et faire des démarches pour s'installer ailleurs. Enfin, comprenant qu'il ne lui appartenait plus d'exercer son autorité, elle se soumettrait et elle souffrirait.

Son cœur se crispa à cette pensée. Il se consola en pensant qu'elle ne risquait plus de tomber et se casser les os. Puisqu'il ne pouvait concilier les deux, il préférait cette condition de sécurité pour elle, à une morsure de son amour-propre.

***

La neige et le froid avaient figé la région. Tandis que les mères alimentaient les chauffages d'appoint, les enfants, emmitouflés jusqu'au nez derrière leurs foulards de laine, se rendaient bravement à l'école.

Du côté de l'entreprise, les problèmes des moteurs semblaient définitivement réglés. Comme une interminable clameur, les vrombissements mécaniques et les bruits stridents des puissantes machines remplissaient l'air, couraient sur les vastes étendues endormies dans l'hiver, portés par l'écho qui les répercutait jusqu'aux villages voisins. La grosse industrie exerçait ses fonctions. Jour et nuit, comme une bête affamée, insatiable, elle allait secouer les réserves de bois, avalait des débauches d'arbres entiers et les régurgitait à l'autre bout en belles planches bien droites et saines.

La scierie des Outardes qui avait laissé planer de gros doutes sur son potentiel économique lors de ses malheureuses interruptions apparaissait aujourd'hui comme génératrice d'une manne inespérée. Les directeurs ne cachaient pas leur enthousiasme. Ils louaient les efforts de leur équipe de travail à qui ils devaient ce succès et ils avaient décidé de prendre tous les moyens pour le leur souligner, par des actes de générosité, apporter des encouragements pour les inciter à poursuivre.

Ils l'avaient fait une première fois à l'occasion de Noël.

Fidèles à la tradition anglaise, ils avaient organisé un *Christmas spécial* à l'intention de l'imposant groupe des travailleurs et leurs épouses. Les ingénieurs s'étaient formés en chorale et avaient entonné des cantiques. Tous s'étaient ensuite réunis dans un des hangars, converti pour la circonstance en salle de réception où un souper avait été servi. Chacun des ouvriers avait reçu en cadeau une dinde de sept kilos. Ils avaient manifesté bruyamment, avaient dansé, chanté, récité des monologues jusque tard dans la nuit.

Les bras chargés de leur colis, ils étaient rentrés chez eux. La fête avait connu un tel succès que les organisateurs avaient décidé d'en faire une coutume.

Afin de les encourager encore à ne pas ménager leur collaboration, le directeur des ressources humaines avait eu l'idée d'organiser un concours de performances et d'attribuer des récompenses au mérite. Chaque semaine, ceux qui auraient accompli le meilleur exploit ou battu un record se verraient offrir une gratification, par exemple, des billets de loterie, largesse que les ouvriers prisaient tout particulièrement. C'était une façon de reconnaître leur valeur, mince sans doute, mais qui démontrait que leur zèle était reconnu et apprécié.

— Tant qu'à se permettre des enfantillages, pourquoi ne pas leur offrir un bâton de sucre d'orge ? avaient critiqué les contestataires. Ce qu'il faut leur offrir, c'est une augmentation de salaire !

— On aurait pu leur offrir rien *pantoute*, avait répliqué Damien. Ils n'auraient rien attendu et se seraient contentés de leur paie à la fin de la semaine.

***

Ce matin-là, Hubert accompagnait Antoine-Léon dans sa visite quotidienne des salles. Se déplaçant à lentes enjambées, le long des interminables bâtisses, ainsi qu'un général passant ses troupes en revue, il s'arrêtait, distribuait des sourires, interrogeait les uns, hochait la tête puis inscrivait une note dans un petit carnet. Près de lui, Antoine-Léon freinait son rire.

– Veux-tu bien me dire ce que tu écris là ?

Hubert l'avait devancé de quelques pas. Soudain, il lança de but en blanc :

– Ç'a l'air de bien aller, de même, avec les hommes, on a l'air d'une belle famille, harmonieuse pis heureuse, mais faudrait pas dormir sur nos lauriers. Si on veut que ça continue à bien fonctionner, va falloir améliorer les conditions de travail des employés.

Antoine-Léon s'immobilisa tout net.

– Qu'est-ce qui te prend ? T'as pas assez d'ouvrage avec ta surveillance des moteurs que tu doives t'occuper du mien ? Depuis quand tu te déplaces à travers les ateliers pour sonder le confort des gars ?

– As-tu déjà travaillé de nuit ? demanda Hubert. C'est dur, tu sais.

Antoine-Léon sursauta. Abasourdi, il fit une brusque volte-face.

– Tu me demandes, à moi, si c'est dur de travailler de nuit ? Si tu le sais pas, je t'annonce que je suis le directeur de la scierie des Outardes ! Quand il arrive un pépin et que le contremaître est incapable de le régler, qui penses-tu qu'il appelle, même s'il est trois heures du matin, l'été, l'hiver, par temps de pluie, par grand vent, par moins cinquante ? Qui penses-tu qu'il appelle ? hurla-t-il devant son silence.

– C'est pas comparable, répondit Hubert. Quand tu reçois un call, la nuit, tu viens faire ton tour, une heure ou deux, et ensuite, tu t'en retournes te coucher. Je connais le tabac, ça m'arrive à moi aussi, tandis que les gars, eux, ils rentrent à l'ouvrage avec la noirceur et ils y restent jusqu'à ce que le soleil se pointe. La nuit, on n'a pas la même endurance. Ils s'en sont plaints à moi. Faut améliorer ça.

– Je me demande bien ce qu'on pourrait faire de plus, proféra Antoine-Léon. L'ouvrage est dur, je le nie pas, mais nos travailleurs sont payés en conséquence, ils comptent parmi les mieux rémunérés de l'industrie du bois. S'ils ont froid l'hiver, ils n'ont qu'à s'habiller chaudement. T'as entendu ce qu'a dit monsieur Simons, le vice-président du *Chicago Tribune*, lors de la fête d'inauguration ? Douze piastres de l'heure, en 1979, neuf heures par jour, cinq jours par semaine. Essaie de battre ça. Aussi, te fatigue pas à les plaindre, parce que nos ouvriers à la scierie changeraient pas de place avec d'autres pour un empire.

Hubert le fixa et pinça les lèvres.

— T'as tort de pas m'écouter, Savoie. Ici, on a comme syndicat, la FTQ, une petite organisation de boutique, mais l'autre, la CSN, qui réunit les travailleurs forestiers des usines de papier à travers la province, elle est forte, ben forte et les conventions collectives sont sur le point d'être échues. Bientôt, elles vont être négociées. Nous autres, il faudra montrer patte de velours, si on veut pas se faire avaler tout rond.

Excédé, Antoine-Léon esquissa une vilaine grimace.

— Qu'est-ce que tu veux qu'ils nous fassent ? Nous sommes autonomes, nos ouvriers font partie d'un autre groupement et du côté de la forêt ceux qui travaillent pour nous sont des petits entrepreneurs qui ne sont même pas syndiqués. La seule affaire qui pourrait nous affecter, parce que ça dérangerait toute la région, ce serait le déclenchement d'une grève et ça, attentionnés ou pas, ça n'aurait aucun effet. Ceux qui font de la merde, ce sont les fauteurs de troubles, des gars payés pour ça. Tout ce qu'on peut souhaiter, c'est que nos travailleurs aient assez de jugeote pour ne pas se laisser emberlificoter par leur salade.

— Si tu penses que c'est suffisant de dire qu'on traite bien nos gars pour qu'ils s'enroulent sur un coussin de plume et ronronnent comme des chats, tu te mets le doigt dans l'œil. Qu'est-ce que tu ferais s'ils se viraient de bord et se joignaient à la CSN ?

Antoine-Léon fronça les sourcils. Qu'est-ce qu'Hubert mijotait, était-il de leur côté ou de celui de la CSN ? Il laissa paraître son impatience.

— Bon, puisque ça te chatouille, accouche, dis-le ce que tu rumines, j'ai pas que ça à faire.

— Voilà ce que je propose, expliqua Hubert. L'équipe de nuit ferait huit heures au lieu de neuf. Une heure de moins et ils auraient le même salaire. Qu'est-ce que t'en penses?

Antoine-Léon sursauta.

— Mais t'es devenu fou? Tu cherches le trouble, ou quoi? Viens pas me dire que t'as mis ça dans la tête des gars? On parle de brasseur de merde en forêt, je vois qu'on a rien à leur envier, on a le nôtre, icitte itou!

Heurté, Hubert recula, ses grosses bottes d'hiver allèrent buter contre le relief de la plate-forme sur laquelle il se tenait.

— J'ai du mal à comprendre ta réaction, Savoie, c'est pas ce que j'appelle de la coopération.

— Et tu t'imagines qu'à me déballer pareille idée saugrenue, tu vas me motiver à coopérer. Qu'est-ce que tu penses qu'en diraient les employés de jour?

— Pourquoi ils s'opposeraient, quand ils savent qu'ils en profiteraient leur tour venu d'être de l'équipe de nuit.

— Et la production, le rendement?

Déçu, Antoine-Léon secouait la tête. Il reprochait à Hubert d'avoir soulevé ce point et, ainsi, donner cours à une interrogation, une critique. Les rapports avec les ouvriers exigeaient tact et retenue. Toute manifestation d'indulgence était une porte ouverte aux revendications. Partout, il y avait des têtes brûlées qui se faisaient une règle d'entraîner les *suiveux* en même temps qu'ils ébranlaient la stabilité des entreprises.

— Des études ont été faites lors de l'embauche du personnel, gronda-t-il. Toutes les situations possibles ont été examinées. Les conditions de travail ont été négociées, les salaires calculés selon un profil permettant d'obtenir le rendement souhaité pour le bonheur de tout le monde et ça s'arrête là.

Il reprit sur le même ton irrité:

— De toute façon, ce n'est pas de mon ressort, c'est à ceux qui paient de prendre la décision. Ça m'empêche pas de savoir compter. Ce que tu proposes, ça veut dire qu'on ferait payer à nos boss cinq cents heures de salaire par semaine, six mille dollars pour rien, comme ça, un cadeau. Comment pourrait-on maintenir notre objectif de productivité au même niveau, s'il y a cinq cents heures travaillées en moins par semaine sans rapporter plus ?

Pressant le pas, il lança encore derrière son épaule :

— Je vais mettre ça sur le rôle au prochain meeting, parce que j'ai le devoir de le signaler, mais attends-toi à des come-back. Je suis le premier à ne pas être d'accord.

— Qu'est-ce que c'est que ce micmac ? cria Damien en assénant son poing sur la table. D'abord, c'est pas dans les attributions à Lesage de faire de la négociation. De quoi il se mêle, celui-là ? Ainsi l'équipe de nuit travaillerait huit heures et serait payée pour neuf ? Qu'est-ce qu'ils vont penser quand ils vont travailler de jour ? Il fait froid aussi, le jour, c'est fatigant aussi. Ils vont exiger une rémunération supérieure et ça n'en finira plus. Non, monsieur, l'horaire, ce sera neuf heures de jour, neuf heures de nuit. Neuf heures, neuf heures, question d'équité !

Il marmonna entre ses dents :

— Hubert n'a jamais goûté au management, on dirait qu'il est incapable de comprendre. Il ne cesse d'indisposer les contremaîtres de l'usine. Je le sais, j'en ai eu des échos par Frank Gauvin. S'il continue à se mêler de ce qui le regarde pas, à répandre partout ses idées farfelues, tu vas demander à la *QNS* de reprendre son homme. Un gars qui entretient pareil climat dans une aussi importante industrie constitue un danger et ses interventions ne peuvent qu'avoir des conséquences néfastes. Il me semble qu'on a assez de soucis avec nos problèmes journaliers sans qu'un de nos cadres vienne soulever des idées subversives en plus.

Sa chaise racla durement le parquet.

— Je compte sur toi, Savoie, pour lui servir un avertissement, et s'il récidive…

Ses yeux lancèrent des éclairs. Antoine-Léon sourit. Il aurait donné gros pour voir Hubert devant lui, à cet instant.

Laissant Damien à ses affaires, il sortit dans la cour. La tête protégée sous son capuchon, il avançait laborieusement. Il avait neigé la veille et le sentier était difficile, rendu inégal par les trop fréquents passages. Il se pressa d'enjamber le premier seuil qu'il rencontra. Il allait s'enfoncer vers l'intérieur et soudain s'immobilisa.

Là-bas, du côté de la route, une longue voiture s'était engagée dans le chemin d'accès, roulait en ligne droite et s'apprêtait à stopper devant les bureaux. C'était un beau véhicule, neuf, noir, chargé de chromes, de marque Chevrolet, de ce modèle Caprice qu'il rêvait de s'offrir un jour.

Une seule personne de sa connaissance pouvait se permettre un moyen de transport aussi luxueux et c'était monsieur Tessier le propriétaire de la concession d'automobiles du même nom.

La portière du chauffeur s'ouvrit et une dame s'extirpa de l'habitacle. Élégamment vêtue d'un long manteau de loutre, une toque de la même fourrure sur la tête, elle regardait autour d'elle.

Antoine-Léon reconnut madame Tessier. Il n'était pas surpris. L'épouse du concessionnaire était l'une des rares femmes capables de faire des d'affaires dans la région. Organisée, méthodique, elle possédait des qualités de chef et dirigeait avec son mari en plus du commerce de voitures, une importante société de transport. Le couple se classait parmi les plus fortunés de la ville, mais ne voyait de satisfaction que dans le travail et vivait simplement. Tous deux étaient des gens de cœur, donnaient généreusement de leur temps et étaient impliqués dans toutes les organisations de bienfaisance de leur paroisse.

Antoine-Léon était indécis. Il hésitait entre sa visite des salles qu'il s'apprêtait à faire et le plaisir qu'il éprouverait à aller saluer la visiteuse. Il fixa tour à tour la bâtisse et la cour. Une moue déforma ses lèvres. Il se dit qu'il n'y aurait pas de mal à reporter sa ronde et la semonce qu'il devait servir à Hubert. Sans plus s'interroger, il fit le trajet en sens inverse.

Debout près de son véhicule, souriante, madame Tessier l'avait repéré et le regardait s'approcher. La dame était fort jolie, se disait-il tandis qu'il s'amenait vers elle. Le teint lisse, légèrement rosé, elle paraissait délicate comme un bibelot fragile. Il s'étonnait chaque fois de lui reconnaître une aussi forte personnalité.

– C'est justement vous que je cherchais, Monsieur Savoie, dit-elle en lui tendant la main. Voilà la raison de ma visite…

Inconsciente de l'attrait qu'elle exerçait, elle allait droit au but :

– Je me demandais si la scierie pourrait nous approvisionner en bois. J'ai ici un devis…

De ses doigts gantés, elle actionna un déclic, ouvrit sa mallette et en retira une longue feuille repliée, un plan établi par un professionnel.

Antoine-Léon y jeta un coup d'œil.

– Nous projetons d'agrandir les hangars à camions du côté du transport, expliqua-t-elle. Par la même occasion, nous relogerions les bureaux pour les fusionner avec ceux des automobiles. Cela nous permettrait de partager les secrétaires et faire des économies de personnel. Vous pouvez nous approvisionner ?

– Nous pouvons certes acquiescer à votre demande, répondit aimablement Antoine-Léon. Nous avons soixante-cinq cases différentes pour la coupe du bois, en un mot, nous pouvons accommoder toutes les dimensions imaginables.

Il escalada le perron et l'entraîna à l'intérieur.

– Le comptable va s'occuper de votre commande. Quand voulez-vous qu'elle vous soit livrée ?

– Vous n'avez qu'à me dire quand elle sera prête et un de nos camions viendra la prendre.

Une fois encore, elle considéra les alentours.

– C'est une bâtisse immense. Ce ne doit pas être facile à gérer.

– Je reconnais que les occupations ne manquent pas, mais je ne suis pas seul dans la boîte et nous avons un personnel bien formé.

La dame acquiesça. Ses sourcils s'étaient froncés.

– Peut-être trouverez-vous le moment inopportun, mais puisque nous y sommes, je voudrais vous faire une proposition.

Antoine-Léon rougit.

– Rassurez-vous, il n'y a rien de conflictuel. Cela concerne votre immeuble à logements. J'ai rencontré votre épouse, Élisabeth, au bridge, hier et elle nous a fait part de votre intention de vous en départir. Je souhaiterais l'acheter.

Elle s'empressa d'expliquer :

– N'allez pas croire que mon mari et moi aspirons au monopole de la ville, que nous voulons ajouter une autre activité à nos affaires. Non, ce serait pour une de nos filles, un cadeau que nous voulons lui faire. Elle vient de terminer ses études et nous souhaitons lui donner un petit coussin pour débuter dans la vie.

Antoine-Léon la regarda sans répondre. Il hésitait et il se demandait pourquoi. La transaction serait pourtant facile. Cette offre inopinée le prenait au dépourvu, tout en le soulageant. La veille encore, Élisabeth et lui avaient eu une discussion orageuse concernant cet immeuble et la veuve Martel.

— Tu vends ce bloc ou je demande le divorce, avait-elle proféré sur un ton de colère laissant planer sa menace habituelle. J'en ai plus qu'assez de ces allusions à peine voilées qu'on me fait, concernant cette aguicheuse qui est ta locataire.

Il en avait été ébranlé. Peut-être l'intervention de madame Tessier arrivait-elle à point nommé ?

— Je pense effectivement à vendre mon immeuble. Je n'ai presque plus le temps de m'en occuper, mais je ne suis pas encore prêt. J'ai des démarches à faire, il me faut m'informer de la valeur marchande, de…

— Je l'ai visité avant de m'amener ici, déclara la dame. Il m'a paru propre, les pourtours des fenêtres sont frais peints, les revêtements de sol sont neufs et le stationnement est asphalté. C'est un immeuble de bonne valeur. Par contre, le recouvrement de la toiture sera bientôt à refaire. Je dois le calculer dans mon offre. Je serais prête à payer soixante-quinze mille dollars. Je vous fais remarquer que vous n'auriez pas de commission d'agent à payer. Ce qui équivaudrait à un prix jouant autour de quatre-vingt mille.

— Je pensais en demander cent mille, répliqua Antoine-Léon.

— Vous seriez loin du compte. Vérifiez les habitations résidentielles, elles se vendent autour de trente mille dollars, quarante pour les plus cossues. Croyez-moi, je vous fais une excellente proposition.

Antoine-Léon hocha la tête. Une foule de considérations l'empêchaient de s'en convaincre. Il pensait à ces revenus qu'il n'aurait plus, profits, d'autre part, trop souvent grugés par les revendications des locataires qui devenaient avec les années de plus en plus exigeants. Il y avait le mois de mai, la location des logements vacants, sans compter le ménage. Il y avait aussi le stationnement qu'il avait prévu d'accroître et qui exigerait d'importants débours.

Libéré des travaux et des visites régulières qu'il devait faire à sa bâtisse, lorsque la scierie aurait atteint son rythme de croisière, il pourrait s'adonner à certains loisirs dont jouer aux échecs, un délassement qu'il adorait, qu'il avait dû abandonner faute de disponibilité.

Il songeait aussi aux négociations, au temps qu'il devrait accorder à vendre un édifice de cette importance. Aujourd'hui, on lui apportait soixante-quinze mille dollars sur un plateau d'argent. Il n'aurait qu'à parapher le bas d'une feuille et l'affaire serait réglée. Ainsi effectuée la transaction ne serait-elle pas un cadeau du ciel ? S'il refusait, dénicherait-il rapidement un acquéreur aussi intéressant ? Il en doutait. Le commerce d'immeubles était peu actif dans la ville. De plus, la dame était bien nantie et elle paierait comptant.

Une chaleur, comme une sensation tranquille, détendit ses muscles. Peut-être serait-il sage d'accepter ? Il se pencha vers elle.

— Bon, je vais peut-être vous faire une grâce. C'est bien certain que j'aurais souhaité obtenir un meilleur prix, mais je ferai fructifier cet argent-là ailleurs.

— Vous m'en voyez ravie.

Elle se racla la gorge.

— Et maintenant, puisque vous aurez plus de temps à vous, vous faites déjà partie de notre chorale d'église tandis que moi, je suis membre du conseil de la fabrique.

— Je sais, vous êtes marguillier, l'unique femme d'ailleurs, mais je ne vois pas où vous voulez en venir. Seriez-vous en train de me remercier de mes services comme basse ? Je reconnais que j'ai une voix plutôt puissante et que je dois détonner parmi les autres, je ne chante pas très bien.

— Jamais de la vie, se récria-t-elle. Vous avez une voix superbe et nous avons grand besoin de basses. Je voudrais vous solliciter pour autre chose. Vous savez qu'après le carême, nous procédons à la nomination des marguilliers…

— Vous allez pas me proposer un poste, coupa Antoine-Léon. C'est de l'administration d'église, j'ai pas la compétence.

Madame Tessier laissa couler un petit rire. Le froid vif engourdissait ses joues, une buée s'exhalait de sa bouche.

— Si je soumets votre nom à ce poste, c'est que je pense que vous avez la compétence. Nous nous réunissons une fois par mois dans la sacristie pour étudier les finances de la paroisse. Cela demande à peine deux heures. Ce n'est pas la mer à boire. Et puis vous y rencontreriez votre confrère Jean-Marie Côté. Puis-je compter sur une réponse affirmative ?

– Vous êtes une femme qui sait où elle va. Si vous me laissez un jour ou deux, vous aurez ma réponse.

***

L'immeuble était vendu et il avait participé à sa première assemblée des marguilliers. À titre d'observateur, cependant. Pendant tout le temps qu'avaient duré les délibérations, il avait écouté les habitués, assis autour de la table de la sacristie, qui avaient proposé, raisonné, statué. Le curé de la paroisse était aussi présent. Installé au bout du panneau, il avait suivi les débats sans donner son avis, comme modérateur.

Une forte odeur d'encaustique remplissait la pièce. D'un côté, couvrant un mur entier, les armoires vernies renfermant les habits sacerdotaux s'alignaient tout aussi odorantes, reluisantes et impeccables. Sur une tablette, un missel, un crucifix et des burettes avaient été laissés là, comme abandonnés parmi les assiettes d'argent servant à la quête.

Antoine-Léon fixa ces objets qui accompagnaient les rites et la liturgie. Il se sentait un peu triste. La ferveur avait tiédi et le pauvre curé, malgré ses efforts, ne réussissait pas à imposer son autorité parmi les fidèles qui s'indifféraient un peu plus chaque jour.

Montait à sa mémoire, le faste qui prévalait durant son enfance, le curé Darveau tenu en si haute estime par son père. Il évoquait ses mémorables harangues et combien il gardait ses ouailles sous sa tutelle sévère. Il revivait les fêtes que solennisait l'Église, les cérémonies grandioses, les chasubles brodées, les lumières brillantes, les oriflammes qui décoraient la nef pleine à craquer.

Tout cet apparat, cette magnificence appartenaient au passé. Le modernisme ou était-ce plutôt une sorte d'illusion de mieux-être, avait changé le monde. Il se prenait à regretter ce temps où les préceptes moraux les entraînaient tous vers un même lieu.

Exalté, il se disait, s'il pouvait ranimer un peu la flamme de ceux qui, comme lui, avaient vécu à l'ombre du clocher, qu'il le ferait.

La rencontre s'était terminée sans qu'il intervienne.

– Comment t'as aimé ta première assemblée ? demanda Jean-Marie qui marchait près de lui.

– J'ai vu que les difficultés ne manquent pas. J'avais oublié à quel point la vie était facile pendant ma jeunesse. Tout ce qui importait se passait autour de l'église. On assistait à la messe, et même quand ce n'était pas Noël ou la Fête-Dieu, c'était une belle cérémonie qui nous remplissait de sérénité.

– Tu deviens sentimental.

– Ça me chamboule quand j'évoque la place qu'occupait la religion dans nos vies et dans celle de nos parents. C'était le bon temps.

– Le bon temps ? s'éleva Jean-Marie. Comme toi, je suis chrétien, pratiquant, mais de là à dire que j'aimerais revivre le passé où le moindre geste était supervisé par le curé, où il fallait demander la permission de faire l'amour, où nos mères devaient engendrer un petit par année au risque de leur vie et au risque de faire crever de faim ceux qui étaient déjà là en train d'essayer de grandir, j'en suis pas si sûr.

Ils étaient sortis dans la rue et se déplaçaient d'un pas de promenade. Tous deux habitaient tout près et étaient venus à pied.

La chaussée était craquante et la neige fondait, c'était le printemps.

– Si j'ai accepté le poste de marguillier, c'est que j'espère changer quelque chose, expliqua Jean-Marie. Je suis pas toujours d'accord avec ce qui se dit et avec ce qu'il se fait. Autrefois, on était collés à gauche, aujourd'hui on est collés à droite. Je rêve du jour où on verra une Église ouverte avec un balancier qui s'arrête au milieu.

Antoine-Léon hocha la tête. Il se rangeait aux propos de Jean-Marie. Il admettait que sa réflexion l'avait entraîné dans une sorte de vertige. Lors de périodes d'euphorie intense, on peut idéaliser, regretter, mais lorsqu'on retombe sur ses pieds, on se rend compte que ce qu'on voyait comme un nirvana a aussi ses failles.

– J'ai hésité avant d'accepter ce poste, avoua-t-il, mes occupations à l'usine m'accaparent beaucoup et je suis fréquemment appelé pour des urgences. Déjà qu'Élisabeth se plaint que je ne suis jamais à la maison.

– Comment ça va à l'ouvrage ? interrogea Jean-Marie.

– Ça va, avec les mesquineries habituelles qui vous pompent dans une industrie nouvelle qu'on voudrait voir rentable en prenant les meilleurs moyens. Et en disant ça, j'inclus le petit CA de Québec.

– Qu'est-ce que t'as à lui reprocher, au petit CA de Québec?

– M'en parle pas. Ils ont refusé de débloquer un crédit de deux mille dollars pour l'achat d'un vieux pick-up qui nous aurait bien servis dans nos déplacements à travers la cour. La distance est d'un kilomètre d'un bout à l'autre. Il y a là une perte de temps considérable quand il faut la parcourir à pied. Tu connais Lesage, il a ses défauts, mais faut admettre qu'il est doué pour dénicher des vieilleries à pas cher. Il avait trouvé un camion usagé qui nous aurait été bien utile, même si on savait qu'il rendrait bientôt l'âme.

Jean-Marie éclata de rire.

– Vas-tu te choquer si je te dis que l'usine de pâte en possède trois, deux pour les déplacements et un troisième pour remplacer les deux autres en cas de bris?

– Dis-moi pas ça, ça me crève le cœur. Si tu avais entendu les inepties qu'ils ont débitées, les formulaires qu'il fallait remplir.

Il mima les administrateurs:

– Faut faire une réquisition par écrit, faut monter un dossier que le comité va étudier, ça se ferait pas avant le début de l'année fiscale, faudrait voir ensuite si on peut débloquer un budget.

Sa colère revenait en force à mesure qu'il parlait.

– Tant de simagrées pour dégager un maigre deux mille dollars quand on génère deux à trois millions de revenus nets par mois. Comme moi, tu ruerais dans les brancards.

– Le problème avec ton petit CA c'est que ce sont des fonctionnaires qui suivent le protocole à la lettre, expliqua Jean-Marie. Ils lésinent sur des riens tout en permettant d'autre part des dépenses extravagantes parce qu'elles ont été approuvées et qu'elles font partie de la procédure.

– Ils disent que le remboursement de la dette doit être assuré en priorité et qu'on ne peut se permettre de dépenses inutiles.

– Mon avis c'est que le montant que tu réclames est pas assez élevé. Deux mille dollars, c'est des pinottes quand tu brasses des millions. Ils ne jetteront même pas un œil sur ton rapport. Si tu avais demandé de débloquer cinquante mille dollars pour quatre pick-up, là, ça les aurait intéressés. Ils t'en auraient refusé un et t'auraient accordé les trois autres, simplement pour dire qu'ils savent gérer les affaires en sauvant douze mille dollars.

– Tu veux rire.

Jean-Marie hocha négativement la tête.

– Au contraire, je n'ai pas envie de rire, je suis très sérieux.

Perplexe, Antoine-Léon tiqua de la joue.

– J'ai l'habitude d'aller droit au but, de suivre la ligne drette, comme disait mon père.

– Cette fois, tu as tort, dit Jean-Marie. En affaire, tu ne louvoieras jamais assez, tu ne seras jamais assez astucieux.

Antoine-Léon courba la tête. Son confrère était de dix ans son aîné et il se dirigeait tout doucement vers les postes supérieurs. Il ne pouvait s'empêcher d'envier son jugement solide, son sort aussi, la tranquillité qui se dégageait de sa personne. Il se demandait, s'il avait choisi de rester dans les bureaux, si, comme lui, il se rapprocherait des mêmes sommets. Il se retint d'approfondir sa pensée. Les regrets sont un regard nostalgique vers le passé, personne n'a jamais avancé en se tournant vers l'arrière.

Il était arrivé devant sa résidence. Pressant le pas, il fonça vers l'entrée.

26

Les ingénieurs de la scierie revenaient de leur réunion annuelle. La mine préoccupée, en file disciplinée, ils regardaient droit devant, ne voyaient rien de la belle journée d'été, du brillant soleil qui rôtissait les herbes. Ils allaient s'enfermer derrière les murs froids de leur bureau.

Pendant une heure, isolés dans une salle de motel, ils avaient débattu des problèmes de productivité. La discussion avait été houleuse et Damien était intervenu à plusieurs reprises.

Le travail de synchronisation devait être effectué avec une précision mathématique. Après un an, malgré les deux bris majeurs qui les avaient affectés, ils avaient atteint leur rythme estimé de croisière, mais ils étaient tenus de faire mieux, augmenter encore leur efficacité pour atteindre un profit, chaque année supérieur. Une usine ne devait jamais cesser de croître, avait clamé Damien. Ils obtiendraient les mêmes résultats que l'année précédente qu'on exigerait d'eux qu'ils rapportent encore plus l'année courante.

En même temps que la préparation des plans de construction de la scierie, les étapes de sa rentabilité avaient été soigneusement calculées et comprises dans l'étude de marché. L'approvisionnement, les masses de bois débité à l'heure, le bénéfice net, tout avait été strictement quantifié. En bons gestionnaires, ils ne pouvaient se permettre de faire du sur-place, ils devaient sans cesse progresser, dépasser le rendement ciblé. Pour ce, ils devaient accélérer la cadence.

Un autre point à l'ordre du jour avait mis le feu aux poudres.

Hubert qui avait pour tâche, avec l'informaticien, d'étudier le fonctionnement des appareils passait déjà de longues heures à se demander comment ils pourraient faire davantage et limiter les pertes de temps. Devraient-ils augmenter le personnel, ajouter d'autres machines ? Il s'était attardé à la question jusqu'à travailler dans les ateliers tard le soir et même s'y déplacer la nuit. Antoine-Léon avait fait de même. L'un à titre de directeur de l'usine et l'autre à celui de responsable des machines, ils avaient échangé leurs connaissances.

Un soir, comme il arrivait fréquemment, un déréglement s'était produit.

C'était dans les quinze jours qui avaient précédé leur rencontre. On était au début du mois de juillet et l'usine ronronnait comme un gros chat. Tout semblait fonctionner rondement quand la chaîne avait stoppé dans la salle de rabotage du bois. Sans raison, les planches provenant du séchage s'étaient accumulées et avaient bloqué le passage vers l'étape suivante. Dans une succession logique, les autres salles avaient dû attendre, compromettant d'autant la continuité.

Hubert s'était empressé d'appeler Antoine-Léon à sa rescousse, mais c'était un premier lundi du mois et, ce soir-là, se tenait la réunion des marguilliers.

Le temps d'en être averti et celui de se rendre à l'usine, il s'était écoulé quarante longues minutes pendant lesquelles tous les secteurs avaient fonctionné au pas de tortue quand ils devaient produire à plein régime !

Hubert avait été blâmé pour cette pause. Cette situation entachait son dossier. Il en imputait la faute à Antoine-Léon, leur travail en étant un de collaboration. À l'occasion de cette réunion, il n'avait pas manqué d'interpeller le directeur de l'usine, sans ménagement, devant ses confrères réunis.

— Coudon, as-tu fait exprès de t'embarquer dans le conseil de la fabrique quand la scierie est encore comme un enfant aux couches, qu'il faut être disponible vingt-quatre heures sur vingt-quatre ? C'est-ti que tu voulais faire le frais le dimanche à l'église, dans le banc des marguilliers ?

— Je vois pas en quoi ça te dérange, avait ironisé Antoine-Léon, tu vas jamais à l'église, toi, c'est du bord de l'enfer que tu vas faire le frais.

— Ça m'empêche pas de savoir comment ça se passe et que tous les moyens sont bons pour se faire du capital, surtout que…

– Surtout que quoi, Lesage ? avait proféré Antoine-Léon sur un ton menaçant.

– Je me parle. Il arrive que certains aient besoin de se valoriser, on dira pas pourquoi.

– Je pense que toi, moins que les autres, Lesage, t'as de leçons à donner en ce sens, avait répliqué vertement Antoine-Léon, mais j'ai assez de classe pour ne pas te le remettre sur le dos.

– T'as appris ça de ta femme ? railla Lesage.

– S'il te plaît, Lesage, c'est une réunion d'affaires et on ne fait pas de personnalité, avait proféré Damien, le rappelant à l'ordre.

Antoine-Léon avait frémi de colère. L'envie lui avait pris de répliquer vertement à Hubert, mais il s'était retenu. Il s'était adressé aux autres.

– Si vous y tenez, à l'avenir, je vais donner toute ma disponibilité à l'usine, sauf pendant mon mois de vacances où j'espère qu'on m'obligera pas à rentrer sur appel. Je vais même abandonner mes engagements sociaux et démissionner de mon poste de marguillier.

Son regard appesanti sur eux, il avait enchaîné avec sécheresse :

– Une compagnie est une machine sans âme. Ce que je dis là, c'est pas la révélation du siècle, c'est même un cliché. Tout ce que je souhaite, c'est qu'on va reconnaître mes loyaux services.

– Voyons, Savoie, l'avait tempéré Damien. On sait tous l'aide que tu as apportée bien des fois à Lesage pour le rééquilibrage des machines, même si ça ne faisait pas partie de tes tâches. Aussi, on reviendra pas là-dessus. Je suis certain que Lesage s'est oublié, que ses paroles ont dépassé sa pensée. Il est déçu parce qu'il a reçu un blâme. Je suis sûr qu'il te demande pas d'aller jusqu'à écourter tes vacances, quoiqu'il ait pas tout à fait tort. Mais il existe un moyen de contourner le problème, tu vas te munir d'un téléavertisseur.

– Un bip et la couenne dure, avait observé Antoine-Léon.

Ils avaient éclaté de rire.

L'atmosphère s'était un peu allégée. L'équipe avait d'autres sujets à aborder. Pendant de longues minutes, ils avaient soulevé d'autres problèmes et suggéré des correctifs. Il ne s'en était pas mêlé. Les allusions de Lesage l'avaient blessé. Incapable de se défaire de cette désagréable impression, il avait écouté en silence. Tandis qu'il s'en retournait vers l'usine, il n'avait pas moins songé combien son implication était lourde à porter, avec le sentiment d'avoir sur ses épaules le poids entier d'une énorme industrie.

Une voiture était stationnée près de l'entrée des bureaux. Il la croisa sans un regard et escalada le perron avec les autres.

— Monsieur Savoie, s'entendit-il héler, Antoine-Léon...

Il se retourna. Une femme était descendue du véhicule et se tenait près de la portière. Les sourcils froncés, il la fixa.

Elle marqua son étonnement.

— Tu me reconnais pas ? C'est moi, Roxanne.

Il se ressaisit. Comme éveillé d'un songe, il prononça sur un ton évasif :

— Mais si, je vous reconnais, Madame Martel. Que me vaut l'honneur ?

— Quelle cérémonie tout d'un coup ! V'là que tu me vouvoies et ce « madame », ça fait formel. Ben certain, *astheure* que le *bloc* t'appartient pus, que t'as pus besoin de mes services, la relation change.

— Pas du tout, se défendit-il vivement, c'est à cause du travail, de tous ces gens que je côtoie. Mais je suis un peu pressé. Que me vaut...

— Je suis venue te dire que l'ambiance a changé avec la nouvelle propriétaire et que j'ai décidé de pas renouveler mon bail en mai prochain. Je me cherche un logement.

— Pour le mois de mai prochain, répéta-t-il, ah, bon !

Il jeta un coup d'œil autour de lui. On était en juillet et la chaleur était suffocante. Du côté de la rivière, un clapotis se faisait entendre et les cigales stridulaient. On était loin d'un hiver et d'un printemps nouveau.

— C'est aimable de venir m'en avertir, mais je ne vois pas l'urgence, le mois de mai, c'est pas demain matin, vous...

Il se reprit.

— Tu n'es pas à un jour près.

— Pas tant que ça si je veux pas manquer ma chance de trouver le logement que j'ai *spotté*, un loyer qui serait à mon goût... J'ai entendu dire à travers les branches que ton locataire s'est acheté un terrain et qu'il s'apprêterait à se bâtir.

— Mon loca...

Antoine-Léon faillit s'étouffer.

– Mon locataire? C'est la première nouvelle que j'en sais. Il est vrai que j'ai pas souvent l'occasion de voir René Gervais, sauf lorsqu'il vient payer son loyer, quand il s'arrange pas avec ma femme. Faut dire qu'un policier a des horaires particuliers. Mais est-ce que c'est bien vrai? Ça serait pas un de ces bobards comme on en entend souvent en ville?

– Je le sais de source sûre. Ça veut dire que ton logement dans ton sous-sol serait libre. Je voudrais le louer et si je viens ici aujourd'hui, c'est que je voudrais être la première sur ta liste.

Antoine-Léon ne répondit pas. Il était embarrassé. Il savait qu'il refuserait, mais il se demandait comment le lui dire sans l'indisposer. La veuve lui avait rendu de grands services lorsqu'il était propriétaire de l'immeuble et il lui devait un minimum de reconnaissance. Mais il y avait Élisabeth. Elle n'accepterait jamais d'avoir comme locataire cette femme qu'elle n'avait pas cessé de décrier. La savoir tout près d'elle, comme locataire, l'épiant chaque fois qu'elle mettrait le nez dehors et suivant ses moindres mouvements serait une raison toute trouvée pour mettre à exécution sa menace de divorce.

– Vous me prenez de court, avança-t-il, reprenant intention-nellement le vouvoiement afin de mettre en évidence l'écart qui les séparait. Je ne peux prendre de décision sur cette seule supposition, je n'ai encore reçu aucun avis de mon locataire et quand il lui plaira de me l'apprendre, je penserai d'abord à mes enfants qui vieillissent. Peut-être que je voudrai garder le logement pour…

Il s'interrompit. Les ouvriers criaient dans la cour. La porte des bureaux s'ouvrait derrière lui et le personnel sortait au pas de course, dévalait les marches et se pressait vers un même point.

– Lâche tes boniments et suis-nous, hurla Damien en passant près de lui, il y a le feu.

Partout dans les bâtisses, les travailleurs abandonnaient leurs tâches. Dans un mouvement désordonné, comme une nuée d'oiseaux gris, ils se ruaient vers le fond de la cour. Là-bas, à l'extrémité du terrain, l'enfer, le grand brûleur à écorces dans lequel l'usine dispo-sait de ses résidus de bois, était allumé comme d'habitude et fumait.

Soudain, sa poitrine se crispa d'angoisse. Le nuage s'agrandissait au-dessus de l'âtre géant, Noir, épais, semblable au crachotement d'un engin à vapeur, il montait vers le ciel, cauchemardesque, se dégageait par lourdes bouffées, s'élargissait et embrumait l'espace, comme un cercle.

Une colonne de flammes fusait du brasier et s'élevait dangereusement dans les airs. Un crépitement sinistre couvrait les bruits.

— Jupiter, mais c'est pas vrai!

Abandonnant la femme, à son tour, au pas de course, il suivit les autres. Les ouvriers s'activaient. Un petit groupe s'était précipité vers les bâtisses et était allé décrocher les lourds boyaux de leurs supports. Les muscles tendus, ils les tiraient vers le foyer de l'incendie.

— Le feu déborde du diable! hurlaient-ils à ceux qu'ils croisaient comme s'ils voulaient partager leur affolement.

Antoine-Léon se rapprochait du sinistre. Essoufflé, il ralentit le pas et s'arrêta près de Damien, nerveux, qui donnait des ordres.

— Le feu est pris dans les cages, rugissait-il, arrosez les cages d'abord, les cages de bois scié, faut pas y voir la plus petite trace de brûlure.

Fébrile, il indiquait sur un côté, un carré de belles planches empilées.

Pourtant séparées de l'embrasement par une distance généreuse, elles dégageaient une fumée grise qui jouait dans les rayons du soleil. Le feu avait poussé l'audace. Avec un appétit féroce, il allait s'approprier les belles cages de bois blond.

Plus loin, les flammes avaient gagné la réserve de grumes. À grands coups de langue, elles léchaient une pile d'arbres couchés. On était en été et le soleil irradiait puissamment. Le temps sec et la chaleur intense avaient fait s'embraser les pièces de bois les plus proches du grand âtre.

Antoine-Léon se prenait à penser que ce n'était pas son jour de chance. Tantôt, à l'heure du lunch, c'étaient ses confrères qui avaient discuté ses actes et maintenant, c'était au tour de la fournaise à déborder de ses limites.

Le fonctionnement de l'usine tout entière était sous sa responsabilité, de même que la cour. Chaque incident lui était imputable. Il lui fallait se débarrasser de ce problème que constituait l'enfer et de la menace qu'il faisait planer sur les installations. Il devait l'éloigner ou, ce qui serait préférable, chercher un moyen d'utiliser les résidus comme matière première au lieu de les laisser se perdre en les brûlant.

La décision le frappa de plein fouet. Il les offrirait à la *QNS*. L'usine de papier possédait déjà des bouilloires à écorce, elle ne pourrait qu'être enchantée de récupérer les croûtes pour la production de pâte.

Ils les passeraient au *chipper*, pour enlever toute possibilité de pourriture, les transformeraient en copeaux et les leur expédieraient. Il était si exaspéré qu'il avait décidé, s'ils discutaient seulement d'un prix, qu'il leur en ferait don, tant il voulait se débarrasser de ces rebuts. La compagnie n'aurait qu'à venir les prendre, elle n'aurait que le transport à payer.

Sans compter que le ministère de l'Environnement les laisserait tranquilles. Depuis le début des opérations, ils n'avaient pas cessé de recevoir la visite des inspecteurs. Les lois étaient sévères concernant la pollution par la fumée.

Tantôt, lorsqu'il rentrerait dans son bureau, il ferait une première approche au téléphone et par la suite, il rédigerait une proposition.

– J'ai trouvé un moyen de nous débarrasser des croûtes, dit-il à Damien.

Il lui rapporta ses intentions.

– Enfin, une bonne nouvelle, répondit Damien. Je commençais à en avoir plus qu'assez de toute cette merde qui n'arrête pas de nous tomber dessus. Le problème de l'enfer résolu, ça en fera un de moins.

Antoine-Léon hocha la tête de satisfaction. Attentifs l'un près de l'autre, ils suivirent les dernières manœuvres des pompiers de fortune. Les boyaux avaient craché des tonnes d'eau. De longues giclées avaient secoué l'air et une épaisse buée grise avait enveloppé l'impressionnante fournaise à ciel ouvert.

L'incendie était éteint. Les hommes attendirent quelques minutes et s'assurèrent que tout danger était écarté. Enfin, ils reculèrent, enroulèrent les boyaux et les rangèrent sur leurs supports. L'incident avait causé plus de peur que de mal, mais pareille situation ne devait plus se reproduire.

Chacun s'en alla vers ses occupations.

Antoine-Léon jeta un regard vers l'entrée, l'aire de stationnement des visiteurs était vide. La veuve Martel avait quitté l'endroit.

Il poussa un soupir de soulagement. Il se reconnaissait une certaine lâcheté, mais, à quarante-cinq ans, après dix-huit années de vie commune, il avait appris que la vie familiale devait l'emporter. Une sorte d'apaisement l'enveloppa. Pressant le pas, il alla s'enfermer dans son bureau.

27

L'automne avait passé, l'hiver, encore une fois, s'était amené, traînant sa neige et son vent du nord. À la scierie, malgré le climat éprouvant, le froid et les tempêtes, les salles bourdonnaient comme autant de ruches.

Tous les problèmes mécaniques importants étaient réglés au grand allégement des administrateurs et l'usine avait atteint le rythme de production souhaité.

Dehors, chaudement vêtus d'un parka matelassé boutonné jusqu'au col, leur casque de sécurité doublé d'une mentonnière de laine rabattu sur leurs sourcils, les mains enfouies dans de grosses moufles de cuir rejoignant leurs coudes, les employés s'affairaient.

Comme une multitude de points noirs piquant le duvet blanc, ils maniaient des chariots élévateurs ou, une charge sur les épaules, se déplaçaient à pied. Le visage rougi de froid, une buée dense s'échappant de leur bouche, la moustache décorée d'une suite de glaçons, pour ceux qui en possédaient une, ils circulaient de la cour à la bâtisse et de la bâtisse à la cour, vaillamment, défiaient les éléments.

Mais ce qui faisait le plus plaisir à voir était ce vieux pick-up branlant qu'ils voyaient s'époumoner à travers le terrain qu'ils avaient décidé de louer en fondant la dépense dans leurs frais généraux. Ils avaient trouvé dans ce compromis, une manœuvre pour contrer le refus du petit CA.

Les piles de bois d'œuvre s'accumulaient du côté de l'entrée. Chacun travaillait avec entrain. Sans cesse, de nouveaux étagements allaient gonfler les stocks déjà prêts à être chargés sur les bateaux, jusqu'à dépasser les prévisions les plus optimistes. Les rapports de fin de mois remplissaient les administrateurs de satisfaction. Le *Chicago Tribune*, la société Rexfor et la *QNS* ne cessaient de se louer d'avoir entrepris un projet aussi rentable.

Du côté des bureaux, les chauffages ronflaient et dégageaient une vive chaleur. Les locaux étaient tous occupés, remplis d'ingénieurs, de comptables, de secrétaires et de commis.

Ce matin-là, comme chaque fois, sitôt arrivé, Antoine-Léon s'était dirigé vers les ateliers pour son inspection habituelle. Il avait terminé et, debout sur le quai, frissonnant dans le froid, se tenait dans l'attente. C'était un lundi et les fardiers tardaient à pointer leur nez de la forêt.

Il n'en était pas surpris. Ces contretemps étaient fréquents pendant l'hiver, avec les chutes de neige et les rafales qui formaient des congères sur les routes, ralentissaient l'avance des véhicules de transport, parfois même les obligeaient à attendre le passage de la déneigeuse.

À ces occasions, afin de garder le rythme, l'équipe du quai d'embarquement s'approvisionnait ailleurs. Ils disposaient, le long de la cour, d'une bonne réserve d'arbres coupés. Tantôt, ils avaient dû actionner la grue et aller y puiser quelques rations de troncs.

Antoine-Léon était demeuré longtemps dehors, figé, à grelotter dans l'air glacial. L'opération terminée, il s'était réfugié dans les salles, mais il avait continué à grelotter. Celles-ci n'étaient pas plus confortables, cernées qu'elles étaient par les tourbillons de vent mordant qui prenaient d'assaut toutes les ouvertures.

Frigorifié, il décida de ne pas attendre les fardiers, de regagner plutôt la chaleur de son bureau. Il surveillerait leur passage de sa fenêtre.

En même temps qu'il s'y dirigeait, il demanda à madame Flamand, sa secrétaire, de lui apporter une tasse de café brûlant.

— Ça n'a pas l'air d'aller, Monsieur Savoie, s'inquiéta-t-elle.

— Pas trop, non, je me sens gelé jusqu'aux os.

Sitôt entré dans son local, il se laissa tomber sur sa chaise. Son front entre les mains, il se recourba sur lui-même. Il était incapable d'ouvrir ses dossiers. Il se disait que rien ne le ferait sortir de son coin de travail avant que ne sonnent quatre heures trente, qu'il resterait dans l'air enfumé et lourd et ne s'en délogerait que pour rentrer chez lui. Il s'installerait alors dans le boudoir, allumerait un bon feu et laisserait l'agréable chaleur des braises courir sur ses membres transis.

Des pas ébranlaient le corridor de l'autre côté du mur. Il se redressa. Dans une demi-seconde, madame Flamand passerait la tête dans la porte. Un sourire accroché à ses lèvres, elle apporterait avec précaution la tasse de café demandée et la déposerait sur sa table.

Une galopade de grosses chaussures buta plutôt sur son seuil. C'était Hubert. Il paraissait essoufflé, surexcité.

— J'arrive de dehors, t'es pas au courant ? Paraît que des gars ont voulu empêcher le dix roues à Charlemagne Beaudet de sortir de la forêt.

Antoine-Léon sursauta. Il était incrédule.

— Charlemagne ? Ça se peut quasiment pas.

— Puisque je te le dis, c'est lui-même qui vient de le rapporter.

— Où est-il, Charlemagne ?

— Il est en train de décharger devant le quai, tu peux aller le voir si tu me crois pas.

— Ça veut dire qu'il a réussi à passer, déduisit Antoine-Léon. Ce sont probablement des petits malins qui ont voulu faire de l'intimidation. Ce doit être en rapport avec les négociations syndicales. Ils ont dû comprendre que Charlemagne est un entrepreneur privé et qu'il n'a rien à voir avec leurs revendications. À mon avis, ils ne recommenceront pas.

Il s'était voulu rassurant. Depuis quelques semaines, les conventions collectives étaient échues chez les ouvriers affiliés à la CSN. Les discussions entre les parties étaient amorcées et la tension montait.

La scierie adhérait à un autre syndicat, raisonnait-il. Les fauteurs de troubles devaient les ignorer, comme il se doit, et s'en tenir à harceler les entreprises dans lesquelles travaillaient leurs membres.

— D'après Charlemagne, ils n'avaient pas l'air de vouloir s'arrêter là, observa Hubert.

— Qu'est-ce qu'il leur prend, à ces malfrats, de ne pas se conformer à la règle ?

Contrarié, il repoussa son fauteuil. Faisant un effort, il enfila son parka et sortit dans la cour. Là-bas, tout au bout de l'usine, il distinguait la semi-remorque de Charlemagne Beaudet.

Rangée près du premier quai, elle subissait les assauts de la chargeuse à grappin qui la délestait à grinçantes brassées de ses provisions de troncs. Il s'y dirigea d'un trait.

Le camionneur était là. Assis à l'intérieur de sa cabine, l'œil fixe, appesanti, il attendait dans la chaleur de sa chaufferette.

Antoine-Léon ouvrit la portière, côté passager, et monta près de lui.

J'ai appris qu'il t'est arrivé une petite mésaventure lorsque t'as voulu sortir de la forêt, amorça-t-il. Tu vas me raconter ça.

Charlemagne leva mollement les yeux.

— Ouais! J'allais prendre la 138 quand j'ai repéré quelqu' jeunots qui barraient l'chemin près d'la ligne. Y m'ont fait signe de stopper, pis ils ont crié de r'virer d'où je v'nais, que j'passerais pas.

Il fit une pause et mâchouilla son cure-dent. Lentement, il rouvrit la bouche. Un scintillement allumait ses prunelles.

— J'ai enfoncé la pédale à gaz. Le moteur s'est emballé à faire peur à un ours. J'ai baissé ma vitre, pis j'ai crié: Ôtez-vous de mon chemin, mes câlisses, parce que moé, j'passe. J'ai embrayé en première, mon truck a bardassé dans tous les sens, j'ai poussé le gaz à fond, pis je suis parti aussi vite. Y s'sont tassés. Ils étaient mieux parce que j'allais pas freiner. Je les aplatissais comme des crapauds.

Antoine-Léon hocha la tête dans une attitude compréhensive et le laissa poursuivre son récit.

— C'est ben clair qu'ils voulaient me faire peur, pour que j'rapporte le fait à tous ceux que je rencontrerais. Parce que, contre moé, ils pouvaient pas grand-chose. Contre un dix roues, chargé en plus, on est pas gros. Paraît que les négociations sont commencées avec le syndicat et que ça discute fort?

— C'est le bruit qui court, opina Antoine-Léon, mais le bruit court aussi que la canaille qui cherche à faire du trouble vient du côté de Montréal, que c'est pas des gars de chez nous. Toi, t'as rien à voir là-dedans, indiqua-t-il sur un ton raffermi. Tu es propriétaire de ta business et tu n'es pas syndiqué. Faudra dire aux autres camionneurs de pas se laisser intimider. Je compte sur toi, Charlemagne, pour leur passer le message.

– Vous cassez pas la tête, Monsieur Savoie, on en a déjà discuté et on s'est entendus. S'ils recommencent, on va leur couper l'accès à la forêt à partir de la grand' route. Les chemins forestiers sont privés et seront accessibles qu'aux utilisateurs. Ils seront fermés avec des barrières solides qu'on va ouvrir chaque fois qu'on va passer.

Antoine-Léon descendit du véhicule et s'en retourna vers les bureaux. Il marchait la tête basse. Il ne pouvait s'empêcher d'être songeur. Charlemagne s'était montré rassurant, sans toutefois réussir à le délester de ses préoccupations. L'incident du matin n'était que des mots et des menaces, Charlemagne avait eu affaire à des amateurs. Mais face aux gorilles qu'engagerait le syndicat, les camionneurs ne seraient pas à l'abri, même dans la cabine verrouillée de leur poids lourd.

La situation était délicate et il devait y porter la plus grande attention. Il avait une importante business à gérer et rien ne devait entraver son fonctionnement.

Pressant le pas, il se dirigea vers son bureau.

– T'arrives des ateliers, s'entendit-il demander. Quelles sont les nouvelles ?

Comme chaque fois, la porte de Damien était ouverte. Il avait adopté cette habitude lorsqu'il procédait à ses écritures, de jeter un œil sur ce qui se passait autour de lui, sans avoir à bouger de sa place.

Antoine-Léon revint sur ses pas et alla s'appuyer au chambranle.

– Je suppose qu'Hubert t'a mis au courant de ce qui vient d'arriver au camionneur Charlemagne ?

Damien repoussa son stylo et croisa ses doigts sur son ventre.

– Comme tu devais t'en douter, Lesage a fait le tour du personnel, mais j'ai pas encore commenté. Je voulais t'entendre d'abord.

– J'ai parlé avec Charlemagne, expliqua Antoine-Léon. Ce qu'il m'en a dit m'a pas trop sécurisé. La tactique des syndicalistes est de barrer la route aux camionneurs qui sortent le bois de la forêt. C'est frustrant pour eux de voir ces petits entrepreneurs venir nous approvisionner comme si de rien n'était pendant qu'ils se démènent à coups de gueule pour faire plier les employeurs et les tenir à leur merci. Leur dessein c'est de nous faire manquer de bois, de n'avoir d'autre issue que fermer boutique nous aussi et que toute la Côte-Nord soit paralysée. Ils seraient devenus les maîtres et pourraient imposer toutes les conditions qu'ils voudraient, même les plus inimaginables.

— Ça prend des bandits pour manigancer des affaires de même quand l'économie de la place n'a jamais été aussi florissante, ragea Damien. Les forestiers de la Côte-Nord ont d'excellents salaires, tout le monde a de l'ouvrage et vit grassement. Nous jouissons d'une aisance que nous envient toutes les autres régions de la province.

Désenchanté, de son index, il frictionna durement son front.

— Je crains que la *QNS* ne se dirige vers une grève et c'est bien dommage… quand ça commençait à peine à bien aller chez nous… Ben entendu, l'argument des syndicats c'est que les grosses compagnies américaines s'enrichissent sur notre dos.

Il s'emporta brusquement.

— Qu'est-ce qu'ils veulent? Participer aux profits? C'est pas si simple. Pour participer, faut investir. Sous le prétexte du droit de tous à la part du gâteau, ils veulent saper la productivité. Qu'est-ce que les compagnies vont faire si elles ne font pas de profits? Elles vont aller s'installer ailleurs. Et les travailleurs dans ça?

Il éclata.

— Ils seront au chômage, en ligne à la soupe populaire. Que reprochent-ils tant aux compagnies américaines? Ces villes forestières, ces agglomérations prospères qui s'échelonnent sur la Côte-Nord: Havre-Saint-Pierre, Sept-Îles, Port-Cartier, Baie-Comeau, Forestville, toutes ont été fondées par un Américain. En connais-tu un, toi, un Québécois qui aurait mis son argent dans cette grande forêt vierge? Il n'y aurait pas cru. Il se serait acheté un Winebago, des caisses de bière et serait allé passer ses hivers en Floride.

Damien s'agitait sur sa chaise, il écumait.

Alerté, Antoine-Léon pénétra dans la pièce et ferma la porte. Il tenta de le calmer.

— C'est pas à moi qu'il faut dire ça, je suis le premier à penser comme toi. L'important, c'est de s'assurer du support de nos employés et c'est ce sur quoi on va travailler.

Il savait qu'il leur faudrait y mettre un effort constant. La confiance est un rapport avec les autres qui n'est jamais acquis.

Il ouvrit la bouche pour s'exprimer. Une toux sèche le secoua. Il dégagea son mouchoir de sa poche et épongea son front.

– Ça ne va pas ? demanda Damien.

– Je pense que je commence une grippe. J'avais idée de passer la journée dans mon coin, sans bouger de ma place en évitant de contaminer les autres, mais je pense que le mieux serait de m'en aller à la maison et me soigner, je me sens pas mal amoché. Je pourrais apporter quelques dossiers.

– C'est ça, va te soigner chez toi, lui recommanda Damien. S'il survient un problème, on te téléphonera.

Les lèvres avancées, il ajouta avec un petit rictus moqueur :

– On te callera sur ton bip.

– Ouais ! à moins que je le ferme, souffla Antoine-Léon, pour une fois j'aurais droit à un peu de paix.

Il se dirigea vers son bureau. Tous les os lui faisaient mal. Il saisit au hasard une pile de documents et sortir dans la cour. Il est vrai qu'il se sentait souffrant et qu'il méritait une pause, constatait-il tandis qu'il s'orientait vers la maison. Et on ne pourrait le taxer d'abus. C'était la première fois depuis son embauche qu'il s'accordait un congé de maladie.

Les tâches étaient dures et son corps était fatigué. Il prenait de l'âge, se rapprochait allègrement de la cinquantaine. Les années avaient passé et ses enfants avaient grandi. Philippe, son aîné, était âgé de dix-sept ans et avait fait son entrée au Cégep. Dans deux ans, il se dirigerait vers l'université. Il deviendrait ingénieur, comme son père, leur avait-il annoncé. Dominique resterait encore un temps avec eux. Âgée de quinze ans, étudiante au secondaire, elle avait choisi de devenir médecin, comme son grand-père, à la grande fierté de sa mère.

Son fils et sa fille avaient poussé comme de jeunes arbres et il ne les avait pas vus grandir, soupira-t-il. Il n'était pas loin le jour où ils lui annonceraient qu'ils quittaient la maison pour de bon, qu'ils allaient fonder une famille et faire de lui un grand-père.

Mais ils commenceraient par s'éloigner pour étudier à l'université.

Revenaient à sa mémoire ses années passées à l'ombre de la grande institution dans la ville de Québec, le modeste meublé qu'il partageait avec sa sœur, les chambres d'étudiants avec usage d'une dînette qu'avait dénichées pour eux leur mère au sous-sol d'une résidence. Il se demandait comment il trouverait le moyen de se déplacer à son tour dans la grande ville afin de choisir un logement pour ses enfants.

Il prenait conscience de l'importance que prenaient ses occupations professionnelles et du peu de temps qu'il consacrait aux siens.

Sa résidence se dessinait au loin, presque ensevelie sous les congères qui bordaient la rue. Une sensation de détente inonda sa poitrine. Il rêvait déjà du délassement qu'il allait s'accorder, enfoncé dans son fauteuil et se délectant de la bonne chaleur du foyer.

Un savoureux arôme de rôti mijotant dans le four l'accueillit à son entrée. Élisabeth s'était avancée dans le hall.

— Que se passe-t-il ? Aurais-tu démissionné ou encore t'aurait-on remercié de tes services ?

Elle paraissait joyeuse et ses yeux brillaient.

— Je plaisante, je sais bien qu'un virement ne se fait pas de façon aussi cavalière, fit-elle en l'entraînant vers le salon. Viens ! Nous avons une visite, de la belle visite.

Antoine-Léon lui jeta un regard interrogateur. Soudain, tout son visage s'illumina.

— Si c'est pas ma petite sœur, Marie-Laure. Il y a une éternité qu'on t'a vue. Je pensais justement à toi en m'amenant ici.

— Voilà que tu as des prémonitions, mon frère, aurais-tu hérité du flair de notre cher oncle Charles-Arthur ?

— Viens pas m'insulter, mes souvenirs ont plus de valeur. C'était tout un spécimen, celui-là.

Il éclata de rire.

— Tu te rappelles lorsqu'on l'avait surpris avec une flasque de gros gin derrière les cages de planches dans la scierie de not' père, et cette autre fois, dans le boisé, en train d'embrasser une créature ?

Elle secoua affirmativement la tête. Imitant la voix de son oncle, elle déclama :

— J'avais le sentiment que je verrais rebondir vos faces de malfaisants.

Ils pouffèrent. Dépitée au milieu de sa cuisine, Élisabeth croisa les poings sur ses hanches.

— Et moi, dans tout ça ? Pas aussitôt entrés, vous oubliez tout et vous devenez seuls au monde.

— Déformation filiale, se justifia Antoine-Léon. Je peux savoir ce qui t'amène par chez nous, petite sœur ?

— Je ne suis pas ici en promenade, répondit Marie-Laure, redevenant sérieuse. Je suis en mission commandée. Je suis venue faire un reportage sur les travailleurs forestiers, je dois aussi soulever la question des conventions collectives qui sont sur le point d'être renouvelées.

— Toi, une femme, faire un reportage sur les forestiers, se dressa Antoine-Léon, en plus de te mouiller dans une affaire aussi épineuse que des chicanes de syndicats !

— Antoine-Léon Savoie, le tança Élisabeth, ta remarque est une vraie insulte. Je voudrais bien savoir ce qui retiendrait une femme de cogiter un article expliquant ce que les gars de chantier aiment ou n'aiment pas ? Raconter qu'ils dorment dans des camps temporaires, se lèvent à la barre du jour, mangent des fèves au lard et du gruau pour déjeuner ne demande pas un génie mathématique.

— Te choque pas, la contint Antoine-Léon. J'ai seulement voulu dire que je ne vois pas une femme faisant ce genre d'entrevues, parce que… parce…

Épuisé, il enfouit son visage entre ses paumes.

— Ah ! et pis, j'ai pas le goût de discuter. J'ai une de ces grippes carabinées et un mal de tête…

Marie-Laure arrondit les yeux d'inquiétude.

— Tu as mal à la tête ? Je n'aime pas ça du tout. Tu sais que David aussi a souvent mal à la tête.

— Je ne le savais pas. Je me rappelle qu'il avait parlé d'un problème avec son foie, l'an passé, quand on a placé la mère. Il devait aller consulter un docteur. C'est pas réglé, ce mal-là ?

— Hélas non, et son foie n'a rien à y voir. Bertha m'a téléphoné la nouvelle. Il a passé des examens et ce n'est pas très encourageant. Il aurait quelque chose au cerveau, un nodule, paraît-il.

Antoine-Léon eut un mouvement de recul.

– Pas la même maladie que Cécile. David aurait pas un cancer au cerveau, lui aussi ?

– On ne le sait pas encore, mais c'est à craindre, déclara Marie-Laure. Il faut garder ça entre nous, ajouta-t-elle, et surtout ne pas en parler à maman. Elle a été tellement éprouvée par la mort de Cécile. D'apprendre ça, la tuerait.

– Est-ce qu'on peut faire quelque chose ?

– Donner du courage à Bertha qui appréhende le pire. Et si c'est bien ce dont il souffre, souhaiter que la médecine soit plus avancée qu'il y a trente ans.

Comme une idée fixe, elle revint poser ses yeux sur lui.

– Mais toi, qu'est-ce que c'est que ce mal de tête ?

– Une simple grippe, assura-t-il. Je te jure que je ne l'avais pas hier. Comme l'ouvrage n'urgeait pas à la scierie, j'ai décidé de prendre congé.

Marie-Laure esquissa une moue espiègle et dégagea son carnet de notes.

– Au fond, ce n'est pas une mauvaise chose, ça va me permettre de commencer mes interviews. Il paraît que ça gronde en forêt ?

– T'aurais dû être là, ce matin. Un de nos camionneurs a rapporté avoir été menacé par trois, quatre gars au sortir du bois. T'aurais dû entendre ce qu'en a dit Damien, le directeur général. T'aurais eu assez de matériel pour faire deux colonnes d'article.

– Justement, mon intention est de parler aussi du syndicat des travailleurs et des conventions collectives.

– Pour ça, tu devras aller enquêter du côté de la *QNS*.

– Ce qui veut dire que l'usine a également des travailleurs en forêt.

– Elle en a.

Il alla prendre place dans son fauteuil et posa sa tête sur l'accotoir. Il peinait à reprendre son souffle.

– C'est bien parce que tu es ma sœur que je me donne la peine de te répondre, parce que, avec ma grippe, je préférerais boire un bon gin chaud et aller me coucher.

Péniblement, il expliqua les modes d'opération en forêt, décrivit le rôle des *bûcheux* rattachés à la scierie des Outardes, que des *jobbeurs*, possédant une, deux, parfois trois machines qu'ils confiaient à leur frère, leur beau-frère, leur cousin.

— On appelle ça des unités de production. Quand c'est la famille qui travaille, des syndicats, il y en a pas. Ça ne plaît pas aux centrales syndicales parce qu'elles craignent que leur exemple soit suivi. S'il fallait que tous les travailleurs décident de former des groupuscules de petits entrepreneurs indépendants, ils n'auraient plus de prise.

— Je comprends, fit Marie-Laure.

Devenu silencieux, il suivit la course de son crayon tandis qu'elle noircissait une feuille.

— Tu te montreras juste envers l'employeur, lui recommanda-t-il. Les journalistes ont LA tribune. Ils peuvent faire beaucoup de bien comme ils peuvent détruire aussi. J'espère que ton article incitera les syndiqués à respecter l'ordre social établi.

— Les journalistes peuvent être aussi des gens d'honneur, répondit-elle en refermant son cahier.

— Les journalistes ont tendance à pencher vers la masse, celle des salariés, des exploités, comme ils disent.

Marie-Laure posa sa main sur son bras.

— Va soigner ta grippe et fais-moi confiance. Nous avons été façonnés dans le même moule, l'aurais-tu oublié ? Le plus authentique, le plus incorruptible de la terre. Ne sommes-nous pas les fiers héritiers de l'homme de la rivière et de la veuve de l'artiste ?

28

Marie-Laure avait rédigé son article. Un bel article, remarquable et éclairant. Antoine-Léon n'avait pas dissimulé son orgueil. Sa sœur s'exprimait bien. Usant de mots justes, sans affectation, elle avait décrit le métier des *jobbeurs*, ces indépendants de la forêt, presque des familles, avait-elle précisé en empruntant ses mots à lui.

Elle s'était aussi penchée sur les autres forestiers, ces ouvriers syndiqués qui s'apprêtaient à se retrouver au milieu d'un litige. Ceux-là critiquaient leurs mauvaises conditions d'emploi, principalement le travail à la tâche et les trop longues heures. Elle avait énuméré leurs exigences qui étaient de limiter la semaine de travail à quarante heures, le tout arrondi d'une augmentation du tarif horaire correspondant à trois fois le salaire minimum. Ils voulaient de plus introduire dans la convention collective une clause d'indexation des salaires au coût de la vie et un revenu annuel garanti. Elle n'avait rien oublié.

Damien avait pris connaissance de la page du journal et avait froncé les sourcils. En meneur d'hommes qui n'avait pas de temps à perdre, il avait escompté y voir des chiffres. Il aurait voulu que les salaires des travailleurs de la forêt soient indiqués de façon nette, que la population soit informée du fait qu'ils étaient supérieurs à ceux de tous les autres corps de métier, ceci afin de compenser les contraintes inhérentes à leur labeur, mais Marie-Laure n'était pas allée jusque-là. Elle s'était voulue objective et ne s'était permis aucune comparaison. Elle avait rapporté la prise de position des uns et des autres, sans laisser transparaître la moindre tendance.

Les semaines avaient passé, l'effervescence de Damien s'était calmée et il était retourné à ses occupations.

Du côté de la papetière, les négociations amorcées depuis un moment entre les parties patronale et syndicale ne cessaient de s'envenimer. Engagées d'abord sur un ton policé, avec l'arrivée du printemps, elles s'étaient dégradées pour se transformer en une sorte de duel ponctué de répliques vives et blessantes.

Comme si chacun se montrait sourd aux arguments de l'autre, les négociateurs ressortaient de leurs rencontres chaque fois plus déçus, conscients que leurs discussions au lieu de les rapprocher, les divisaient et ne pouvaient que les conduire vers un débrayage, au grand dam des employeurs qui entrevoyaient les énormes pertes d'argent que causerait un gel des activités. Au grand dam aussi de ceux, parmi les travailleurs, qui étaient opposés à une grève et qui redoutaient les conséquences d'un manque à gagner.

La majorité des ouvriers vivaient au jour le jour et ne se privaient d'aucun plaisir. C'était le credo dans ces régions éloignées de compenser l'ennui par quelques agréments. En plus de se permettre des vacances annuelles sur les plages chaudes de l'Atlantique, la plupart possédaient une seconde résidence ou un chalet de pêche quand ce n'était pas les deux. Une camionnette pour leurs déplacements en forêt dormait dans leur cour, de même que VTT, motoneige et roulotte sans compter la deuxième voiture pour l'épouse, ces compléments à leur quotidien, achetés bien entendu, à crédit.

Heureusement, la scierie des Outardes fonctionnait en marge de ces problèmes. En plein épanouissement, elle produisait au maximum et n'avait jamais été aussi prospère.

Ce matin-là, comme à l'accoutumée, Antoine-Léon avait déserté son bureau pour faire sa tournée des ateliers.

Ainsi qu'il en avait pris l'habitude, il allongeait son trajet en passant par la cour et se dirigeait vers la première bâtisse pour amorcer son inspection par la salle de la tronçonneuse.

L'air était tiède et il se déplaçait, les mains dans les poches, d'un pas de promenade. On était en mai, les derniers bancs de neige s'étaient évanouis et un parfum d'herbes sauvages courait dans l'air. Il songeait qu'avec la belle saison qui s'amorçait, le moment serait favorable pour brasser encore une fois le CA de Québec et exiger un *pick-up* neuf pour leurs besoins extérieurs. Le tas de ferraille qu'ils s'étaient procuré, sur le point de rendre l'âme, passait plus de temps chez le réparateur qu'à répondre à leur usage. Peut-être ainsi que l'avait suggéré Jean-Marie Côté en réclamerait-il trois ?

Il imaginait le saisissement des fonctionnaires. Il sourit à cette pensée. Il y réfléchirait.

Il tourna son regard vers le cœur de l'usine.

Là-bas, près du premier quai, un camion était immobilisé avec sa longue semi-remorque remplie de troncs verts. Il lui paraissait tranquille, au repos. De l'avant à l'arrière, ses garde-boue et ses longerons étaient maculés de l'eau de dégel des sentiers forestiers. De temps à autre, de petites coulées lentes, dégageant une sorte de fraîcheur, dégoulinaient sur le sol en terre battue et témoignaient de son arrivée récente.

Il considéra les alentours et ses yeux s'arrêtèrent sur la grosse chargeuse à grappin. Elle aussi était au repos. L'arrêt de cette machine était inhabituel et allait à l'encontre des règles. Que se passait-il encore ? Contrarié, à grandes enjambées, il se dirigea vers la plate-forme.

Les ouvriers affectés au secteur avaient abandonné leur poste et s'étaient regroupés dans la pièce. Même l'opérateur occupé habituellement sur le quai d'alimentation à la réception des billots, était descendu de sa cabine et avait joint leur cercle.

Dressé au centre, les dépassant d'une tête, se tenait le camionneur. Son casque protecteur enfoncé sur son front, empêtré dans ses salopettes tachées de gomme d'épinette, il mâchouillait un copeau. Plus loin, les préposés aux divisions voisines s'amenaient vers eux et grossissaient leur attroupement.

— Voulez-vous me dire ce qui vous permet de stopper la production de même ? gronda-t-il.

Frank Gauvin, le responsable des salles, s'approcha. Son visage habituellement amène paraissait sombre.

— Il y a qu'on vient d'apprendre une nouvelle. Les syndiqués de la CSN ont débrayé. Jérémie, le camionneur ici présent, l'a entendu dans la radio de son camion. Depuis le temps que ça traînait, c'était impossible qu'ils en viennent pas à ça.

Antoine-Léon serra les lèvres. Ainsi malgré les exhortations à la prudence de leurs cadres, les ouvriers forestiers avaient voté la grève. Une sensation de malaise titilla sa poitrine. Il savait qu'à cet instant la partie patronale et les chefs syndicaux étaient en réunion. Enfermés depuis le matin dans les salles de conférences, ils attendaient les réactions des autres groupes de travailleurs à travers la province.

— Paraîtrait qu'un chef syndical serait arrivé de Montréal par avion, expliqua Frank. Une limousine aurait été dépêchée à l'aéroport et l'aurait conduit vers l'édifice de la rue Marquette. Il serait entré dans la salle de conférences comme une tornade et aurait fait arrêter les discours en disant : « À partir d'*astheure*, fini les négociations. Les syndiqués se sont prononcés. La grève est commencée. »

— Il se prend pour qui, celui-là ? bougonna Antoine-Léon. Quand je vois des fendants de même, j'ai le goût de leur tenir tête.

Il pensa à Damien et l'imagina derrière sa table de travail. Il se demandait comment il prenait la nouvelle, car il devait déjà savoir.

— Nous autres, on est embêtés, avança Frank, on sait pas trop quoi faire, les gars se demandent si on devrait pas s'arrêter, nous autres aussi.

— S'arrêter vous autres aussi ! scanda Antoine-Léon avec dureté et lenteur.

Il avait ouvert de grands yeux estomaqués. Ses prunelles noires lançaient des éclairs.

— Que c'est qui te prend, Gauvin ? Après tout ce qu'on a passé ensemble pendant la construction, tu serais devenu *pissou* ?

L'humeur belliqueuse, il balaya du regard le cercle des travailleurs. Ses narines vibraient. Il articula, la voix blanche :

— Je veux vous entendre dire si vous êtes satisfaits de vos salaires.

L'œil courroucé, la main levée, il hurla comme une harangue :

— Êtes-vous satisfaits de vos conditions d'emploi, êtes-vous satisfaits de votre employeur ?

— Ouais, répondit le groupe.

— Y en a-ti un parmi vous autres qui aurait peur d'un tout-nu qui se paie une limousine avec l'argent des cotisations syndicales des employés ?

— Non, dirent-ils encore.

— En ce cas-là, vous allez vous remettre à l'ouvrage et travailler comme jamais vous avez travaillé, martela-t-il. Vous allez montrer à ces bandits de grand chemin que la scierie des Outardes est autonome, qu'elle est pas en grève et que, si elle décide de la faire un jour, ce sera pas de leurs affaires.

Il y eut un moment de silence. Les yeux qui s'étaient levés vers lui s'abaissèrent. Chacun rajusta son casque protecteur. Ils se ralliaient à son ordre. Lentement, ils firent demi-tour et se dispersèrent. Les opérateurs allèrent réintégrer leurs cabines, les autres leurs ateliers. Les machines avalèrent les pièces de bois les unes après les autres et peu à peu les vrombissements habituels couvrirent la grande bâtisse.

Antoine-Léon poussa un soupir de soulagement et poursuivit sa visite. Il avait éperonné ses troupes et il n'avait qu'un espoir, c'était que son influence soit durable.

Pendant les jours qui suivirent, Damien réunit le personnel afin de décider d'une stratégie. Il savait, tout neutre que fût l'usine, qu'ils n'étaient pas à l'abri d'une action menée par des syndicalistes échauffés. Il n'en était pas à sa première grève, les méthodes de ces individus lui étaient connues et il voulait prévenir les coups.

Comment causer préjudice à la papetière et lui faire mal? Le consortium qu'elle formait avec la société de l'état constituait une proie de choix. La scierie des Outardes était reconnue comme étant la plus importante et la plus florissante acquisition de ces deux sociétés. L'apothéose serait d'en interrompre la production, paralysant ainsi toute la Côte-Nord. Cadres et employés l'avaient compris et étaient bien résolus à ne pas se laisser faire.

Comme première disposition préventive, ils installeraient un poste de garde à la barrière qui fermait le chemin d'accès. Un téléphone serait relié à l'usine et un gardien, un costaud, s'y tiendrait en permanence. Il n'aurait qu'à soulever le combiné et la direction serait avertie de la moindre activité insolite.

Les bureaux seraient munis d'une radio qui capterait la station locale. L'appareil serait gardé allumé et une secrétaire suivrait l'évolution des démêlés. À mesure qu'elle entendrait les nouvelles, elle les transmettrait.

Du côté de la ville, les syndicalistes avaient entrepris leurs moyens de pression. Rivalisant d'imagination, ils cherchaient par toutes les manières à nuire au patronat touché par l'arrêt de travail. Dès l'instant où la grève avait été décrétée, la brigade des piqueteurs avait investi les installations de l'usine de pâtes, de même que les bureaux de la rue Marquette. Brandissant des pancartes et défiant le personnel-cadre, du matin jusqu'à la fermeture, les grévistes bloquaient les accès aux stationnements si bien qu'ils avaient peine à pénétrer dans l'édifice ou à en sortir. Ils avaient d'abord feint l'indifférence, mais cette attitude était difficile et ils finirent par riposter.

L'attitude des manifestants, d'abord simplement arrogante, se détériora rapidement. Aux railleries sans conséquence des premiers jours, succédèrent des remarques acerbes et des échanges désobligeants. S'ensuivirent des altercations et des bousculades. Le ton monta encore et le climat s'envenima. Quelques cadres furent pris à partie.

Monsieur Harnois vit au sortir de l'immeuble, les phares de sa voiture fracassés. Le lendemain, ce fut au tour de Roger Bellemare de découvrir de profondes rainures creusant les portières et les ailes de sa voiture. Comme si ces gestes n'avaient pas suffi, le jour suivant, les pneus d'une dizaine de voitures furent lacérés, percés à coups de couteau, jusqu'à être irrécupérables.

Exaspérés, les administrateurs exigèrent, par ordre de cour, qu'il soit interdit aux piqueteurs de s'approcher à moins de cinquante mètres de leurs lieux de travail. Ils réclamèrent de plus le paiement de dommages et intérêts au syndicat qui avait la responsabilité de ses membres.

Les émeutiers reculèrent à contrecœur. Frustrés, poussés par un esprit de vengeance, au cours de la même nuit, ils s'introduisirent dans l'usine de pâtes et papier et allumèrent un incendie dans une importante réserve de grumes.

Cette fois, c'en était trop ! Les autorités firent appel à la police et déposèrent une plainte pour vandalisme, en plus d'engager sur-le-champ une équipe de gardiens qui feraient le guet en permanence devant les édifices. La guerre était déclarée !

Ces deux initiatives eurent l'heur de calmer un peu la frénésie des belligérants. À l'exception de quelques incidents fortuits, la saison chaude s'écoula sans heurts. Il est vrai que c'était la période des vacances et que les colonnes de piquetage s'étaient allégées. Les ingénieurs de la papetière avaient goûté ce moment tranquille qu'ils savaient n'être qu'une accalmie avant une reprise en force des hostilités.

À la scierie des Outardes, les cadres suivaient les moindres mouvements et désordres et se tenaient prêts à intervenir.

Le mois de septembre avait sonné la fin des congés. Cadres et ouvriers avaient repris leur poste. Sûrs de demeurer en dehors de cette grève et d'être épargnés par le conflit, ils vaquaient à leurs occupations sans plus se soucier.

On était lundi et c'était un beau matin d'automne encore rempli des fragrances de l'été. Du côté du chemin d'accès, sans relâche, de nouveaux camions provenant de la forêt pointaient leur gros museau vers la cour. Avec d'énormes vrombissements, ils suivaient la ligne droite les menant vers le quai de débarquement où ils s'immobilisaient et attendaient les ordres. Le début de la semaine amenait toujours une plus forte affluence de ravitailleurs.

Près du quai, un contremaître donnait les consignes. La main levée, il ordonnait à l'un de stopper, à un autre d'avancer, à un autre encore de déverser son chargement à même la réserve de troncs. Chacun faisait ensuite demi-tour et s'acheminait vers la sortie.

Damien et Antoine-Léon avaient garé leurs voitures. Ils allaient entreprendre une autre journée de travail. Dressés sur le palier, ils avaient immobilisé leur regard sur la flopée de camions qui défilaient dans l'enceinte. Ils se sentaient paisibles. L'âcre odeur des feuilles mortes embaumait l'air. Là-bas, le long des limites du terrain, des broussailles croissaient dru et étaient gorgées de soleil.

— Penses-tu réussir à mettre toute ta réserve de bois sec sur les bateaux avant l'hiver? interrogea Damien.

— Si les gars continuent sur le même train, j'ai pas de doute. Si tu voyais ça en dedans. Ça travaille sur un maudit temps.

— Faudrait pas qu'Élisabeth t'entende parler de même. Elle est plutôt fancy sur le langage.

— C'est un reproche? fit Antoine-Léon.

— Au contraire, je trouve ta femme plutôt mignonne. Même qu'on s'est promis une danse au party d'huîtres en octobre. T'en prendras pas ombrage?

— T'as ben en belle, ma femme est libre, surtout qu'elle trouve que je danse comme un pied.

Ils éclatèrent de rire et poussèrent la porte ensemble.

Derrière eux, un bruit assourdissant venait de se faire entendre. Ils firent un brusque demi-tour. Un mastodonte venait de freiner rudement juste devant leur entrée. La portière s'était ouverte et s'était refermée en coup de vent. C'était Charlemagne. À longues enjambées, il les rejoignit sur le seuil, il paraissait furieux.

— Je veux ben faire du transport, criait-il, c'est mon métier, mais il y a des limites à ce qu'on peut endurer. S'ils cherchent la bagarre, ils vont l'avoir et ça va jouer dur.

— Que c'est qui se passe ? interrogèrent-ils.

Fortement ébranlé, il raconta l'aventure vécue quelques instants auparavant par un de ses collègues camionneurs. Alors qu'il transportait une grosse cargaison de grumes, il avait roulé sur un tapis clouté posé en travers de la route à la sortie de la forêt. Déséquilibré par ses pneus crevés, il avait fait une embardée et s'était retrouvé dans le fossé.

— J'étais juste derrière lui. Si j'avais pris le devant, c'est moi qui aurais encaissé le coup.

— Est-ce que le chauffeur est blessé ? s'enquit Antoine-Léon.

— Blessé, c'est pas le mot, s'il s'en sort, ce sera un miracle, Ronald a été blessé gravement.

— S'il s'en sort pas, la réputation du syndicat va en prendre un coup, proféra Damien. C'est beau jouer les fier-à-bras, mais à la condition qu'il n'y ait pas mort d'homme. Faire déraper un dix roues chargé à bloc, au poids que ça supporte, c'est de l'inconscience ou c'est criminel. C'est beau les mesures de pression, on peut comprendre ça, mais il y a des normes à ne pas dépasser, on vit dans un pays civilisé.

— C'est pas toute, enchaîna Charlemagne. Avez-vous su ce qui s'est passé à l'usine de copeaux la nuit dernière ? Une machine a été sabotée à coups de barre de fer. Vous savez combien ça coûte, une machine de même ?

— Les gars de la sécurité étaient pas là pour faire leur job ?

— Ils ont profité d'un changement de garde.

— Les fauteurs de troubles reculent devant rien pour nuire aux industries jusqu'à les amener à fermer leurs portes, au mépris des conséquences sur les travailleurs, ragea Damien. Saccager, vandaliser, détruire, ils se permettent tout. Que l'économie de la région entière soit perturbée, c'est le dernier de leurs soucis. Sont-ils à ce point sans scrupule ou encore, dans l'exaltation du moment, sont-ils dans un état second, comme des pantins manipulés qui n'ont pas conscience de leurs actes?

Il avait vu des compagnies s'abîmer corps et biens à la suite d'un conflit syndical. Il admettait les buts des ouvriers, le désir qu'ils pouvaient nourrir d'améliorer leurs conditions de travail, mais pas à ce prix.

Dans le cas présent, ces têtes brûlées choisissaient de s'en prendre à des individus qui n'avaient rien à voir avec leur lutte, à des travailleurs autonomes qui ne faisaient que leur métier et ils les attaquaient lâchement là où ils savaient que la police municipale n'avait pas juridiction.

Le temps était venu de demander protection et support en haut lieu.

29

Les policiers de la sûreté du Québec avaient investi la ville. Un matin frais, les citadins avaient aperçu, s'amenant dans leurs lieux comme un lent cortège, les voitures caractéristiques de ces gardiens de l'ordre.

Ils en avaient éprouvé un sentiment étrange, celui d'être en territoire occupé. Personne n'avait trouvé la situation très drôle. Les premiers jours, ils leur avaient jeté des coups d'œil hostiles puis s'étaient résignés à voir déambuler dans leurs rues ces bonshommes à l'allure un peu condescendante, leurs grands corps musclés dodelinant, observant autour d'eux en ayant l'air de ne rien voir.

L'automne s'était écoulé, le givre avait recouvert la terre et les festivités de Noël étaient arrivées sans qu'ils soient délivrés de leur présence.

Comme par les années passées, la fête s'était voulue inspirante, entourée de réjouissances comme ils savaient faire dans cette ville lointaine, mais le cœur n'y était pas. Le conflit perdurait depuis près de huit mois, et l'ambiance était au découragement.

Habitués à vivre à la petite semaine, les ouvriers forestiers, privés de leur salaire, s'étaient vite retrouvés sans ressources. Les organismes de charité n'avaient jamais reçu autant de demandes de vivres et de vêtements chauds pour les enfants que ce Noël.

Alarmées, les autorités religieuses et civiles exhortaient employeurs et chefs syndicaux à faire montre de tolérance et régler enfin ce conflit. Les rencontres entre les parties se multipliaient, mais les négociations demeuraient improductives, chacun restant sur ses positions, ne voulant pas en démordre, les syndicats allant jusqu'à majorer leurs exigences, alléguant le coût de la vie et les dépenses additionnelles apportées par le temps qui passait.

La misère s'installait chez les grévistes autant en Mauricie, au lac Saint-Jean que sur la Côte-Nord.

La population de toute la province s'était mobilisée, avait profité de cette période propice à l'entraide pour faire des dons. À Montréal, des chanteurs et des humoristes avaient offert un spectacle-bénéfice et les profits avaient été distribués dans les différentes régions. Malgré ces actes de générosité, l'hiver était rude et la situation démoralisait les plus coriaces.

Las d'attendre et réduits à faire face à la souffrance, bien des syndiqués se surprenaient à regretter leur mouvement favorable à la grève et souhaiter revenir en arrière. Mais le processus était enclenché et ils n'avaient plus le choix.

Dans la rue, dans les boutiques, on ne lisait plus maintenant que gravité et fatalisme.

La ville occupée de Baie-Comeau s'était habituée à côtoyer les patrouilles de la sûreté du Québec, mais personne ne pouvait s'habituer à croiser le regard d'un enfant malheureux.

Le printemps 1981 arriva sans que rien ne laisse entrevoir la fin du conflit. La grève s'éternisait depuis un an et les familles avaient faim.

Antoine-Léon avait profité de la période de Pâques pour aller visiter sa mère à Saint-Germain et, du même pas, se rendre chez son frère. Là-bas aussi, il n'avait trouvé que tristesse et désolation. Pendant que, son chapelet entre les doigts, sa mère se berçait dans sa petite chambre en attendant la mort, David luttait de toutes ses forces pour vaincre le cancer du cerveau qui le minait. Le cœur rempli de chagrin, il s'en était retourné vers sa Côte-Nord et ses tracas.

Tandis qu'appuyé à la rambarde du vieux transbordeur, il se laissait ballotter par la vague, il s'était longuement demandé où étaient les véritables problèmes puisqu'ils étaient partout inéluctables.

Le renouveau dans la nature, les herbes qui reverdissaient n'avaient pas amélioré le climat des négociations syndicales. Les pourparlers, loin de rapprocher les parties, allaient de mal en pis.

Bientôt, la province de Québec serait en campagne électorale. Comme si les factions attendaient du gouvernement élu un soutien personnel, une adhésion à leurs vues, elles se tenaient dans l'immobilité et cessaient toute tentative pour faire progresser les négociations. Les yeux tournés vers l'État, elles attendaient comme s'il était un sauveur.

À la scierie, l'arrivée du temps doux avait allégé les tâches, c'était la seule bonne nouvelle. La brise printanière avait repoussé les vents arctiques, les bancs de neige avaient fondu et le sol s'était asséché.

Marquant les limites de la propriété, de petites pousses d'un vert tendre pointaient à travers les bosquets d'arbrisseaux sauvages et agitaient leur œil brillant, comme un avant-goût de l'été tout proche.

Dans les ateliers, les ouvriers s'appliquaient à leur travail avec une ardeur nouvelle, conscients de la chance qu'ils avaient de gagner leur vie.

Le mois de mai débutait et une tiédeur parfumée courait dans l'air.

Damien et Antoine-Léon étaient arrivés, comme d'habitude, vers huit heures trente et s'apprêtaient à aller occuper leurs locaux.

Pendant un moment, immobiles sur le perron de l'édifice, ils avaient jeté un long regard sur la cour.

Du côté du chemin d'accès, aux mastodontes en provenance de la forêt, s'étaient ajoutés les camions affectés au transport du bois d'œuvre vers le port. Sans s'arrêter, pendant tout le jour, ils s'amenaient et se chargeaient de paquets de planches empilées, soigneusement emballées, amoncelées pendant l'hiver, dans l'attente de la reprise de la navigation.

Deux camions étaient immobilisés près des piles de bois d'œuvre et attendaient l'intervention des chariots élévateurs. Leur benne remplie, ils se dirigeraient vers le port où mouillait un bateau en partance pour l'Europe.

Tous deux ne cachaient pas leur satisfaction. Depuis le début de la grève, pas une seule fois, les agitateurs ne s'étaient intéressés à leurs installations. Ils commençaient à croire qu'ils s'étaient inquiétés pour rien et ils en étaient profondément soulagés.

Le regard attentif, ils suivirent les lourds véhicules qu'ils voyaient disparaître dans le chemin d'accès. Déjà, mentalement, ils calculaient les profits mirobolants qui en résulteraient. Le taux de productivité de l'usine était en constante expansion et la plaçait parmi les joyaux de l'industrie du bois. Par son bon fonctionnement, elle aidait à redresser les finances de la *QNS*, était comme l'enfant chéri qui faisait un peu oublier les difficultés qui touchaient leurs autres secteurs paralysés par la grève.

L'heure était venue de rentrer au bureau.

Dans le corridor, le téléphone du poste de garde sonnait. Ils se considérèrent en silence. C'était la première fois qu'il se faisait entendre.

— Deux autobus scolaires viennent de s'arrêter devant la barrière, criait le gardien. Ils sont remplis d'hommes.

— Calvas! s'énerva Damien, les grévistes! Il y a pas deux minutes, je pensais qu'ils nous laisseraient en paix.

Ils se ruèrent vers la fenêtre. Un camion chargé de bois d'œuvre qui s'apprêtait à quitter la scierie pour se diriger vers le port reculait avec lenteur et réintégrait la cour. Au loin, sur la nationale, se dessinaient deux longs véhicules jaunes, stationnés, luisants de soleil, deux autobus affectés normalement au transport des écoliers qui avaient stoppé devant le chemin menant à la scierie et en bloquaient le passage.

Quatre-vingts fiers-à-bras en étaient sortis. Comme une nuée de chenilles bigarrées, armés de courroies d'acier, de chaînes de bicyclette et de barres de fer, leurs gros bras musclés tendus de façon inquiétante, ils avançaient vers le mastodonte et s'apprêtaient à frapper.

Aux aguets, commis, secrétaires et ingénieurs avaient abandonné leurs bureaux. Une main sur le cœur, ils s'étaient précipités vers le corridor. Que se passait-il? disait leur regard effaré. Ils vivaient une réalité nouvelle, une vulnérabilité inconnue, ils découvraient la peur.

— Appelez l'escouade antiémeute, ordonna Damien.

Du côté de l'usine, les bruits des machines s'étaient tus. Partout, c'était le silence, comme un dimanche.

Un mouvement, silencieusement, s'était amorcé dans les grandes portes, une activité inhabituelle. Les travailleurs apparaissaient devant les issues.

Comme un essaim de gros bourdons s'extrayant d'une gigantesque ruche d'abeilles, les ouvriers, silhouettes noires et décidées, se condensaient dans la cour et se disposaient en formation. En large défilé, constituant une ligne droite, leurs bras musclés brunis par le soleil tenant résolument une longue pièce d'épinette débitée en deux par quatre, avec leurs grosses bottes qui creusaient le sol, leurs défroques qui godaillaient sur leurs hanches, ils s'étaient mis en marche. À pesantes foulées, l'œil noir, ils progressaient vers la cour.

Deux cents hommes mobilisés, serrés les uns contre les autres, comme une unité de fantassins, armés de bâtons et avançant au pas. Leur détachement couvrant toute la largeur de l'enceinte, ils s'emmenaient en silence, à longues enjambées résolues.

Les camionneurs avaient abandonné leur cargaison et couraient les rejoindre. Au passage, ils avaient attrapé un bout de bois et prenaient le rang. Les employés des bureaux étaient aussi sortis sur le perron. S'emparant d'un quelconque objet qu'ils trouvaient sur leur chemin, ils leur emboîtaient le pas.

Face à eux, s'avançaient les fauteurs de grève. Semblables à une meute indisciplinée, leurs poings fermés sur leur arme, ils débordaient du chemin d'accès et se dépliaient vers la cour.

Damien avait pâli. Ce qu'il avait redouté était en train de se produire.

— Ces bandits n'ont rien à faire ici, frémit-il. La scierie fait partie d'un autre groupement et ils vont devoir le comprendre. Je vais le leur faire rentrer dans le crâne à coups de masse, s'il le faut, hurla-t-il.

Il cria vers les travailleurs.

— Vous n'avez rien à voir dans cette grève-là. Si vous voulez manger demain, faites respecter vos droits.

Stimulés, dans un ordre parfait, ainsi que des soldats marquant le pas, ouvriers, journaliers et techniciens poursuivaient leur avance. Ils avaient atteint les émeutiers.

Les jambes écartées, leur pièce de bois appuyée sur leur épaule, ils l'enserraient de leurs deux mains, à la manière d'un bâton de baseball, prêts à frapper. Impressionnants, énormes, ils apparaissaient ainsi que deux cents joueurs silencieux, les muscles tendus, sur le qui-vive, n'attendant qu'un ordre pour, avec un ensemble parfait, faire pirouetter leur arme improvisée et cogner.

Les grévistes avaient quitté l'ombre des arbres et s'étaient rapprochés. Leur troupeau concentré devant le chemin d'accès, ils l'obstruaient dans une attitude farouche, démontrant l'évidence de leurs intentions.

Occupant le centre du groupe comme un chef, un malfrat avait devancé les autres. Le torse bombé, il proféra comme un ultimatum:

– Vous abandonnez la job et vous vous ralliez à nous autres, sinon il va y avoir de la casse.

À son tour, Frank Gauvin, le contremaître en chef, fit un pas vers l'avant. Ses yeux flamboyaient. Assuré du support de ses hommes, les bras levés dans un geste de bravade, il lança avec force:

– Essayez si vous êtes capables.

Dans un élan imprévu, deux grévistes se détachèrent du groupe et entourèrent leur compagnon.

– Fermez l'usine, ordonna l'un d'eux sur un ton lourd de menaces. On vous a dit de fermer, sinon…

Joignant le geste à la parole, il souleva sa barre de fer et la fit tourner. Pivotant comme une vrille, l'objet virevolta et fouetta l'air. Le fier-à-bras plia légèrement les genoux. Avant qu'ils aient eu le temps de réagir, l'axe de sa pièce de métal avait dévié vers le sol et frappé. Un craquement se fit entendre et un cri déchirant remplit l'air. Frank s'était affaissé. Recroquevillé sur lui-même, il enserrait sa jambe de ses bras et hurlait de douleur.

Sidérés, les ouvriers blêmirent. Brusquement, un autre cri, puissant, de fureur celui-là, écorcha l'atmosphère. Ils s'étaient ressaisis. D'un même mouvement courroucé, comme une meute courant à l'attaque, ils foncèrent sur les manifestants. Pendant de longues minutes, leurs pièces de bois brandies, ils frappèrent à droite, à gauche, devant, sans distinction, heurtant des têtes, des jambes, des torses. Des cris s'échappaient de toute part, des corps étaient couchés, d'autres les enjambaient et cognaient. Des hurlements fendaient l'air dans un vacarme assourdissant.

Au loin, les sirènes de polices retentissaient. La brigade antié-meute arrivait. Une vingtaine de policiers blindés et armés jaillirent des véhicules officiels. Effectuant les manœuvres apprises, ils se précipitèrent vers les batailleurs emmêlés et les séparèrent.

À bout de souffle, employés et grévistes reculèrent et reprirent leur faction. L'œil vindicatif, ils s'affrontaient.

Leur calme retrouvé, encore revanchards et sans retenue, les employés de la scierie dévisagèrent leurs agresseurs. Ils voulaient identifier parmi ces fiers-à-bras lequel avait déjà été leur ami, leur voisin, pour, un jour prochain, lui donner la leçon de sa vie. Ils mar-quèrent leur étonnement. Toutes les figures leur étaient inconnues. Ces individus qui les fixaient avec arrogance, qui étaient entrés chez eux pour imposer leur loi à coup de barre de fer, venaient d'ailleurs !

Une fureur sans nom les saisit, ils bondirent vers l'avant.

– Sacrez votre camp, hurlaient-ils, vous avez rien à faire icitte. Sacrez votre camp de chez nous, sinon on vous casse la gueule.

Désarçonnés, repoussés par les policiers, les grévistes reculèrent. En courant, ils s'enfoncèrent dans leurs autobus et démarrèrent en vitesse. La tête émergeant de la vitre baissée, les mains en porte-voix, l'un d'eux cria de toute la puissance de ses poumons :

– On va revenir, et c'te fois-là, vous allez le regretter.

– Aujourd'hui, c'était qu'un avertissement, criait un autre, la prochaine fois, il va y avoir du sang !

– On reviendra, entendaient-ils encore comme un écho.

Peu à peu, les voix moururent. Les véhicules s'étaient éloignés et s'étaient évanouis derrière les boqueteaux.

Des policiers s'étaient penchés sur le blessé. L'un d'eux avait en main sa radio portative et ordonnait de dépêcher une ambulance. Le véhicule survint à toute allure, dans un rugissement de sirène, et alla stopper près de Frank.

Un brancardier s'agenouilla. Armé de ciseaux, à larges coups, il sectionna sa jambe de pantalon et découvrit la plaie. Une entaille profonde ouvrait son mollet. Une coulée de sang en sourdait, allait rejoindre sa cheville et formait de petites arabesques qui dégoulinaient sur le sol, aussitôt avalées par la terre meuble.

Au milieu de la blessure, un fragment d'os pointait.

– Ç'a dû te faire vachement mal, mon pauvre Frank, observa Antoine-Léon.

– Je pourrai jamais dire à quel point. Ça arrache le cœur.

– Une gang de sauvages, vociféra Damien. C'est-ti possible que ça se passe chez nous, en 80, au Québec, dans un pays évolué, tranquille ?

Les policiers le regardaient en silence. Ils étaient tenus à la neutralité, n'avaient le droit ni de juger ni de faire de commentaires. Ils avaient été envoyés par Québec à la demande des administrateurs de la *QNS* et ils faisaient leur devoir. La grève était légale, leur rôle était d'empêcher les abus, calmer les agitateurs et contenir les bagarres comme celle qui venait de se produire.

– Nous allons ajouter la scierie à nos patrouilles, les rassurèrent-ils. Les grévistes devront manifester sur la voie publique. Il est évident qu'ils n'avaient pas le droit de s'introduire sur votre propriété.

– Nous allons prendre les moyens légaux et servir un avertissement sévère aux syndicats pour que ça ne se reproduise plus, renchérit Damien, et je vais voir à ce que notre employé blessé obtienne compensation de leur part. Notre poste de garde sera aussi renforcé et votre numéro de téléphone sera inscrit en haut de la liste. Au moindre mouvement insolite, le factionnaire vous appellera immédiatement.

Le service de l'ordre parti, encore abasourdis, les ouvriers retournèrent à leurs tâches. Leur bâton entre les mains comme s'il leur brûlait les doigts, mais qu'ils ne pouvaient s'en départir, chacun s'éloignait. Les uns derrière les autres, ils réintégrèrent l'usine.

– Il faut des interventions de ce genre pour comprendre combien nous vivons dans un pays tranquille, un vrai paradis, observa Damien tandis qu'il s'enfonçait dans son bureau. En connaissez-vous beaucoup, vous autres, des territoires comme le nôtre qui n'ont jamais connu la guerre ? O.K. dans les débuts de la colonie, avec les Indiens, ça guerroyait pas mal fort, mais aujourd'hui, c'est la grande paix. J'ai pas aimé ce que j'ai vu, tantôt. Ce qui m'a chicoté, c'est que ces gars-là m'ont semblé être des Québécois comme nous autres, peut-être des p'tits Tremblay, des p'tits Lavoie, des p'tits Gagné, de ces familles qui se sont installées ici parmi les premières, du temps de Champlain, de Maisonneuve. Ça me remue et ça m'inquiète qu'ils aient osé blesser un des leurs. Est-ce que c'est la vie qui change ou bien si on a pas su élever nos enfants, en faire des citoyens respectueux des autres…

L'expression durcie, il débita sur un ton frémissant de colère:

– La gang de bandits qui a surgi ici, ce matin, met en doute la valeur de l'héritage qui nous a été légué, j'ai l'impression qu'il y a des parents qui ont oublié de passer le message ou bien il y a des enfants qui n'ont pas écouté!

Les heures s'écoulèrent péniblement. Partout à travers l'industrie, l'anxiété se lisait sur les visages. Cette bousculade avait assombri le moral des hommes, avait perturbé cette presque monotonie que constituait leur existence et qu'on venait de déranger.

Ils n'avaient jamais connu la guerre, les batailles, le sang versé, ils ne connaissaient rien de ce genre d'affrontement qu'on leur avait imposé ce même jour et ils en ressentaient de la frayeur. Ils étaient nés dans un pays paisible, sous un climat peut-être rude, mais qui ne les avait pas pour autant préparés à la brutalité. Ils prenaient conscience de la fragilité de leur quiétude qu'une idéologie tordue pouvait détruire.

Ces exaltés ne cadraient pas dans leur mentalité, dans leur façon de vivre. De toutes leurs forces, ils devaient les refouler et défendre leur droit à la paix.

30

Le lendemain, furieux de n'avoir pu neutraliser la scierie, les grévistes poussèrent leur offensive vers la forêt. Puisqu'ils ne pouvaient
faire cesser le travail des hommes, il fallait empêcher le bois de
leur parvenir. Stoppés aux barrières, ils rebroussèrent chemin pour
rapidement revenir avec un puissant tracteur à chenilles. La machine
mordit lourdement dans le sol meuble, roula sur la clôture et l'aplatit
de tout son poids. Équipés de barres de fer, ils refoulèrent les semi-
remorques qu'ils voyaient poindre avec leur cargaison de grumes.
Non satisfaits, ils s'enfoncèrent dans les profondeurs et tentèrent
d'entraver le travail des abatteurs d'arbres que formaient les unités
de production. C'est ce que rapportèrent les journaux locaux.

Outrés, les camionneurs décidèrent de déverser leur cargaison
au milieu du chemin forestier et ainsi bloquer carrément l'accès
aux importuns. Cette barricade aurait pour avantage d'interdire la
libre circulation en forêt, mais ils avaient compris qu'elle aurait en
même temps l'inconvénient de bloquer le passage des transporteurs.
Stoppés par leur propre intervention, non seulement ceux-ci ne
pourraient plus sortir du chantier, mais ils priveraient aussi l'usine
de son ravitaillement.

Avisés, Damien et Antoine-Léon ébauchèrent un sourire. Leur
regard enveloppa la cour. Pas le plus léger tressaillement n'anima
leur visage.

Là-bas, couvrant une importante surface, de hautes pyramides
de bois vert pointaient orgueilleusement vers le ciel, s'échelonnaient
comme de superbes montagnes, dans une chaîne sans fin. Ils avaient
pris leurs précautions. Cette réserve pourrait leur suffire pendant
plusieurs semaines. Au moment de la relance, les camionneurs

n'auraient qu'à mettre les bouchées doubles… à la condition que la grève ne s'éternise pas encore six mois.

Le même jour, tandis que sonnait l'angélus, une camionnette apparut au bout du chemin d'accès. Roulant à vive allure, elle dépassa l'entrée des bureaux, fila vers la première bâtisse et alla s'arrêter devant le cercle des ouvriers assis dehors sur des bouts de planches en train d'avaler leur dîner. Une vingtaine de manœuvres occupaient la benne. De bonne humeur, ils s'agitaient sur la plate-forme. Il y avait là des camionneurs, des opérateurs d'abatteuses, des draveurs, tous des employés de la scierie qui œuvraient en forêt. Chacun des métiers était représenté.

Les employés de l'usine n'étaient pas surpris, ces gens étaient, pour la plupart, de la même famille. Solidaires, ils avaient décidé de parer à un éventuel conflit et ils venaient offrir leurs bras.

Les directeurs n'étaient pas non plus demeurés inactifs. Suite à l'intrusion des grévistes dans leurs lieux, ainsi qu'avait fait la compagnie de papier, ils s'étaient empressés de prendre des dispositions légales et avaient exigé par ordre de cour que les piqueteurs se tiennent à une certaine distance de la propriété. Le bien-fonds de l'entreprise s'étendait officiellement jusqu'à l'intersection de la route nationale et du chemin d'accès. Afin de faciliter la localisation des limites du terrain, deux repères permanents avaient été posés quelques années auparavant, par la firme d'arpentage de Benoît Gariépy. D'après l'injonction, il était interdit aux grévistes d'effectuer leur piquetage à l'intérieur de ces bornes.

Le syndicat s'était vivement opposé. La parole de l'officiel de la compagnie ne le satisfaisait pas. Il prétendait que la limite désignée n'était pas légale. Sans plus discuter, Antoine-Léon demanda à Benoît Gariépy de venir confirmer la validité de ses repères.

Celui-ci s'amena sans attendre. Traversant la meute des grévistes plutôt rébarbatifs, il se dirigea tout droit vers l'endroit où il avait posé la première borne. Sous leur œil ahuri, d'un seul coup de talon, il écrasa l'herbe qui la recouvrait. Se dirigeant vers la suivante, encore une fois, d'un autre coup de talon, il mit la borne à jour.

Sans une parole, sans un regard, il fit demi-tour, franchit la ligne des manifestants, monta dans sa voiture et démarra dans un nuage de fumée de moteur. Son intervention n'avait duré que quelques minutes. La preuve était faite et il ne restait qu'à attendre la décision du juge.

– Mon cher Benoît, tu nous as épatés et tu as épaté la gang des syndiqués, lui fit remarquer Antoine-Léon, le dimanche suivant, tandis qu'ils se croisaient sur le parvis de l'église. Il fallait voir l'ahurissement de ces gars qui connaissent rien à notre région. Ça vient de Montréal et ça pense qu'en dehors de leur ville, c'est le Moyen-âge. Tu leur as montré qu'ils en ont long à apprendre.

– Tiens là ! que j'ai failli leur dire, répliqua Benoît. Ç'a été facile. C'est moi qui avais procédé à l'arpentage, en plus que c'était récent. Malheureusement, c'est pas toujours aussi simple.

Il laissa débouler un petit rire.

– La plupart du temps, c'est le contraire qui se produit. Combien d'heures j'ai perdu dans ma vie à chercher des vieux repères en pleine nature, enfouis sous un mètre de mousse ou encore à les retrouver après des heures de recherche, déplacés de plusieurs pas sans compter ceux qu'on retrouve jamais parce qu'ils sont rendus dans la cave du propriétaire qui voulait être sûr qu'ils ne s'égarent pas.

Il secoua les épaules.

– Mais ça, ça fait partie de la *game*.

– Cette fois, ça s'est réglé en un temps record, reprit Antoine-Léon, et aujourd'hui, toute la ville, que dis-je, toute la Côte-Nord te reconnaît comme l'expert-arpenteur. À voir la face des grévistes, ta notoriété serait rendue jusqu'à Montréal que j'en serais pas surpris.

– Tu me flattes dans le sens du poil en faisant de moi un expert-arpenteur. S'il en était ainsi, j'écrirais un livre là-dessus.

Ils s'esclaffèrent.

– Tu aurais de quoi remplir deux tomes, s'écria Antoine-Léon avant de pénétrer dans la nef.

Deux semaines avaient passé. Le beau mois de juin débutait avec ses bouffées de chaleur et ses effluves de varech. Comme chaque week-end, les machines étaient arrêtées. Tandis que les préposés au nettoyage prenaient d'assaut les différentes salles, les employés profitaient de la relâche dominicale.

Accompagné de sa famille, Antoine-Léon s'apprêtait à entrer dans l'église de sa paroisse afin d'assister à la messe.

Près de lui, coquette dans un deux-pièces rouge vif bordé de blanc, coiffée d'un chapeau à larges bords de la même teinte, Élisabeth examinait autour d'elle. Peu intéressée par les considérations professionnelles de son époux, son regard enveloppait la foule, cherchait parmi les têtes qui émergeaient, une amie ou une simple connaissance.

Suzy Rondeau, sa camarade de golf et épouse du directeur de l'usine de copeaux, l'avait repérée la première. Flanquée de ses quatre enfants, elle accorda son pas au sien.

— Tu parles d'une belle journée. Si ça continue, les *courts* vont être secs avant l'heure et nous pourrons devancer notre saison de golf.

— Je n'en serais pas fâchée, répondit Élisabeth. Depuis que le ski est terminé, je n'ai plus que le bridge pour me distraire.

— Jean-Marc n'est pas avec toi? s'étonna Antoine-Léon qui venait se joindre à elles. Serait-il devenu impie ou Témoin de Jéhovah?

— Pas le moins du monde, se récria Suzy, Jean-Marc est le dernier bon catholique, pratiquant, incorruptible, parmi tous les impies de la terre.

Elle prit un air faussement attristé.

— Hélas, juste au moment où nous nous apprêtions à partir pour la messe, il a reçu un appel. Paraîtrait qu'il y a un problème du côté de la dalle humide, qu'il se serait formé un embâcle pendant la nuit, en peu de temps, quelque chose de gigantesque qui s'étend sur une importante distance. Ces pauvres petits n'arrivent pas à le détricoter et ils ont appelé leur papa directeur à leur rescousse pour qu'il leur dise comment s'y prendre.

Antoine-Léon approuva de la tête. Pareil incident n'était pas inhabituel. Il arrivait fréquemment que des billots s'entremêlent dans la *floom* et qu'il faille les dégager à bras d'homme. Une équipe de surveillance patrouillait avec régularité et avertissait les responsables de l'usine du moindre engorgement. Quand le blocage était d'importance, le directeur devait se déplacer et diriger les travaux.

Subitement, sans comprendre pourquoi, sa poitrine s'était nouée.

« *Il s'est formé un embâcle, avait précisé Suzy, quelque chose de gigantesque... en peu de temps... et qui s'étend sur une importante distance...* »

Angoissé, il demanda très vite :

– Jean-Marc t'a dit ce qui se passait ?

– Tu imagines bien que non. Avec ma marmaille qui me tient occupée, il ne me parle jamais de ses affaires. Mais je devine que ce doit être plutôt grave puisqu'on l'a dérangé un dimanche.

Antoine-Léon sursauta. Fébrile, il se pencha vers Élisabeth.

– Si tu vois le curé, dis-lui de m'excuser de ne pas être assis avec les autres dans le banc des marguilliers pour l'office. J'ai une affaire importante à voir.

Pressant le pas, il se dirigea vers sa voiture. Il cria encore vers Suzy :

– Ça te dérangerait de ramener Élisabeth à la maison après la messe ?

Son pied enfonçant l'accélérateur, il rejoignit la rue Marquette et s'engagea sur le boulevard LaSalle. Il ne pouvait s'empêcher d'être inquiet. Il y avait un moment que les grévistes n'avaient pas fomenté quelque fourberie, à croire qu'ils s'étaient assagis.

D'autre part, la décision du juge leur était parvenue le vendredi précédent et donnait raison à la scierie. Il savait que les factieux réagiraient et il se demandait quelle serait leur prochaine astuce. Il tentait de se rassurer en se disant que la dalle humide ne les concernait en aucune manière. Et puis, un embâcle dans ce transporteur long de plusieurs kilomètres était fréquent.

Le regard accroché au flanc de la montagne à sa droite, il suivait le trajet de l'arboriduc, remontait à contre-courant sa ligne descendante qui prenait sa source dans l'étang de la rivière Manic pour aller aboutir à l'usine de copeaux.

La dalle, proprette et lustrée, exhibait ses rondeurs, s'élevait faiblement et épousait la courbe du relief jusqu'à rejoindre son origine.

Soudain, sa vue se troubla. Les sourcils froncés, il secoua la tête pour mieux voir. Il lui semblait, plus haut, que le paysage était différent. La *floom* ne lui apparaissait plus telle qu'il l'avait toujours connue, longeant sagement la falaise et courant à travers les broussailles sèches. Il avait l'impression qu'elle s'enfonçait plutôt dans une sorte de dédale composé d'un enchevêtrement inimaginable de pièces de bois sombres, luisantes d'eau, et qui brasillaient dans le soleil.

Que se passait-il ? L'effet lui apparaissait démesuré, comme un désordre, un chambardement considérable.

Du côté de la route, un attroupement de badauds s'était formé. Un nombre important d'individus endimanchés se tenaient, la tête levée, l'œil attisé par la curiosité. Plus près du dispositif étaient groupés quelques hommes. Au milieu d'eux, il distinguait Jean-Marc Rondeau.

Il gara son véhicule et sortit sur la chaussée.

Le spectacle était impressionnant. La dalle, engloutie sous un amoncellement de billots sens dessus dessous, lui rappelait une touffe énorme de cheveux hérissés sur la tête d'un géant. Caricature loufoque, abracadabrante comme il n'en avait pas vu depuis les vingt ans qu'il habitait la région. L'embâcle s'élevait haut dans les airs, était long, large, saisissant, près d'une douzaine de mètres sur une distance presque aussi imposante. Il était estomaqué.

Quatre travailleurs avaient grimpé sur la pile. En équilibre instable, armés de pics, à grands coups, ils tentaient de dégager les grosses pièces de bois, lourdes et rondes, et les lançaient sur le sol dans un effort pour libérer l'engorgement. Sans cesse, la masse bougeait sous leurs pieds, comblait au fur et à mesure le vide qu'ils avaient formé, augmentant à tout instant pour eux le risque de tomber.

Rassemblés en bas, d'autres ouvriers entouraient l'effroyable monceau et se tenaient prêts à intervenir.

Antoine-Léon fendit la foule et alla retrouver Jean-Marc. Dressé au milieu de ses hommes, il discutait ferme et paraissait nerveux.

Jean-Marc l'avait aperçu lui aussi. Il interrompit son exposé.

– Te v'là, Savoie. Es-tu capable d'expliquer ce qui se passe ? Il y a pas de raison que ça bloque de même. C'est trop gros. Les responsables de la dalle travaillent depuis le matin et ils sont incapables de faire un passage. Ils ne réussissent pas à déblayer pour y voir quelque chose. Pire, plus ça va, plus la pile monte. J'ai demandé du renfort.

Antoine-Léon leva les yeux. La montagne de billots avait encore grossi. Avec des bruits sourds de volcan qui s'éveille, de gigantesques masses de bois butaient, s'achoppaient, se soulevaient et se modifiaient dangereusement dans une forme déjà cauchemardesque.

Derrière eux, un son discordant déchirait l'air. Une camionnette remplie de colosses s'amenait en trombe. Armés de grappins, ils sautèrent de la benne et se précipitèrent vers le lieu de l'embâcle. Ainsi que des alpinistes, leurs bottes cloutées éperonnant tout ce qu'ils rencontraient sur leur passage, prestement, ils escaladèrent la débauche de billes.

Arrivés en haut, immédiatement, avec la force de l'habitude et à mouvements solides ils actionnèrent leurs pics. Autour d'eux, les lourds morceaux de bois chutaient et roulaient sur le sol dans un grondement de tonnerre.

La masse, loin de s'affaisser, grossissait encore. Les billots comme une charretée de cyclopes ne cessaient de se superposer.

— Est-ce que les *jacks-leaders* dans l'étang ont été bloqués? criaient-ils.

— C'est fait depuis longtemps, mais à la quantité de bois qui était déjà dans la *floom*, il en passe quarante à soixante cordes à l'heure, il est pas dit que ça va s'arrêter de même.

Acharnée, l'équipe poursuivait son travail de déblaiement. Sous leurs pieds, la montagne ne cessait de croître, se déployait par son centre comme le bouillonnement d'une marmite. Plus que jamais, des roulements inquiétants se faisaient entendre, des craquements sinistres qui étreignaient le cœur des observateurs.

Soudain, une déflagration d'une violence inouïe creva le ciel jusqu'aux nues. Une main sur la gorge, les badauds reculèrent. Suivit un grand vacarme de dégringolade qui s'étira dans un interminable ébrouement. Des cris, comme une longue plainte, couvrirent le fracas des billes. Bousculés, semblables à des fétus de paille, les ouvriers avaient déboulé sur le sol, certains avaient sauté de leur plein gré, d'autres avaient roulé douloureusement au rythme des troncs lourds qui s'éparpillaient jusque loin dans la vallée.

En haut, sur le sommet, une large ouverture s'était creusée. L'eau, dans une giclée, comme provoquée par une déflagration, fusait de toute part. Le poids des travailleurs ajouté aux billots avait affaibli les assises de la dalle, l'avait fait se casser et s'éventrer.

Des sauveteurs se ruèrent à leur secours.

– Il y a des blessés, s'énervaient-ils, faut appeler les ambulances.

Là-bas, du côté de la route, Damien Roberge s'amenait au pas de course.

– Je viens d'apprendre qu'il y a un embâcle dans la *floom*, souffla-t-il, les prunelles noires d'angoisse, paraît que c'est grave.

– Grave, c'est pas le mot, s'indigna Jean-Marc. Regarde-moi les dégâts.

Au loin sur la route, les sirènes des véhicules ambulanciers hurlaient. La mine songeuse, ils suivirent les gestes des brancardiers qui s'affairaient autour des blessés.

– Encore chanceux que mes hommes y aient pas laissé leur vie, dit Jean-Marc.

– C'est la première fois qu'il se produit un embâcle? s'enquit Damien.

– Non, mais…

Jean-Marc se tourna vers Antoine-Léon.

– Toi, Savoie, as-tu souvenir d'avoir vu quelque chose d'aussi majeur?

Antoine-Léon dénia de la tête. Il n'y comprenait rien. Il ne pouvait expliquer que se forme sans raison une pareille accumulation de billes et, qu'en plus, la dalle cède.

– Je suis prêt à prendre le poids de mes fautes quand il le faut, dit Jean-Marc, mais je puis assurer qu'aujourd'hui la dalle était en ordre. On est en grève et je soupçonne que ce massacre ne s'est pas fait tout seul, je pense qu'on l'a provoqué. C'est beau les mesures de pressions, à la condition qu'il y ait pas de blessés. Aujourd'hui, il aurait pu y avoir des morts.

– Faudrait savoir comment ça s'est enclenché, avança Antoine-Léon.

– Je suis d'accord avec toi, répliqua Jean-Marc. Si tu es prêt à y passer ton dimanche, nous attendrons que la dalle soit déblayée et nous l'examinerons.

– Je suis prêt à y passer la journée, la nuit, s'il le faut, répondit Antoine-Léon.

Il consulta sa montre-bracelet. Il approchait midi.

– En attendant que les gars aient fini de désencombrer, on se commande un Ti-Coq? Tu restes avec nous, Roberge?

Dressés comme des pieux, l'œil en alerte, les trois ingénieurs suivirent la corvée de déblaiement. La tâche était énorme. Pendant tout l'après-midi, des pelles mécaniques et des semi-remorques appartenant à la papetière s'activèrent autour des décombres.

Dans le tintamarre des moteurs, les grosses pièces de bois furent ramassées et jetées dans les bennes pour être dirigées vers l'usine de copeaux. Durant de longues heures, patiemment, les semi-remorques recommencèrent leur manœuvre, jusqu'à ce que les alentours de la dalle soient entièrement dégagés. Enfin, les camionneurs quittèrent la scène.

Le soleil déclinait. Après le vacarme de l'après-midi, le va-et-vient des machines, ils vivaient un moment de tranquillité totale. Aucun bruit ne troublait l'espace et rien ne bougeait. Plus haut, l'arboriduc était encore bloqué à l'entrée du déversoir et un silence inhabituel s'était substitué à son gargouillis journalier qu'accompagnait le fracas des billots heurtant ses flancs.

Ils s'approchèrent du trou immense laissé par la section éventrée. D'un œil expert, ils examinèrent la base et les côtés intérieurs de la dalle sans rien trouver d'anormal. Ils orientèrent leur investigation vers l'extérieur.

L'imposant assemblage en bois, à la lente déclivité, était assis dans toute sa longueur sur des trépieds rapprochés faits de solides troncs croisés sur lesquels reposaient des supports. Ceux-ci devaient assurer la stabilité de la descente d'eau constamment ébranlée par les grumes qui frappaient les parois de l'attirail.

Ils l'examinèrent avec attention. Tout leur apparaissait intact, ils ne distinguaient aucune trace de pourriture sur les matériaux, ni sur les bords, ni dans le centre éventré.

Soudain, leurs yeux s'agrandirent de stupeur. Ils n'avaient pas la permission de toucher à ce qu'ils voyaient, cette tâche appartenait aux inspecteurs, mais ils avaient compris qu'ils venaient de trouver. Les yeux rivés sur les grosses pièces de charpente, ils ne parvenaient pas à accepter ce qu'ils voyaient.

— Ça ne casse pas de même, se récria Antoine-Léon, ce sont des troncs massifs, c'est plus fort que des poutres.

Ils se penchèrent davantage. Dans la déchirure, ils venaient de remarquer ce qui ressemblait à une coupure. La ligne leur paraissait trop belle, trop nette.

— La nature n'a pas coutume de bien travailler de même, souffla Jean-Marc.

Les autres acquiescèrent. Exaltés, d'un même mouvement, ils étendirent leur examen à d'autres parties de la structure. Plus haut, un tronçon offrait les mêmes caractéristiques, puis un autre et encore un autre.

— Jésus-Christ! s'exclama Jean-Marc, ce ne sont pas des cassures que je vois là, ce sont des traits de scie à chaîne. Pis pas rien qu'une coupe par-ci par-là. Il y en a partout, sur les chevalets, les supports, j'en compte sur quatre segments de pattes.

À différents étages, sur les côtés, au-dessus et au-dessous, les appuis et les trépieds avaient été sectionnés partiellement juste assez pour les affaiblir.

Jean-Marc était effaré.

— Il faut que Gravel, le chef syndical, voie ça. Je me demande si ensuite, il va être encore un inconditionnel de son groupement.

— Il y a aussi les *pitounes*, raisonna Antoine-Léon. Elles n'ont pas décidé d'aller s'empêtrer toutes seules en travers de la *floom* et c'est pas le bon Dieu qui les a rivées là. Quelque chose a dû les bloquer.

À nouveau, ils examinèrent l'intérieur éventré et accrochèrent leur regard aux billots qu'ils voyaient retenus en travers de la paroi. Soudain, encore une fois, ils comprirent. Ici et là, de longs clous dont ils distinguaient les pointes étaient entrecroisés afin de bloquer leur descente. Ils étaient sidérés.

— Ça prend tout un front pour planter des clous de même, fit Jean-Marc, c'est pas ordinaire, des clous de douze pouces!

La dalle avait été sabotée, c'était évident et, à en juger par l'ampleur de l'amoncellement, ce méfait avait dû être perpétré au cours de la nuit.

— Six de mes hommes ont été suffisamment blessés pour être transportés à l'hôpital. Ils auraient pu être tués, proféra Jean-Marc. Et il y en a cinq autres qui vont devoir supporter leurs bosses pendant un bout de temps. Ce que ces bandits-là ont fait, c'est criminel, une tentative d'assassinat ! Je vais commander une enquête policière. Il faudra que les coupables soient découverts et punis.

— Ils ne seront pas difficiles à identifier, prononça Damien, c'est la même gang de Montréal qui est venue à la scierie pour nous intimider et qui a cassé la jambe d'un de nos contremaîtres.

— Ben, on va les refouler chez eux, pis leurs boss avec, hurla Jean-Marc. C'est pas ce qu'attendaient nos gars de par leur accréditation syndicale et c'est pas comme ça que le mouvement va se gagner la faveur des patrons.

Le ciel s'enténébrait. Le soleil était descendu vers l'horizon et ils n'y voyaient plus rien. Il ne leur restait qu'à rentrer chez eux.

Accablés, le dos courbé, ils montèrent dans leur voiture. Antoine-Léon fit un détour par la rue Marquette et s'engagea vers les hauteurs en direction de sa résidence.

Il était préoccupé. Il se demandait quelles seraient les implications de cette grève sur toute l'économie de la région. Il se demandait surtout jusqu'où pouvait aller l'inconscience de ceux qui n'avaient qu'une idéologie à œillère. L'économie était florissante et leur région ne connaissait pas le chômage. Jusqu'au début de cette grève, chez eux, toute la population avait un emploi stable et vivait bien, il pouvait le certifier. Comment comprendre ce qui avait poussé les travailleurs à briser cette belle harmonie qui les unissait, à voter un arrêt de travail et occasionner tout ce gâchis, ces pertes de revenus pour les familles, tous ces dommages causés, ce non-respect de la propriété d'autrui. Il reconnaissait leur droit d'avoir des exigences, mais n'auraient-ils pas pu revendiquer de meilleures conditions sans recourir à une telle violence ?

Il se rapprochait de sa maison. Il la voyait au loin, tranquille, abritée derrière ses trois jolis résineux comme trois sentinelles dressées.

Les petits cèdres pyramidaux avaient crû depuis les douze ans qu'il les y avait plantés, c'était lors de la construction de leur résidence et il les chargeait de souvenirs. Il avait hâte de se retrouver dans ses affaires, goûter la paix familiale et la douceur de ses lieux.

Une animation semblait se déployer sur la chaussée, une animation plus importante que d'ordinaire. La saison était douce, les enfants devaient s'amuser dehors, déduisait-il.

Soudain, il porta toute son attention. Intrigué, il lui semblait distinguer Élisabeth et deux de leurs voisins dont le juge Fortin qui habitait en face. Tous trois gesticulaient. Que se passait-il?

Inquiet, il enfonça l'accélérateur et pénétra dans la cour.

— Enfin, tu arrives, cria Élisabeth au bord de la crise de nerfs. C'est beau s'occuper du boulot, même un dimanche, mais faudrait pas que tu négliges ta famille au point de mettre sa vie en danger.

— En danger?

Interloqué, il descendit de son véhicule et regarda autour de lui. Le juge Fortin s'avança.

— Il y a que pendant ton absence, quelqu'un a lancé un caillou dans un carreau de ta salle à manger et l'a cassé. Il devait transporter une bonne provision de roches parce que d'autres résidences dans ta rue appartenant à des cadres de la compagnie ont aussi été visées, sans toutefois qu'il y ait bris.

Antoine-Léon pâlit.

— Vous avez vu qui a fait ça?

— Évidemment non, répondit le juge. Quoiqu'il faille être culotté pour venir lancer ça en plein jour, ça prend quelqu'un qui pense avoir tous les droits.

— L'épouse de Raymond Blouin qui habite plus haut a raconté avoir vu passer devant sa maison une Buick noire avec un haut-parleur, expliqua Josette Duval.

Antoine-Léon hocha sentencieusement la tête, montrant qu'il avait compris.

— Ce que tu ne sais pas encore, c'est que Damien Roberge a eu droit à la même médecine, poursuivait Élisabeth. Louise vient de m'appeler, il y a quelques minutes, pour m'en faire part. Elle était affolée.

Subitement, elle éclata en sanglots.

— Je ne veux plus rester ici. Je veux m'en aller chez moi, à Saint-Germain, je veux être auprès de mon père. Je te le demande, Antoine-Léon, démissionne, abandonne ton poste.

— Calme-toi, la retint-il. On ne peut pas tout laisser en plan, s'enfuir comme des peureux pour une vitre cassée. Nous allons régler cette affaire, nous avons déjà commencé d'ailleurs.

– J'ai pris sur moi d'appeler la police, dit le juge. Un agent s'en vient. Il rédigera un rapport dans lequel je donnerai toutes les informations. C'est malheureux que ton policier locataire ait quitté pour s'installer dans sa nouvelle demeure. Élisabeth se serait sentie plus en sécurité.

Antoine-Léon était consterné. Il ne pouvait s'empêcher de se replonger dans ses interrogations. Qu'arrivait-il à leur communauté ? Comme partout, ils avaient leurs ennuis, leurs désagréments ordinaires, mais, en général, la vie était tranquille. Qui était cet extrémiste, derrière les exécutants, qui tirait les ficelles et venait saborder leur sérénité pour que la ville entière connaisse la peur ?

Une grève est un débat entre deux factions pour en venir à un accord et le moyen de pression prévu est l'arrêt du travail. Elle devait se faire dans le respect des règles. Les familles n'avaient rien à y voir et devaient être tenues à l'écart de leurs affrontements.

Quel vent de haine soufflait brusquement sur eux ? Étaient-ils en train de payer un trop-plein de bonheur ?

La criminalité avait toujours été presque inexistante dans leur coin de pays. Personne ne voulait de ces débordements subits, de ce gangstérisme.

Ils ne se laisseraient pas faire. Ils se ligueraient, décida-t-il, et leur ville redeviendrait le havre de paix qu'ils avaient toujours connu.

31

Le lendemain, par lettre circulaire, Jean-Marc Rondeau convoqua dans la salle de conférences de la rue Marquette, les directeurs de la papetière, ceux de la scierie, ainsi que Rodrigue Gravel le dirigeant syndical régional. L'affaire était grave et le temps n'était plus à la condescendance, disait le texte de sa convocation. Il fallait réagir.

Ils s'étaient tous amenés à l'heure dite.

Jean-Marc était déjà là, assis au bout du long panneau.

Sa mine sombre et ses paupières gonflées disaient sa nuit d'insomnie, son inquiétude et sa ferme intention aussi de régler enfin ce problème. Ses deux bras sur la table entouraient une épaisse liasse de papier.

Il attendit que tous soient installés. Le geste lourd, il laissa courir son pouce sur la tranche de l'imposant document en même temps qu'il amorçait sur un ton de profonde indignation :

— Voilà compilé le dossier des activistes syndicaux. Jusqu'à aujourd'hui, à aucun moment, nous n'avons répliqué à leurs attaques, même si elles étaient de plus en plus nombreuses et sauvages. Nous n'avons fait que parer les coups. Ces actes : bris de matériel, de véhicules, pneus crevés, barrières endommagées, incendie dans les réserves de grumes, et j'en passe, sont plus que des moyens de pression, c'est du saccage. Hier, ils ont dépassé les bornes. Ils ont saboté la dalle, avec la conséquence que onze hommes ont été blessés dont six sont encore à l'hôpital. La grève n'est pas une excuse aux méfaits. Les syndicats, pas plus que quiconque, n'ont le droit de détruire en toute impunité, et attenter à la vie des gens. Comme tout citoyen, ils doivent être mis en face de leurs responsabilités et en payer le prix. Nous allons exiger que les coupables soient jugés, condamnés et emprisonnés, en plus de rembourser les dégâts.

Chacun avait écouté sa longue tirade sans rien dire. Assis près de lui, Rodrigue Gravel, le représentant syndical à la *QNS* avait baissé les yeux. Il paraissait ébranlé.

Se reprenant, tourné vers Jean-Marc, d'impatience, il secoua les épaules.

— Tu dois nous comprendre, fallait faire quelque chose, provoquer un peu, la compagnie ne bouge pas.

— Provoquer en mettant en péril la vie de gars que tu connais, qui sont tes amis, tes voisins, tes connaissances, tes cousins peut-être, tu trouves ça correct? gronda Jean-Marc. Tu vas pouvoir les regarder en face, sur leurs béquilles ou sur leur canne quand la grève sera finie, tu te demanderas pas si c'est pas un peu de ta faute s'ils sont *emmanchés* de même?

— J'avoue que cette fois, ils y sont allés un peu fort, reconnut Gravel à voix basse, presque inaudible.

Il serra les lèvres. Pareil comportement de la part du syndicat le plaçait dans une situation équivoque. Les gestes commis de façon unilatérale, sans qu'il y ait eu concertation, l'exaspéraient et exaspéraient la majorité des travailleurs. La grève leur appartenait et elle ne se déroulait pas selon leur volonté, avaient blâmé les membres lors d'une réunion interne. Des agitateurs venus d'ailleurs les écartaient et prenaient des décisions de leur propre chef, sans leur accord. Le sabotage de la dalle l'avait particulièrement indigné. Il connaissait chacun des employés qui avaient subi des blessures et il n'acceptait pas que leur vie soit mise en danger au profit d'un mouvement social qui allait de l'avant au triple galop et dont ils avaient perdu le contrôle.

Ces individus prônaient la méthode dure. Il avait le sentiment de n'être, face à eux, qu'une marionnette docile et silencieuse et il en était humilié. Dès leur arrivée, ils étaient montés aux barricades et n'avaient vu de solution que dans la violence, immédiatement s'étaient engagés dans des affrontements qui, à son avis, ne pouvaient que braquer la partie patronale et nuire aux négociations.

Ses yeux fixaient un point vague. Même s'il n'approuvait pas ces façons, il ne pouvait l'avouer devant cette assemblée.

Interprétant son silence, Jean-Marc avait repris :

– Je pense que Gravel sera d'accord avec moi pour dire que ce qui arrive était pas ce que souhaitaient nos travailleurs. Ces étrangers ont débordé de leurs attributions et autorité, ils ont envahi des secteurs qui n'étaient pas en conflit, ils ont semé la pagaille, en plus d'appauvrir la région. Ça va prendre du temps à remonter la pente et tout not' monde va en souffrir.

Encore une fois, Gravel détourna les yeux. Au fond de lui-même, il donnait raison au directeur Rondeau. Ce n'était pas cette violence qu'ils avaient voulue. Ce qu'ils exigeaient, c'était une négociation positive, que les syndicats jouent le rôle de lobbyistes auprès de leur employeur, fonction qu'ils n'avaient pas la capacité d'exercer. Hélas, il ne pouvait leur expliquer. Il s'était présenté dans la salle de conférence à titre d'opposant et il avait pour rôle d'être en désaccord.

– Si vous voulez que ça cesse, brassez la partie patronale, c'est à eux autres de faire un pas. On a voté la grève, parce qu'on veut des améliorations et on va les obtenir, surtout en forêt où les gars mangent mauditement de la misère. « Les riches en usine, les pauvres en forêt », qu'ils se vantent à la scierie des Outardes, ben nous autres aussi, on veut les mêmes avantages.

– Tu avoueras que recourir au banditisme, c'est pas la façon de vous attirer des faveurs, observa Jean-Marc. Vous auriez agi en gens civilisés que vous en seriez pas à un pire point. Ce que vous avez fait vous fera pas une belle jambe, ça va plutôt laisser un goût amer…

– Le droit de négocier est assorti de moyens de pression, jeta Gravel avec un peu plus de fermeté. Ils ont pris celui-là.

– Le sabotage de la dalle se voulait un acte de représailles devant l'échec essuyé de fermer la scierie et investir la forêt pour entraver les activités de nos bûcherons, coupa sèchement Antoine-Léon. Ce qui est inquiétant, c'est que vous avez adopté une revanche de gangsters.

– Une enquête est en cours, indiqua Jean-Marc, son timbre s'élevant d'un cran. Les coupables seront identifiés, traduits en justice et condamnés à des peines de prison. J'ai de plus exigé de la sûreté du Québec une surveillance rigoureuse. Des hélicoptères s'en viennent. Ils auront ordre de survoler la dalle, jour et nuit, jusqu'à la fin de la grève et ils auront à leur bord des agents armés, comme des soldats !

Damien secoua la tête, il était excédé.

— Je vous écoute et je peux pas me rentrer ça dans la tête. En être rendus là, en 1981, nous autres, des Québécois, réunis ici, en train de se demander comment assurer notre sécurité comme si la guerre était déclarée.

Outré, il asséna son poing sur la table.

— Calvas! y a-t-il quelqu'un qui va nous réveiller? On vit comme si on était envahi par un ennemi étranger quand on a affaire à des petits Québécois comme nous autres qui ont été payés pour venir briser nos biens et faire du grabuge chez nous. La CSN est le pire syndicat que les bûcherons de la *QNS* auraient pu choisir. Leur discussion, ç'en est pas une, c'est un refus systématique, pis du saccage. Je le sais, j'ai négocié avec eux quand j'étais à l'emploi de l'autre compagnie. Leur objectif, c'est de pousser les employeurs à la ruine, s'approprier leurs entreprises, les gérer à leur manière et prendre les profits pour ensuite crier à la ronde qu'ils ont sauvé les emplois des travailleurs. Ben, j'ai jamais vu d'industries menées par des syndicats qui ont duré longtemps. Je les ai plutôt vus maintenir les emplois à coup de subsides du gouvernement. Et ils appellent ça de la démocratie. C'est pas de la démocratie, c'est du fascisme!

Il reprit en connaisseur:

— Ah! les porte-parole ont la manière. On leur a appris à s'exprimer à voix basse, avec lenteur afin de donner plus d'intensité à leurs mots, tout ça, minutieusement étudié, leur air grave à fendre le cœur, devant ce pauvre ouvrier exploité…

Il proféra avec énergie:

— Aucun gréviste sur la Côte-Nord, même parmi les purs et durs n'avait souhaité un tel gouffre les séparant de leur intention première qui était d'améliorer leurs conditions de travail et d'avoir une augmentation de salaire raisonnable.

Se retournant brutalement, il interpella Rodrigue Gravel:

— Qu'attendez-vous pour changer de syndicat et vous joindre à notre FTQ? Notre groupement est peut-être pas gros, mais il a réussi à nous gagner un tas d'avantages, et ça, sans faire de chahut, dans le respect de la démocratie, ce que vous essayez de faire en vain, vous autres, depuis un an, à coups de masse.

– On y pense, reconnut Rodrigue. On a déjà discuté certains points à l'interne, faut dire que notre entente avec la CSN arrive à son terme seulement en janvier 82, et pis, faut d'abord en finir avec la grève.

***

Le même après-midi, les jours et les nuits qui suivirent, les citoyens perçurent le ronron continu des hélicoptères qui survolaient la ville et les environs, principalement la dalle, de son point de départ dans le déversoir de la Manic jusqu'à son aboutissement dans l'usine de copeaux.

Les émeutiers n'avaient pas réagi. Ils se tenaient tranquilles, si tranquilles qu'on aurait pu croire qu'ils avaient quitté la région.

De concert avec la police municipale, les agents de la sûreté du Québec procédèrent à leur enquête. Pendant plusieurs jours, ils firent défiler les principaux acteurs de la grève et retinrent quelques individus catalogués comme des fauteurs de troubles.

Après moult pourparlers avec les chefs syndicaux qui se défendaient bec et ongles, assuraient qu'ils n'avaient approuvé aucun de ces actes de vandalisme, encore moins le sabotage de la dalle, les policiers identifièrent les coupables et les firent emprisonner.

Les initiatives douteuses prises par certaines factions syndicales au nom des membres et sans leur consentement suscitèrent un blâme général de la part des citoyens. Les journaux locaux firent largement écho du mécontentement de la population et même de plusieurs syndiqués indignés. Ces prises de position eurent pour effet d'effriter un peu d'admiration mêlée de crainte dont le groupement bénéficiait auprès de la population en plus d'amenuiser son prestige auprès des adhérents. La confiance n'était plus la même.

Les citadins pouvaient respirer. De nouveau rassurés, ils étaient retournés à leurs affaires et osaient circuler dans les rues.

Nerveux, les chefs syndicaux réunirent les grévistes de la région. À grand renfort de promesses, en plus de les assurer de leurs précieux services, ils les éperonnèrent.

– Vous avez hâte que la grève finisse ? Pour ce, faut persévérer, acculer les patrons au pied du mur, exiger, vous investir. Il sera pas dit que vous aurez sacrifié vos emplois pendant un an sans rien obtenir.

Les syndiqués quittèrent l'assemblée en approuvant de la tête. Ils convenaient qu'ils ne pouvaient rester sans rien faire, ils devaient réagir, insister et en finir ! Il fallait accentuer les moyens de pression, avaient dit les leaders, montrer leur force, leur ferme résolution de mâter l'employeur et obtenir l'entièreté de leurs revendications.

Ils amorceraient leur croisade en augmentant le nombre des piqueteurs aux endroits stratégiques. C'était légal et la partie patronale n'aurait rien à redire.

Les cohortes furent doublées face aux bureaux de la rue Marquette et à l'usine de copeaux derrière.

Ils ne se contentaient plus de quelques marcheurs oisifs battant le pavé. Rassemblés en foule, ils s'étaient munis de pancartes toutes neuves et chargées de slogans, « À bas l'exploiteur », disaient les uns. « Le droit aux profits », lisait-on sur d'autres, « Justice pour tous », « La vie de pacha, pas rien que pour les boss », « On veut manger à notre faim » et combien d'autres formules, brandies au-dessus de leurs têtes.

La sûreté du Québec n'intervint pas. Tant que chacun s'en tenait à la règle et paradait en colonnes ordonnées le long du chemin public, sans incursion dans les limites des propriétés, les grévistes étaient dans leur droit.

Cette attitude nouvellement civilisée avait réjoui les cadres qui franchissaient les piquets de grève, la nuque raide, peu impressionnés par les harangues. Il en avait été de même à la scierie où employés et forestiers pouvaient exécuter leurs tâches en paix et retrouver leur efficacité.

C'est ce que se disait Damien, tandis qu'il s'amenait dans sa voiture vers son bureau. Le mois de mai entamait sa deuxième semaine. C'était un matin doux, rempli des fragrances de la mer. De chaque côté de la route, des gouttelettes de rosée mouillaient les feuilles basses des sorbiers et les faisaient reluire dans le soleil.

Il approchait huit heures trente et c'était pour lui le moment d'entreprendre sa journée.

Une pile de documents près de lui sur son siège, il roulait vite. Tantôt, il assisterait à un important colloque. Il était pressé de se plonger dans ses dossiers et les étudier avant sa prestation.

Il traversa un taillis ombré d'arbustes sauvages et se retrouva dans la clarté du jour. Autour de lui, les peupliers se couvraient de chatons duveteux comme mille petites fleurs sur leur parure vert tendre.

Une sensation de sérénité l'avait envahi. Bientôt, la saison chaude s'installerait. Il s'imaginait, projeté sans transition au plus fort de la canicule, avec tous les ennuis de la grève réglés, la paix revenue sur la Côte-Nord et tous les ouvriers à l'ouvrage. D'un revers de main, il écarta son rêve fou. Il savait bien qu'il devrait traverser les étapes une à une et les vivre durement, les unes après les autres.

Un soupir fusa de ses lèvres. Il reporta son attention sur la route, il se rapprochait de la scierie.

Il émergea brusquement de ses rêves. Quelque chose au loin l'intriguait. Les sourcils froncés, il étira le cou vers le pare-brise. Là-bas, près du chemin d'accès, un mouvement semblait se déployer, une agitation qui éveillait en lui une désagréable sensation de recommencement.

Deux autobus jaunes étaient rangés au bord de la chaussée. Tout près, quelques hommes grossissaient un cercle. Certains, pancartes à la main, arpentaient déjà la voie publique, d'autres, formant un attroupement serré, se tenaient près de la barrière.

«Calvas! rugit-il, pas encore eux autres! Ils ont donc rien compris!»

Il avait atteint le groupe. Les hommes l'avaient regardé se rapprocher et avaient resserré les rangs.

Tous ses muscles se contractèrent. Cette meute de vautours ne l'empêcherait pas d'aller à ses affaires, résolut-il. Sans ralentir, il manœuvra le volant et s'orienta vers la petite route.

Prestement, une dizaine de grévistes gagnèrent la chaussée. D'un bond, ils lui barrèrent le passage.

– On passe pas, crièrent-ils dressés en barricade devant lui.

– Je passe, rugit-il en abaissant légèrement la vitre à sa portière.

Il fit ronfler durement le moteur.

– Tassez-vous sinon je vous écrase comme des chenilles, hurla-t-il encore.

– Y a pas un char qui va passer dans c'te chemin-là. T'en sors à pied, pis tu cours avertir tes gars de fermer boutique et se joindre à nous ou ben…

Ils entourèrent le véhicule. Aussitôt, avec ensemble, les mains agrippées aux pare-chocs et aux ailes, à poussées musclées, ils le soulevèrent et le firent balancer dangereusement.

– Tu r'cules ou tu fais un tonneau ! cria l'un.

Damien sentit un flot de colère inonder sa poitrine et monter jusqu'à son front. Jamais une telle fureur ne l'avait possédé, il suffoquait. Ses deux mains se crispèrent sur le volant.

Rapidement, il s'engagea en première vitesse, enfonça brutalement l'accélérateur et klaxonna de toutes ses forces. Les hommes sursautèrent. Effarouchés, ils s'écartèrent. Le véhicule bondit et s'étouffa. Autour de lui, le petit groupe s'était figé, le temps de comprendre. Soudain, ils s'animèrent. La frayeur passée, ils s'étaient ressaisis. D'un même élan, ils se ruèrent vers lui.

Nerveux, Damien tourna la clef et tenta de relancer le moteur. Enfin, un ronron remplit l'habitacle. Très vite, il enfonça l'accélérateur et aussitôt freina.

Plus haut dans le chemin d'accès venaient d'apparaître une vingtaine de policiers en uniforme. Il ne cachait pas son soulagement. Les agents de la brigade antiémeute étaient déjà là. Dissimulés derrière le taillis, ils attendaient les manifestants de pied ferme, revêtus de tout leur attirail d'intervention : veste de cuir, gilet pare-balles, pantalon de drap rude et bottes rejoignant leurs genoux, casque protecteur et visière, bouclier au bras et matraque à la main. Tous avançaient d'un pas pesant. Ils avaient eu vent d'une possible incursion et ils étaient accourus. Derrière eux, la cour grouillait de monde. Encore une fois, les deux cents travailleurs, leur équipe accrue par les petits entrepreneurs de la forêt, avaient déserté les ateliers. Armés de bâtons, la mine décidée, ils progressaient en silence.

Les policiers s'étaient soudés et couvraient tout le chemin d'accès entre les buissons touffus. Les émeutiers reculèrent. Désarçonnés, ils se retrouvaient peu à peu sur la route. Leur formation composée de quatre-vingts malfrats était insuffisante pour affronter cette cohorte de près de trois cents gaillards déterminés.

Ils repérèrent les autobus jaunes et s'y engouffrèrent. Les moteurs ronflèrent. Les pneus des véhicules crissèrent et disparurent en direction de la ville.

Damien redémarra sa voiture et se dirigea vers l'enceinte. Une grande lassitude chargeait ses épaules. De toutes ses forces, il souhaitait que cette intrusion soit la dernière, que la paix revienne enfin.

***

Ce fut Dominique qui s'en rendit compte la première.

Assise devant la table de la salle familiale, plongée dans son manuel de physique, elle répétait ses leçons. La nuit était tombée depuis peu et il approchait vingt-deux heures.

« L'hydrogène, élément atomique H, formé d'un proton et d'un électron, ânonnait-elle, gaz inflammable et incolore… »

Elle reprit sa lecture.

« L'hydro… »

Agacée, elle secoua la tête. Était-ce son cerveau qui refusait de mémoriser cette matière ou étaient-ce ses yeux qui lui faisaient des misères. Que se passait-il ? Elle avait l'impression que des lueurs vives l'empêchaient de bien lire, comme les éclairs de magnésium d'un appareil photo.

Elle regarda autour d'elle et repéra son frère.

– S'il te plaît, Philippe, pourrais-tu orienter ta lampe-étude ailleurs, tu m'empêches d'étudier.

Absorbé dans sa lecture, Philippe sursauta, poussa un bruyant soupir et repoussa sa chaise.

– Les filles, jeta-t-il en éteignant sa lampe-étude et en la débranchant de la prise électrique, ça ne fait que chialer. Ça se cherche des excuses parce que c'est pas capable de comprendre les sciences. Je vais te faire plaisir, je vais aller étudier dans la cuisine.

– Tu l'éteins enfin, ta lampe, s'impatienta Dominique en poursuivant son décodage.

Son appareil dans la main, son livre sous le bras, Philipe s'immobilisa près d'elle.

– Que c'est que tu veux que je fasse de plus ?

Dominique leva son visage. Étonnée, elle attarda ses yeux sur les alentours.

À l'exception de sa propre lampe, la pièce était plongée dans la pénombre. Il n'y avait nulle lumière. De chaque côté d'elle et au-dessus de sa tête, des lueurs éblouissantes, comme des volutes de fumée brillantes ondoyaient et allaient dessiner des arabesques sur les murs. Elle se retourna. Par la fenêtre, derrière le store baissé, une clarté puissante transperçait les fibres de l'assemblage et venait l'aveugler.

Soudain, s'ajoutant aux halos, des crépitements durs comme des pierres lancées secouèrent les vitres. Des voix tonnantes se faisaient entendre, un jargon incompréhensible amplifié par un haut-parleur.

Le frère et la sœur se consultèrent. Le cœur chaviré, aux abois, Dominique se rua vers la porte.

– Papa !

Assis dans l'autre pièce, devant le téléviseur, Antoine-Léon et Élisabeth accoururent.

– Que se passe-t-il, mon ange ? lui demanda sa mère en la serrant contre sa poitrine. On dirait que tu as vu le diable.

– Pire que le diable, hoqueta Dominique. Il y a quelqu'un dehors, il dirige un flash vers la maison, il a lancé des cailloux dans les vitres et il a crié, une grosse voix, comme des menaces. J'ai… j'ai peur de seulement me tourner vers la fenêtre.

Leur regard balaya autour d'eux. Malgré le plafonnier éteint, la pièce était vivement éclairée comme au milieu du jour. Antoine-Léon se dirigea vers le store et en souleva un coin. Immédiatement, le dispositif s'éteignit. Il laissa retomber la latte plastifiée. Une clarté intense, aussitôt, l'auréola.

Rapidement, il ouvrit le rideau. Il eut le temps d'apercevoir une sorte d'éclairage violent, comme un puissant projecteur ballotté vers les fenêtres de sa maison dans le but évident d'incommoder. Le porteur semblait dissimulé entre les cèdres pyramidaux qui ornaient la façade et il orientait son accessoire vers les fenêtres qui distillaient de la lumière indiquant que ces pièces étaient occupées.

– Il y a du gréviste là-dedans que je mettrais ma main au feu, gronda-t-il. On n'a pas le droit de diriger intentionnellement des faisceaux lumineux sur les maisons. C'est interdit par la loi, même si on le fait au nom d'un syndicat. C'est un délit mentionné dans le Code civil qu'on appelle nuisance.

– Il y a que des cinglés pour faire ça, observa Philippe. Un de mes chums à l'école a raconté avoir eu une voisine qui envoyait des flashs de lumière de même sur les maisons pour déranger les gens. Faut dire que c'était une malade mentale. Ça s'est adonné que le père de mon chum est avocat. Il a fait dresser un constat par la police et a traîné la folle en cour. Il lui a réclamé cent mille dollars de dommages pour harcèlement et préjudice subi. En plus d'être cataloguée comme une déséquilibrée par le juge, elle a été condamnée à payer vingt mille dollars. Avec le bris de vitre, les menaces dont nous sommes les victimes, tu pourrais obtenir plus, p'pa, tu pourrais facilement décrocher un cinquante mille.

– Je suis bien d'accord avec toi et j'aimerais faire la même chose, mais ça s'adonne qu'il y a une grève et que je m'attaque à un syndicat.

– Qu'est-ce que t'attends pour appeler la police ?

– T'as pas pensé devenir avocat plutôt qu'ingénieur, toi ? émit son père en attrapant le téléphone.

***

Philippe et Dominique avaient quitté la maison pour se rendre à leurs cours. On était lundi. Ensemble, ils descendaient la côte vers la rue Marquette. Dominique ferait le trajet à pied jusqu'à son institution tandis que Philippe monterait dans un bus qui le déposerait devant le cégep.

Le soleil était déjà haut dans le ciel. Au-dessus d'eux, les mouettes criaillaient en battant de l'aile. La matinée rappelait un jour d'été. Dans moins d'un mois, ce serait la relâche.

– Je t'ai dit que j'ai trouvé un boulot pour les vacances, déclara Philippe.

– Tu t'es inscrit où ?

– Je me suis inscrit comme moniteur au terrain de jeu et j'ai obtenu le poste.

– Tu as de la chance, fit Dominique. J'aimerais, moi aussi, être monitrice. Mais, sauf pour aller garder des petits monstres, maman ne me permet pas de sortir de la maison.

— Elle a raison, tu serais incapable d'être moniteur, tu n'es qu'une fille.

Piquée au vif, Dominique lui fit face. Elle éclatait de colère.

— Te rends-tu compte comme tu peux être insultant ? D'abord, je ne serais pas moniteur, mais monitrice, ça existe, ça aussi, tu sauras. Tu mériterais que je ne t'adresse jamais plus la parole. Et puis, tiens, je t'abandonne ici et je pars pour l'école dix minutes après toi. À l'avenir, je…

Un bruit avait interrompu sa réplique. Elle se figea. Deux hommes étaient sortis des fourrés et les entouraient. Ils n'avaient pas prononcé une parole, mais leur présence et leurs bras écartés disaient leur intention de les retenir d'aller plus loin.

Épouvantée, elle poussa un grand cri. Vivement, elle fit demi-tour et courut vers la maison. Elle pleurait à gros sanglots.

— Maman, hoqueta-t-elle en poussant la porte, appelle la police, les grévistes sont là, ils veulent nous empêcher d'aller à l'école !

Philippe était entré derrière elle. Son visage était pâle.

— Dominique a raison, maman, faut appeler la police, faut aussi avertir papa.

*** *

— Ça ne peut plus continuer de même, explosa Damien tandis qu'Antoine-Léon lui narrait la mésaventure arrivée à ses enfants. Il s'est passé la même chose avec nos filles.

Il frémissait de colère.

— Louise vient de me téléphoner la nouvelle. Elle est horrifiée. Ils osent s'attaquer à nos familles ! Qu'on s'attaque à nous, passe encore, mais qu'on touche à nos enfants, ça, je le prends pas. Toute cette magouille c'est une affaire d'hommes.

Ses prunelles lançaient des éclairs.

— Je ne permettrai pas qu'on touche à un seul cheveu de mes petits ! hurla-t-il. Je peux être dur quand je veux, très dur même, jusqu'à être redoutable. Pour tout de suite, nous allons exiger une protection de la part de la police et de la compagnie, si ça perdure, nous allons réclamer que le gouvernement passe une loi… et si ça s'arrête pas…

Antoine-Léon lut une menace dans son regard.

– Les autorités devront protéger nos familles, sinon nous allons nous faire justice nous-mêmes, souffla-t-il. C'est un cas de légitime défense et, cette fois, je te jure que les grévistes la trouveront pas drôle. Je vais de ce pas demander un permis de port d'armes. J'ai décidé de m'acheter un fusil, en toute légalité.

Il cria presque :

– Le premier qui pénètre sur ma propriété, je tire !

Impressionné, Antoine-Léon le fixa. Il connaissait Damien, sa détermination était notoire. Sa famille comptait plus que sa vie. Il savait, s'il y avait lieu, qu'il la défendrait de toutes ses forces et par tous les moyens. Il tenta de l'apaiser.

– Il y a vingt-cinq ans que je suis avec la compagnie. C'est une organisation sérieuse. Ils n'ont jamais laissé tomber leurs cadres.

– D'habitude, je suis solide et je fais face à l'intimidation, fit Damien, mais j'avoue que ces bandits ont réussi à me mettre les nerfs à vif.

Il hochait la tête, il paraissait dépassé.

– Oser s'attaquer à des enfants… Où est-ce qu'on s'en va ? Parfois, j'ai le goût de tout abandonner et aller vivre sur une île déserte. Trop, c'est trop.

– Il m'arrive à moi aussi de vouloir tout abandonner, avoua Antoine-Léon.

– Nous allons appeler la compagnie et demander protection pour nos familles.

Le même après-midi, des vigiles s'amenèrent et se postèrent devant les résidences de tous les chefs de direction. La situation était grave.

Jour et nuit, ils se réléguèrent.

Revêtus de vêtements sombres, patiemment ils se tinrent à l'affût, sous les arbres ou encore, les mains dans les poches, arpentèrent les trottoirs. Ils ne se cachaient pas. Parfois, ils prenaient place dans leur voiture stationnée face aux résidences et, assis au volant, surveillaient les alentours.

Les enfants ne quittaient plus la maison sans être flanqués d'un de ces colosses habillés de noir et identifiés comme garde du corps.

Attentif à tout ce qui bougeait autour de lui, il les menait à l'école. Il ne les abandonnait que pour leur permettre de rejoindre leur salle de classe et il était encore là à la fin des cours pour les escorter chez eux.

Au-dessus de la ville, sans arrêt, avec de grands mouvements ondulatoires, les hélicoptères sillonnaient le ciel.

Les familles des cadres étaient claustrées dans leurs demeures. Les enfants n'avaient plus la permission de jouer dehors et leurs déplacements vers les institutions s'effectuaient sous les sarcasmes de leurs camarades, dont certains, fils de grévistes, ne pouvaient comprendre.

Des limousines avec chauffeur venaient prendre leurs pères le matin et les ramenaient le soir vers la maison. Il en était de même pour leurs mères qui ne pouvaient quitter leur foyer sans être flanquées d'un de ces géants noirs.

Privée de liberté, l'existence de ces familles n'était plus que tristesse.

Incapables d'expliquer le comportement, la méchanceté des hommes, les enfants étaient bien malheureux.

Enfin, après deux longues semaines d'intensives négociations, partie patronale et grévistes en arrivèrent à un compromis et les pourparlers aboutirent.

Il y eut vote et les employés acceptèrent les conditions proposées.

L'été était arrivé, c'était le temps des vacances. Les écoles avaient donné congé aux élèves en même temps que la Côte-Nord avait retrouvé son calme.

32

La grève était terminée et les citadins ne cachaient pas leur soulagement. Les activités avaient repris et l'économie, fragilisée par l'appauvrissement de la population, comme un oiseau aux plumes ébouriffées, se redressait lentement.

Les enfants avaient recommencé à jouer dehors. Les rues paraissaient ensoleillées, bruyantes, joyeuses, chargées de cris et de l'animation des travailleurs.

Dans les usines et du côté du port, ouvriers et dockers allaient et venaient d'un pas tranquille, comme si rien ne les avait perturbés, s'affairaient à leurs affaires, avec cette sorte d'indifférence qui caractérise les travailleurs à la chaîne.

À la scierie des Outardes, des piles et des piles de beau bois d'œuvre quittaient sans arrêt l'usine de planage pour faire un bref transit dans la cour avant d'être avalées par les camions qui les transportaient vers l'embarcadère. Les opérations, entravées pendant le conflit des forestiers, avaient repris avec une ardeur nouvelle, comme une nichée après la tempête qui refait son nid.

Ils avaient fêté la confédération. Les cadres de même que les membres du secrétariat avaient commencé à déserter les bureaux pour prendre leurs vacances. Les corridors vides étaient animés de petits craquements qui résonnaient en écho devant l'enfilade des portes closes.

Antoine-Léon mettait ses dossiers à l'ordre. Il s'absenterait pendant les trois dernières semaines du mois d'août. Devant lui, sur son meuble, une brochure publicitaire colorée et invitante occupait une large place. Dans moins de six jours, il délaisserait son poste et amènerait sa famille sur les plages d'Atlantic City. Tandis que les enfants s'adonneraient aux sports nautiques, Élisabeth et lui joueraient au golf. Peut-être le soir, iraient-ils miser quelques dollars au casino, des sommes minimes, car ni lui ni Élisabeth ne croyaient à la bonne fortune que faisaient miroiter ces établissements chargés d'effervescence. À leur retour, ils se rendraient dans le Bas-du-Fleuve pour leur visite annuelle. Pendant qu'Élisabeth irait embrasser son père, il passerait un moment auprès de sa mère dans son foyer, après quoi, ils regagneraient leur Côte-Nord.

Le téléphone retentissait près de lui. Il émergea de son rêve. C'était Marie-Laure. Qu'arrivait-il pour que sa sœur l'appelle ainsi à son lieu de travail ? Une crispation monta dans sa poitrine. La veille, Élisabeth et elle avaient communiqué. Pendant de longues minutes, elles avaient potiné, bavardé de tout et de rien, sans manifester le moindre souci.

Inquiet, il l'interrogea avec un peu de brusquerie :

– Qu'est-ce qui se passe ? Y a-t-il quelqu'un de malade chez toi ?

– Tout va bien à la maison, répondit-elle.

Elle fit une pause. Brusquement, elle éclata en sanglots.

– C'est maman, cria-t-elle. Son cœur ! Elle allait bien jusqu'à hier, elle a eu une attaque ce matin, à son réveil.

Antoine-Léon enserra durement le combiné. Sa main tremblait.

– Marie-Laure ! Est-ce que…

– Non, le rassura-t-elle, mais si nous voulons la voir vivante, il faut y aller immédiatement.

– Immédiatement !

Antoine-Léon courba la tête. Ses doigts frictionnèrent son front. Il était malheureux et il se sentait pris au dépourvu. Il tenait à revoir sa mère une dernière fois, mais comment s'absenter ? Le personnel était réduit, le moment était mal choisi.

Devant l'épreuve, le moment est toujours mal choisi, soupira-t-il.

Il tenta de s'expliquer :

– À cette période, plusieurs confrères sont absents et je les remplace. Si on pouvait remettre ça à la semaine prochaine, je serais alors en vacances.

– Antoine-Léon Savoie, le tança Marie-Laure, il s'agit de notre mère !

– Ce n'est pas ce que j'ai voulu dire. Je me demandais seulement si sa santé était si précaire que je ne puisse retarder ce voyage de quelques jours. Ici, nous avons vécu une année difficile et la scierie recommence à peine à rouler. Si je pouvais ne rien déranger. Je vais en discuter avec Damien, décida-t-il brusquement devant son mutisme.

– Il y a pire, dit encore Marie-Laure. Nous serons seuls pour nous occuper de maman. David en est incapable. Sa santé se détériore au point de se demander s'il ne va pas partir avant elle.

– Je sais, David ne va pas bien, acquiesça-t-il sombrement.

Il se rappela sa dernière rencontre avec son aîné. C'était quatre mois auparavant, à l'occasion de Pâques, alors qu'Élisabeth et lui étaient allés rendre visite à sa mère. Sous le prétexte d'un gros contrat de construction à négocier, David ne les avait pas accompagnés. Ils s'étaient arrêtés chez lui avant de quitter la région. Ils avaient eu peine à reconnaître dans ce visage ravagé le bel homme au teint frais, à la chevelure épaisse et bouclée qu'ils avaient connu. Son expression n'était plus la même, ses traits étaient devenus lentement une sorte de repoussoir, comme Cécile. Ils avaient compris pourquoi il s'était refusé d'aller voir leur mère…

– Il y a plusieurs mois qu'il n'est plus allé au Foyer, expliqua Marie-Laure, il lui téléphonait chaque jour, jusqu'au mois dernier où son visage a commencé à paralyser et ses lèvres à gonfler. Incapable d'articuler correctement ses mots, il a cessé de l'appeler.

– Pauvre David, je ne savais pas que sa maladie avait autant progressé, se désola Antoine-Léon, je suis si occupé ici et les semaines déboulent si vite. Maman doit se poser des questions. David est le seul parmi ses enfants qui habite près d'elle.

– Il est préférable qu'elle ne le voie pas. Tu ne l'as pas entendu récemment? Moi, si. Ses phrases ne sont qu'un bredouillage. Je n'ose imaginer le choc que ce serait pour elle. Heureusement, les petits-enfants la visitent régulièrement.

Elle reprit sur un ton contenu:

– La maladie de notre sœur Cécile m'a marquée. J'étais adolescente à l'époque. Je n'oublierai jamais son visage déformé, ses yeux globuleux, son front enflé, sa tristesse, son refus de la mort, c'était horrible. David souffre du même mal. Il est aussi défiguré qu'elle, son front est aussi bombé, ses yeux, aussi globuleux et il refuse tout autant la mort qu'elle l'a refusée, ce qui en fait un être acariâtre et malheureux. Il ne veut pas que maman le voie ainsi et qu'elle souffre. Il a évoqué tous les prétextes pour ne pas aller la visiter.

Antoine-Léon approuva en silence. Lui non plus n'avait pas oublié cette période difficile qu'avait été la maladie de Cécile, son cancer au cerveau, sa mort à l'âge de trente-six ans. Jamais, il ne pourrait effacer de sa mémoire l'image de leur mère, le chagrin qu'elle avait éprouvé.

– La maladie et la mort ne nous abandonneront donc jamais, déplora-t-il. Je prends le premier avion et je te rejoins à Québec. De là, si cela te convient, nous partirons dans ta voiture.

***

Couchée dans son lit, les veines de ses bras brisées par les nombreuses tentatives de lui injecter des substances médicamenteuses, une perche supportant un soluté près de sa tête, Héléna les regardait s'approcher.

Antoine-Léon serra les lèvres. Une sensation d'inconfort l'avait envahi. La pièce lui paraissait d'une tristesse infinie. Avec ce soleil qui refusait de percer les fenêtres, elle lui semblait grise, austère, différente de ses précédentes visites, comme si on l'avait aménagée de façon expéditive, pour un usage ultime.

Une table carrée avait été posée près du lit. Dessus s'alignaient un sphygmomanomètre, un pot en verre rempli de boules d'ouate, un autre contenant des éponges, de même qu'un bassin réniforme et quelques seringues dans leur emballage stérile, tous ces dispositifs à l'usage des grands malades. Un peu à l'écart, une bombonne d'oxygène révélait l'urgence possible de son utilisation.

L'ensemble lui apparaissait froid, déroutant. Il ne distinguait plus rien provenant de la grande maison. Tout était dépouillé, sévère, rappelait une chambre de nonne, comme si, ayant perdu tout goût à la vie, sa mère s'était départie de ce qui lui appartenait pour vivre d'austérité. Qu'advenait-il des toiles de maître, rapportées de sa résidence, que Marie-Laure et elle avaient pris un si grand plaisir à accrocher aux murs, de même que de ses délicates porcelaines qu'elle avait groupées sur les meubles et qu'elle caressait comme un symbole chaque fois qu'ils venaient la visiter ? Seule, sa berceuse près de la fenêtre constituait un objet lui ayant appartenu jadis.

Comment accepter, après avoir connu tout ce luxe, que sa mère en soit réduite à vivre dans cette chambrette triste, sans couleur ?

Marie-Laure l'avait devancé près du lit.

– Comment allez-vous, maman ? Nous sommes accourus aussitôt que nous avons su.

– Encore en vie et coriace, malgré un cœur qui fait des siennes, articula difficilement Héléna.

Elle les considéra tour à tour.

– Je regrette d'avoir bousculé vos occupations. J'ai fait des affaires suffisamment longtemps pour savoir que, quand la mort frappe, ce n'est jamais le bon jour.

– Ne parlez pas de mort, maman, la retint Antoine-Léon, vous êtes trop jeune. Vous avez eu une faiblesse, c'est tout.

– Et toi, mon fils, tu es parti de bien loin, dit-elle sans relever son propos. Accaparé comme tu es par ton travail, tu as dû faire un gros effort pour te libérer.

– Pas du tout, mentit-il. Je m'apprêtais à vous faire une visite, je suis sur le point d'être en vacances. Je les ai juste devancées d'une semaine.

Elle posa à nouveau ses yeux sur eux et sourit. Leur présence la rassurait.

– Je me sens bien, tout à coup, haleta-t-elle. Je pense qu'on a exagéré mon malaise et qu'on vous a dérangés pour rien. Notre jeune médecin n'a pas émis le bon pronostic. Il vous a alarmés comme peut le faire un garçon qui manque d'expérience.

Elle laissa échapper un soupir.

– Dommage qu'à cause de son âge le docteur Gaumont ait dû se retirer. Le docteur Lavigne ne va pas à sa cheville. Mais n'ayez crainte, je vais en enterrer d'autres, même que, le printemps prochain, je vais encore planter des patates.

Elle paraissait amusée et ses prunelles brillaient. C'était un de ses traits habituels, sa façon de montrer sa solidité malgré ses quatre-vingts ans avancés.

Silencieuse pendant un moment, elle respira avec lenteur. Elle semblait reprendre son souffle. Soudain, elle se souleva sur ses oreillers. Elle paraissait subitement inquiète.

— Vous allez revenir? interrogea-t-elle d'une petite voix fragile, suppliante.

— Nous avons abandonné notre travail pour accourir vers vous, répondit Marie-Laure. Nous allons retourner à la maison terminer ce que nous avons commencé et ensuite nous allons revenir.

— À partir de la semaine prochaine, je serai en vacances, renchérit Antoine-Léon. Cette fois, Élisabeth et les enfants vont m'accompagner. Nous allons rester plusieurs jours avec vous, bien entendu si ça ne vous fatigue pas trop.

— J'avais cru comprendre que tu partais en voyage?

Il hocha négativement la tête. Il n'osait lui avouer qu'à cause de son état de santé, il avait décidé de renoncer à son projet de séjour au bord de la mer.

— Que fait David, donc, qu'il ne vient pas me voir? s'impatienta-t-elle brusquement. Il me faisait une visite presque chaque jour et maintenant, il ne vient plus, il ne me téléphone même plus. Bertha qui m'appelle a beau me dire qu'il est occupé, que c'est un entrepreneur important, tout de même…

— Il est vrai que David est très pris par ses affaires, expliqua Marie-Laure, mais il demande constamment de vos nouvelles et il nous assure qu'il viendra vous voir dès qu'il aura une minute.

Héléna leva les yeux et soutint son regard. Elle paraissait sceptique. Lasse soudain, elle ferma les paupières et laissa exhaler son souffle.

Ils se levèrent.

— Vous êtes fatiguée, maman. Nous allons vous laisser dormir, chuchota Marie-Laure, nous serons là bientôt.

Héléna ne répondit pas. Tristement, comme elle faisait dans sa grande maison lorsqu'ils allaient partir, elle les regarda s'éloigner. Arrivés près de la porte, ils s'immobilisèrent et lui sourirent. Elle répondit par un faible clignement de ses yeux; ils étaient voilés de larmes.

***

– La prochaine fois que je reviendrai, ce sera en voiture, déclara Antoine-Léon tandis qu'il attendait à Québec le moment de prendre le prochain avion à destination de la Côte-Nord. Tant qu'à me retrouver dans la grande ville, j'en profiterais pour visiter certains endroits et régler des affaires. Je trouve peu commode de devoir prendre un taxi chaque fois que je veux me rendre quelque part, sans compter que ces voitures sont nettement inconfortables.

– Si tu le veux, pour cette fois, je puis te piloter où tu voudras dans le confort de ma Mercedes, proposa Olivier. Par quoi souhaites-tu commencer ? Aimerais-tu aller saluer des confrères dans l'édifice de Rexfor ? C'est à quinze minutes à peine de notre résidence.

Antoine-Léon ébaucha une grimace. Il ne souhaitait pas vraiment revoir ces gens. Les occasions ne manquaient pas de se retrouver face à ce qu'ils appelaient dans leur jargon le « p'tit CA ».

– Tu ne nous as pas dit comment vont les affaires depuis la fin de la grève, observa Olivier. D'après ce que m'en a rapporté Marie-Laure, la vie, là-bas, n'est pas toujours jojo. Tu commences à prendre de l'âge. Tu n'as pas envie de sonder ailleurs, te chercher une job tranquille et céder la place à un plus jeune ?

– J'y pense, mais j'hésite, j'aime les affrontements.

– Il y a aussi ton neveu Emmanuel qui serait heureux comme un roi si tu t'associais à sa firme de transport. Il n'arrête pas de nous le dire.

– Je sais, il me le répète à moi aussi chaque fois qu'il se pointe à la scierie. Mais je ne suis pas très chaud à l'idée d'aller vivre à Saint-Germain. Je sais que ça plairait à Élisabeth, mais il faut être pratique. Nous avons deux adolescents qui sont sur le point d'entrer à l'université. S'il faut déménager, je voudrais que ce soit dans une ville universitaire, ça faciliterait leur logement.

Le visage d'Olivier s'éclaira.

– Alors, c'est tout trouvé, tu déménages à Québec. Pour tout de suite, je t'amène au bureau du ministère des Terres et Forêts, tu y poseras ta candidature.

Antoine-Léon éclata de rire. Cette proposition était la plus extravagante, la plus saugrenue qu'on pouvait lui faire. Habitué au grand air et aux activités extérieures, il se demandait comment il pourrait supporter d'être installé dès huit heures trente le matin dans un local étroit, surchauffé et enfumé, et n'en sortir que le soir, vers seize heures, à l'heure des fonctionnaires.

– Alors, tu viens ? insista Olivier.

Son visage affichait sa tiédeur. Bah ! se dit-il. Faire cette demande ne l'engageait à rien. S'il était accepté et que l'emploi ne l'intéressait pas, il n'aurait qu'à refuser.

***

On était la troisième semaine du mois d'août et une vague de chaleur s'était abattue sur la province. Assis dans la cour arrière avec leurs amis Suzy et Jean-Marc Rondeau, Antoine-Léon et Élisabeth sirotaient un gin-tonic sur glace. Ils venaient de terminer un tournoi de golf et ils profitaient de cet agréable moment de détente qu'était la fin du jour.

À la suite de sa visite éclair à sa mère, Antoine-Léon avait annulé son projet de voyage et passé la première semaine de ses vacances à Saint-Germain. Cette fois, toute la famille l'avait accompagné et Marie-Laure avait fait de même.

Était-ce la proximité de ses enfants, cette vivacité qu'elle voyait autour d'elle ? Étonnamment, la santé de leur mère s'était améliorée. Appuyée sur le bras de son petit-fils Philippe, elle avait fait quelques pas dans sa chambre. Le lendemain, ils l'avaient retrouvée assise dans sa berceuse. Ils avaient fait part de leur surprise au docteur Lavigne, le nouveau médecin du village. Leur mère avait le cœur fatigué, avait-il expliqué, mais, avec de bons soins, elle pourrait étirer un peu sa vie.

Ils étaient demeurés auprès d'elle pendant toute la semaine.

Chaque jour, ils l'avaient vue reprendre des forces. Elle avait recouvré sa joie de vivre et son appétit. Elle badinait avec eux, se prêtait même à quelques projets dont rafraîchir cette lugubre chambre laissée à l'abandon et se donner un cadre plus proche d'elle.

Ils l'avaient quittée en lui promettant de revenir en octobre pour son anniversaire.

Le voyage annulé, Antoine-Léon et Élisabeth avaient décidé d'occuper le reste de leurs vacances sur le parcours de golf et aujourd'hui, ils avaient passé l'entière journée avec Suzy et Jean-Marc.

— Vous avez eu de la chance de dégoter ce terrain, observa Suzy, son œil bleu reluquant les alentours. Le site est vraiment superbe. Face à vous, il y a la mer et, à gauche, la ville est à vos pieds. Vous réalisez combien l'endroit est extraordinaire ?

Antoine-Léon sourit. Le compliment le comblait. Il sirota une gorgée de son mélange alcoolisé.

— Mais en arrière, nous avons les voisins de la rue d'un bas, répliqua-t-il avec une grimace.

— Qu'as-tu à te plaindre ? se récria Jean-Marc, tu n'as qu'à regarder à ta gauche, tu vas y trouver d'excellents voisins, dont Suzy et moi.

— Je reconnais que nous habitons dans un quartier distingué. Je regretterais d'avoir à m'en éloigner.

Jean-Marc sursauta. Il se pencha vers lui. Son regard était rempli de curiosité.

— Tu ne nous cacherais pas un quelconque projet, risqua-t-il. Avec tout ce que la scierie t'a fait endurer, il te faudrait être un saint homme pour ne pas avoir le goût de jeter un œil par-dessus la clôture.

Antoine-Léon baissa les yeux. À l'exception de sa sœur Marie-Laure et de son beau-frère Olivier, tous ignoraient la demande d'emploi au ministère des Terres et Forêts qu'il avait faite deux semaines plus tôt, l'intérêt que sa démarche avait suscité, l'accueil enthousiaste qu'il avait reçu. Il l'avait même caché à Élisabeth.

Avivé par l'alcool, Jean-Marc insistait :

— Crache, Antoine-Léon, on est entre amis, t'as pas le droit de nous faire des entourloupettes.

Antoine-Léon ne savait que répliquer. Il n'était pas prêt à partager son secret. Il n'avait aucune idée de sa réaction advenant une réponse positive.

Il avait visité les lieux de travail, constaté la vétusté des murs et des murets en bois verni qui délimitaient l'espace dévolu à chacun comme autant de cellules de moines. Partout, il avait entendu des craquements, des bruits flous, rappelant une rumeur. Il ne pourrait qu'y être malheureux, avait-il songé. Il avait reconnu son incapacité à prendre une décision. Un tas d'impondérables se dressaient et l'en empêchaient comme de grands arbres qui cachaient la forêt.

— Tu as tort de penser que je te fais des entourloupettes. Et si ce n'étaient que des états d'âme, devrais-je les révéler?

— Tes états d'âme ne valent-ils pas que tu les partages au moins avec ta femme? glissa Élisabeth.

Embarrassé, il frictionna son front. Il ne souhaitait pas à cet instant amorcer une discussion de couple, surtout pas en présence de leurs amis. Il cherchait une façon de détourner le cours de la conversation. Derrière lui, le téléphone sonnait.

— Sauvé par la cloche, se dit-il.

C'était Marie-Laure.

— Que fais-tu? rugissait-elle, depuis ce matin que j'essaie de te rejoindre. Où étais-tu?

Elle paraissait malheureuse, elle criait presque:

— Je suis à l'hôpital de Rimouski. Maman a fait un autre infarctus. On m'a appelée aussitôt et j'ai demandé qu'on la transporte à l'hôpital. Comme je n'ai pas réussi à te rejoindre, je suis partie seule. J'ai vu le docteur Lavigne. Cette fois, il m'a dit qu'il n'y avait rien à faire, que c'est une question d'heures. Je t'en prie, ne tarde pas, je suis toute seule et je trouve cela difficile.

Sa réplique s'était terminée dans un sanglot.

Le cœur étreint, il laissa exhaler son souffle. Tout l'agrément qu'il avait éprouvé au cours de cette belle journée remplie de soleil s'était évanoui.

— Élisabeth et les enfants, allons faire nos bagages, émit-il. Nous allons nous embarquer sur le prochain bateau-passeur.

***

Antoine-Léon se précipita au chevet de sa mère. Le jour débutait.

La tête enfoncée dans l'oreiller, ainsi qu'elle faisait chaque fois, l'œil fixe, elle le regardait s'approcher.

— Ainsi votre cœur a décidé de faire encore des siennes, dit-il sur un ton de boutade en allant s'arrêter près de sa couche.

Penché vers elle, il prit sa main et la considéra sans rien dire. Son expression s'était assombrie.

Comme sa mère avait changé depuis les deux courtes semaines qu'il l'avait vue ! Comment ses traits avaient-ils pu s'altérer à ce point ! Son visage était exsangue, ses grands yeux noirs autrefois si vifs étaient aujourd'hui inexpressifs, presque éteints. Il était bouleversé, avait peine à retenir ses larmes.

— Enfin, te voilà, souffla-t-elle. Tu as amené David ?

— Depuis hier, elle ne fait que réclamer David, chuchota Marie-Laure qui était assise près du lit.

— Que fait David, qu'il ne vient pas ? Il faut l'avertir que je suis à l'hôpital, s'énervait-elle. S'il se rend au Foyer, il va trouver ma chambre vide.

Le frère et la sœur se jetèrent un regard et serrèrent les lèvres. Ni l'un ni l'autre n'avait le courage de lui révéler la raison de l'absence de son aîné, lui dire que sa maladie était si grave qu'il était au lit, lui aussi, et qu'il était incapable de se déplacer, comment lui annoncer sans lui briser le cœur qu'il souffrait du même mal que Cécile ?

Lors de leur dernière venue, ils avaient terminé leur périple par une visite à David. Alité, un infirmier en service auprès de lui, il était méconnaissable. Parfois au cours de la journée, avait rapporté Bertha, il demandait à l'infirmier de le porter jusqu'à l'endroit de la maison qu'il préférait, cet angle du boudoir, percé d'une fenêtre qui avait vue sur la mer. Épuisé, après seulement quelques minutes, il ordonnait qu'on le ramène dans son lit.

Comment expliquer à leur mère sans l'anéantir ?

Près d'eux, comme une idée fixe, elle répétait :

— Que fait donc David qu'il ne vient pas me voir ? Ce n'est pas normal. Il n'y a pas d'excuse pour un fils d'être si occupé qu'il ne trouve pas le temps de venir embrasser sa mère mourante.

— David est en dehors de la ville, mais vous verrez bientôt Emmanuel, chuchota Marie-Laure comme une mince excuse. Il avait un chargement de pulpe à transporter vers l'Ontario, mais il doit rentrer aujourd'hui. Aussitôt arrivé, il va venir vous voir, il l'a promis.

— Je désorganise la vie de tout le monde, se désola-t-elle. Pendant que vous êtes ici, vous ne vaquez pas à vos affaires. Le travail, c'est ce qui importe. Je n'attends que David, ensuite, je m'en irai.

Antoine-Léon se rapprocha encore d'elle. Ses lèvres tremblaient.

Leur mère avait tant compté pour eux. Revenaient à sa mémoire les actes de sa vie, des actes héroïques dans le malheur, de tendre patience dans la vie de tous les jours. Avec elle disparaîtrait une époque. Comment évoquer le village de Saint-Germain sans l'y associer ? Avec leur père, elle faisait partie des concepteurs. Indissociables l'un de l'autre, ils étaient vus dans la région comme une légende. Bientôt, à l'égal de leur père on parlerait d'elle au passé. À son tour, elle s'apprêtait à entrer dans l'histoire.

Cette seule pensée déclenchait en lui une forme de terreur.

Combien, à cet instant, il aurait voulu la retenir, faire qu'elle demeure encore avec eux, dernier rappel du bâtisseur qu'avait été son père à qui ils devaient la Cédrière, ce prolongement du village de Saint-Germain.

Aujourd'hui, devant l'évidence, il regrettait son éloignement, ses rares apparitions dans la région, ses deux ou trois courtes visites par année. Il avait manqué à sa mère, il le savait, mais elle ne s'en était jamais plainte. Le cœur lourd de chagrin, il se pencha vers elle et baisa son front.

Elle bougea sur sa couche.

— Il fait chaud, murmura-t-elle, je n'ai jamais aimé la chaleur.

Elle ne semblait pas attendre de réponse. Son regard accroché à la fenêtre, elle fixait un point obscur.

Soudain, un léger tressaillement agita ses membres, ses yeux balayèrent la chambre et s'arrêtèrent sur le demi-jour de la porte.

— David, s'émerveilla-t-elle, la voix couverte de pleurs. Il est là, mon David. Mon petit, tu es enfin venu !

Elle ferma les yeux. Tout son corps s'était détendu. Elle paraissait subitement sereine,

— Maintenant, je puis partir. Édouard, Léon-Marie, les deux hommes de ma vie sont là-haut et m'attendent. Je me demande comment ils se sont accordés pendant tout ce temps. J'espère que Léon-Marie n'en a pas trop demandé à mon bien-aimé Édouard.

Je ne dois pas oublier qu'il était son employeur et qu'il avait ses exigences. Je vais aussi revoir ma Cécile. Elle m'a tellement manqué.

Marie-Laure et Antoine-Léon retinrent leurs larmes. Ainsi pendant toutes ces années, leur mère avait vécu son chagrin, immense, incommensurable, sans jamais le laisser paraître. La perte de deux maris et, plus encore, la perte d'une enfant est une épreuve inimaginable pour quiconque n'a pas connu un tel drame, ils le savaient. Héléna était ainsi faite qu'elle avait montré un visage stoïque et gardé en elle sa souffrance.

— Je suis si fatiguée, entendirent-ils comme un son lointain.

Des bruits inaudibles s'échappaient de sa gorge et un léger frémissement agitait son corps. Alarmés, ils se ruèrent vers elle. Elle eut un sursaut. Tout doucement, ses paupières se soulevèrent et ses lèvres s'entrouvrirent.

— David, Antoine-Léon, Marie-Laure, mes enfants, formaient ses lèvres.

Sa vue s'était brouillée. Lentement, sa bouche se figeait.

Peu à peu, elle se pétrifia dans une expression douce.

Elle avait cessé de vivre.

Derrière eux, une ombre s'était profilée dans la chambre et avait fait craquer les lattes. Dressé sur ses jambes, se tenait Emmanuel.

33

Antoine-Léon était à peine rentré des obsèques de sa mère qu'il dut retourner à Saint-Germain pour celles de son frère.

– Vous allez revenir, me dis-tu ? avait prononcé difficilement David sur un ton d'amertume lorsqu'ils s'étaient arrêtés chez lui dans l'après-midi qui avait suivi les funérailles, bien certain que vous allez revenir, mais ce sera pour m'enterrer.

De même que Cécile qui avait rapidement suivi leur père dans la tombe il avait rejoint leur mère. Cécile y avait mis trois mois, lui n'en avait pris qu'un. Il s'était éteint dans son sommeil.

Avec la mort de son frère disparaissaient les derniers liens forts pouvant le retenir à son Bas-du-Fleuve. Marie-Laure et lui devenaient les seuls descendants vivants du couple qui avait marqué leur région. Il avait le sentiment que l'endroit ne leur appartenait plus et il en avait fait part à sa sœur tandis qu'ils s'orientaient vers leurs demeures respectives.

– Je ressens la même impression, avait-elle répondu. Notre vie est ailleurs. Saint-Germain restera en nous, mais il est notre passé et il comptera parmi les beaux souvenirs que nous raconterons à nos enfants.

Il avait approuvé. Il songeait en même temps que la proposition d'association avec Emmanuel n'avait plus d'intérêt. Âgé aujourd'hui de quarante-huit ans, il avait suffisamment bourlingué, se disait-il, reprenant l'expression de sa mère. Il devait s'assagir et mener une existence tranquille. Sa pensée se tourna vers la scierie, puis, insidieusement, galopa vers le gouvernement provincial et l'édifice du ministère des Terres et Forêts.

Un sentiment de panique comme un pressentiment s'empara de lui.

***

Le mois de novembre était arrivé et la froidure s'installait lentement. C'était le début de la matinée et les cadres de la scierie s'apprêtaient à rejoindre leurs bureaux. Leur regard tranquille balaya la cour et ils s'enfoncèrent à l'intérieur.

Depuis la fin de la grève, l'usine produisait comme à ses plus belles heures. Partout, les cris des travailleurs témoignaient de leur activité. Sans discontinuer, les camions pénétraient dans l'enceinte, remplissaient leur benne de beau bois d'œuvre proprement emballé, frappé du logo des Outardes et faisaient demi-tour. Leurs pneus mordant dans le sol mou, ils s'orientaient vers le chemin d'accès.

Dressés sur le perron, le temps d'une pause avant de réintégrer leur bureau, Damien et Antoine-Léon observaient leurs manœuvres, les suivaient avec un sentiment profond de plénitude presque d'assouvissement, tandis qu'ils disparaissaient à leurs yeux pour aller déverser leur fardeau sur les navires en attente dans le port.

Le terrain était presque vide. Entassée à faible distance du quai d'embarquement, une montagne de grumes formant un énorme cône constituait leur unique réserve. Quelques cages de planches mises à sécher subsistaient encore et, plus près, les grues avalaient les derniers paquets de bois d'œuvre pour les déposer dans les bennes. Au fond de la cour, l'ancien enfer qui avait été leur brûleur à copeaux arborait encore quelques vestiges. Le sol aux alentours était jonché de bouts de bois et strié d'ornières creusées par le passage des poids lourds.

— Ce coin-là est perdu, marmonna Antoine-Léon, il faudra nettoyer ça.

— T'as bien en belle, dit Damier, tu as tout ton temps.

Dans le ciel, le timide soleil coulait une lumière blanchâtre à travers les nuages gris. Antoine-Léon songea que bientôt viendrait la neige.

— Je devrais faire faire cela au plus tôt, même que je devrais le faire faire aujourd'hui, décida-t-il.

Il alla rejoindre le contremaître.

– Tu vas charger deux gars de déblayer l'enfer, qu'ils rasent complètement la place et vous y mettrez du bois à sécher.

Il donna encore quelques consignes et revint sur ses pas.

Les yeux plissés, il ralentit sa marche. Une ombre obstruait le passage du côté du chemin d'accès. Une longue voiture noire venait d'apparaître avec son nez pointu, ses phares avant renflés et cerclés de chromes. Propriété de la compagnie mère et conduite par un chauffeur, elle roulait avec lenteur et se rapprochait de l'édifice à bureaux.

La voiture stoppa près de l'entrée et la portière arrière s'ouvrit. Alphonse Rochon, l'important cadre de la société Rexfor à qui ils devaient la réalisation de la scierie, en sortit et se dirigea vers le perron. Une forme courbée s'était glissée derrière lui. Un inconnu avait quitté l'habitacle et le suivait du même pas tranquille.

Tous deux, revêtus d'un paletot sombre, ils escaladèrent les marches.

Antoine-Léon fronça les sourcils. Piqué de curiosité, il accéléra son allure. Sans comprendre pourquoi, une sensation désagréable l'avait envahi.

Tout en se rapprochant, il examinait l'inconnu. Efflanqué, le cheveu rare sous son feutre, il dépassait d'une tête le petit homme qu'était Alphonse Rochon. Plutôt sec, une moustache en brosse ornant sa lèvre supérieure, il devait avoir atteint la cinquantaine depuis quelques années.

Leur mallette sous le bras, comme deux délégués officiels, ils s'enfoncèrent à l'intérieur. Il se pressa derrière eux. La démarche lente, mesurée, ils accédèrent à l'étage et se dirigèrent vers le bureau de Damien.

Assis derrière son meuble, occupé à ses paperasses, Damien leva les yeux et refréna un léger sourcillement. Tout de suite, il déposa son stylo et repoussa sa chaise.

– Alphonse, quelle bonne surprise! s'écria-t-il en lui tendant la main.

Son sourire, subitement, s'éteignit et sa main s'amollit. Il venait d'apercevoir, un peu en retrait, l'inconnu, chapeau de feutre enfoncé sur la tête, paletot boutonné jusqu'au col, la mine taciturne et l'œil fureteur.

— Réunis tes cadres dans la salle de conférences, ordonna Alphonse en réponse à son accueil. Nous avons à discuter de choses graves.

Étonné, Damien le dévisagea. Alphonse semblait soucieux. La peau de son visage ordinairement sombre, paraissait grise, plus grise encore en ce matin d'automne malgré la lueur dorée du soleil qui filtrait dans la pièce par la fenêtre dégagée.

Vaguement inquiet, il appuya sur le bouton de l'interphone et appela le personnel. Son timbre cassant, aigu, trahissait son inconfort, différait de la voix que chacun lui connaissait, cette intonation claironnante, un peu bourrue qui était sa manière.

Des bruits de portes qu'on referme et des pas ébranlèrent le corridor. Ingénieurs, chef comptable de même que la sténo de service avaient abandonné leurs occupations et se bousculaient dans l'entrée de la salle de conférences.

Alphonse prit place au bout du panneau. Il attendit que chacun soit installé et détacha les courroies de son porte-documents. Avec des gestes brusques, il en retira une brochure plastifiée.

— Je ne vous apporte pas de bonnes nouvelles, amorça-t-il en même temps. Je précise que ça n'a pas de rapport avec la grève même si elle a duré trop longtemps. Le problème est ailleurs.

— Es-tu en train de nous dire qu'on a mal administré ? se récria Damien.

L'arrivée de son supérieur, sans d'abord s'annoncer comme c'était la norme l'avait déconcerté et il cherchait à comprendre. Depuis son irruption, il se retenait de laisser paraître son déplaisir.

— C'est le prix du bois d'œuvre qui m'amène ici et votre administration n'a rien à y voir, répondit Alphonse sans paraître se formaliser. Le bois subit des fluctuations en Europe et nos clients ne veulent plus payer le prix négocié lors de notre entente en 78.

— Qu'est-ce que c'est que cette histoire ? proféra Damien.

Alphonse se pencha sur sa brochure et l'ouvrit à une page qu'il avait cochée.

Avec sa petite taille, son teint cendré, sa voix résignée, il apparaissait ainsi qu'un simple commissionnaire, impuissant et sans envergure, ce qui n'était pas le cas. Alphonse était un homme de pouvoir et d'autorité. Lui-même ingénieur forestier, détenteur d'une maîtrise en administration, il occupait un poste de haute direction et avait la réputation de remplir son rôle de gestionnaire avec grande compétence.

– Si nous voulons conserver notre part du marché, expliqua-t-il, assurer de l'emploi à nos travailleurs, nous devons baisser nos prix, quitte à diminuer considérablement nos profits jusqu'à ne plus en faire du tout.

Il avait parlé sur un ton neutre, avait démontré sa connaissance du domaine qui avait si souvent impressionné ses interlocuteurs. Cette fois, il ne les intimidait pas.

Damien marqua son désaccord.

– On ne peut pas produire sans rien obtenir au bout du compte, rétorqua-t-il. Après l'année difficile qu'on vient de passer, on a besoin de profits, ne serait-ce que pour se motiver. Et puis, c'est pas agir en hommes d'affaires que de gérer une usine en rasant le déficit.

– On n'y peut rien, malheureusement, coupa Alphonse. Le prix du bois d'œuvre a baissé en Europe de cinq dollars le mètre cube. C'est déjà une perte énorme et il est possible que ça ne s'arrête pas là. Là-bas, la concurrence est féroce. Si nos exigences sont trop fermes, ils vont se tourner vers la Chine où les prix sont dérisoires. Nous aurons alors perdu toute possibilité de négociation.

Damien fit un calcul rapide.

– Si j'ai bien compris, cela veut dire que cette perte va se répercuter sur toute notre production. Elle va commencer en forêt avec l'opérateur de l'abatteuse, avec celui qui ramasse le bois, le camionneur qui l'apporte dans la cour, sur le bois débité en longueurs, sur...

– Tu as tout compris, accorda Alphonse.

– Aussi bien fermer boutique.

– Nous allons tout faire pour qu'on n'en vienne pas là, assura Alphonse.

Il paraissait navré. Fébrile, il triturait ses feuilles comme s'il avait longuement étudié toutes les possibilités.

– Nous allons négocier avec l'internationale et tenter de reprendre notre place grâce à la qualité de notre produit qui est supérieur à celui de la Chine, expliqua-t-il, quitte à nous tourner du côté de l'Amérique si on ne s'entend pas avec l'Europe. Nos chargés d'affaires ont déjà commencé à sonder le terrain.

— Pis nous autres, on devra calibrer nos machines pour s'adapter aux mesures américaines et réapprendre à nos gars à calculer en pieds !

Damien était sidéré. Il prenait conscience de ce revirement et savait que cette nouvelle façon de produire ferait grand mal à la scierie.

— La papetière vient à peine de se sortir d'une grève. Ça ne nous concernait pas, mais qu'on le veuille ou pas, ça nous a touchés. Nos profits ont baissé.

— Le marché du bois d'œuvre est capricieux, c'est connu, dit Alphonse. On peut seulement souhaiter que ça ne s'éternise pas. Nous allons suivre la situation de près. Pour ce...

Sa chaise produisit un léger couinement. Il indiqua près de lui l'étranger qui écoutait en silence et jouait machinalement avec la poignée de sa mallette.

— Le CA vous a délégué un attaché commercial. Monsieur Caron, ici présent, est ingénieur comme vous. Nous vous le prêtons pour un temps indéfini. Il aura pour tâche de s'occuper des ventes.

Damien fit un bond violent. Heurté, il avait peine à contenir sa fureur.

— Qu'est-ce que tu racontes là ? En plus de toutes vos misères, tu viens nous ajouter un homme ! Vous autres, le petit CA de Québec, je réussirai jamais à vous comprendre. Tu nous dis que le prix du bois d'œuvre est en chute libre, que nos profits baissent, nous avons déjà un directeur des ventes à Québec et tu nous en colles un autre qui va gonfler notre liste de paie. Comme si nos profits étaient pas assez bas, tu viens ajouter un salaire qui va les faire baisser encore !

Il posa un regard noir sur l'étranger.

— C'est pas que je ne vous porte pas estime, mon ami, mais...

— Vous n'aurez pas deux salaires de directeur des ventes à payer, l'arrêta Alphonse. Il n'y en aura qu'un. Daigneault que tu connais et qui intervenait à partir de Québec, a quitté notre service pour aller vers le privé.

Damien leva involontairement le menton. Interloqué, il prit un temps avant de répliquer :

— Daigneault nous a quittés, pour le privé, répéta-t-il, incapable d'accepter l'évidence.

— Et nous avons engagé monsieur Caron pour le remplacer, enchaîna Alphonse sans relever l'insinuation. Monsieur Caron sera votre nouveau directeur des ventes et nous avons décidé qu'il occuperait son bureau ici au lieu d'être à Québec. Ça lui permettra d'avoir un meilleur contrôle sur l'organisation en général.

— Un contrôle sur l'organisation en général ! martela Damien d'un seul souffle.

Il étouffait.

— Ainsi, nos actes seront scrutés à la loupe ! Es-tu en train de nous dire que le CA a décidé de nous mettre sous tutelle ? Il est pas dit que ça va passer comme du beurre dans la poêle.

— Vous ne serez pas sous tutelle, s'impatienta Alphonse. Vous vaquerez à vos affaires comme d'habitude. Monsieur Caron sera sur place afin de trouver un moyen de minimiser les dépenses. Je reviendrai une fois par mois, avisa-t-il, coupant court à ses récriminations, et replaçant son document dans sa mallette. Ensemble, nous éplucherons le bilan et nous tenterons de limiter encore les frais afin de ne pas fonctionner à perte. Si nous pouvons y parvenir sans mettre un seul travailleur à pied, nous pourrons dire que nous avons réussi. L'objectif est de préserver les jobs. C'est l'exigence du gouvernement, sinon, il va se le faire mettre sur le nez aux prochaines élections et ça, ça lui fera pas plaisir.

Il consulta sa montre de gousset.

— Je ne pensais pas qu'il était si tard, il approche midi.

Pressé soudain, il enfila son paletot. Les épaules voûtées, sa serviette calée sous son bras, il quitta la pièce. Il était porteur d'un message, il avait accompli ce qu'il avait à faire et l'heure était venue d'aller dîner.

***

La présence du directeur des ventes avait ébranlé l'enthousiasme des cadres de la scierie déjà fragilisé par la grève qui avait paralysé l'industrie des pâtes et papiers. Ils étaient furieux. Quoi qu'ait assuré Alphonse Rochon, le grand administrateur, ils avaient le net sentiment d'être contrôlés, jugés comme ayant mal géré les intérêts de l'industrie, contraignant le gouvernement à discuter leur compétence et les mettre sous évaluation.

Achille Daigneault du bureau de Québec avait claqué la porte et s'en était allé vers le secteur privé. Ils se demandaient s'ils ne devaient pas faire de même, donner leur démission et aller voir ailleurs.

Le contact avec monsieur Caron, comme tous continuaient à le nommer, était difficile, le personnage était plutôt avare de paroles, peu liant, comme s'il ne faisait aucun effort pour s'intégrer à l'équipe et ils lui rendaient la pareille.

Le midi, quand les dirigeants prenaient à peine quelques minutes pour avaler leur repas, monsieur Caron allait s'asseoir dans un café de Hauterive et s'y attardait pendant une heure, parfois davantage. Il avait besoin de cette pause avant de se replonger dans ses dossiers, s'était-il justifié.

— Plus fonctionnaire que ça, ça se peut pas, marmonnaient les autres en ravalant leur rage.

Ils ne pouvaient s'empêcher de le considérer comme un intrus, Hubert plus que les autres, lui qui avait été contraint de lui céder son bureau!

Pourtant à une occasion ils avaient fait une tentative pour l'intégrer. C'est Hubert qui en avait eu l'idée.

Un midi qu'ils allaient prendre un repas rapide dans un casse-croûte de Chute-aux-Outardes, il lui avait proposé de les accompagner. Le sujet à l'étude était le sceau de qualité à accorder à un stock de planches présentant quelques défauts. Les déclasser au grade trois ou quatre eût signifié une vente à un prix moindre et une perte d'argent considérable, compte tenu du lot important qui était emmagasiné. Il fallait en discuter et choisir un moyen terme.

— Monsieur Caron ne connaît rien aux problèmes rencontrés dans les industries, lui avait fait remarquer Damien.

— Que diriez-vous si on le mettait à l'ouvrage? dit doucement Hubert. La distribution de tâches est un terme large. On va lui demander de venir luncher avec nous autres et on va le planter.

La relation de Damien et d'Antoine-Léon avec Hubert s'était améliorée. Maintenant qu'ils étaient en opposition avec ce gêneur qu'on leur avait imposé, ils devenaient solidaires.

– Tu peux t'essayer, dit Damien, mais je gagerais pas ma chemise qu'il va accepter.

– Moi non plus, renchérit Antoine-Léon.

Sceptiques, ils suivirent Hubert qui s'éloignait vers le bureau de monsieur Caron.

Ils doutaient de la motivation de l'homme et cherchaient en vain dans ses actes, au-delà de son attention pour lui-même, son intérêt pour l'industrie. Si à cause d'un surplus de travail, ils devaient s'attarder à l'usine tard le soir, dès que les aiguilles de sa montre indiquaient seize heures, monsieur Caron rangeait ses affaires et se dirigeait vers la sortie. C'était ainsi que cela se passait dans son ministère, semblait dire son regard pointu. «Une période de travail ne doit pas excéder la durée prescrite, et pour lui, c'était seize heures. Aussitôt que sonne l'heure, un bon employé quitte le bureau. S'il dépasse ce temps, la fatigue perturbe sa clarté d'esprit et son rendement, le lendemain, ne sera pas le même.»

Hubert les avait rejoints. Il paraissait triomphant.

– Je vous le donne en mille, il a accepté.

Damien et Antoine-Léon pouffèrent.

– Reste à savoir s'il va digérer son dîner.

Ils enfilèrent leur paletot et gagnèrent la sortie. Monsieur Caron était déjà là. Debout sur le perron, il tenait sa montre de gousset dans sa main.

– Il est midi trois, vous êtes en retard, Messieurs, leur fit-il remarquer sur un ton cassant.

Se retenant de répondre, ils se tassèrent dans la voiture d'Hubert et se laissèrent guider vers le snack non loin de la scierie.

Un souffle chaud et enfumé frappa leur visage tandis qu'ils poussaient la porte. Ils s'introduisirent dans la salle et se dirigèrent vers le coin qui leur était coutumier.

Debout près de son siège, figé, monsieur Caron considéra le local rempli de bruits.

L'endroit était plus que modeste. Sombre, exigu, chargé d'odeurs de friture, il offrait de petites tables en bois verni recouvertes d'un napperon de papier et d'une serviette aussi en papier dans laquelle étaient enroulés les ustensiles.

– Le budget qui m'est alloué m'autorise un restaurant de meilleure qualité, dit-il en jetant autour de lui un regard chargé de dégoût.

– Mais ici, le service rapide, observa Damien. C'est ce qu'il faut à des gens occupés comme nous.

– On semble ne servir que des sandwichs, fit-il remarquer en même temps que dans un geste précis, il déposait sa fourchette à sa gauche et son couteau à sa droite. J'ai l'estomac fragile et j'ai l'habitude de manger chaud.

– Vous choisirez un club grillé, avec des frites, suggéra Hubert. Les frites et le bacon sont chauds et le café est brûlant.

Monsieur Caron le fixa sans répondre. Son expression évasive disait que c'était la première et la dernière fois qu'il se laissait entraîner dans pareil lieu.

Sans plus se préoccuper, les trois autres se mirent à discuter avec chaleur. La salle était comble et les bruits assourdissants. Ils devaient hurler pour se faire comprendre. Autour d'eux, des ouvriers, dans leurs salopettes poussiéreuses, mangeaient rapidement et parlaient la bouche pleine. Sitôt leur assiette vide, ils glissaient un cure-dent entre leurs lèvres, repoussaient leur chaise et se dirigeaient vers la sortie.

– Est-ce que vous êtes de cet avis, Monsieur Caron ? cria Damien après un long exposé de la part d'Antoine-Léon.

L'homme épongea ses lèvres avec sa serviette de papier et leva lentement la tête.

– Je n'ai pas entendu ce dont vous avez discuté. De toute façon ce qui se passe dans les ateliers n'est pas de mes attributions. Moi, je m'occupe des ventes.

– Vous pensez que ce n'est pas du ressort du directeur des ventes de faire le rapport entre le coût du bois d'œuvre et les prix offerts sur le marché ? objecta Damien. Allons donc !

– Jusqu'à aujourd'hui, on a pris sur nous de vérifier les coûts de production parce qu'on voulait vous laisser vous familiariser avec la place, enchaîna Antoine-Léon. Le temps est venu de vous mettre au vert et vous faire approuver les chiffres, on a un bilan à remettre et ça presse.

— Ils vous ont pas dit à Québec, dans votre distribution de tâches, que ce travail vous revenait, renchérit Hubert, et qu'il y a un deadline, les chiffres doivent être remis avant la fin de la semaine et c'est votre job. Si vous pouvez pas terminer pendant vos heures ouvrables, vous devrez faire de *l'overtime*... L'Europe attend pas, mais vous inquiétez pas, le concierge vous passera une clef.

Monsieur Caron leva un œil morne, ouvrit grand la bouche pour mordre dans son club sandwich et mastiqua avec lenteur. Son repas avalé, il essuya proprement ses doigts avec sa serviette et sirota son café. L'air indifférent, avec sa langue qui se baladait entre ses dents, il jetait des coups d'œil autour de lui.

Les autres attendirent en silence qu'il eût terminé. Sitôt sa tasse déposée sur la table, ils se levèrent et se dirigèrent vers la sortie.

Monsieur Caron les suivit. Pour la première fois depuis son arrivée, il se pencha sur ses dossiers bien avant l'heure.

34

La région était ensevelie sous un épais duvet blanc. À la scierie, comme invariablement pendant l'hiver, le chemin d'accès était tranquille et les grues jouaient leur rôle dans le fond de la cour. Sans arrêt, leur grand cou étiré vers la montagne de bois vert, elles allaient puiser une charretée de grumes, comme un dinosaure une touffe d'herbes, et la dirigeaient vers le quai d'embarquement.

Les employés étaient tous à leur poste et les machines bourdonnaient.

Monsieur Caron occupait lui aussi sa place derrière son meuble de travail. Les fêtes de fin d'année passées, il était rentré de Québec. Absorbé à ses affaires, la tête penchée, il faisait courir son crayon sur les pages, sans s'arrêter, du matin au soir, empilait dossier par-dessus dossier. Perplexes, les directeurs le regardaient faire. Depuis le mois de novembre qu'il était parmi eux, ils attendaient toujours de lui quelque idée ou suggestion pouvant découler des feuilles qu'il ne cessait de noircir et qui allaient grossir la pile déjà imposante sur son pupitre.

Du côté de la cour, la circulation des camions vers le port étant interrompue pendant la saison froide, les belles piles de bois d'œuvre qui sortaient de la salle d'emballage allaient gonfler l'importante réserve déjà entassée dans un angle près du chemin d'accès. À l'activité intense qui s'y déployait pendant l'été, avait succédé le grand calme de la froidure.

Il n'y avait que les semi-remorques, de même qu'Alphonse qui se profilaient de façon ponctuelle. Beau temps, mauvais temps, fidèle à son engagement, Alphonse s'amenait à chaque fin de mois. Grave, compassé et la mine impénétrable, assis à l'arrière d'une limousine de la *QNS*, il venait examiner les livres. Il s'était présenté la semaine précédente et avait paru satisfait. Ainsi qu'il avait fait en décembre, il avait pris quelques notes et était reparti sans faire de commentaires.

Ce matin-là, Antoine-Léon avait fait sa visite des salles en compagnie d'Hubert. Ils devaient étudier ensemble la possibilité de corriger un léger écart à la tronçonneuse sans retarder la chaîne de production. Ils étaient rentrés dans leur bureau depuis quelques minutes quand la voix de Damien avait percé l'interphone.

Alphonse Rochon était dans l'édifice. De même que ce jour de novembre, il souhaitait rencontrer les dirigeants de la scierie.

C'était la seconde fois en moins de deux semaines qu'il s'amenait chez eux et ils en éprouvaient une certaine appréhension en allant le rejoindre dans la salle de conférence. Ils connaissaient l'homme, ils savaient qu'une visite de sa part aussi hâtive et sans raison signifiée n'était pas de bon augure.

Installé au bout du panneau, il les regardait s'approcher. Son pouce posé sur le fermoir de son porte-documents, il prenait son temps, comme s'il se retenait de communiquer la raison de sa visite et voulait faire durer ce moment où ils ne savaient rien.

Il attendit que tous soient assis. Enfin sa mallette fit entendre un léger déclic. Il extirpa une pile de feuilles qui constituaient un relevé financier et les étala devant lui.

Évitant de regarder son auditoire, il amorça sur un ton morne :

– Le CA a tenu son assemblée, et j'ai été mandaté pour vous transmettre ses conclusions. Cette fois encore, je n'arrive pas avec des bonnes nouvelles.

Il prit un temps avant de poursuivre. Il paraissait abattu.

– Nous avons tout tenté pour redresser l'industrie et nous avons échoué. Je suis venu vous dire que ce conseil que nous avons tenu hier était le dernier.

Sa voix s'éteignit tandis qu'il expliquait :

– Le coup de grâce nous a été donné quand on nous a annoncé que l'Égypte et Londres avaient décidé, sans nous en avertir, de diminuer d'un autre cinq dollars la valeur du mètre cube de bois apporté par nos bateaux qui venaient d'accoster. Nous fonctionnions déjà à perte, nous ne pouvions couper davantage. Fallait-il rappeler nos bateaux avec leur cargaison ? À quels coûts ? Je n'ai pas besoin de vous dire qu'ils ont profité de l'impasse dans laquelle nous nous trouvions. Il n'a pas été possible de faire un arrangement. Avec l'économie qui s'affole, les taux d'intérêt qui se dirigent vers un chiffre exorbitant, nous n'avions plus le choix. Nous devions cesser la fabrication du bois d'œuvre.

Il courba la tête. Son teint habituellement gris l'était plus encore que ce jour de novembre où il leur avait porté la mauvaise nouvelle.

Il reprit avec effort.

— À l'avenir, il ne se fera plus ici que des copeaux, ce qui nous oblige à remercier les deux tiers des ouvriers en plus de couper dans le personnel. Nous avons tenté par tous les moyens d'éviter ce désastre, mais nous n'avons rien pu faire. J'en suis immensément désolé.

Un grand silence couvrit la salle. Il se passa un long moment avant qu'il ne reprenne, la voix étouffée :

— Cette décision est en vigueur… immédiatement.

Brusquement, il enfouit sa tête dans ses paumes.

— C'est la démarche la plus difficile que j'aie eue à faire dans toute ma carrière, murmura-t-il en découvrant ses yeux, et elle me navre autant que vous, d'autant plus que j'ai été l'un des principaux instigateurs de ce projet.

Ses paupières s'étaient embuées. Il ajouta encore :

— J'y avais mis tous mes espoirs, mon énergie, mon cœur…

Il se tut. Les autres le considéraient en silence et avec respect. Ils étaient bouleversés eux aussi. Dès cet instant, l'usine prenait une autre direction. Le sciage, la dignité de leur emploi n'avaient plus leur place, leur apport dans la fabrication du bois d'œuvre, cette noble profession à laquelle ils s'étaient appliqués avec tant de fierté et qui faisait l'envie des autres, ne les honorait plus. Ils ne produiraient que des copeaux.

Damien repoussa sa chaise. Il avait pris une attitude grave, officielle. Ses traits étaient creusés, d'une pâleur de cire.

— Tantôt, avec Alphonse, je vais établir la liste de ceux qui vont partir et de ceux qui vont rester, autant parmi les trois cents hommes à l'usine que parmi le staff. Vous imaginez pas que ce tri va se faire de gaieté de cœur.

***

Une abondante couche de neige ouatait la terre et le mois de février allait se terminer. Damien et Antoine-Léon se retrouvaient seuls dans l'édifice des bureaux avec une secrétaire, le directeur des opérations forestières et le comptable. Les autres cadres et commis avaient tous été remerciés deux semaines plus tôt, de même que les deux cents ouvriers des départements maintenant fermés. Cette résolution leur avait arraché le cœur.

Monsieur Caron avait aussi empilé ses affaires. Son porte-documents gonflé de sa paperasse, sous ses dehors froids habituels, sa mine austère, il avait franchi le seuil pour ne plus revenir. C'était le seul élément positif qu'ils avaient retiré de ce balayage et ils l'auraient bien souhaité dans d'autres circonstances.

Ils ne faisaient plus de bois de sciage. Seule la salle de la tronçonneuse fonctionnait encore au ralenti. Les rares camions qui s'y amenaient roulaient au bout de la cour, stoppaient près du premier quai et vidaient leur benne. Les grumes étaient immédiatement coupées en morceaux de quatre pieds, réduites en copeaux et expédiées vers l'usine de pâtes et papiers.

L'endroit était devenu d'une tristesse inouïe, d'une tranquillité désolante, les fins de jours à peine avivées par les couchers de soleil, comme une longue vague rose et glaciale, nacrant les champs d'une blancheur infinie.

À l'intense activité de la longue bâtisse, aux fracas, grondements, claquements et cliquetis que chacun percevait jusqu'à des kilomètres, avait succédé un profond silence comme un grand vide, lugubre, désespérant qui étreignait les cœurs.

À l'exception des dix roues s'amenant de la forêt, chargés de troncs et des autres qui quittaient la cour avec leur caisse remplie de copeaux, jamais le moindre véhicule ne pointait son nez dans le chemin d'accès, à croire qu'on oubliait jusqu'à l'existence de ce qui avait été, dans un passé récent, la très productive scierie des Outardes, la vache à lait du gouvernement et de la *QNS*.

Pour ajouter à leur infortune, l'habituelle vague de froid qui déferlait sur le mois de février se prolongeait. Le mois de mars était sur le point de débuter que, sans s'arrêter, le nordet s'époumonait et soufflait sur la région sa fureur sibérienne.

Cette période de l'année était la plus difficile qu'avaient à supporter les travailleurs de la scierie, piqués qu'ils étaient au milieu de ce grand champ envahi par la brunante les après-midi à peine amorcés, immense, plat, à tous les vents. Chaque tâche était pénible et exigeait un effort, autant pour les employés que pour les cadres qui devaient abandonner le confort de leurs bureaux et se retrouver dans la froidure afin de régler quelque problème.

C'était ce qu'Antoine-Léon s'apprêtait à faire en cette fin de journée glaciale, cernée par la pénombre.

Chaussé de ses grosses bottes, son capuchon sur la tête, il avançait d'un pas déterminé vers le cœur de l'usine pour rejoindre la bâtisse de la tronçonneuse. Au-dessus de sa tête, la pleine lune enluminait le ciel sans nuage. Il marchait la tête basse, enveloppé jusqu'au cou dans son parka, impatient de voir le vent tiédir, sentir sur sa peau la brise du sud qui viendrait édulcorer cet air pénétrant et frigorifiant.

Une voix, derrière lui, le fit se retourner. Une voiture avait émergé du chemin d'accès et s'était stationnée devant l'entrée des bureaux. Alphonse Rochon venait de descendre du véhicule et l'interpellait en même temps qu'il se dirigeait vers lui.

Il marqua son étonnement. Il se demandait pour quelle raison, cette fois, l'administrateur de Rexfor s'amenait chez eux. Avec le froid sec qui sévissait, Alphonse ne venait certes pas faire du tourisme!

Le vent sifflait et, avec sa capote rabattue, il avait du mal à entendre. Il le rejoignit à grands pas.

— Que fais-tu ici, Alphonse? Si j'ai bien consulté le calendrier, ce n'est pas encore la fin du mois. La vérification des livres est pour la semaine prochaine et c'est pas un temps pour faire des visites de politesse.

— J'ai à discuter avec Damien et toi, mais auparavant, je voulais te voir, Antoine-Léon.

— J'espère que t'es pas trop pressé, j'allais rencontrer un contremaître au quai d'embarquement. Paraît qu'il a une revendication.

— Je ne suis pas pressé. Je peux même t'accompagner.

— Si ça t'arrange, mais habitué à ton confort de Québec, avec le froid qu'il fait, tu vas trouver le chemin long, ironisa Antoine-Léon. La distance est de cinq cents pieds d'ici à là-bas.

— Et puis ? Si tu l'as oublié, je te rappelle que j'ai déjà fait de l'exploration forestière.

Ils avancèrent d'un pas robuste. L'air était mordant et le vent cinglait leurs joues. Déjà, dans l'après-midi à peine amorcé, l'obscurité était complète et ils progressaient presque à tâtons, guidés par la lumière crue des faisceaux lumineux accrochés à la bâtisse et orientés vers la cour.

— Je ne repars que demain et j'ai tout mon temps, mentionna Alphonse tandis qu'ils approchaient de l'aire d'embarquement. J'ai retenu une chambre au manoir pour la nuit.

— Tu viens encore nous annoncer une mauvaise nouvelle, je suppose ? fit Antoine-Léon avec un soupir résigné.

— Je te mentirais en disant que dans le contexte actuel du commerce du bois et de l'économie en général, j'apporte des bonnes nouvelles, mais nous verrons ça en temps et lieu, en présence de Damien.

Il s'exprimait avec franchise. Depuis le mois de novembre qu'il surgissait chez eux à tout moment, ils n'avaient plus de secrets. Il était devenu un familier, presque un des leurs.

Ils étaient arrivés devant la plate-forme du premier quai. À leur vue, le contremaître planta son can-dog dans un tronc.

— Enfin, vous v'là, Monsieur Savoie.

Il paraissait nerveux. Tout de suite, il se lança dans une longue explication.

— Les gars m'ont demandé de vous parler. Y se plaignent de geler comme des cretons à l'ouvrage, pis d'attraper toutes sortes de maladies. Ils disent avoir jamais eu autant *fret* que cet hiver, pis j'pense qu'ils ont raison. Ils demandent si vous accepteriez pas de fermer la bâtisse une quinzaine de jours, le temps que la température se réchauffe. De toute façon avec ce qu'on produit…

Poursuivant son exposé, d'une main, il indiqua du côté des autres départements, la gigantesque bouche de chaleur qui exhalait puissamment son haleine, alors que de l'autre, il montrait, s'introduisant par l'ouverture, le souffle hurlant de la bise, tous deux orchestrant un combat sans merci.

— Les salles sont chauffées, mais dans celle où on traite le bois, là où les grumes arrivent en longueur, le vent remplit en même temps la place. L'opérateur qui est dans sa cabine est à l'abri, mais nous autres, il a beau y avoir des bandes de cuir qui tombent pis qui sont censées couper le vent, avec les billots qui déboulent les uns par-dessus les autres, chargés de glace, pis qui roulent à l'intérieur, c'est comme si ça se refermait pas. Aussi ben dire qu'on travaille dehors.

Antoine-Léon avait écouté en silence. Il aurait tout imaginé que jamais une telle requête ne l'aurait effleuré. C'était le sixième hiver que les billots roulaient sur le quai d'embarquement. Pendant toutes ces années, chaque mois de février, la froidure s'était installée et s'était prolongée.

— C'est pas sérieux.

— Plus que vous le pensez, Monsieur Savoie. Les gars refusent de travailler dans pareilles conditions, ils disent que c'est pas humain.

— Pas humain ? Qu'est-ce que c'est que ces *feluettes* ? C'est pas la première année qu'on a un hiver. Tu vas leur dire de s'habiller chaudement pis de mettre leurs mitaines, ordonna-t-il avec puissance. Il est pas question que l'usine ferme pour des raisons aussi futiles. Je comprends que vous êtes gelés, mais est-ce qu'on a les moyens de perdre de l'argent, et vous autres, avez-vous les moyens de perdre vos jobs ? Faut justifier vos emplois. S'il y en a qui veulent quitter, qu'ils se gênent pas. Y a deux cents chômeurs dans la ville, prêts à prendre leur place.

Alphonse avait esquissé une moue.

— Ouais, tu leur parles à tes hommes.

— Si on veut que ça fonctionne, faut pas les laisser nous écraser. Ça va assez mal de même. Vois à quoi ça mène, une grève, dit-il encore tandis qu'ils s'en retournaient vers les bureaux. Lorsque la scierie a ouvert, jamais les ouvriers se seraient plaints du froid et regarde-les aller aujourd'hui. La grève leur a donné des idées de fainéantise. Est-ce que c'est pour le mieux ?

Alphonse dodelina de la tête.

– Dans le contexte actuel, à leur place, je me permettrais d'être exigeant. Ils ne sont pas responsables des avatars qui ont affecté le commerce du bois. C'est nous qui le sommes, nous qui n'avons pas été capables de maintenir le niveau d'emploi promis, et ça, je le déplore bien gros.

Alphonse paraissait chagriné, attentif à la détresse de leurs ouvriers et Antoine-Léon était surpris. D'un naturel autoritaire, formel, imposant ses vues avec pertinence et sur un ton péremptoire, à cet instant, il courbait l'échine, humblement, s'avouait l'artisan de leurs malheurs.

– J'ai vu que tu avais postulé au ministère des Terres et Forêts, mentionna-t-il, rompant le silence. Tu es toujours intéressé ?

– C'est pas le job de mes rêves, mais si ça empire ici, en attendant de trouver mieux…

– En plus de la raison de mon déplacement, je voulais t'annoncer que ta demande a été acceptée.

– Ah, bon, fit simplement Antoine-Léon sans plus d'enthousiasme.

Les lèvres serrées, ils déambulaient avec lenteur.

– T'as appris pour les employés de la papetière, prononça Antoine-Léon dans le silence, ils ont quitté la CSN pour se joindre à notre syndicat.

Alphonse lui jeta un regard songeur.

– Pressons-nous d'aller rejoindre Damien, décida-t-il brusquement comme si ce sujet n'avait plus d'intérêt.

La porte de Damien était ouverte. Malgré l'étage presque entièrement vide et l'écho qui courait dans les longs corridors, Damien avait conservé son habitude de jeter un œil sur ce qui se passait dans l'édifice.

Assis sur le bout de sa chaise, avec le comptable à sa droite, tous deux penchés sur le meuble jonché de livres de comptes, ils allongeaient les chiffres.

Au bruit de leurs pas, il leva la tête. Immédiatement, il laissa rouler son crayon sur la table et prit appui sur le dossier de son siège.

Une esquisse de sourire tirait ses lèvres. Il lança sur un ton d'ironie :

– Alphonse ! Tes visites ne me surprennent plus. Quelle autre décision de la compagnie viens-tu nous annoncer, cette fois ?

– Comment as-tu deviné ?

– Depuis les jours que je me penche sur les profits et pertes, entre produire cinq à huit millions de PMP de bois d'œuvre par mois et des copeaux, c'est pas difficile de faire la somme. Nous avons déboulé toute une côte. Aussi, ta venue n'est pas une surprise. Depuis qu'on ne fait rien d'autre que d'émietter du bois, je me demande où est notre rôle. Il n'y a rien dans ça qui justifie nos compétences.

– Je n'irais pas jusqu'à t'approuver, protesta Alphonse. Même une usine de copeaux a besoin d'être dirigée. Mais là n'est pas la question.

Il ne prit pas la peine de s'asseoir ni de dégager de sa mallette ses documents coutumiers. Debout devant le meuble, il prononça tout de suite, sur un ton neutre :

– Les administrateurs ont étudié les états financiers et ils ont conclu qu'une décision devait être prise. Nous nous donnons quatre mois d'opérations. Si le contexte ne s'améliore pas, il ne se produira plus rien ici.

– Es-tu en train de nous annoncer que la scierie fermera définitivement en juin, fit Antoine-Léon. T'aurais dû me le dire plus tôt quand je suis allé fustiger le contremaître, j'aurais pas été aussi strict, je les lui aurais accordées les deux semaines de vacances qu'il me demandait.

Penché sur son bureau, consterné, Damien secouait la tête dans un grand geste de dénégation.

– Ainsi, vous avez décidé de fermer définitivement une entreprise de cette envergure. Quand on pense à l'investissement immobilier, les quatre salles, le garage, les hangars, sans compter la machinerie, il faut avoir de l'argent à perdre. C'est vrai que le gouvernement en possède la grosse part et que lui, il a sa vache à lait, il a qu'à puiser dans la poche des contribuables.

– Ne va pas croire que cet immense bâtiment qui a coûté des millions à construire ne servira plus, corrigea Alphonse. Il sera fermé pendant une durée indéterminée, le temps de se retourner de bord et lui trouver une autre vocation. Lorsque nous serons fixés, nous ferons revenir notre monde. Si ce n'est pas pour reprendre la production du bois d'œuvre, ce sera pour continuer à faire des copeaux.

Les copeaux, c'est le mieux qui pourrait nous arriver. Quelle que soit la façon dont se comporte l'économie, nous aurons toujours besoin de papier.

Damien posa ses coudes sur son meuble. Ses doigts jouaient avec son coupe-papier. Son expression paraissait imperturbable. Il débita sur un ton tranquille d'indifférence :

— Le sciage est fini, on ne fait plus que des copeaux, aussi je ne vois pas l'utilité de rester ici. Je n'ai parlé à personne de ce que je m'apprête à vous dire, mais j'ai reçu des propositions de la part de firmes privées. J'ai l'intention de les considérer.

Il prit une profonde inspiration :

— Ta visite d'aujourd'hui, Alphonse, me donne le coup d'envol. Dès que je serai fixé…

Sa voix, brusquement, s'étrangla dans sa gorge. Ébranlé, incapable de poursuivre, il baissa les paupières. Il avait perdu sa superbe et ses lèvres frémissaient. Un silence pesant couvrait l'atmosphère.

Remués, Antoine-Léon et Alphonse avaient peine à contenir leur émotion.

Damien ouvrit de nouveau la bouche. Il articula difficilement :

— Lorsque je serai fixé, je donnerai… ma démission. Je vais quitter… la scierie des Outardes…

De nouveau, la gorge nouée, il croisa ses doigts sur son meuble. Il se tint un long moment, la mine méditative, sans bouger. Enfin, il se redressa. Ses yeux étaient voilés de larmes.

— Je n'ai pas l'habitude de laisser paraître mes sentiments, prononça-t-il avec franchise, mais cette décision que je m'apprête à prendre m'est très, très difficile. J'ai été heureux dans cette ville et je pensais y vivre de longues années encore. Je me suis attaché au pittoresque de la région, à sa nature sauvage, je m'y suis fait des amis et j'ai appris d'eux. Ma femme et mes enfants se sont tout de suite adaptés tellement l'accueil a été chaleureux, spontané…

La voix cassée, il hocha la tête.

— Est-il possible que nous devions quitter tout cela !

Bouleversé, Antoine-Léon serra les lèvres. Il ne reconnaissait plus Damien. Plutôt strict de manières, la phrase lapidaire, il découvrait en lui, non sans surprise, un être sensible, réceptif, vulnérable.

– Moi aussi, je vais quitter la scierie, annonça-t-il à son tour. L'été dernier, un peu à la légère, mon beau-frère m'avait incité à faire une demande d'emploi au ministère des Terres et Forêts. Alphonse vient de m'apprendre que ma candidature a été retenue. J'occuperais le poste en juin, à moins que je ne décide de partir à l'aventure et accepter l'offre de mon neveu comme administrateur dans sa firme de camionnage.

– Tu as quatre mois pour te faire une idée, dit Alphonse. Pour ma part, ma mission est accomplie. Il ne me reste qu'à regagner mon hôtel et prendre l'avion demain. Je continuerai ma tâche qui est de me présenter chaque fin de mois pour la vérification des livres. Je le ferai jusqu'à la fermeture, puis tout sera terminé.

Il enfonça son chapeau sur sa tête. Les épaules voûtées, la tête inclinée vers le sol comme s'il supportait le poids de la terre, il s'éloigna.

Sans un mot, Damien et Antoine-Léon regagnèrent leur bureau. Leur décision respective les atterrait et ils en avaient le cœur brisé. Leur collaboration allait s'arrêter là. Pendant quatre années de support mutuel, ils avaient travaillé d'arrache-pied, s'étaient rejoints dans les épreuves et s'en étaient sortis. Peut-être leur était-il arrivé d'avoir des désaccords, mais ils avaient plus souvent fait montre de solidarité et ils savaient que cette belle complicité leur manquerait.

***

Le deuxième vendredi du mois de mars venait de poindre et, en ce dernier jour de la semaine, Damien avait mis du temps à s'installer derrière son meuble de travail. Habituellement d'une ponctualité exemplaire, pour la première fois, il s'était laissé aller à une forme de laxisme.

Pendant toute la matinée, la secrétaire défila dans son bureau, porteuse de messages, et il l'accueillit aimablement. La mine enjouée, il se permit même quelques plaisanteries avec le comptable et tous deux laissèrent débouler de gros rires.

L'après-midi passa de la même manière, ponctué d'allées et venues de la secrétaire, les bras chargés des dossiers qu'il lui remettait.

Enfin, sa table se libéra. Dans le corridor, l'horloge égrenait cinq coups. Il se figea. Comme si subitement, il découvrait la valeur de ce bruit, son visage était devenu grave.

Les doigts croisés sur son pupitre, il écouta jusqu'à la fin le petit carillon qui tintait vaillamment, puis se redressa. Lentement, il ficha l'embout de son stylo sur sa pointe, le glissa dans la poche de sa veste et repoussa sa chaise.

Avec des gestes gourds, il ouvrit chacun de ses tiroirs, les vida de ses affaires et en bourra un sac de campeur comme celui qu'il utilisait lors de ses expéditions en forêt.

Il avait terminé. D'un élan musclé, il appesantit son balluchon sur son épaule et marcha vers la sortie. Arrivé dans le corridor, il fit un ricochet vers le bureau d'Antoine-Léon et lui tendit la main. Ses lèvres frémissaient, sa paume moite, froide, exprimait sans qu'il le dise, la tension qui l'habitait.

Antoine-Léon suivit sa silhouette abattue, comme ployée sous le faix, qui cheminait vers la sortie.

Damien avait quitté le port et il ne cachait pas son chagrin.

Était-ce ainsi que la compagnie reconnaissait les loyaux services de ses employés, songeait-il, les laissait partir sans un merci, sans une petite fête, sans seulement une montre en or comme recevaient les pilotes du Saint-Laurent en reconnaissance de leurs années de bons offices ?

Il rentra dans son bureau. Il était seul maintenant, les autres étaient tous installés ailleurs. La plupart avaient obtenu de hauts postes pour des compagnies concurrentes. Seul Hubert avait quitté sans rien et s'était cherché un emploi.

– Tu trouves pas étrange qu'on ne t'accueille pas parmi les ingénieurs de la rue marquette ? lui avait fait remarquer un jour, Damien. Dans mon cas, c'est pas pareil, j'ai été engagé pour une tâche spécifique, mais toi, tu as travaillé là-bas pendant des années, tu aurais eu droit à un retour.

Il n'avait pas répliqué. Tandis qu'il faisait ses boîtes, il ne pouvait s'empêcher de se demander, face à ce qu'il voyait comme un échec, si sa décision avait été la bonne, ce matin d'été 1975 quand il avait accepté le défi de construire une usine de sciage, la plus grosse en Amérique, de l'Atlantique aux Rocheuses. Il se demandait si, à l'instar de Luc Gilbert, il n'aurait pas dû refuser l'entente, quitte comme lui, à solliciter un poste dans une autre compagnie et s'installer ailleurs.

Cette réflexion n'était pas nouvelle. Depuis les sept années qu'il travaillait à la scierie des Outardes, la vie n'avait pas été facile et il s'était souvent questionné. Lorsqu'un problème avait désorganisé les opérations, il avait douté, lors d'une friction, il avait encore douté. Chaque fois, il s'était raisonné. N'était-ce pas le lot de chacun d'aller au bout de ses aspirations, en sachant qu'on rencontre partout des embûches?

Sa pensée revint se porter sur Gilbert. Il se demandait encore ce qui l'avait amené à se récuser. Il doutait de l'apprendre un jour.

D'un geste, il chassa ces interrogations. Il avait relevé un défi et il avait établi sa destinée.

La grève et le marché du bois d'œuvre en Europe avaient tout détruit.

« *Va-t-on fermer la Côte-Nord?* » avaient titré les journaux.

Pourtant leur rêve avait été grand. Il évoquait l'enthousiasme des directeurs des différentes ramifications quand ils s'étaient transportés de la rue Marquette vers cet édifice moderne. Tout ce qui se rapportait à la forêt y avait eu son siège. Aujourd'hui, nombre de ces valeureux hommes avaient démissionné et s'étaient orientés ailleurs. Leurs locaux étaient déserts. Tout était fini.

Antoine-Léon n'avait pas le choix. Il devrait quitter lui aussi cette ville où il habitait depuis vingt-cinq ans et qu'il aimait. La décision qu'il s'apprêtait à prendre était la plus éprouvante de toute sa vie. Demain, un écriteau ornerait la façade de sa résidence: « Maison à vendre », y lirait-on.

Il lui faudrait trouver un logis à Québec où, à l'avenir, il exercerait sa profession.

Pris de vertige, il s'appuya sur son meuble. Il se sentait comme un funambule sur le point de sauter dans l'abîme. Devant lui, c'était le vide, le grand vide.

Rien n'arrive sans raison, disait sa mère. Il aurait donné gros, à cet instant, pour savoir ce que lui réservait l'avenir.

Il se secoua de toutes ses forces. Il venait d'avoir quarante-huit ans et il était un homme mûr. Cet âge était celui de la sagesse et de la stabilité. Il avait tout donné pour la compagnie sans jamais songer à sa famille. À partir de ce jour, il s'amenderait.

Le visage d'Élisabeth se précisa dans sa pensée. Quelle serait sa réaction lorsqu'il lui annoncerait que ce jour de travail avait été son dernier à la scierie ? Il l'imaginait au milieu du salon, sidérée, non pas dans la crainte de leur départ, car il connaissait sa soif de retrouver ses racines, mais dans son incertitude face au lendemain, ce serait pour elle un retour à la case départ, elle devrait s'inventer de nouveaux loisirs, se faire de nouveaux amis.

Il connaissait son aisance à se faire des relations, il savait qu'elle s'adapterait rapidement.

Pour sa part, en s'éloignant de cette accaparante scierie, il se rapprocherait de sa famille.

Alphonse Rochon avait affirmé lors de sa dernière visite y avoir mis tous ses espoirs, tout son cœur. Lui s'y était plongé tout entier. Aujourd'hui, il allait abandonner ce dans quoi il avait engagé ses forces, ses convictions, des années de labeur, ce dans quoi il avait cru…

Un sanglot noua sa gorge.

La douleur était vive et il savait que ce moment serait dur à passer. Il lui apparaissait comme une page de journal fraîchement imprimée avec son encre noire, brillante, qui aveugle les yeux.

Après quelque temps, la page serait toujours là, l'encre y serait encore visible, mais elle aurait pâli.

Il rassembla ses affaires. Le temps était venu de rentrer à la maison.

FIN

Glossaire

A
Amanché : installé, organisé
Amanchure : objet bizarre
Astheure : maintenant
Attisée : chargement de bois placé dans l'âtre pour mettre
      à brûler

B
Banique : sorte de galette au maïs, spécialité indienne
         d'amérique
Bardasser : bouger, s'activer
Betôt : bientôt, tantôt
Big shot : grand patron
Bloc : immeuble appartement
Bûcheux : bûcherons
Buck : orignal mâle
Butt and top : grand bout d'un côté et petit de l'autre

C
Câlait : attirait l'orignal en émettant des sons rappelant l'appel
      de la femelle
Caller : appeler
Caneçons : caleçons
Chiâlage : chicane
Chiâleux : rouspéteurs
Chicoutées : petit fruit de la famille des ronces particulier à
        la côte-nord
Choboy : préposé à l'entretien des campements dans les
      chantiers
Chirer : déborder du bon sens
Clairer : faire de l'espace
Cook : cuisinier dans les chantiers
Courts : parcours (de golf)
Cri : aller le cri, aller le chercher

Critiqueux : critiqueurs
Cruise : inventaire d'exploitation
Cups : dans ce cas, cartons en forme de verre

D
Dead line : échéance
Déblayeurs : travailleurs affectés au déblai
Drive : coup de départ
Drum : baril d'acier

E
Écornifleux : curieux
Effoiré : écrabouillé
Étriver : agacer, taquiner

F
Feluette : fluet
Floom : dalle humide, arboriduc
Foursome : au golf groupe de quatre joueurs
Frasil : fines aiguillettes de glace sur les cours d'eau à
    demi-gelés
Fret : froid

H
Helper : assistant
Hommerie : malice d'homme

I
Icitte : ici

J
Jack-leader : monte-pente chaîné qui dirige les billots vers la
    dalle humide
Jacteur : vantard
Jamé : bloqué, coincé
Jobbeur : entrepreneur à forfait

Jobines : travaux simples, d'entretien
Joual : cheval

L
Litte : lit

M
Mazola : huile de tournesol servant à la cuisson

O
Overtime : temps supplémentaire

P
Packsack : sac à dos
Pantoute : rien du tout, pas du tout
Pick-up : camionnette
Pieds – pouces : 4 pieds égalent 122 cm, 1 pouce égale 2,5 cm
Pissou : peureux
Pitoune : billots de quatre pieds
Placoteux : rapporteurs
Plots : en forêt, échantillonnage par lots déterminés pour la coupe du bois
Plottes : façon libertine de dire plot.
PMP : pieds mesure de planches
Pokouéchikan : pain en montagnais
Portageur : ouvrier de la forêt affecté au transport des bagages

R
Rapailler : cueillir, rassembler des choses éparpillées
Retontir : arriver à l'improviste
Ronne : tournée de distribution de marchandise

S
Salebarde : épuisette
S'épivarder : oser, s'exciter
Shift : équipe, quart de travail
Ski-doo : motoneige

Sleigh-ride : promenade en traîneau
Slush : neige mouillée mêlée de glace et lourde
Sorteuse (pas) : n'aime pas les sorties
Sparages : gestes exagérés
Spotté : repéré
Suiveux : (canadianisme) homme sans ressort qui se laisse
        influencer

T
Toune : air connu
Trail : chemin de bois
Trapper : prendre dans un piège
Truies : petits poêles à bois dans les chantiers

V
Ventre-de-bœuf : poche de boue formée sur une route après
        le dégel
Vert : au golf, gazon court pour effectuer les coups roulés

REMERCIEMENTS

« Le rêve est le parfum de l'existence. Celui qui ne s'y abandonne pas est comme une fleur sans odeur. »

Je tiens à remercier très sincèrement monsieur Roger Baron, ingénieur forestier et arpenteur-géomètre pour l'entrevue qu'il m'a si aimablement accordée, les nombreuses recherches qu'il a faites à ma demande, ses précieux conseils enrobés d'humour et la munificence dont il a fait montre en me permettant de puiser dans sa belle odyssée Grandmesnil.

Un immense merci aussi à monsieur Aurèle Saint-Pierre, ingénieur forestier, qui m'a généreusement guidée dans la conduite d'une scierie de cette importance, pour son savoir et sa compréhension, pour sa patience, lui qui n'a pas hésité à plonger dans ses nombreux souvenirs pour me les relater.

Merci à monsieur Hervé Deschênes, ingénieur forestier qui, avec sa douceur et sa gentillesse habituelles, a répondu à mes interrogations concernant les tournées d'explorations forestières.

Un autre merci à madame Danielle Saucier de même qu'à madame Roselyne Babin de la société d'histoire de Baie-Comeau pour les renseignements qu'elles m'ont fournis ainsi qu'à monsieur Jean-Paul Montigny pour l'entrevue qu'il m'a accordée lors de ma visite dans leur belle région.

Enfin, un dernier merci à monsieur François Hazel biologiste au ministère de Pêches et Océans, pour l'intéressante documentation qu'il m'a transmise sur les capelans.

Sans l'apport de ces grands, je n'aurais pu réaliser cet ouvrage.

Avec toute ma reconnaissance.

Janine Tessier

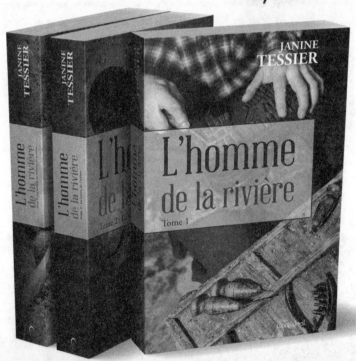